文史哲學集成

鄭子瑜著

中國修辭學史

文史哲出版社印行

文史哲學集成 ⑳⓪

中國修辭學史

主編者：鄭子瑜
出版者：文史哲出版社
登記證字號：行政院新聞局局版臺業字〇七五五號
發行所：文史哲出版社
印刷者：文史哲出版社
台北市羅斯福路一段七十二巷四號
郵撥〇五一二八八一二彭正雄帳戶
電話：三五一一〇二八

定價新台幣七二〇元

中華民國七十九年二月初版

中國修辭學史　目錄

第七篇　中國修辭學發展的再延續期——宋金元代……一九一

第九篇　中國修辭學的崇古期（下）——清代……四七五

第十一篇　結　論

《中國修辭學史》自序

本書初稿名爲《中國修辭學史稿》，於一九八四年五月初版（這是版權頁上的記載，其實是一九八四年底或一九八五年初才出書的），計平裝本數萬册及精裝本數千册，短期間卽行售罄，也許因爲是第一本的修辭學史，如郭紹虞先生的序文所說的吧。

本書於《中國修辭思想的萌芽期》，原只介紹了先秦諸子的修辭思想。在第一節《楔子》裏，提到《詩、大雅、板》的「辭之輯矣，民之洽矣。……」還以爲只是不自覺地偶發的修辭意識。後來再細讀經傳，發覺經傳談修辭的地方可是不少，因另寫《經傳談修辭》一文，加入於第二篇作爲第二節。更由於王人聰、胡性初二先生的示意，說是在甲骨金文中可能有談修辭的記載也未可知，因稍稍涉獵甲骨刻辭和吉金文辭，另寫了《甲骨金文談修辭的記載》一篇，得到管燮初先生的指點，作爲修訂第一版中國修辭思想萌芽期的上篇，而將原來介紹先秦修辭思想的一篇，改作中國修辭思想萌芽期的下篇。我希望能得到更多古文字學家的指教，並有更多更完善的關於這一類記載的發現。（我所發現的甲骨卜辭文字過於簡短，缺乏完整的上下文以資佐證）。

我也陸續收集到一些可以補入其他各篇的資料，打算等待以後有充足的時間才來補寫；但卽使不補寫也沒有多大的關係。只是第九篇（現改爲第十篇）敍述現代修辭學，掛漏的地方較多，李金苓，易蒲二氏在一九八六年第一期的《復旦學報》發表的《評鄭子瑜〈中國修辭學史稿〉》，也指出了這一點。說實話，三十年代以後一些新著的修辭學，我能看到的只是其中的一部分，其餘的是在本書初稿完成了之後才看到的，所以只能在第十篇的小結裏提一提本書未及提到的修辭學著作（限於單行本的）的作者和書名，但也以一九八一年以前出版的修辭學新著爲限，因爲本書的初稿是在一九八一年完稿的。至於臺灣學者的修辭學著作，除了傅隸樸先生的一本以外，我是到了香港以後才看到的，承蒙同事蒙傳銘、黃維樑二先生的提示，已補寫了《臺灣的修辭學研究》一文，作爲此修訂本第一版第十篇的第七節。

關於第九篇（現改爲第十篇）提到的語法修辭結合論，我怕我在初稿裏的提法未必妥善，曾寫了一封徵求意見信，向多位認識的語言學者徵求意見，得到呂淑湘、張志公、胡裕樹、吳士文、宗廷虎、陳亞川、王希杰、林文金、濮侃、胡范鑄、鄭遠漢、袁暉、鄧明以諸先生有精闢見解的回信，爲限於篇幅，只選出有代表性的呂淑湘先生的一封覆信，作爲本書的附論。

本書的「附論」，除了呂淑湘先生的一篇《我對語法修辭法合論的意見》之外，其餘五篇，都是著者自己所寫的：一、與陳望道先生論照應，二、論《史記》修辭之偶疏，三、評傅庚生氏《中國文學欣賞舉隅》與周振甫氏《詩詞例話》，四、評楊樹達氏《古書句讀釋例》，五、讀《談藝錄》與《管錐編》筆記。第一篇是二十餘年前的舊作，曾收入拙著《中國修辭學的變遷》一書（一九六五年日本早稻田大學語學教育研究所出版），第二篇是應邀於一九八一年在香港中文大學中國文化研究所演講的講辭之節錄，其餘三篇，則是最近才寫成的。

最後，我得感謝陳亞川、李金苓、易蒲、王希杰、陳子善、蒙傳銘、黃維樑、陳國球、高岳、王曉祥、羅守坤、趙蒙良、曾志雄諸先生，他們或爲指示本書疏略之處，或爲修訂《中國修辭學史》第一版的問世盡力相助，都是使人難於忘懷的。還有黃永武、黃慶萱二先生爲本書的出版諸多關懷，尤其值得感激。日本友人實藤惠秀先生幾次三番來函詢問本書什麼時候可以出版，他和郭紹虞先生對我都極爲關懷和顧愛，可是本書出版時，這二位前輩學者都已經作了古人了，令人不禁泫然！

一九八七年十月十三日鄭子瑜識於香港。

《中國修辭學史稿》郭序

郭紹虞

當今治中國修辭學者，寥若晨星；尤其在國外，由於資料的很制，研究者更少。可是，我讀到鄭子瑜教授的《中國修辭學史稿》一書的初稿大綱，却不禁躍然而起，認爲空谷足音。

修辭學之所以成爲一種學科，就因爲它能起一種幫助人們修飾言辭文辭的作用。從語言的方面看是言辭，從文字的方面看是文辭。在語文一致的國度裏，可以不必作此區分；但在語文分歧的國度裏，就必須作此區分。比如中國的文學就可有語言型的與文字型的之分。這兩類有統一的一面，也有不同的一面。就其同的一面講，語言與文字本是不可分割的，所有文學作品也都是以語言爲基礎的，至少要有比較共同的普通話，以此爲基礎，才能用來通情達意。假使語言的規律與文辭的規律完全不一致，那又怎能用來作交換思想的工具呢？

但是，中國的文學可有文字型的與語言型的之分，却又是明顯的事實。文至駢體，詩至律詩，可說已變到極端，與口頭語距離得太遠了。然而在單音節的語言與講究音節的文學裏，却不妨有這種極端整齊和駢偶的體制。這種文體是其它各國所沒有的。這也就可見這種文字型的文學還是有它語言的基礎。

何以說文字型的文學會有語言的基礎呢？我們試看小說之類，描寫各種類型的各種人物之口吻，可說是語言型的文學了，然而《紅樓夢》描寫劉老老的口吻：「我們村莊上種地種菜，每年每日，春夏秋多，風裏雨裏，那裏有個坐著的空兒！」（三十九回）其中用四言詞語的地方相當整齊；但這些四言詞語，一方面有一定的順序性，一方面又有一定的音樂性，恰恰符合劉老老的口吻，所以我們必須知道，漢語的本質，卽如駢文律詩這樣的特例，也不是完全違反語言的，不過走向極端，才顯出文字型的特徵而已。

一方面成爲文字型的文學之特徵，一方面恰恰又說明這種特徵，還是符合民歌俚謠的本質，所以「老劉老劉，食量大如牛」，又成爲博得滿堂哄笑的絕妙韵語。這就說明語言與文字、言辭與文辭盡管有相當大的距離，但是一脈相承，還是有其不可分割的一面。

這些意思我在子瑜教授的著作中見之。子瑜教授深知漢語修辭學的特徵，在論淸代的修辭學中，一方面引吳德旋的《初月樓古文緒論》：「古文之體，忌小說、忌語錄、忌詩話、忌時文、忌尺牘」，說明古文與語言不同的地方；一方面又引袁枚的話，謂「古聖人以文明道，而不諱修飾；駢體者，修辭之尤工者也」，認識到駢文與修辭的關係。這不能說鄭氏有些重視文辭，忽視言辭，却恰恰說明他看到言辭和文辭的區別。他在論宋金元的修辭學中，引文天祥語，謂「辭之義有二：發於言則爲言辭，發於文則爲文辭」。這些話每爲一般研究修辭者所忽略，而子瑜教授特拈出之。這就值得注意。當然，文氏之意是兼指人之修業而言，但也不妨引申之看作是一般的言辭文辭之別。依照這樣的看法，那末，子瑜教授之意也就顯然要强調言辭文辭的差異，而與我們所謂語言型與文字型之分，就頗爲接近了。

最後，我覺得子瑜教授之作有幾點值得注意：

第一是他的研究方法能另闢蹊徑，不循一般修辭學的舊轍。一般人好像除辭格外就無所謂修辭學，這實在是一種誤解。從辭格來講修辭，當然可以說抓住了修辭的核心，但這只是解決了部分問題，還不能包括中國修辭學的全部。此書對於辭格，雖也很注意，但更着重在講中國修辭學的歷史，那末，目光所在，就不限於辭格方面了。這是一點。

第二，早稻田大學對現代中國修辭學影響很大，子瑜教授能在那兒講學，講中國修辭學，這眞可說是在魯班門下弄大斧。假使沒有一套眞實本領，又怎會博得他們的信任，這是硬碰硬的鐵一般的事實。然而他竟能博得他們的信任一再受邀聘，並取得盛譽，這就不是容易的事。我想這正因他所講的是中國修辭學的歷史，另闢途徑，可以相輔為用，所以更受歡迎。這是另一點。

但由於子瑜教授是至今為止第一個研究修辭學的歷史的學者，這書是第一本的中國修辭學史，無可借鏡，而子瑜教授又久居海外，找資料比較困難，所以他在自序中謙稱這書或有未盡完善的地方，只能算是一本稿子。這是我們應當加以體會的又一點。

承子瑜先生不棄，千里惠書，囑寫前言，因就所知，聊貢蕪辭，尚望子瑜先生有以教之。

一九七九年九月郭紹虞序於上海。

《中國修辭學史稿》自序

一九六四年四月，我應聘來日本東京，任早稻田大學語學教育研究所客座教授兼研究員，主講「中國修辭學」特殊講座。參加聽講（其實只可以說是共同研究、共同討論）的有實藤惠秀先生（教育學院教授）、大矢根文次郎先生（教育學院教授）、陣內宜男先生（教育學院教授）、原田正己先生（文學院教授）、大村益夫先生（語學教育研究所講師）等，由精通中國語的松浦友久氏任通譯。第二年三月任滿離職。

這一年的生活，可以說是過得很有意義。我們拿早稻田大學校友陳望道氏的《修辭學發凡》來作爲研究的對象，再加以補充和批評；有時比較古今修辭的異同，有時針對漢文特殊的修辭技巧，細心研究作者的構思。從諸位先生所提問題得到的啓示，使我立下了決心，要對中國修辭學的變遷，作一番探討和研究的工作。可惜我那時忙於和實藤先生共同編校晚淸最傑出的新派詩人黃遵憲與日本文人大河內輝聲、龜谷省軒、岡鹿門……等筆談的遺稿，無暇將我們在修辭學講座上討論、研究的結果，加以記錄和整理。這是使我至今還感遺憾的事。

是年五月三十日，由全日本的漢學家所組成的中國語學研究會在早大學行關東區例會，早大的研究會幹事們便推擧蘆田孝昭先生和我在會上演講，蘆田氏講魯迅文章的技巧，我的講題便是《中國修辭學的變遷》。大家知道，談到中國文學的變遷，有中國文學史；談到中國哲學的變遷，有中國哲學史；談到中國史學的變遷，有中國史學史；談到中國文學批評的變遷，有中國文學批評史；只有中國修辭學卻還不曾有「史」，所以我要作大膽的嘗試，乘着這個難得的機會，來和諸位日本漢學家談談中國修辭學的變遷。可惜由於時間上的限制，而且講題的範圍又是那麼廣泛，結果講得不夠周詳和不夠理想自是難免的事。但當時的早大語學教育研究所所長宮田齊先生却賞識它，提議將我這篇講辭和我前後所寫的有關修辭學研究的幾篇論文，編爲一集，由研究所出版，列爲研究所叢書第一種。研究所只將此書寄贈給日本、中國以及世界各國著名大學之設有中國語學講座者，極少公開發售。

由於這篇講辭不夠周詳和不夠理想，所以我決意要重新來編寫。自從離開早大以後，這十餘年來，我曾斷斷續續對中國修辭學的變遷，再作過了一些研求探討的工夫，並且把所能看到的資料，都一一寫下來，或複印下來；只是人事奪光陰，一直沒有機會加以整理和纂述。

郭紹虞先生爲拙著《中國修辭學史稿》而寫的序言，說早大對中國現代修辭學影響很大。早大也栽培了至少三位著名的修辭學家，其一是島村瀧太郎（卽島村抱月），卒業後在母校執教，於一九〇一年著《美辭學》，第二年，又著《新美辭學》，後者確是一部修辭學的權威巨著；其一是五十嵐力，後來也在母校執教，於一九〇九年著《修辭學講話》，所舉《辭姿》，多至三百餘種，是繼《新美辭學》之後的佳作；還有一位是陳望道，他回中國以後，繼續勤求探討，終於一九三二年完成了千古不朽的巨著：《修辭學發凡》。一九七九年第一期的《復旦學報》（社會科學版）有復旦大學語言研究室爲紀念故校長陳望道而寫的一篇《陳望道同志的治學特點》，文中提到了陳氏的修辭學體系的建立，曾引述拙著對他的評價，說：

「至於他的修辭學體系的建立，更是體現了他對古今中外學術方法的成功運用。鄭子瑜《中國修辭學的變遷》評價說：在中國現代修辭學的發展中，陳望道是眞正採用科學方法『徹底將中國修辭學加以革新，把中國各種修辭現象做過歸納的工夫，寫成了一部有系統的兼顧古話文今話文的修辭專書的』第一位修辭專家，鄭著在分析說明陳望道在修辭學研究上擷取了一部分外國的研究成果後指出：『陳氏的修辭學仍舊是他自己的修辭學』『同時也是中國的修辭學』。正是這樣，他對於古今中外學術方法的運用，決不是古董、洋貨的片斷雜陳，而是貫通古今、融合中外的有機統一，是一種創造性的學術勞動。」

我久居新加坡，環境特殊（可說是個商業社會），參考書既不易得，又缺少共同學習的朋友，所以學養不足，自是意料中的事。去年春天，大東文化大學爲了要創辦外國語學研究院，聘請我來當半永久性的教授，以講授「中國修辭學研究」。我自慚出身於特殊的環境，學養確有不如人的地方，若非加倍努力，不足以報答衆人的厚望，故想配合我的教學工作，將十五年前在早大出版的《中國修辭學的變遷》從頭改寫，松浦友久先生也勉勵我應該繼續努力。我的改作注重在對中國歷代修辭論的引證和批評，更名爲《中國修辭學史稿》。郭紹虞先生看了本書的初稿大綱（只是本書的一個輪廓），預爲本書寫了一篇序文，先輩的鼓勵，使我又是感激又是慚愧。但由於我的學養不足，再加上時間有限，所以寫得不完善和疏漏的地方，相信是在所難免的。所以這書只能算是一部稿本，希望以後能有修訂的機會。

一九七九年十月十五日鄭子瑜序於東京大東文化大學中國語學研究室。

凡例

一、本書於同一朝代或同一時期的修辭論，乃是根據所論的性質以及各家意見之異同而加以歸類和作先後的安排，未必依照作者生年或著作之先後而加以論列。

二、本書於引述各時代作者的修辭理論的前後，或加以說明，或作比較、論列，很少說到作者的生平。（卽使說到，文字也很簡略。）因爲作者的生平與作品的思想內容關係較大，與修辭理論的關係較小；而且這一類作者的生平，讀者如果覺得需要，也不難自己查考，所以只得從簡從略。

三、本書所引文字，除一小部分根據原版本核對並注明版本名稱外，其餘大部分引文，是根據近年來新刊本核對的，不再一一注明原版本的名稱。

第一篇 緒 論

一、「修辭」二字的含義——兼論文辭和語辭

現在讓我們來談談「修辭」這兩個字的意義。

修辭的「修」字，據《說文解字》九篇上「彡部」所說：「修，飾也。從彡，攸聲。」段玉裁注道：「修之從彡者，灑刷之也，藻繪之也。」《論語》十四《憲問》篇也說：「子曰：『爲命，裨諶草創之，世叔討論之，行人子羽修飾之，東里子產潤色之。』」（譯成現代語是：「孔子說：『鄭國外交辭令的創製，裨諶起稿，世叔提意見，外交官子羽修改它，東里子產又作了文辭上的加工。』」）以上各書，都把「修」字作「修飾」解，或作修飾用。這都是從狹義來解說或使用「修」字的。如果從廣義來說，「修」字實含有調整或適用的意思。例如下擧的一個故實，曾見於楊樹達氏《漢文文言修辭學》所引：

> 平江李次青元度本書生，不知兵。曾國藩令其將兵作戰，屢戰屢敗。國藩大怒，擬奏文劾之，有「屢戰屢敗」語。曾幕中有為李緩頰者，倒為「屢敗屢戰」，意便大異。

王嘉璧氏輯《西山臬》引《泊宅編》云：

歐陽永叔守滁作《醉翁亭記》，後四十五年，東坡為大書重刻，改「泉冽而酒甘」為「泉甘而酒冽。」今讀之，實勝原句。

同書又引《零陵總記》云：

荆公嘗讀杜荀鶴詩：「江湖不見飛禽影，岩谷惟聞折竹聲」，改云：「宜作禽飛竹折。」

金王若虛《滹南遺老集・文辨》有云：

東坡《超然臺記》云：「美惡之辨戰乎中，去取之擇交乎前」，不若云：「美惡之辨交於前，去取之擇戰乎中」也。

明陶宗儀《說郛・隱窟雜誌》云：

汪內相《勸主上聽政表》云：「漢家之厄十世，知光武之中興；獻公之子九人，念重耳之獨在。」蓋佳語也。或曰：若移上句為下句，則善不可加矣。

以上所舉的幾個例子，實際上都沒有修改一個字，只是把字、語或句倒置或交換位置罷了。像這樣的修辭現象，只能說是調整或適用，不能說是修飾。

再說「辭」字。《說文解字》十四篇下「辛部」說：「辭，訟也。從𤔔，𤔔，猶理辜也。𤔔，理也。」朱駿聲《說文通訓定聲》說：「按分爭、辨訟謂之辭。」引申為言說的意思。《荀子・正名篇》有「辭合於說」的話，注謂「成文為辭」。《易・繫辭》說：「其旨遠，其辭文，其言曲而中」。《禮記》三十二《表記》篇說：「情欲信，辭欲巧」。《論語》十五《衞靈公》篇說：「辭達而已矣。」說辭要文，要巧，要達，指的都是成文的辭，與文法上表示一個觀念一個意思的「詞」是不同的。《說文解字》段注說：「積文字而成篇章，積詞而爲辭。」例如「天作淫雨」一語，「天」是一個詞，「作」是一個詞，「淫雨」又是一個詞，是共有三個觀念不同的「詞」，但合起來看，便是所謂「積詞而成辭」的「辭」。所以「修辭」的「辭」，是「言之成文」的「辭」，並不是在文法上代表一個觀念的「詞」。

但自秦漢以來，詞與辭時常被人渾用了，如《史記・儒林傳》說：「是時天子方好文詞」；韓愈《柳子厚墓誌銘》說：「居閑益自刻苦，務記覽，爲詞章，泛濫停蓄，爲深博無涯涘，而自肆於山水間。」這裏「文詞」和「詞章」，都是指文章而說，本來應該寫作「文辭」和「辭章」才對，可是却被司馬遷和韓愈渾用了。《後漢書・蔡邕傳》說：「……辭章、術數、天文。」這個「辭章」的「辭」字便用得對了。

至於將「修辭」二字連用，最早見於《易・文言》：「君子進德修業。忠信，所以進德也；修辭立其誠，所以居業也。」唐孔穎達說：「修辭立其誠，所以居業者，辭謂文教，誠謂誠實也；外則修理文教，內則立其誠實，內外相成，則有功業可居，故云居業也。」孔氏以「修理文教」釋「修辭」，這《易經》裏的「修辭」和我們現在所說的「修辭」不同。有人爲着適合於今義，將「修辭立其誠」解作「整理其言說以確定其所欲達之意。」這種說法有點兒牽强附會。我們現在所謂「修辭」，據陳望道的「修辭學發凡」所說，大體可分爲廣狹兩義：甲、狹義，以爲修當作修飾解，辭當作文辭解，修辭就是修飾文辭；乙、廣義，以爲修當作調整或適用解，辭當作語辭解，修辭就是調整或適用語辭，也就是《論語》所說的「辭達而已矣」的意思。關於「修」字的廣狹二義，似乎已經沒有什麼好爭執了；至於「

辭」字，到底是文辭呢？還是語辭呢？似乎頗有爭論。

先秦時代，提到的「辭」字，有的指「語辭」，有的指「文辭」，沒有一定。《禮記・曲禮》：「安定辭。」疏：「審言語也。」《孟子》：「不以文害辭。」注：「詩人所歌咏之辭。」《荀子・正名》篇：「辭也者，兼異實之名以論一意也。」注：「說事之言辭。」《說苑・善說篇》引子貢語：「出言陳辭，身之得失，國之安危也。」指的都是語辭。《書經》：「辭尙體要，不惟好異。」孔穎達疏：「言辭尙其體實要約，當不惟好其奇異。」《論語・泰伯》：「出辭氣，斯遠鄙倍矣。」朱熹《集注》說：「辭，言語；氣，聲氣也；鄙，凡陋也；倍，與背同，謂背理也。」指的也都是語辭。但如《荀子・正名》：「辭合於說。」注：「成文爲辭。」指的却是文辭。

《史通・言語》篇說：「逮漢魏以降，周、隋而往，世皆尙文，時無專對。運籌劃策，自具於章表；獻可替否，總歸於筆札。」這樣看來，在漢魏以前，語辭實在和文辭並重，後來既然以文辭代替語辭，便再也看不起語辭了，於是古人飾辭專對的技術，也就湮沒而不傳了，從此修辭變成爲屬文所專有的事，人們也就誤以爲是「摛辭抒藻」的技術了。但劉知幾以漢魏以前和以後，作爲劃分語辭與文辭的界限，似乎未必合於事實，譬如那梁朝的修辭學家兼文學批評家劉勰，便曾說過這樣的話：「辭者，舌端之文，通己於人。」（《文心雕龍・書記》篇）這所謂辭，指的還是語辭，而不是文辭。唐代韓愈在他的《送孟東野序》裏，歷擧古來能說能文之士，也沒有加以分別，而且說：「文辭之於言，又其精也。」宋朝王應麟《困學紀聞》卷一《易》說：「辭非止言語，今之文，古所謂辭也。」文天祥也說：「辭之義有二：發於言則爲言辭，發於文則爲文辭。」（《文文山全集》卷十一）可見語辭和文辭，有的從口裏說出來，有的著於竹帛或寫在紙上，所用的工具雖然不同，但它們的修辭法原是沒有什麼分別的。從前崇拜文辭時期，有些人往往懷着偏見，以爲既然講修辭，自然修的是文辭，像顧亭林便曾說過這樣的話：「嘗見今講學先生從語錄入門者多不善於修辭。」（《日知錄》卷十九《修辭》）語錄，指的是唐代佛家和宋代儒家的語錄，都比較接近語體，在崇拜文辭的明淸時代，自然要被看作是不善修辭的文體了。實際上，文辭的修辭法還不是以語辭的修辭法做依據？而且從語體出身的方言如「阿堵」之類，（「阿堵」是六朝至唐宋的方言，蘇軾《傳神記》曾引晉代畫家顧愷之的話：「傳形寫影，都在阿堵中。」「阿堵」意謂「這個」。）還往往備受崇拜文辭者的重視；所以我們要講究文辭的修辭法，便不可不先注意語辭的修辭法。

二、修辭學與邏輯、語法及文學批評的關係

任何一門的學科，都不是孤零的，總要與其他的學科發生或多或少的關係，修辭學也不能例外。修辭學英語是 Rhetoric，源出於希臘語 Pntwp (Rhetor)，本來是流水的意思；因爲人類談話，從思想湧出，滔滔不絕，也像流水一般，於是聯想而轉成 Rhetoric。歐洲中古時代的「煩瑣學派」(Scholastic)，把修辭學列做「七藝」之一。所謂七藝是：一、天文，二、算術，三、幾何，四、音樂，五、文法，六、邏輯，七、修辭。前四門叫四術，後三門叫三術。後者三術（文法、邏輯、修辭），彼此是互有關係的。

現在讓我們來看看文法、邏輯與修辭學的關係和分別。金兆梓氏在《實用國文修辭學》一書裏說：

文法者，言語律也；邏輯者，思想律也；發諸心，出乎口，何如斯為當，文法、邏輯之事也；修辭學則不惟欲其當，必使吾之言說何如斯可以曉人而動人，使讀者易於領會吾之思想與想像，然後修辭之能事始畢。故示文章之破格或正格，文法之事也，而修辭則在別文章之美惡；示思想之破格或正格，邏輯之事也，而修辭則在示別表現思想方法之巧拙：質言之，文法、邏輯，予人以規矩，而修辭則欲使人巧者也。雖然，欲吾說之足以曉人動人，必吾心口先不背乎律；不然，蒙昧糾紛，乖剌牴牾，或且索解人而不得。故欲修辭乃當先明文法、邏輯以為之基礎。

這裏把修辭學與文法、邏輯的關係和區別，說得很是得當。

再就語辭和文辭的形成所必須經過的階段來探求，與修辭學有關係的學科，還不只是文法和邏輯罷了。誰都知道，一篇語辭或文辭的形成，必先經過收集材料的階段，而所要收集的材料，不是與社會的知識有關係，便是與自然的知識有關係，於是便非有起碼的社會科學知識和自然科學知識不能爲力。其次的階段是將所收集的材料加以剪裁和配置；要怎樣剪裁，怎樣配置，才會合適，這又非求之邏輯不可。最後的一個階段是寫說發表，所牽涉的學科更多了，要發表語言文字，便應當要有語言學和文字學的知識，雖然不必怎麼高深，但起碼的知識是一定要有的。中國文字，採用單音制，一字一音，當寫說發表的時候，欲收調和音節的效果，又不得不求諸音韻學。再說，積極修辭的目的，不但要使聽者讀者清楚明白，還要使他們心理上有所感受，信服你所寫說的話，於是又非求之心理學不爲功。還有，寫說發表的東西，用怎樣的體裁形式？——是詩歌還是散文，是小說還是戲劇？都和文學有關係；所用的語言文字，又常常是文學的、美學的，也就是島村抱月的所謂「美辭」。所以修辭學和文學、美學的關係，也相當的密切。

但與修辭學關係最密切的學科，要算文學批評了。《文心雕龍》和劉知幾的《史通》大體上是文學批評的著作，但書中常有涉及修辭的地方。從前的人，每每把這兩者混爲一談。其實，修辭學的目的在於教人怎樣寫說美辭美文，文學批評的目的却在於鑑賞和批評已成的作品，其美之處何在，不美之處又何在。兩者的關係雖然密切，却是不容相混的。陳望道氏在《語言學和修辭學對於文學批評有怎樣的關係》一文裏說：

> 語言學所努力的是語言現象和各種社會關係，如生活信仰、風俗等關係的探求，修辭學所努力的是思想和表現關係的探求，兩者都是偏於一般的，原則的設定。而文學批評却大抵是對於某一特殊文學現象的批判。所以兩者之間常存着一個一般和特殊的界限。自然，一般和特殊並不是可以截然分開的，特殊常常需要有一般的認識做前提，而一般又只有從各色各樣的特殊上去抽出來。……但是語言學、修辭學的一般，到底只是工具方面的一般。文學並不是單純工具的運用，文學批評也不能單是工具運用的批評，另外還有任務，要能看出文學反映現實真實到怎樣一個程度，活潑到怎樣一個程度，這便不是語言學、修辭學所能為力。所以語言學、修辭學和文學批評的關係雖然很密切，却也只是密切到一半。而這一半之中，只是修辭學和文學批評的關係密切一點。因為修辭學所用來研究思想和表現的關係的，多半就是文學的緣故。（見傅東華編《文學百題》）

由此看來，要研究修辭學，對於一些與修辭學有關係的學科，是多少要加以涉獵的。

三、中國歷代修辭學發展的大勢

中國修辭學的萌芽和發展，當然是在中國修辭的萌芽和發展之後，因爲必先有修辭然後才能有修辭學。人類自有言語以來便有修辭，這是人類語言發展的一般情況。所以修辭的萌芽應該是很早的，只因原始時代還沒有發明文字，遂使我們無由得知那時候的修辭現象究竟怎麼樣。中國傳說中上古的一些歌謠，似乎未必可靠。最早的可靠的美辭之篇是《詩》，而《詩》又正好是文學作品，遂使我們以爲中國修辭的萌芽和發展與文學的萌芽和發展同時，而中國修辭學的萌芽和發展也就只能和文學批評的萌芽和發展同時了。近來我發現甲骨金文中似乎已有談修辭的記載，所以才試把中國修辭學的萌芽期提早到了商周的甲骨金文時代。

中國修辭和修辭學的萌芽和發展，撇開商周的甲骨金文不談，既然和文學及文學批評的萌芽和發展差不多同時，因此，中國修辭學史的分期標準，除了甲骨金文時代以外，也就不能不參酌中國文學批評史的分期標準了。又因爲中國修辭學所論述的修辭現象，取材自文學作品和哲學作品居多，所以又須參酌文學史和哲學史的發展情況而作爲分期的標準。據此，中國修辭學史可分爲下列九個時期：第一個時期——商周，是修辭思想的萌芽期（上）；第二個時期——先秦，是修辭思想的萌芽期（下）；第三個時期——兩漢，是修辭思想的成熟期；第四個時期——魏、晉、南北朝，是修辭學的發展期；第五個時期——隋、唐、五代，是修辭學發展的延續期；第六個時期——宋、金、元，是修辭學發展的再延續期；第七個時期——明代，是修辭學的崇古期（上）；第八個時期——清代，是修辭學的崇古期（下）；第九個時期——現代，是修辭學的革新期。

中國修辭思想的萌芽，應當從商周的甲骨金文說起；但是自從一八九九年殷墟甲骨刻辭的發現到了現在，還沒有人就刻辭中發現談修辭的記載。本書於中國修辭思想的萌芽，試從商周的甲骨金文談起。商周時候的人還不知有所謂修辭學，不過卜辭中偶爾有與修辭有關的記載罷了。

先秦仍是修辭思想的萌芽時代，那時候也還不知有所謂修辭學。《易・文言》雖曾把「修辭」二字連用，不過這指的却是修理文教，也就是指人之修業而言，和我們現在所說的修辭，其意義是兩樣的。這一點，我在本篇第一節裏已經說過了。《易・繫辭下》說：「將叛者其辭慚，中心疑者其辭枝，吉人之辭寡，躁人之辭多，誣善之人其辭游，失其守者其辭屈。」這和《詩・大雅・板》的「辭之輯矣，民之洽矣；辭之懌矣，民之莫矣。」《抑》的「白圭之玷，尙可磨也；斯言之玷，不可爲也。」《雨無正》的「巧言如流」、《巧言》的「巧言如簧」等，以及其餘諸經傳中的有關修辭論，都只能算是修辭思想萌芽時期端倪的偶現而已。先秦諸子，談到人的言行之時，偶然也有涉及修辭的地方，我們都把它看作是硏究修辭學的難得資料，但他們只是表示飾辭與不飾辭這兩方面的意見，對修辭學還不曾有過具體的概念。《孟子・萬章》篇雖然也提到了《詩經》的誇飾辭句，可是還沒有「誇張」這個辭格的概念，只是覺得這種辭兒實在形容得太過火了，不可以盡信，所以教人「以意逆志」去了解它。

東漢的王充是一個傑出的文學批評家，他的《論衡》一書有許多地方都是論修辭的。《論衡》批評那些華而不實的修辭，思想立場，都十分明確，不像《論語》那麼樣地含含糊糊，讓後代的注疏家去多方臆說。《藝增》、《語增》諸篇，評述誇飾的修辭，尤其態度分明，絲毫不苟。他對於積極修辭的誇張（他謂之「語增」）辭格已經有了較爲具體的印象了。就是較早時唱反調的《說苑》（西漢劉向撰），主張飾辭和所謂「善說」，態度也很明朗，絕不含混。賈誼的《陳政事疏》，提到了諱飾的修辭法的時候，也夾敍夾議，淸楚地表現了自己的觀點。所以兩漢時代，可以說是修辭思想的成熟期。

魏晉南北朝，是中國修辭學的發展期，是修辭與文體結合論的崛起期。曹丕的《典論・論文》，第一次談論到各種不同的文體有各種不同的修辭標準。繼有陸機《文賦》、劉勰《文心雕龍》縱論文體與修辭的關係。更有沈約的《謝靈運傳論》與劉子顯的《文學論傳》……等論列各家修辭技巧。至於談到辭格的，除《文心雕龍》之外，還有劉義慶的《世說新語》，任昉的《文章緣起》，鍾嶸的《詩品》。其中以《文心雕龍》所論，比較精當，有時說明辭格產生的原因，有時又能列舉例證。其餘各書，論到辭格，不是「分析不密」，便是「例證未備」。①中國修辭學到此雖已發展起來，仍是處於初期的階段，因爲對作爲積極修辭的辭格之論述（論多個辭格）在這個時期尚未成熟之故。

隋唐時代，是中國修辭學發展的延續期，也是積極修辭（辭格）論的形成期。皎然的《詩式》與司空圖的《詩品》，是兩部談論辭格較多的著述。此外，如劉知幾的《史通》，白居易的《與元九書》，論述辭格，不但精翔，而且也都能詳擧例證。還有值得一提的，是這個時期日僧遍照金剛所著的《文鏡秘府論》，除了論到辭格之外，也談到了詩的八病。「八病」之說始於沈約，是關於詩的修辭技巧之論，在中國早已失傳了。所以此書對中國修辭學的貢獻是不能否定的。

宋、金、元時代，是中國修辭學發展的再延續期，也是消極修辭論（辭達——合於語法、邏輯）與積極修辭（辭格）論的完成期。中國歷史上有的是一般的修辭學理論，如論文辭與語辭孰重，論理意與文采孰先，等等，雖然也與消極修辭論不無或多或少的關係，但在此以前，它們畢竟沒有直接論及消極修辭所應注意的諸要件。直到這個時期，才有李耆卿（宋）的《文章精義》、洪邁（宋）的《容齋隨筆》、韓子蒼（宋）的《陵陽室中語》、王若虛（金）的《滹南遺老集》等明確地論及。

至於積極修辭（辭格）論，也是始盛於宋人的詩話、筆記之類的著述之中。實際上，陳望道氏的《修辭學發凡》所舉的四十個辭格，大部分已在這個時期論述過了，而且也舉了不少的例證；只是辭格的名稱或與陳氏所定的未盡相同，也不曾像陳氏那樣替各個辭格立下了精闢而又明確的定義而已。詩話有時談論詩的作法，有時記載詩人的事跡，有時却又評論詩句；而在評論詩句的時候，往往會涉及辭格的例證。我所採以引證的這一個時期的詩話、隨筆，取材原則是：一、所論辭格，言之成理者；二、所論辭格，言之不成理者（因爲正可與言之成理者相對照）。那些所論既不成理又非不成理的泛泛之論，則寧缺無濫。還有所論與先已稱引者重複而無新鮮之意見者，也一概不取。可是，論修辭頗爲精警的詩話和隨筆，却被我所遺漏的恐怕也未嘗沒有，滄海遺珠，料所難免，只好等待以後有機會時再來增補了。

明、清二代，是修辭學的崇古期。所謂崇古，是指主文派烜赫一時，如方孝孺的《遜志齋集》，宋濂的《宋學士文集》，顧炎武的《日知錄》，阮元的《文言說》，姚鼐的《述庵文鈔序》，劉大櫆的《論文偶記》，章學誠的《文史通義》，王介的《圍爐詩話》，吳德旋的《初月樓古文緒論》等，都主張修辭的辭應該是文辭而不是語辭。其實，古人論辭，未必都主「文」，反而是主「語」的較佔多數，但明、清二代的學者們，却主文辭而輕語辭。他們所謂文辭，其實也就是古代的語辭，所以我派給他們一個「崇古」的稱號。再說，這些人所以提倡文辭，可能也想利用修辭的古說來規範當代或是後來的修辭，所以不能不說是有崇古的傾向了。

還有一點，是這個時期的修辭論中有一些是論風格的，如明王文祿的《詩的》，胡震亨的《唐音癸籤》等。至於清代王船山的《姜齋詩話》，沈德潛的《說詩晬語》，林紓的《春覺齋論文》等，除了論風格之外，也有兼論風趣的。

明代論辭格的片段文字，散見於詩話、隨筆之中；至於清代論辭格的著作，却集中在下列幾部書上，卽：顧炎武的《日知錄》，王船山的《姜齋詩話》，吳景旭的《歷代詩話》，趙翼的《陔餘叢考》，錢大昕的《十駕齋養新錄》，梁紹壬的《兩般秋雨盦隨筆》，袁枚的《隨園詩話》，俞樾的《古書疑義擧例》，唐彪的《讀書作文譜》，林紓的《春覺齋論文》等。它們都不是專論辭格的著作，却都是在一書之中兼論多個的辭格。這樣的著作，前代也有，但沒有這麼多。

最後要說到修辭學的革新期。這個時期應從一九一九年「五四」運動說起。先是新舊兩派修辭學的論爭，唐鉞氏的《修辭格》，曾經風靡一時。待到一九三二年陳望道先生的《修辭學發凡》出版，才有眞正採用科學的方法，徹底將中國的修辭學加以革新，把各種修辭現象做過歸納的工夫而寫成的第一部兼顧文言文和白話文的修辭學。但因爲科學的修辭學是從西方傳至日本，再由日本傳入中國的，所以談到革新的中國修辭學，不能不先談一談近代日本的修辭學。其次是五十年代以後大陸方面幾本有關修辭學的新著，雖然對修辭學沒有創新之論，但我們却從此看到了一個新趨向，那便是陳望道氏在《修辭學發凡》的結語中所提到的修辭與文法混淆的現象，至此反有發展爲語法、修辭結合論的可能。臺灣方面崛起的修辭學名家，如傅隸樸、徐芹庭、黃慶萱、董季棠、黃永武諸氏，他們的修辭學著作，都有創見，足以補大陸學者研究修辭學之未備，本書第十篇爲立專節加以論述。一九七九年出版的郭紹虞先生的《漢語語法修辭新探》一書，可以說是中國第一部語法、修辭結合論的著作。郭氏從漢語的特徵上來研究漢語語法，從使用語言的人如何表達思想感情着眼，指出一些漢語語法中經常結合修辭的現象，並加以討論。這可以說是劃時代的創作，同時也是大膽的嘗試。一般語法學者和非語法學者（包括我這個非語法學者在內）都以爲語法注重在講規律，和注重在講字辭和語句的靈活使用，甚至可以不照常規（「破格」）使用的修辭學是兩門不同的學問。現在郭紹虞先生把語法和修辭結合而加以討論了。這以後中國語言學界（特別是語法和修辭學的學者們）的反應如何，以及修辭學發展的趨勢又是如何，都是值得我們特別注意的。

① 郭紹虞先生爲陳介白氏的《修辭學》所作的序文中語。郭氏的本意，原是指《文心雕龍》談論辭格而說的。其實，《文心雕龍》談論到辭格的地方，有時雖然確如郭氏所說，「分析不密，例證未備」，但那樣的情形只屬少數，其餘大多能列舉例證，有時甚至連辭格產生的原因也說到了。以後提到《文心雕龍》論辭格的時候將詳加引證。

第二篇　中國修辭思想的萌芽期(上)

——甲骨金文時代

一、楔　子

中國修辭思想的萌芽，應該從先秦諸子推溯至商、周的甲骨、金文。先前，我以爲《詩・大雅・板》的『辭之輯矣，民之洽矣。』……等只是不自覺地偶發的修辭意識，這種說法是不正確的。但卽使中國修辭思想的萌芽從《詩經》說起，也已經推遲了數百年了，因爲商、周的甲骨、金文，其中可能有談論修辨的記載。

後來拜讀張壽康先生的《甲骨刻辭和吉金銘文》(《漢語學習論叢》)，也得到了一些啓發。張氏以爲刻辭中比喻、排比、設問等修辭方式用例較多，是研究古漢語修辭現象的寶貴遺產。但他沒有提到刻辭中也有談及修辭的記載。我以爲甲骨刻辭雖曾「運用」了上學的修辭技巧，但這只能算是修辭現象；只有「談論」修辭現象或是「發抒」對修辭的看法和意見，才能算是修辭思想。但是這在甲骨金文中能否找得到呢？

二、甲骨金文中談修辭記載的發見

中國修辭思想的萌芽之作，應該從先秦諸子推溯至商、周的甲骨、金文。先前，我在《中國修辭學史稿》第二篇的《楔子》說：「《詩・大雅・板》的『辭之輯矣，民之洽矣。』……還只是不自覺地偶發的修辭意識，所以中國修辭思想的萌芽，還是自先秦諸子說起吧。」其實，說《詩經》談修辭的話是不自覺地偶發的修辭意識，是不正確的，我將另寫一文來談論這個問題。（按：即本書《經傳談修辭》一節。）

《中國修辭學史稿》於一九八四年由上海教育出版社出版後，香港中文大學中國文化研究所同事王人聰先生最早向我提意見。他根據我在《史稿》第一篇第三節所說的：

中國修辭學的萌芽和發展，當然是在中國修辭的萌芽和發展之後，因為必先有修辭然後才能有修辭學。人類自有言語以來便有修辭，這是人類語言發展的一般情況。所以修辭的萌芽應該是很早的，只因原始時代還沒有發明文字，遂使我們無由得知那時候的修辭現象究竟怎麼樣。中國傳說中上古的一些歌謠，似乎未必可靠。最早的可靠的美辭之篇是《詩》，而《詩》又正好是文學作品，遂使我們以為中國修辭的萌芽和發展與文學的萌芽和發展同時，而中國修辭學的萌芽和發展也就只能和文學批評的萌芽和發展同時了。（《中國修辭學史稿》第七頁）

以為商、周的甲骨、金文，其中可能有片言隻語談及修辭也未可知。他給我看蕭艾先生的《卜辭文學再探》（載《全國商史學術討論會論文集》，一九八五年）。蕭氏指出郭沫若先生的《卜辭通纂》第三七五片：

癸卯卜，今日雨？

其自西來雨？其自東來雨？

其自北來雨？其自南來雨？

以爲和漢樂府相和歌辭的《江南》：

江南可採蓮，蓮葉何田田！

魚戲蓮葉間：

魚戲蓮葉東，魚戲蓮葉西，

魚戲蓮葉南，魚戲蓮葉北。

何其相似！

但《卜辭通纂》第三七五片的卜辭，只是一種修辭現象，屬於排比辭格，是寫修辭史的好資料；可惜不是談論修辭的話語，不能據以爲修辭思想的萌芽之資料。

一九八五年十二月間，我應廣州暨南大學文學院院長詹伯慧先生的邀約，對高校語文教師進修班作短期講學，廣東教育學院教授胡性初先生特地趕來和我討論這個問題。回香港以後，接到胡先生的來信，說他讀過了郭沫若先生的《卜辭通纂》、陳夢家先生的《殷墟卜辭綜述》以及容庚先生的《殷契卜辭》等專著，發現卜辭中也有好些修辭現象，均屬排比的修辭技巧在甲骨文中的運用。因此，他問我這是否可以看作中國修辭思想的萌芽不在先秦諸子而是在甲骨卜辭的例證呢？我以爲甲骨卜辭「運用」了排比或其他的修辭技巧，只能算是修辭現象；只有「談到」修辭現象或是「發抒」對修辭的看法和意見，才能算是修辭思想。於是胡先生決定今後將利用教學的餘暇，進一步研讀甲骨文，看看能否發現新的資料，足以證明修辭思想不是萌芽於先秦諸子而是萌芽於甲骨文。

雖然胡先生至今沒有發現新的資料，王人聰先生所提示的也只是甲骨文中的修辭現象，但由於二位的熱心得到的鼓勵，近幾個月來，我大部份的時間，幾乎都浸淫在印着甲骨刻辭的故紙堆中，結果在郭沫若先生的《卜辭通纂》第三八七頁發現一個不尋常的卜辭，是關於天象的，列號第四二六片，影印如下頁。

郭氏用長達五頁的文字，闡釋這一片甲骨裏上下左右卜辭的意義及其應驗的記載，很是詳盡，並斷定「⿰女壴」爲「鼜」，讀如戚，「謂戒首鼓也。」（《春官・眡瞭》《註》）可是唐蘭先生經過長時期的比較和研究，却斷定「⿰女壴」字爲「艱」，似乎比較能爲一般古文字學者所接受。這是題外，這裏可以不必多說。

不幸的是，這一個片子裏中間所有的文字（上邊仍舊是卜辭，下邊仍舊是應驗之文），郭氏却都略而不提。由於下邊有一個「⿰黽攵」字無法查出到底是什麼字，致使全句的意義不可解，成在可解與不可解之間，所以索性不說，這是情有可原的。（按《太玄沈》《註》謂：「⿰女黽」，與孕、⿰月黽同。又謂《管

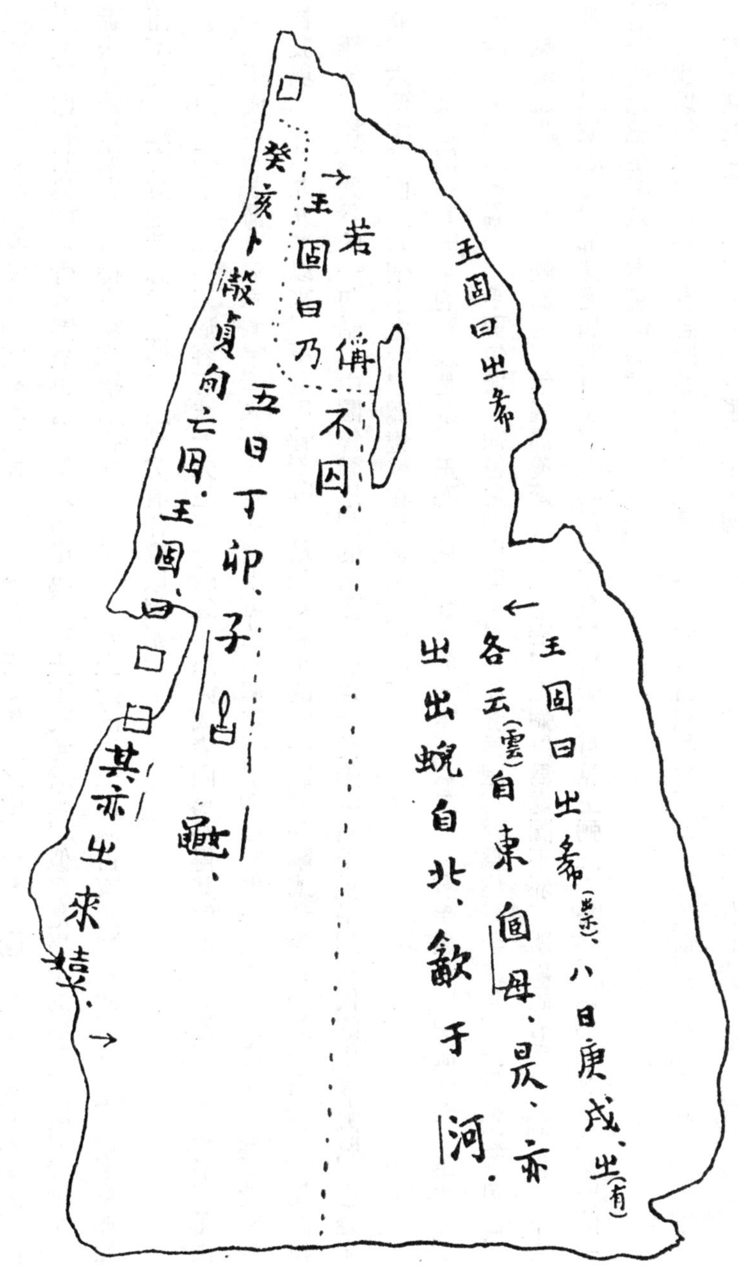

王固曰出希
王固曰出希（祟）、八日庚戌、出（有）
各云（雲）自東面母、昃、亦
出出蜺自北、歙于河。
癸亥卜㱿貞旬亡囚。王固曰
其亦出來
五日丁卯子
王固曰乃
若
偁
不囚。

子》孕寫作「⿰月黽」。是則「⿰月黽」可能是古代的「孕」字。惟現存《管子》各篇無「⿰鬲黽」字，此字當在遺失的《正言》《修身》《問霸》《牧民解》和《輕重丙》等篇之中。但說「⿰鬲黽」是孕字也有大疑問，因上文子[illegible]在其他的甲骨刻辭裏也有幾個地方出現，從上下文意看來，似乎是男子的名字，所以⿰月黽卽孕的說法也難於成立，有待古文字學家再作查考。）可是上邊的「王固（占或乩）曰乃若偁」六個字竟亦略而不提，這究竟是疏忽、遺漏，還是另有什麼原因呢？

我用「不幸」二字來形容郭沫若先生這一疏忽、遺漏或者因爲不得其解所以索性略而不提者，是由於「王固曰乃若偁」這六個字看來似乎是非同小可的六個字，這六個字也許竟然就是自從殷墟甲骨刻辭初發現（一八九九）以來，所有甲骨刻辭中最先被鈎出的唯一談到修辭或者是對修辭的看法和意見的極其難得、極其寶貴的一句話，中國修辭思想的萌芽，所以能從先秦諸子推早到商代的甲骨卜辭，也是全靠這六個字。而這六個字之中，關鍵就在於那「若」字。

原來這個「若」字的意義是辭。王弼（魏）註《易・本・六二》「有孚發若」明說「若，辭也」。《說文・字通》說：「孚與包通，從包之字與從孚同，如脬爲胞，桴爲枹，莩爲苞，捊爲抱之類可證。說見《通雅》。」孚既爲包，包義爲覆蓋，蓋則隱晦，王弼以爲處闇不邪，所以說有孚。我們再看下文是「信以發志」，那就更加明白了，在心爲志，發言爲辭，可見王弼註《易》，以爲「有孚發若」的「若」的意義是辭是大有可能的。

我以爲上舉這一句卜辭的標點，應該是：「王固（占或乩），曰，乃若偁。」現在先談「乃」字。《書・盤庚》篇在一篇之中共用了四十三個「乃」字，有的作「其」解，有的作「汝」解，有的作「

則」解，有的作「方」解，有的作「若」解，有的作「而」解，有的是緩詞，意猶「然後」，有的用作驚異之詞，有「竟然」之意，有的作「於是」解，有的作「是」解。作「其」解的如「由乃在位以常舊服，正法度」，「具乃貝玉」，「各設中於乃心」等是。在上舉這一卜辭裏，「乃」字的意義正是「其」。「偁」字一般註解家都解作「揚」，是「偁揚」之意。《說文·冓部》段註：「凡偁揚當作偁，凡銓衡當作稱，今字通用稱。」可見古代偁譽、偁揚、偁謂都寫作偁；稱是銓衡之義，如《楚辭·惜誓》：「若稱量之不審兮」，作秤物的輕重解，才寫作稱。所以「王固，曰，乃若偁」的意義，譯成現代語是：

王占了以後，說，那卜辭有偁揚的意味！

說辭美好秀麗，是從辭本身論修辭；這裏說辭義偁揚是從辭的內容論修辭。兩者都是對辭的看法或意見或感想，所以說，這一句卜辭是中國修辭思想的萌芽的最原始的資料，應該是可以說得過的。雖然只是片言隻語，但所有已發現的甲骨刻辭不都是片言隻語嗎？在三千多年前，或者說接近四千年前，修辭思想剛剛萌芽的時候，能夠有這樣相當完整的談修辭的句子，已是十分難得，彌足珍貴了。①

中國國內收藏甲骨的總數，據陳夢家先生的統計，共約八萬件，著錄成書者約二萬餘件；甲骨流失在國外的約一萬件，著錄成書者約四千餘件。（《殷墟卜辭綜述》第二十章第八節《出土甲骨的統計》）但據胡厚宣先生最新的統計，今日國內外收藏的甲骨總數，共約十六萬件；中國科學院歷史研究所編印的《甲骨文合集》所載，從已發現的甲骨中挑去文字重複的和不濤楚的，計約五六萬件。淺學的我，只能看到其中的一極小部份，希望有人繼起研究，相信甲骨刻辭中談修辭的當不只「乃若偁」這一短語罷了。

由於這一發現得到的鼓勵，我再就彝器、鐘、鼎、……這一類的銘文之著錄成書者，加以考察。據夏鼐《殷周金文集成・前言》所說，《集成》收錄自宋以來各家著錄、各內外主要博物館收藏和五十年代以後各地出土的殷周有銘銅器計在萬件以上，比甲骨要少得多。桐城吳闓生輯《吉金文錄》四卷，說「彝器爲古代遺物，未易爲僞，史迹灼然可信。」（《自序》）確是實情。甲骨也何嘗不是這樣。《吉金文錄》卷二《齊侯鎛鐘》（東周）有銘文云：

公曰：……諫、罰，朕、庶民，左右毋諱。

諱卽隱諱，是「患忌干諱」（見《楚辭・七諫・繆諫》）的諱，是「《春秋》爲尊者諱，爲親者諱，爲賢者諱」（《公羊傳》閔元年）的諱，也是修辭法的一種。《左傳》桓六年《疏》：「自殷以往，未有諱法；諱始於周。諱者，臨時言語有所避耳。」

陳望道先生的《修辭學發凡》定「避諱」爲辭格的一種，他以爲遷就便是這一種辭法的綱要。避諱的修辭法始於西周，在商以前還沒有人加以應用，（按：我們只能說是到現在還沒有發現西周以前有避諱修辭法的記載；至於避諱的行爲或風俗，則在更早以前應該是已有的了。）所以我們在甲骨刻辭中看不到隱諱的修辭現象，更遑論談隱諱的文字呢？西周以後，既然有隱諱的修辭現象，也就有談諱的應當與毋需的文字記載出現了。彝器、鐘、鼎之屬的金文，始於西周，所以我們能在《齊侯鎛鐘》（東周）銘文發現談諱的「毋諱」二字，「毋諱」，便是後來《管子》所說的「不諱其辭。」（《管子・四稱篇》）這一句銘文譯成現代語是：

諫誡與責罰，不論我、庶民，或是尊卑貴賤，都可以不必隱諱。

原文「朕」是齊侯呂尙自稱，所以逕譯作「我」。秦以後天子始自稱朕，其他的人不得再用了。隱諱（或諱言）是一種修辭法，說應該隱諱或是不必隱諱，便是談修辭了。同書卷三《牧敦》（西周）的銘文有云：

包迺多辭，不用先王。

註謂：「包、浮同字，謂浮言也。于思泊云：《選註》引李克書『言語聰辨而不度於義謂之包。』」迺字的用法有如《書·盤庚篇》「旣先惡予民，乃奉其恫」的「乃」，相等於「而」字的意義。「浮而多辭」意思是華而不實而又多言；「不用先王」意思是說不遵循先王理重於辭的風範。是作者對這種修辭現象表示不以爲然的感慨或評語。下文又有「庶右𢍰」三字，庶右指民衆，𢍰音嚚，意思是多言，與多辭的意義是一樣的，這是說，民衆也是多言的。「包迺多辭，不用先王。」與「庶右𢍰」都確是修辭思想無疑。又同書《杜氏壺》（東周）銘文有云：

自頌旣好，多寡不訏。

頌應該是占兆的卜辭，《周禮》：「其頌皆千有二百。」訏是說大話，用誇張辭，朱駿聲《說文通訓定聲》引《說文》：「齊、楚謂大言曰訏。」用誇張辭是一種修辭現象，也是辭格的一種。說多少照實，不用誇張其辭，是談論修辭現象，甚至可以說是論辭格。

三、小　結

前節所擧商代甲骨刻辭談修辭一則（「王固，曰：乃若偁」）東西周金文談修辭三則（「公曰：……諫、罰、朕、庶民，左右毋諱」、「包迺多辭，不用先王」及「自頌既好，多寡不訐」），雖然都只是片言隻語，但得來已是極不容易。其中所引甲骨刻辭一則，可惜其上下文意不夠完足，我曾試圖從其他的甲骨刻辭中找出一個較完善的例證——談修辭的例證，但是沒有能夠找得到。至所擧金文中談修辭的三則，則是可以肯定的。我對古文字尙在初學階段，讀過的甲骨刻辭不多，希望對古文字學造詣較深的學者，能繼起發掘，相信必能擧出更多談論修辭的文字，使曙初期的修辭思想，更加豐富；同時也提供更多的資料，給研究中國古代修辭學的學者作參考。

①本文初稿寄呂叔湘先生，承呂先生爲轉請管燮初先生提意見，因得與管先生通信，討論問題。我以爲「王固，曰：乃若偁。」（見郭沫若《卜辭通纂》第三八七頁，列號第四二六片）這一條甲骨卜辭是談論修辭的話語。（說見本篇）管先生以爲這一條卜辭太簡短，不知道偁是偁揚還是偁述。他以爲如果是一般的偁述便不是屬於修辭學範圍。這意見是極可寶貴的。他擧「癸巳卜貞：商偁冊」（見《卜辭通纂》·別一·大版三52辭），認爲這裏的偁便未必符合偁揚之條件。我以爲同一偁字，在這裏作偁述解，在另一地方却可作偁揚解，甚至同一複合詞，也可以有不同的義意。在「王固，曰：乃若偁」這一條卜辭裏的偁，如果作偁述解，說成「那卜辭有偁述的意味」，便不成話了，因爲辭當然是有偁述的意味。管先生總以爲這條卜辭太簡短，其中的偁字不知該怎麼講：如我以爲應該作偁揚講，他看也是完全可以的，因爲沒有完整的上下文可資依據，而斷定其不可以。後來管先生又來信說：王弼註《易·丰》「有孚發若，吉」的「若」爲辭也，據他的理解，這個「辭」是語助詞的意思，其下文云：「有孚可以發其志，不困於闇，故獲吉也。」若字無實義。又謂黃侃說此「若」爲「嘫」之借。讀了管先生的信，我才記起《詩經》也有將若字作語助詞用的。又王引

之《經傳釋詞》所擧以釋之詞，全是虛字。這些都足以證明管先生的看法是正確的。但：㈠《經傳釋詞》每於一字釋成多義，甚有多至十餘義者，其中偶有一二義釋成實義的，也未嘗沒有，如釋「乃」，釋「若」，都有「其」之義，其是代詞。㈡《說文解字》段注：「積文字而成篇章，積詞而成辭。」王弼注《易・豐》的原文是：「若，辭也。」可是《經傳釋詞》於引述時却改作「若，詞也。」又「嘫」爲後起之字，黃侃氏說此「若」爲「嘫」之借，亦不可從。所以說「有孚發若」的「若」是語助詞也還有商榷的餘地。㈢王（弼）注「若，辭也」的下文說「有孚可以發其志，不困於闇，故獲吉也」，只是推說之辭，似不能將「發」字作「發志」解，而將「若」字貶爲虛詞（王弼說「有孚可以發志」，是從《易・豐》的下文「信以發志」推說起來的）。所以王（弼）氏釋「有孚發若」的「若」爲「辭也」，這辭，還可以是指語詞或文辭，如是，則「有孚發若」正可與下文「信以發志」相照應。

我又指出，退一步說，即使這個「若」字不能作「辭」解，而改從管燮初先生《殷墟甲骨刻辭的語法研究》（一九五三年中國科學院出版）所指，以爲它的引伸義應作《書・盤庚》「若網在綱」的「若」，則「王固，曰：乃若偁」也還可以說是談修辭的話語。「乃」有「其」字之意，譯成現代語詞是「那」，指卜辭。按《書・盤庚》上云：「若網在綱，有條而不紊；若農服田，力穡乃亦有秋。」則若字只是常用的如、像之義。「乃若偁」譯成現代語是：「那（卜辭）好像有偁揚的意味。」所以無論「若」作「辭」解或作「好像」解，全句的意義是差不多一樣的。

管先生也同意我的解釋，說是以前（指編寫《殷墟甲骨刻辭的語法研究》一書的時候）的確沒有覺察到這一層。但管先生總以爲這一條甲骨卜辭上下文不完整，既不能肯定我的說法，也不能否定我的說法，因爲要肯定或否定都必須有更多的上下文以供佐證，而這一條卜辭却付闕如。這是管燮初先生治學嚴謹和爲人謙虛的表現。說得正確些，他認爲我的意見是「可以這樣說」或「可備一說」，而不是像他來信所說的：「完全可以這樣講」。

我希望古文字學者能給我多提意見；但正如管燮初先生所說，因爲這一條甲骨刻辭上下文不完整，所以要提意見也就缺乏更多的依據。古文字學者如果能從其他衆多的甲骨刻辭中去發掘新的例句，發掘出那上下文比較完整、確是談論修辭而毫無疑義的例句，自是更有意義的事。

第三篇 中國修辭思想的萌芽期(下)
——先秦時代

一、楔 子

春秋戰國時代從初期的封建社會過渡到中央集權的封建社會，由於政治經濟急劇的變動，反映在哲學思想上是諸子著述勃興，百家爭鳴；可是修辭學方面，却還只是在萌芽階段。

島村瀧太郎（卽島村抱月）氏著《新美辭學》，以爲《詩》六義中的賦、比、興，是詩的措辭法，是中國修辭思想的萌芽。六義之名，見於《周禮》：「教六詩：曰風，曰賦，曰比，曰興，曰雅，曰頌。」至闡述其義，則見於《毛詩序》。我同意賦、比、興是詩的措辭法。只是《詩序》的作者，究竟是什麼時代的什麼人呢？陸機說詩訓，謂『荀卿授魯國毛亨，毛亨作訓估傳以授趙國毛萇，時人謂亨爲大毛公，萇爲小毛公。」似以爲毛亨、毛萇都是戰國時人。但是他的《詩經草木蟲魚疏》，却又以爲大毛公、小毛公都是漢時人。前後之說不一致。淸皮錫瑞《詩經通論》，以爲毛公傳《詩》之說是不足置信的。孔穎達《毛詩正義》所載《詩譜》，不言《詩序》爲誰所作。宋朱熹爲《毛詩》作《傳》，從程子之說，以為《詩序》是孔子所作。此外，也有說「大序」是子夏所作，「小序」是子夏、毛公合作的；①更有說《詩序》實出於東漢衞宏之手的。②《詩序》的作者究竟是誰，到現在還沒有定論。傳說中最早的作者，也不能早於孔子和子夏。《詩經》的賦、比、興修辭手法是後人根據詩篇總結出來的。所以中國修辭思想的萌芽期（下），還是自先秦諸子說起吧。

二、經傳談修辭

本節所引述的經傳文字，其中如《周易》部分寫作的時代或較西周為尤早，又如《尚書》一般以為是夏、商、周三代甚至上溯虞舜史臣之所作（雖然未必盡是可信），但其餘大部分經傳的寫作時代都後於甲骨卜辭時代（商），或與金文大略同時，或與先秦諸子大略同時，為行文便利起見，悉編入先秦時代，列於先秦諸子之前。

㈠一般的修辭思想

1. 詩經

《左傳》襄公三十一年記叔向的話說：

辭之不可以已也如是夫！子產有辭，諸侯賴之，若之何其釋辭也？《詩》曰：「辭之輯矣，民之協矣；辭之懌矣，民之莫矣。」其知之矣。

叔向强調修辭的重要，既說辭之不可以已，又說辭之不可以釋（棄），並舉上述《詩經》的話，以證其言之不謬。可見「辭之輯矣……」在當時已受重視。這詩作者的本意是在於勸人須要愼其言。

爲什麼要愼其言呢？《詩・大雅・抑》說：「愼爾出話……白圭之玷，尚可磨也；斯言之玷，不可爲也。」因爲說話出了毛病，是不能醫治的，所以非愼言不可。同詩又說：「無易由言（不要輕易說話），無曰苟矣（不要說「苟且說說吧」），無非是勸人要愼言。理由是「無言不讎（報應）」。（同詩）這愼言的主張，當時是備受重視的，所以《小雅・小弁》篇也有同樣的話：「君子無易由言。」《小雅・賓之初筵》篇也說：「匪言勿言，匪由勿語。」作者勸人不要說不對頭的話，不要說沒有道理的話，也與愼言同出一轍。至如《小雅・正月》篇所說的：「好言自口，莠言自口」，也一樣是勸人要愼言。後來《墨子，尚同》篇的「惟口，出好，興戎」大概是從這裏取義而來的。而《小雅・巷伯》篇更直捷了當地說：「愼爾言也，謂爾不信」。

《國風・考槃》篇說：「獨寐寤言，永矢弗諼。」要怎樣才能「弗諼」呢？當然也脫不了要愼言。《國風・牆有茨》篇說：「中冓之言，不可道也；所可道也，言之醜也。……中冓之言，不可詳也；所可詳也，言之長也。……中冓之言，不可讀也，所可讀也，言之辱也。」這更說明爲什麼要愼言了。

自己既知道應該怎樣愼言，便不會去聽信別人的僞言和訛言了。所以《國風・採苓》篇說：「人之爲言，苟亦無信，……人之爲言胡得焉。」又說：「人之爲言，苟亦無與，……人之爲言胡得焉。」又說：「人之爲言，苟亦無從，……人之爲言胡得焉。」《小雅・沔水》篇也說：「民之訛言，寧莫之懲。我友敬矣，讒言其興。」《採苓》篇的作者說僞言不可信，僞言無用，僞言不可從；《沔水》篇的作者說謠言竟不知警飭，奉勸朋友應加以警飭，否則讒言勢必由此而起：都是從愼言出發的。《小雅·正月》篇重複了《本水》篇的話：「民之訛言，寧莫之懲。」但在詩的下一段，却回到愼言的本意：「維號斯言，有倫有脊。」只有在人號叫的時候，我才說話，便是不隨便說話；說話有倫次，有條理，是勸人要小心說話，都不出於愼言的框框。

由於愼言，所以也就不輕信淺近的話了。《小雅·小旻》篇說：「維邇言是聽，維邇言是爭，如彼築室于道謀，是用不潰于成。」後二句標點有爭論。《詩》鄭玄《箋》、孔穎達《疏》，都從如上的句讀。《箋》說：「如當路築室，得人而與之謀所爲，路人之意向不同，故不得遂成（潰）也。」《疏》說：「言淺近之人不可謀道，猶路人不可謀室，故比之。」近人頗有以「築室於道」爲讀，而以「謀」字移屬下文的，如高亨氏的《詩經今注》（上海古藉出版社），便是從此句讀而作注譯：「此二句言：就如把房屋造在大路上必遭人拆毀，其謀劃是不能成功的。」高氏將上一個「于」字也看作和下一個「于」字一樣，都作「於」解。那樣的標點和注釋，意義雖也說得通，但和上文照應起來便差一些了。這後兩句的上一個「于」字，應從鄭《箋》作「與」解，用法和《書·多方》「不克敬于和」一樣。這裏用的是節縮的修辭法，意謂築室而與「道」路之人「謀」，他們所說的都是膚淺的邇言，人言言殊，不知何所適從，是以終不得遂於成。看來舊讀舊說似乎較長。詩的本意是勸人不要輕聽膚淺的邇言，不要把膚淺的邇言當作是諍言。

厭惡多言與强調愼言，本意原是沒有什麼不同的。《大雅·瞻卬》篇說：「婦有長舌，維厲之階。」長舌卽必多言，言多必失，所以說是「厲之階」。鄙視讒言也與强調愼言同調，前引《小雅·沔水》篇已有勸友警飭訛言、以防讒言與起的話，《小雅・十月之交》篇更有「無罪無辜，讒口囂囂」之語，則是不直衆口讒毀，加之於無辜者的身上。誣人、誹謗人（譖人），也和口出讒言沒有什麼分別，《小雅・巷伯》篇說：「緝緝翩翩，謀欲譖人。……捷捷幡幡，謀欲譖人。」翩翩讀如諞諞，捷捷讀如諓諓，都是指那些花言巧語者，目的無非要誣害人，這詩的作者是鄙視着的。《小雅・巧言》篇更是直捷明顯地說：「盜言孔甘，亂用是餤。」又說：「巧言如簧，顏之厚矣。」將甜言蜜語比作盜言，以爲是亂之所生，又以厚顏無恥來形容那些巧言如簧的人，可見這詩作者的不齒巧言，是到了怎樣的程度了。《小雅・雨無正》篇說：「哀哉不能言，匪舌是出，維躬是瘁。哿矣能言，巧言如流，俾躬處休。」不能言，不是口舌笨拙，只因自己受到毀傷；那些能言善辯者，看來好像很得意似的，他們巧言如流，得居高位，享盡榮華富貴，養尊處優。然而作者意在譏諷，並不是在羨慕他們，所以所論與鄙巧言並無二致。正因爲一些當權者偏是喜歡巧言如流者的，所以厚顏無恥的巧言者才能得逞。《大雅・桑柔》篇說：「聽言則對（懟），誦言如醉。」聽通作德，聽言卽是有德之言。《家語・本命》：「効匹夫之聽。」宋徐鍇《說文繫傳》謂「古本《毛詩》雅頌字多作訟。」清朱駿聲《說文通訓定聲》則謂「訟可借爲誦。」可知古字誦可通作頌。對着有德的話則憤怒，對着歌功頌德的話則如醉如癡，這確是當權者的寫照。這詩的作者傳神地加以描述，還帶者諷刺的意味，可見他也是反對巧言的。

但是《詩經》的作者，從正面提出修辭的準則來的，却只有《小雅・都人士》篇的「出言有章」一語而已，所以也就彌覺珍貴了。還有一點就是：《詩經》的作者當不只一人，可是他們的修辭思想，却是相當一致的，這就尤爲難能可貴了。

2.《周易》

《周易》主要的是記載西周的社會生活，其中有一部分作記的時代或較西周爲尤早。《周易》的《經》和《傳》都有不少談修辭的話。爲了行文的便利，這裏將《經》和《傳》談修辭的地方混合在一起來討論。

《經・需》云：「小有言，終吉。」高亨註謂言當作咎，《說文》讀若孽，乃訶譴之義，說是小受訶譴，庶知戒愼，而終獲福，故曰「終吉」。戒愼什麼呢？當然是愼其言和愼其行了。所以這句話也和愼言有關。這「小有言」在《經・訟》中也曾提到：「象曰：不永所事，訟不可長也，雖小有言，其辨明也。」這裏言字似乎仍可作言辭解，意謂雖少有言辭爭訟，但辨明之後，適可而止，「不永所事，」所以能「終吉」。這兩種說法實在是殊途而同歸：說小受訶譴，便知所以愼戒（愼言語和愼行爲），和說小有爭訟，辨明之後，便應適可而止，無非都是勸人要謹愼言語，而不要爭訟不休。所以《經・需》又說：「雖小有言，以吉終也。」

《經・困》也說：「有言不信。」這裏所謂「有言」的言，是指從事巧辯、爭訟不止的言辭。《左傳》昭公五年明夷之謙曰：「於人爲言，敗言爲讒。」爭言不知所止，轉成敗言，又被目爲讒言，所以不可信。《經・上六》也說：「咸其輔頰舌，滕口說也。」意指空口說白話，徒然播弄是非，所以更是不可信。又《經・夬》有「聞言不信」的話，意義也一樣。《經・困》又有「有言不信，尙口乃窮也」的話，以爲徒尙口舌，益見其技窮而已，是於事無補的。

《繫辭》云：「擬之而後言，議之而後動。」又說：「出其言不善，則千里之外違之，況其邇者乎？

言出乎身，加乎民；行發乎邇，見乎遠；言行君子之樞機，樞機之發，榮辱之主也，言行君子之所以動天地也，可不愼乎？」能「擬之而後言」，就是愼言的表現。其下歷述愼言的道理。這「言行君子之樞機，樞機之發，榮辱之主」，曾被劉勰的《文心雕龍》和劉知幾的《史通》所引述，而且加以發揮，影響是深遠的。又「出其言不善，則千里之外違之，況其邇者乎？」和上擧《詩・小雅・正月》篇的「莠言自口」，差不多是同一意義。由於「出其言不善」，影響是這麼深且遠，所以《繫辭》更鄭重其辭說：「亂之所生也，則言語爲之階。」又說：「語以其功下人者也：德言盛，禮言恭。」如果是「同心之言」，則「其臭如蘭。」（同上）

《經・頤》更直說：「君子以愼言語」，因爲能愼言語，便不致惹禍了。但是勸人爭訟要適可而止，勸人要「擬之而後言」，甚至勸人要愼言語，都只是從消極方面立言。《周易》談修辭，從積極方面立言，大略提出作者對修辭的主張，提出自己對修辭的看法——也可以說是提出修辭的準則來的，有：

《經・漸》的「言有序，悔亡。」《論語・爲政》篇的「多聞闕疑，愼言其餘，則寡尤」，當卽本於此。言語既有序，便不至於妄言而招辱，故其悔（侮）自然亡失，不會發生了。再說，言語有序，是愼言的積極表現。《論語，爲政》篇說能愼言則少怨尤，當然也不致招侮受辱，這和《周易》的本意是一樣的。

《經・乾》云：「庸言之信，庸行之謹。」庸言是中正之言，則不偏不倚不黨不阿之言，所以言之必信。這雖本是在說卦，也可見作者的操守和主張。

《繫辭》引孔子的話說：「書不盡言，言不盡意。」又說：「繫辭焉以盡其言。」孔子作繫辭，闡發卦象的涵意，能盡其義，盡其所欲言，所以說：「聖人之情見乎辭。」（這裏稱孔子爲聖人，可見《繫辭》是門人弟子所記，未必是出於孔子之手。）《繫辭》又說：「理財，正辭，禁民爲非，曰義。」正辭，一般以爲應該作宣揚正道解，但也不妨看作像《論語・子路》篇和《荀子・正名》篇所說的那樣的「正名」，意思是用正確切當的辭語（即「正其辭」），也正是《繫辭》的寫作者對修辭的主張。《繫辭》又有這樣的話：「初率其辭而揆其方。」據尙秉和的解釋：「率，正也；揆，度也；方，道也。言正其初首之辭，而度其終末之道。」（《周易尙氏學》，中華書局出版）尙氏說是「正其初首之辭」，也就是「正辭」或「正其辭」，可謂不謀而合。再就「正其辭」與「度其道」兩意並稱這一點看來，這裏《繫辭》作者是主張文辭與理意並重的。而《經・坤》却說：「蓋言順也。」順意猶循，循什麼呢？從「履霜堅冰」的意義來推想，當是指循道。言辭而須循道而發，則其主張理勝於辭是很明白的，與上擧文意並重之說便有點不同了。《經・家人》也說：「君子以言有物，而行有恒。」說君子言之有物，而不尙空談，也是强調理重於辭的主張。

《繫辭・傳》又說：「易其心而後語。」易其心就是《論語》所說的君子之心坦蕩蕩——心平氣和的意思。心平氣和才說話，那所說的話也就不會是爭言或訟言了。這可以說是《周易》一貫的主張。

《繫辭》又說：「是故君子居則觀其象而玩其辭。」這裏玩其辭並不是指玩弄辭巧。玩是玩賞或玩味，辭是指象辭。對於象辭須細心玩味，才能求得其眞意，對於其他一切的辭，也莫不如是，非細心玩賞是不能得其眞解的。又說：「辭也者，各指其所之。」辭既是「各指其所之」，所以細心加以玩味之後，便能看得出：「將叛者其辭慚，中心疑者其辭枝，吉人之辭寡，躁人之辭多，誣善之人其辭游，失其守者其辭屈。」（《繫辭》）這裏從六種不同的辭態，而推斷其爲人。由於言語是表達人的內心性情，情（誠）僞不同，所流露出來的辭態也因之而異。說話的是怎樣的一個人，盡可以從他的辭態裏體會出來，問題在於你肯不肯細心去玩味而已。

《周易》提到尙辭的只有一處。《繫辭》云：「易有聖人之道四焉：以言者尙其辭，以動者尙其變，以制器者尙其象，以卜筮者尙其占。」作者認爲言者須尙其辭，這是四道之一。《周易》提出不少愼辭或類於愼辭的主張，也反對徒尙口舌的爭言和訟言，但對於正常的修辭（尙其辭），《繫辭》的作者却以爲是變化之道，是「言者」所必須崇尙的。

3.《尙書》

《尙書》一般以爲是夏、商、周三代甚至上溯虞舜史臣之所作，並不是出於一人之手。但書中偶爾談修辭，觀點却頗有類似或相近的地方。如《呂刑》云：「罔差有辭。」「罔差有辭」的上一句是「越玆麗刑並制。」意謂於是濫施酷刑，摒棄（並，通屛，卽摒）法制。史官記述時說，「罔差有辭。」罔差，猶言不擇，用法如「飢不擇食」，有急不暇擇之意。有辭，當是指適當的言辭，意謂急急施刑棄制，不暇擇適當的言辭，以自圓其說。史官這樣記載着，他的本意是不反對飾辭的。《呂刑》又說：「罔有擇言在身。」擇言卽斁言，也就是《周易》所說的敗言，意思是指訟言、辯言，毋有敗言存乎身，也就是勸人須愼言。《呂刑》又說：「勿僭亂辭。」亂辭卽是囚辭、獄辭或訟辭。《漢書·路溫舒傳》云：「溫舒上書曰：囚人不勝痛，則飾辭以視之。」這裏飾辭又似乎是指訟辭。史官說：不要僭用亂辭，也就是反對飾辭了。《呂刑》更說：「無疆之辭，屬於五極。」意思是說：不盡的訟辭，繫於五刑的誅懲。」這裏史官再一次反對敗言訟辭。

《堯典》云：「靜言庸違。」靜言卽竫言。《公羊》文公十二年，傳：「惟諓諓善竫言。」諓諓本爲巧言之貌，《說文》引作「戔戔巧言。」竫，猶撰也。淸陳立《公羊義疏》：「撰者，巧言之人憑空結撰，易以動人。」故竫言的引伸義是巧言。又巧言常用以進讒，進讒必近於諂。這一類的言辭，殆近於邪違，所以說：「靜言庸違。」這據說是後世史官記載帝堯的話，指責共工（傳說是堯時大臣）巧言殆近於邪違，但也可見記者是不以巧言爲然的。《秦誓》亦云：「惟截截善諞言，俾君子易辭。」截，《公羊傳》引作諓；諞，《說文》釋作巧言。所以「惟截截善諞言」與上學「惟諓諓善諓言」完全同一意義。又「俾君子易辭」的「辭」，《公羊傳》引作怠。何休《公羊傳》注，以爲易辭意猶輕怠；淸王引之《經義述聞．通說》：「怠，疑惑也，言使君子易爲其所惑也。」王說義較長。《秦誓》說諓諓善巧言者，使君子易爲其所惑，可見這位史官也是反對巧言的。《盤庚》云：「汝曷弗告朕，而胥動以浮言，恐沈於衆。」浮言是浮藻的言辭，胥意猶都，引申有動輒之義，謂動輒以浮言煽動人民。沈，是沈溺，荒迷或迷惑，正不必如一般注解家所說，謂沈，古作抌，《說文》讀若告，言不正也。恐，一般注解家解作恐嚇，威脅。「恐沈於衆」，謂「恐嚇、迷惑於衆。這雖是記載盤庚對人民的告誡，也可見記者對浮言所執持的態度。又《臯陶謨》云：「能哲而惠，……何畏乎巧言令色孔壬？孔壬意猶甚佞，意思是很會諂言而又善辯。能哲而惠，當知判別是非曲直，便不會被巧言令色和很會諂言而又善辯者所迷惑，自是不直巧言令色孔壬者。《詩．小雅．巧言》篇的「巧言如簧」，與《論語．學而》篇的「巧言令色，鮮矣仁。」都是同一立場。

《無逸》云：「……三年不言。其惟不言，言乃雍。」惟其不言，言之聲乃能和雍，而得爲人所重。傳說這是史官記載周公告誡成王的話。《老子》所謂「不言之教」與《莊子》的「至言不出」（《天地》篇），也與此同調。

一般以爲論文體的修辭準則，是始於魏文帝曹丕的《典論・論文》。其實，《尚書・堯典》的《詩言志，歌永言」，已是此論的濫觴，《典堯》云：「詩言志，歌永言，聲依永，律和聲。」鄭玄作《詩箋》，謂「詩所以言人之志也。永，長也。歌又所以長言詩之意。聲之曲折，又依長言而爲之聲。中律乃爲和也。」鄭玄以爲「歌永言」的永是「長」之義，永言卽是長言。又以爲「聲依永」的永也是「長言」之義，這是萬萬說不過去的，因爲自開天闢地以來，未聞有以形容詞代替其所形容的事物；如美，可以是美麗的姑娘，可以是美麗的花兒，也可以是美麗的衣服，怎能斷定其必是美麗的花兒呢？殊不知永是詠的假借。還是俞樾說得對：「謂詩所以言其志，歌所以詠其言也。依其所詠以定五聲，是謂聲依永。又患其不和也，而以六律六呂和之，是謂律和聲。」（《古書疑義舉例》）讓我再說一次：《堯典》的「詩言志，歌永言」當是談論文體的修辭準則的濫觴。

4.《禮經》和《孝經》

《禮經》別稱《儀禮》，漢時已殘闕不全。今所傳之十七篇爲今文，其餘的稱爲《逸禮》。篇數雖無多，但偶有談到修辭之處，卻較任何經典爲尤完整。其論進言之法云：「凡言非對也，妥而後傳言。與君言，言使臣；與大人（指卿大夫）言，言事君；與老者言，言使弟子；與幼者言，言孝弟于父兄；

與衆言，言忠信慈祥；與居官者言，言忠信。」據唐賈公彥疏：「凡進言之法，自言曰言，因問（而答）曰對，二者不同也。」先說明言與對的不同，繼說準備妥善，而後傳言。又因爲進言的對象通常是指君主，所以有的註解家謂此妥字乃是指侯君安坐而後言。其實也未必盡然。如下文所提，則說話的對象便包括君主，卿大夫，老者，幼者，庶民和居官者（指士以下）。善於修辭者，須先認淸說話的對象，換句話說，對着怎樣的人便說怎樣的話，也就是陳望道所謂適情應景的需要。後來魏代的徐幹，却將《禮經》的話，轉到投機取巧的方法上去：

君子非其人則弗與之言；若與之言，必以其方：農夫則以稼穡，百工則以技巧，商賈則以貴賤，府吏則以官守，大夫及士則以法制，儒生則以學業。……故君子之與人言也，使辭足以達其知慮之所至，事足以合其性情之所安，弗過其任而強牽制也。

《禮聘》篇云：「辭無常，孫（遜）而說（悅）。辭多則史，少則不達。辭苟足以達，義之至也。」說辭須和順而且說時要面帶喜悅之色，無非是要獲得對方的好感，以達到修辭的目的。史，疏引《尚書・金滕》篇，謂乃册（《史記》引作「策」）祝，策祝尙文辭，所以說「辭多則史」。引伸有濫用辭的意思。「辭多則史，少則不達」，所論要比孔子「辭達而已矣」意義完足得多。

《孝經》，是孔子假設與曾子問答以闡明爲孝立身行道德化教治的作品，是十三經之一。《論語》《孟子》雖然也屬經書，但本書論儒家的修辭學觀時將加以引述，這裏不想重複了。《孝經・卿大夫章》云：「是故非法不言，非道不行。口無擇言，身無擇行，言滿天下無口過，行滿天下無怨惡。」《孝經》的內容一般都是從話語的反面看出他正面的主張，如「非法不言」的意思是說言必守法，「口無擇言」的意思是說言辭都得遵循法則，以其都遵循法則，所以「無可擇」。又如「言滿天下無口過」，意思是：以其悉是禮法之言，所以雖言滿天下，仍無口過。

又《喪親章》云：「孝子之喪親，哭不偯，禮無容，言不文。」孝子喪親守孝的時候，由於悲傷過度，言辭也無心去文飾了。可見平常的時候，言辭還是要文飾的。《文心雕龍・情采》篇說：「《孝經》垂典，喪言不文，故知君子常言，未嘗質也。」這推論是很有道理的。

5.《春秋左氏傳》

《春秋》三傳，我只想拿《左傳》談修辭的地方來加以論列，因爲《公羊》《穀梁》二傳較爲後起，文字也多有重複之處，只得從略。又《左傳》談修辭，本篇以下各節將加以引述的，這裏也不再提了。

《昭公八年》云：「君子之言，信而有徵，故怨遠於其身；小人之言，僭而無徵，故怨咎及之。《詩》曰：『哀哉不能言，匪（彼也）舌是出，唯躬是瘁，哿（嘉也）矣能言，巧言如流，俾躬處休。』其是之謂乎！」以爲言信足以釋怨，言譖則適得其反，馴至招怨樹敵。但《左傳》的作者所引《詩・雨無正》的話，並不見得是「其此之謂」。這可能是誤解詩之意。

但是人的意志、言辭和信徵，是互爲因果的。《襄公二十七年》云：「志以發言，言以出信，信以立志。」又云：「詩以言志。」《襄公十六年》亦云：「詩歌必類。」詩歌是要表達作者的思想、意志，否則便不類了。《襄公二十五年》引孔子的話說：「《志》有之：『言以足志，文以足言。』不言，誰知其志？言之無文，行之不遠。……非文辭不爲功。愼辭哉！」孔子先引《志》書所稱言語文采與意志的關係，以爲言語而無文采，則不能流傳久遠，所以須得講究文辭，並勸人須愼用文辭，這更强調了修辭的重要性。

《文公十八年》云：「崇飾惡言，靖譖庸回，服讒蒐慝，以誣盛德，天下之民謂之窮奇。」崇之義亦猶飾，崇飾乃同義辭並用，如鉅大之類。靖譖意猶靜言，卽巧言，回，古通違，故靖譖庸違與前學的「靜言庸違」差不多是同一意義。「服讒蒐慝」意謂行讒言而聚奸慝。窮奇，或以爲人名，卽《尙書》的共工，或以爲獸名，獨杜預注謂「窮奇者，其行窮，其好奇」，其說可從；若作人名或獸名解，則與「天下之民謂之」不相屬。「崇飾……」云云，無非是鄙飾辭，惡巧言，輕讒言之義，所以說，天下之人謂之窮奇。

《昭公二十年》云：「進退無辭，則虛以求媚。」虛是虛辭，是沒有實用意義的言辭，據晉杜預注，謂「作虛辭以求媚於神。」苟不論其求媚於誰，這裏《左傳》所說的，是卑視無實用意義的言辭。《襄公十四年》云：「衞侯與之言，虐。衞侯其不得人矣。其言糞土也。」這裏以糞土喻虐言，是對不能愼其言的虐言之貶斥。《襄公二十五年》云：「若敬行其禮，道之以文辭，以靖諸侯，兵可以弭。」這裏提到了修辭的實用價値。

《左傳》也論用詞，茲擧一二例於次：《莊公二十九年》：「凡師，有鐘鼓曰伐，無曰侵，輕曰襲。」《僖公二十四年》云：「口不道忠信之言爲嚚。」這種論用詞的修辭論，被《公羊》和《穀梁》所取法。漢代董仲舒的《春秋繁露》，更是亦步亦趨。有人以爲《春秋繁露》是論用辭的創始之作，是中國第一部有關修辭理論的著作，看來這種說法是難於成立了。

《襄公三十一年》云：「動作有文，言語有章。」這才提到修辭的準則來了。

6.《國語》

《國語》一般將之歸屬於傳類。《漢書・律曆志》稱《國語》爲《春秋外傳》，以其爲魯以外諸國所傳之事。（劉熙《釋名》）韋昭《國語解》敘云：「其文不至於經，故號曰外傳。」其說與劉熙異。《漢書・司馬遷傳贊》云：「孔子因魯《史記》而作《春秋》，而左丘明論輯其本事以爲之傳，又纂異同爲《國語》。」我們讀了《國語》之後，覺得三說皆是。《左傳》據經（《春秋》）而作，《國語》纂其異同，所記多魯以外諸國所傳之事，故不主於經。

《晉語》云：「巧文辯惠則賢，……如是而甚不仁。」巧文是巧於文辯，與巧言義同。巧文辯惠，以賢陵人，而不行仁義，故曰不仁。《論語・學而》篇也有「巧言令色，鮮矣仁」的話。《晉語》又說：「伯宗朝，以喜歸。其妻曰：『子貌有喜，何也？』曰：『吾言於朝，諸大夫皆謂我智似陽子。』對曰：『陽子華而不實，主言而無謀，是以難及其身。子何喜焉？』」伯宗（晉大夫孫伯糾的兒子）的妻子不贊賞華而不實、尙言而無謀者。《國語》的作者贊成伯宗的妻子的意見，所以用同情的口吻加以記敘。《楚語》亦云：「周言棄德，不淑也，……皆有其華而不實者也。」周取其言而棄其德，是不重義理而重飾辭，所以是華而不實的。這「華而不實」的評語，直到現在還是常常被人們所引用，成爲通行的成語了。《晉語》又云：「言之大甘，其中必苦。」這和上舉伯宗的妻子所說的話，以及《楚語》所敘，差不多是同一意義。

《齊語》云：「四民者，勿使雜處，雜處則其言哤。」這原是管仲回答桓公的話。「雜處則其言哤。」

句復被《管子・小匡》篇所引用。其實，士、農、工、商各種不同身分的人雜居，言語哤雜，這是自然的現象；而且哤雜雖則哤雜，但其中的一些語言，自會約定俗成，成爲通用的語言，又何必故意去迴避，而提倡「勿使雜處」之議呢？我以爲這只是階級觀念在作祟而已。《齊語》又云：「父與父言義，子與子言孝，其事君者言敬，其幼者言弟。」這可能取義自上擧《禮經》論進言之法，以爲須視說話的對象而說話。

《晉語》云：「夫貌，情之華也；言，貌之機也；身爲情，成於中。言，身之文也。文言而發之，合而後行，離叩有釁。」這雖出自《易・繫辭》「言行君子之樞機，」但說言須「文」而發，合情、貌而後行，則其主張須注重修辭也就不容置疑了。

(二)論辭格與修辭技巧

《詩經》《易經》《左傳》和《國語》也偶有談到辭格和修辭技巧的。本篇的《小結》裏將引述《呂氏春秋・貴公》篇和漢代劉向《說苑・至公》篇所記孔子與老子討論節縮辭格的話。坊間流傳的《公孫龍子》，有《迹府》篇，一般以爲是後人收集有關公孫龍的言行事迹而記下來的，文中也記載着這一則論節縮的故事。現在讓我就上述四部經傳談到辭格和修辭技巧的，引述於後：

《詩・大雅・抑》云：「取譬不遠。」《論語・雍也》篇提到孔子論仁，有「能近取譬」之語，也是同一意義。前者可能是最早提到比喻修辭法的記載，以爲須取眼前的事物作比喻，使人容易明白。

《周易・經・大畜》云：「君子以多識前言往行。」記述前言往行，是引用的修辭法；說君子須多記述前言往行，便是鼓勵人們不妨多利用引用的辭格。這也可能是最早提到引用辭格的記載。

《周易》也談到比喻的修辭法。《繫辭》云：「初辭擬之。」意思是說，拿初出的爻辭來作比喻。又說：「其稱名也小，其取類也大。」稱名雖小，取譬却是極大，這是以小喻大的修辭法。接下去又說：「其旨遠，其辭文，其言曲而中，其事肆而隱。」其言談委曲婉轉而中理，其敍事雖似恣肆但却有含蓄的意味，這正是婉曲的修辭法，也可能是最早提到關於婉曲辭格的文字。

《左傳》也論婉曲的修辭法。《成公十四年》云：「故君子曰：《春秋》之稱，微而顯，志而晦，婉而成章；盡而不汙，懲惡而勸善。」這裏說《春秋》用了「微而顯，志而晦，婉而成章」那樣婉曲的修辭法。「盡而不汙」的「汙」字通作紆，據晉杜預注，謂盡其事實而言，無所紆曲，當是對「懲惡而勸善」而說的，旣欲懲惡而勸善，也就不必諱言（紆曲）了。這和婉而成章的婉曲修辭法其實是兩回事，意謂《春秋》有時用婉曲的修辭法，有時却是直言的，全視乎情景的需要而定。

《左傳》也論引用的修辭法，《昭公十六年》云：「言以考典，典以志經。忘經而多言，擧典，將焉用之。」說言可以成典，典可以擬經。如果言不及經，雖擧典也沒有什麼用處了。這裏强調引用修辭法的重要，以爲非引用不爲功。

《左傳・莊公十八年》云：「夏，公追戎於濟西。不言其來，諱之也。」說不言戎之來，但言追戎於濟西，是爲了避諱。但爲什麼要諱言呢？杜預《集解》，以爲戎來而魯竟不知，所以諱言；沈欽韓以爲戎狄爲中國之患，故諱言其來。不論爲了什麼原因而諱言，這裏《左傳》所說的，是關於避諱的修辭法。《春秋・僖公二十八年》云：「天王狩於河陽。」《左傳》解釋說：「仲尼曰：以臣召君，不可爲訓，故書曰：狩。」這裏淸楚地解釋諱飾爲「狩」的原因，分明是在談諱飾。

《顏氏家訓・書證》篇擧《左傳》談析字格云：「必如《左傳》止戈爲武，反正爲乏，皿蟲爲蠱，亥有二首六身之類，後人自不得輒改也。」按《左傳・宣公十二年》云：「潘黨曰：『……臣聞克敵必示子孫，以無忘武功。』楚子曰：『非爾所知也。夫文止戈爲武。』」楚子意在非戰，但却利用析字格析武字爲止戈。又《左傳・宣公十五年》云：「伯宗曰：『天反時爲災，地反時爲妖，民反德爲亂，亂則妖災生。故文反正爲乏。』」反正爲乏應屬於析字格中的化形析字。但陳望道氏的《修辭學發凡》，於析字格的化形析字之下，只擧了離合、增損、借形三種化形析字的例句。反正爲乏可以說是顚倒借形的例證。《左傳・昭公元年》云：「晉侯求醫於秦，秦伯使醫和視之，曰：『疾不可爲也，是謂近女室，疾如蠱。』……趙孟曰：『何謂蠱？』對曰：『淫溺惑亂之所生也。於文，皿蟲爲蠱。』」這「皿蟲爲蠱」，《國語・晉語》也有類似的記載。它和止戈爲武一樣，同是化形析字的離合類。《左傳・襄公三十年》云：「吏走問諸朝，史趙曰：『亥有二首六身。』」這是化形析字的離合兼借形類。解釋此句的說法很多。楊伯岐《春秋左傳注》，謂「春秋戰國，各國字體本不甚統一，史趙或就當時字體言之，今則不必强求其解矣。」這是實在的話。

經傳也偶有談修辭技巧的，如《詩・大雅・崧高》篇云：「吉甫作誦，其詩孔碩，其風肆好。」贊賞周宣王的大臣尹吉甫所作的詩歌，篇幅很大（長），風調很好。又《大雅・蒸民》篇亦云：「吉甫作誦，穆如淸風。」則是稱贊他所作的詩歌，柔順和美，有如淸風一般。又如《左傳・襄公二十九年》謂《詩・國風》「勤而不怨」、「憂而不困」、「思而不懼」、「樂而不淫」；謂《小雅》「思而不貳」、

「怨而不言」；謂《頌》「直而不倨，曲而不屈，邇而不偪，遠而不攜，遷而不淫，復而不厭，哀而不愁，樂而不荒，用而不匱，廣而不宣，施而不費，取而不貪，行而不流」，却是談到《詩》的風、雅、頌一般的修辭技巧。

結　尾

本節所論，於三禮只取《禮經》（即《儀禮》），於《春秋》三傳但取《左氏》；又因本節撰寫的目的，原是要補拙著《中國修辭學史稿》初版之未備，故有關《論語》《孟子》的修辭論，初版本已經介紹過了，這裏也就略而不提。至於《國語》，以其爲《左氏》的遺緒，所以也在論隲之列。

應該指出的，是各經傳寫作的年代，有的差不多是同時的（或是說，相距的時間頗近的），有的則相距的時間頗長，但是它們之間談論修辭，看來却是相當一致的（或是說，相當接近的。）這也可能是上古時候的人談論修辭，大都喜歡因循舊說，而不喜標新立異之所致吧！

三、道家的修辭論

道家老子似乎是反對辯言的，他和後來的禪宗一樣，主張實行身教。他說：「不言之教，無爲之益，天下稀及之。」可惜的是這種不言之教，天下的人很少能夠做得到。又說：「知者不言，言者不知。」他根本不願多言，何況是美言呢。他對美言的看法是這樣的：「信言不美，美言不信。善言不辯，辯言不善。」他認爲美言都是虛僞的，不可相信的，他痛疾虛僞，所以反對「美言」。但我們所謂的美辭，是要盡一切修辭之美，來感動人，希望能收到說話或是寫作的效果，卻未必是虛僞的，不可相信的。你看那《道德經》五千言，寫得那麼美好，那麼精妙，可見他們並不是眞正反對美辭的。所以梁朝的劉勰，在他的《文心雕龍·情彩》篇說：「老子疾僞，故稱美言不信；而五千精妙，則非棄美矣。」這是實在的話。例如上擧的「信言不美，美言不信。善言不辯，辯言不善」便是用排比的修辭法；他甚至也懂得用對偶了，可以說是開六朝騈體文之先河。

莊子的學說，通常被認爲「其要本歸於老子之言」。所以他的修辭學說，和老子大致是相同的。在《逍遙遊》篇中，他曾經借古代的懷道者肩吾批評楚國隱士接輿說話的技巧說：「吾聞言於接輿，大而無當，往而不返。吾驚怖其言，猶河漢而無極也；大有徑庭，不近人情焉。」他是反對「大而無當」，滔滔不絕，如河漢之無極的這一種說話的方式的。在《天道》篇裏，他說：「故古之王天下者，……辯雖雕萬物，不自說也。」他以爲古代的君主，雖能雕飾萬物，宏辯如流，也不會以此自己覺得揚揚得意。又說：「語之所貴者意也。」（《天道》）他是以爲意重於辭的。《天地》篇說：「合譬飾辭聚衆也，……愚之至也。」他以爲合於譬喻，飾於浮辭，既已成了一種風氣，所以得以聚衆，而不自知其非，這是「愚之至也」。又說：「至言不出，俗言勝也。」（《天地》篇）他認爲至道之言之所以不顯，是被浮雕藻飾的俗言所掩蔽。所以《齊物論》說：「言隱於榮華。」所謂榮華，指的便是浮雕藻飾的辭彩。在《繕性》篇裏，莊子更將這個意思加以引申。他說：

> 心與心識知③而不足以定天下，然後附之以文，益之以博。文滅質，博溺心，然後民始惑亂，無以反其性情而復其初。

又說：「古之行身者，不以辯飾知。」（《繕性》篇）這些話，足以和老子的「信言不美，美言不信」互相發明。

在《知北遊》和《天道》篇裏，莊子重複地提到了「知者不言，言者不知」的話。其《知北遊》云：「夫知者不言，言者不知，故聖人行不言之教。」其《天道》篇云：「夫形色名聲果不足以得彼之情，則知者不言，言者不知，而世豈識之哉」！這正發揮了老子的「行不言之教」和「絕聖（學）去知」的本意。

又莊子書有《寓言》篇，當是中國歷史上最早對「寓言」這一辭格的名稱的創造。雖然他的所謂「寓言」和我們現在的寓言的意義未必是完全一樣，但「寓者，寄也，所以寄意也」，這一點却是相同的。

四、儒家的修辭論

儒家孔子（名丘，字仲尼）生在舊制度業已崩潰、封建制度隨着建立起來的社會大變革時代。由於周天子的威信不足以暢施號令、臣服諸侯，孔子爲之奔走呼號，不遺餘力。在這個大前提之下，他是不反對文飾辭藻的。《左傳・襄公二十五年》曾引孔子的話說：「『言以足志，文以足言』。不言，誰知其志。言之無文，行之不遠。……非文辭不爲功。愼辭也！」④他以爲言辭如果沒有文彩，是不會流傳久遠的；要遊說各國諸侯，或辦理諸侯邦國之間的交涉，不靠文辭，也是不會成功的。他甚至主張用巧妙的言辭。《禮記・表記》曾引孔子的話說：「情欲信，辭欲巧」。劉勰的《文心雕龍》，闡述其義說：

先王聖化，布在方册；夫子風采，溢於格言。是以遠稱唐世，則煥乎為盛；近褒周代，則郁哉可從。此政化貴文之征也。鄭伯入陳，以文辭為功；宋置折俎，以多文舉禮。此事跡貴文之征也。褒美子產，則云：……情欲信，辭欲巧。此修身貴文之征也。（《征聖》篇）

但孔子有時却又反對過分的文飾，以爲只要能通情達意就好了，他曾說：「辭達而已矣。」（《論語・衞靈公》）《儀禮・聘禮記》也說：「辭無常，孫而說。辭多則史，少則不達。辭苟足以達，義之至也。」孔子有時甚至站在教育家的立場，說：「巧言令色，鮮矣仁！」（《論語・學而》）又說：「仁者，其言也訒。」（《論語・顏淵》）他以爲言語遲鈍的人才是仁者。這和他前面所說的有所不同。他有時又說了模稜兩可的話：「文猶質也，質猶文也。虎豹之鞟，猶犬羊之鞟。」（《論語・顏淵》）有時却也說了持平的話：「質勝文則野，文勝質則史。」（《論語・雍也》）

就因爲孔子的修辭學說模糊而不清楚，甚至先後不同，所以後世的注疏家和文章家，便作了種種的臆說。如關於「辭達而已矣」，宋司馬光《答孔司戶文仲書》云：

今之所謂文者，古之辭也。孔子曰：「辭達而已矣」，明其足以通意，斯止矣，無事於華藻宏辯也。必也以華藻宏辯為賢，則屈（原）、宋（玉）、唐（勒）、景（差）、莊（周）、列（御寇）、楊（朱）、墨（翟）、蘇（秦）、張（儀）、范（雎）、蔡（澤）皆不在七十子之後也。顏子不違如愚，仲弓仁而不佞，夫豈尚辭哉！（《司馬文正公傳家集》六十）

他以爲孔子的本意，只要能達意便夠了，實無須乎華藻。明袁宗道《論文》從其說，以爲所謂辭達者，不過要達其所欲表達之理罷了。他說：「滄溟（李攀龍）《贈王（世貞）序》謂『視古修辭，寧失諸理』。夫孔子所云『辭達』者，正達此理耳，無理則所達爲何物乎？無論《典》、《謨》、《語》、《孟》，卽諸子百氏，誰非談理者？……彼何所見，乃强賴古人失理邪？」

清章學誠對「辭達」的解說，却是模稜兩可的。《文史通義・辨似》篇說：

> 夫言所以明理，而文辭則所以載之之器也；虛車徒飾而主者無聞，故溺於文辭者不足與言文也。《易》曰：「物相雜，故曰文。」又曰：「其指遠，其辭文。」《書》曰：「政貴有恒，辭尚體要。」《詩》曰：「辭之輯矣，民之洽矣。」《記》曰：「毋勦說，毋雷同。則古昔，稱先王。」《傳》曰：「辭達而已矣。」曾子曰：「出辭氣，斯遠鄙倍矣。」經傳聖賢之言，未嘗不以文為貴也。蓋文固所以載理，文不備則理不明也。且文亦自有其理；妍媸好醜，人見之者，不約而有同然之情，又不關於所載之理者，卽文之理也。故文之至者，文辭非其所重爾，非無文辭也。而陋儒不學，猥曰：「工文則害道」；故君子惡夫似之而非者也。

既說「溺於文辭者不足與言文」；復以爲「經傳聖賢之言，未嘗不以文爲貴」；更以爲「陋儒不學，猥曰：『工文則害道』」。前一說分明反對文飾，只要辭達理足卽可；後二說却又以文彩爲貴，鄙薄陋儒「工文則害道」之說。這種說法的矛盾，其實也正反映着孔子修辭學說本身的複雜性。同代洪亮吉《曉讀書齋初錄》云：

> 《論語》：「辭達而已矣。」《集注》：「辭取達意而止，不以富麗為工。」以富麗二字反訓達字，於訓詁之義殊乖。子夏曰：「富哉言乎！」孔安國舊注：「富，盛也。」《漢書・揚雄傳》：「詩人之賦麗以淫。」字書：「麗，著也，美也。」是富麗二字訓作美盛，並無支離牽率之義，

何得以之反對達字乎？且「富哉言乎」，《集注》卽以為所包者廣，而此注語意反若以富麗二字謂不能該括，何前後相反若此乎？繹孔安國舊注云：「凡事莫過於實，不煩文艷。」卽有分寸。余謂《集注》此條，反不若阮逸之注《文中子》。《文中子·王道》篇：「辭達而已矣。」逸注云：「聖人不煩文，惟達意而已。」語極簡括，勝於《集注》。按孔安國之說，劉寶楠釋之曰：「辭皆言事，而事自有實，不煩文艷以過於實，故但貴辭達則足也。《儀禮·聘禮記》：「辭多則史，少則不達。辭苟足以達，義之至也。」是辭不貴多，亦不貴少，皆取達意而止。」據此，則達卽繁簡適中，事辭相稱；猶所謂「初拓《黃庭》，剛到恰好處」也。

洪氏以爲辭達卽是「繁簡適中，事辭相稱」，這當是比較持平之論。可是，蘇軾在提到了「言之不文，行之不遠」和「辭達而已矣」的時候，却有不同的看法：

孔子曰：「言之不文，行而不遠」。又曰：「辭達而已矣」。夫言止於達意，疑若不文，是大不然。求物之妙，如係風捕影，能使是物了然於心者，蓋千萬人而不一遇也；而況能使了然於口與手者乎！是之謂辭達。辭至於能達，則文不可勝用矣。（《經進東坡文集事略·答謝民師書》）

他以爲辭達看似不必文彩，其實是「大不然的」，則主文飾之說是很明顯的了。我們再看他的《答王庠書》：「孔子曰：『辭達而已矣』，辭至於達，止矣，不可以有加矣」。（《經進東坡文集事略》）則又似乎自己否定了他前面的說法了。清魏禧《魏叔子文集·甘健齋軸圜稿序》云：

孔子曰：「言之不文，行之不遠。」……文以明道，而繁簡、華質、洪纖、夷險、約肆之故，則必有所以然。……孔子曰：「辭達而已矣。」辭之不文，則不可以達意也。

前半段論文之華質須適情應景，應華卽華，應質卽質；後半段却又專主文飾，以爲非文文飾辭彩，則不足以達意。

關於「巧言」，後世學者，大都曲爲之解。如孔穎達的疏義說：「言君子情貌欲得信實，言辭欲得和順美巧，不違逆於理，與巧言令色者異。」淸袁枚《與韓紹眞書》云：「孔子曰：『情欲信，辭欲巧。』巧卽曲之謂也。」袁氏以爲此處的「巧」指的是婉曲的修辭法，也與「巧言令色」之「巧」異；這樣，孔子「巧」的修辭學說，便被他說成爲「曲」了，然而袁枚《與祝芷塘太史書》，却又說：「聖人修辭，尙且不避巧言，而況今之爲文章者乎？」

孟子的思想中雖然也有許多矛盾的地方，可是對於修辭的意見却是先後一致的。他主張言語要樸實：「言無實不祥。」（《離婁》篇）他認爲偏頗的言辭（詖辭）、過於藻飾的言辭（淫辭）、不正常的言辭（邪辭）、躱閃的言辭（遁辭），都是有毛病，容易被人識破的：「詖辭知其所蔽，淫辭知其所陷，邪辭知其所離，遁辭知其所窮。」（《公孫丑》篇）他以爲「言近而旨遠」，才是「善言也。」（《盡心》篇）他又以爲藻飾（淫辭）應該適可而止，如果藻飾過度，反會害了辭意，使人不容易明白。對於那些用誇張辭的句子，他以爲和文字上雕飾過度的藻飾是不同的，應該從那辭義中，追溯作者的本意，才是正當的讀法：「故說詩者，不以文害辭，不以辭害志，以意逆志，是爲得之。」（《萬章》篇）接着他擧了個例子說：「如以辭而已矣，《雲漢》之詩曰：『周餘黎民，靡有孑遺。』信斯言也，是周無遺民也。」（《萬章》篇）

宋張載《經學理窟・詩書》條云：

古之能知詩者，惟孟子爲以意逆志也。夫詩之志至平易，不必爲艱險求之，今以艱險求詩，則已喪其本心，何由見詩人之志！

郭紹虞先生以爲孟子「這種說法，經漢人一用，就成爲穿鑿附會。他們以爲只有委曲解詩，才是以意逆志。這種片面的理解，不能不說是漢人的錯誤。」又說：「宋人呢，重在修辭立誠，重在涵養德性，所以又覺得惟有平易求之，才爲以意逆志。」（《中國文學批評史》）郭氏以文學批評的觀點，來批評漢人附會孟子的解詩之見，故有上述的說法。其實，孟子的本意，是論修辭的，所謂「以意逆志」是專指對誇張詩句的讀法，觀下文引《雲漢》篇的詩句可知。張載的《經學理窟》，似乎沒有了解到這一點。

荀子雖是集諸子百家之大成的學者，但他是以儒家思想爲主體的一個唯物主義思想家，所以我們把他的修辭學說歸於儒家而加以論列。荀子也是鄙視過度的文飾的。在《樂論》篇中，他說：「亂世之徵，……其文章匿而彩。」他以爲文章隱晦而多彩飾，是亂世的徵象。他指出君子「言辯而不辭」（《不苟》篇）。所謂「不辭」，是不馳騖於華麗的辭彩。他以爲「吐而不奪，利而不流」，才「是士君子之辯說也」（《正名》篇）。如果不是合於這個準則，那樣的「辯」，「則必爲誕」（《儒效》篇）。他說：「析辭而不察，言物而爲辨，君子賤之。」（《解蔽》篇）又說：「多言而類，聖人也；少言而法，君子也；多言無法而流湎然，雖辯，小人也。……辯說譬喻，齊給便利，……謂之奸說」（《非十二子》篇）。在《大略》篇中，他又重複了這一論點。他以爲君子的辯說，是「利而不流」的，小人則「多言無法而流湎然」，雖滔滔不絕，說得好像頭頭是道，終不免流於謊誕。他認爲「飾邪說，文奸言」，「陶誕突盜」，「是奸人所以取危辱死刑也」（《榮辱》篇）。在《非十二子》篇中，他重複地指出了「飾邪說」和「文奸言」足「以梟亂天下，矞宇嵬瑣，使天下混然不知是非治亂之所存者……。」荀子所謂邪說和奸言，雖然指的是那些反對業已建立起來的封建制度的言論，但也不妨看作是指那些文飾過度流於謊誕的詭辯。他舉惠施與鄧析爲例子，說他們「好治怪說，玩琦辭，甚察而不急，辯而無用」，「然而其持之有故，其言之成理，足以欺惑愚衆」（《非十二子》篇）。他以爲「治怪說，玩琦辭」，到頭來只是「以相撓滑」而已。他說：「辭也者，兼異實之名以論一意也」（《正名》篇）。又說：「辭合於說」（《正名》篇）。他以爲說事的言辭，只要能夠適於所欲表達之說便好了，實在無需乎過分藻飾的。他更愷切地說：

君子之言，涉然而精，俛然而類，差差然而齊。彼正其名，當其辭，以務白其志義者也。彼名辭也者，志義之使也，足以相通，則捨之矣；苟之，奸也。故名足以指實，辭足以見極，則捨之矣。外是者謂之訒，⑤是君子之所棄，而愚者拾以為己寶。故愚者之言，芴然而粗，嘖然而不類，誻誻然而沸。彼誘其名，眩其辭，而無深於其志義者也。（《正名》篇）

他以爲話語、文章用正當的名稱和辭句，是要表達其所欲表達的「志義」；那些名稱和辭句，是「志義」所使，使聽者、讀者和說者、寫者之間的思想感情，足以互相溝通，便應適可而止了。超過了這個範圍，便是「訒」，是「君子之所棄」，而愚者却「拾以爲寶」。所以雖「眩其辭」，實無補於志義的。在《非相》篇裏，他說：

有小人之辯者，有士君子之辯者，有聖人之辯者。不先慮，不早謀，發之而當，成文而類，居錯遷徙，應變不窮，是聖人之辯者也；先慮之，早謀之，斯須之言而足聽，文而致實，博而黨正，是士君子之辯者也。聽其言則辭辯而無統，用其身則多詐而無功，……然而口舌之均，噡唯則節，……夫是之謂奸人之雄。

他以爲飾辭辯說而無系統，說起話來好像很得體，贍約適度，到頭來却是「奸人之雄」。他主張言語要有節度，並須考察其實際情況（「言有節，稽其實」）（「成相」篇）。《儒效》篇說：「凡知說，有益於理者，爲之；無益於理者，捨之；夫是之謂中說。」他是主張理先於辭的。但對於文與質的爭論，荀子並不贊成一偏之見，他說：「墨子蔽於用而不知文，……惠子蔽於辭而不知實。」（《解蔽》篇）蔽於實用而不顧辭采，或是蔽於辭采而不顧實用，都是他不敢苟同的。他說：

凡人莫不好言其所善，而君子爲甚。故贈人以言，重於金石珠玉；勸人以言，美於黼黻文章；聽人以言，樂於鐘鼓琴瑟。故君子之於言無厭。鄙夫反是，好其實不恤其文，是以終身不免埤汙、庸俗。」（《非相》篇）

他以爲鄙夫只偏好於實用，而不愼其文采，是「埤汙」和「庸俗」的。可見有限度的修飾，他是不反對的。例如用比喻吧，他以爲是重「談說之術」的人們所應該採取的一種藝術手法，所以他又說：

「談說之術，矜莊以涖之；端誠以處之；堅強以持之；分別以喻之；譬稱以明之。（《非相》篇）

他以爲「辭順而後可以言道之理」（《勸學》篇）。他甚至說過這樣的話：「綏綏兮其有文章也，……如是，可謂聖人矣。」（《儒效》篇）這裏所謂文章，實在是指文采而言。

五、墨、法二家的修辭論

墨子强調說話應該要有個準則，他說：「言必立儀。言而毋儀，譬猶運鈞之上，而立朝夕也，是非利害之辯，不可得而明知也。」（《非命》上）他以爲是非應當明辨；要明辨，便須探討搜求萬物的現象，比較參觀而求得它們之間的關係之所在，然後以名舉實而成辭的表達出來。（《小取》篇：「夫辯者，將以明是非之分，審治亂之紀，明同異之處，察名實之理；處利害，決嫌疑，焉摹略萬物之然，論求羣言之比；以名舉實，以辭抒意，以說出故。」）他重視功利，主張身體力行，所以强調「先質而後文」（見劉向《說苑・反質》篇所引），反對以文害意。我們從韓非子《外儲說》中，可以窺見墨家的修辭學觀：

> 楚王謂田鳩曰：「墨子者，顯學也。其身體則可，其言多而不辯何也？」曰：「昔秦伯嫁其女於晉公子，令晉為之飾裝，從文衣之媵七十人，至晉，晉人愛其妾而賤公女，此可謂善嫁妾而未可謂善嫁女也。楚人有賣其珠於鄭者，為木蘭之櫃，薰以桂椒，綴以珠玉，飾以玫瑰，輯以翡翠，鄭人買其櫝而還其珠，此可謂善賣櫝矣，未可謂善鬻珠也。今世之談也，皆道辯說文辭之言，人主覽其文而忘其用。墨子之說，傳先王之道，論聖人之言以宣告人，若辯其辭，則恐人懷其文忘其直，以文害用也。此與楚人鬻珠、秦伯嫁女同類。故其言多不辯。」。

郭紹虞先生以爲韓非也贊同墨子對於修辭的觀點，所以才要引用這個故事（見《中國文學批評史》）。《外儲說》又說：「范且、虞慶之言，皆文辯辭勝而反事之情……夫不謀治强之功，而艷乎辯說文麗之聲，是却有術之士而任壞屋折弓也。」《亡徵》篇也說：「好辯說而不求其用，濫於文麗而不顧其功者，可亡也。」可見韓非是反對「艷乎辯說」與「濫於文麗」的。

韓非反對飾辭，故主樸質而輕恣意任說。他是痛疾詭辯的，在《問辯》篇中，他說：「堅白無厚之辭章（彰），而憲令之法息。」他以為公孫龍的堅白論和無厚論，⑥都是於事無補的詭辯，此說一彰，則憲令之法勢將消滅。

他認為飾辭是「邪道」（「所謂貌施也者，邪道也」），是危險的（「華焉殆矣」）。他甚至說：「飾巧詐則知采文，知采文之謂服文采……而有以淫侈為俗，則國之傷也……」（《解老》篇）所以他主張「處其實不處其華者」，為的是「好情實也」（《解老》篇）。對於這個道理，他又作了進一步的說明：

禮為情貌者也，文為質飾者也。夫君子取情而去貌，好質而惡飾。夫恃貌而論情者，其情惡也；須飾而論質者，其質衰也。何以論之？和氏之璧不飾以五彩，隋侯之珠不飾以銀黃，其質至美，物不足以飾美。（《解老》篇）

他重視本質的美，而不贊同以詭詐文飾來改變實質。

《呂氏春秋》是秦相呂不韋門客的集體著述，向來列入「雜家」。郭鼎堂先生認為書中主要的言論，還是不出於儒家和道家的思想。《呂氏春秋》對於修辭的意見，與墨、法兩家也沒有多大的不同，所以把它列於墨法二家之末。它說：

言者，以喻意也。言意相離，凶也。……夫辭者意之表也，鑒其表而棄其意，悖。故古之人，得

其意則捨其言矣。聽言者以言觀意也，聽言而意不可知，其與橋（矯）言無擇。（《離謂》篇）

這說得很明白，言辭是表達思想意念的工具，二者是不可以相乖離的；也就是說，不可爲着修飾言辭，而害其所欲表達的本意，致使人聽其言而不知其意。

我們甚至可說，先秦諸子對於修辭學的意見，大體上是一致的，除了孔子有時强調文采和辭巧之外，大都是反對以辭害意的。

六、小　結

先秦的修辭思想，還是在萌芽時期，所以從經傳以至諸子的修辭學說——特別是孔子的修辭學說，還不夠系統、明朗，須待後世的學者來闡說；不過就大體上來說，除了孔子有時主張巧言、文采外，一般的論點，都是反對美言華辭主張意足而已的。郭紹虞先生以爲儒家尚文不尚用，墨家尚質不尚文。⑦這是以孔子爲儒家的代表而言。至如孟子和荀子，並未嘗有尚文之說。不過，諸子的文章（包括他們所說的話爲弟子或後人所記述的），却都相當注重修辭的技巧，這是不能否定的。明王世貞《藝苑巵言》云：

孔子曰：「辭達而已矣。」……今《易繫》、《禮經》、《家語》、《魯論》、《春秋》之篇存者，抑何嘗不工也？

這完全是事實。所謂工，是工於修辭。又如本篇第三節所引的《甘健齋軸圓稿序》（見淸魏禧《魏叔子文集》），還有這樣的話：「……而或者以爲不然，則請觀於《六經》孔子、孟子之文，其文不文，蓋可睹矣」。所謂文，是指文采而言。《六經》孔、孟之文，文采煥然，自是事實。墨、法二家之文，也不例外。

漢劉向《說苑．至公》篇云：

> 楚共王出獵，而遺其弓，左右請求之，共王曰：「止！楚人遺弓，楚人得之，又何求焉？」仲尼聞之，曰：「惜乎其不大！亦曰：「人遺弓，人得之而已。」何必楚也！仲尼所謂大，公也。」⑧

《呂氏春秋．貴公》篇亦云：

> 荊人有遺弓者，而不肯索，曰：「荊人遺之，荊人得之。又何索焉？」孔子聞之曰：「去其荊而可矣。」老聃聞之曰：「去其人而可矣。」故老聃則至公矣。

這些記載如果是可靠的話，則在先秦時代，已經有辭格論（積極修辭論）的萌芽了。仲尼和老聃所論的，都是「省略」的修辭法；孔子主張去「楚」字，老子則主張去「人」字。這說明老、孔二子至少懂得一個辭格（省略）的辭格論。不過那個時候修辭思想還是在萌芽時期，老、孔二子還不知道什麼是積極修辭——不知道辭格到底是什麼，他們偶然論及一個字之應該刪節，與現在我們所說的節縮修辭法只可以說是暗合而已。

注　釋

①《經典釋文》引沉重說：「案鄭（卽鄭玄）意『大序』是子夏作，『小序』是子夏、毛公合作。卜商（卽子夏）意有未盡，毛更足成之。」

② 清崔述《讀書偶識・通論詩序》云：「《詩序》乃後漢衞宏作。唐人舊說以爲子夏、毛公所作。沉重云：『案鄭《詩譜》意「大序」是子夏作，「小序」是子夏、毛公合作；卜商意有不盡，毛公足成之。』此說非也。何者？《史記》作時，《毛詩》未出。《漢書》始稱《毛詩》，然無作序之文。惟《後漢書・儒林傳》稱『謝曼卿善《毛詩》，乃爲其訓。宏從曼卿受學，因作《毛詩序》，善得風雅之旨；於今傳於世』。則《序》爲宏所作顯然無疑。其稱子夏、毛公作者，特後人猜度言之，非果有所據也。《記》曰：『無徵不信，不信民弗從。』今以衞宏作《詩序》，有《後漢書》明文可據。如謂爲子夏、毛公所作，則《史》《漢》傳記從無一言及之。不知說者何以不從其有徵者而惟無徵之言之是從也？」

③ 清俞樾《古書疑義學例》以爲「識知」二字當爲連文。他說：「《詩》曰：『不識不知』，是識知同義，故連言之曰識知也。」

④ 清阮元的《文言說》，對「言之不文，行之不遠」二語，曾試爲臆說其義。他說：「《左傳》曰：『言之無文，行之不遠。』此何也？古人以簡策傳事者少，以口舌傳事者多，以目治事者少，以口耳治事者多；故同爲一言，轉相告語，必有愆誤。是必寡其詞，協其音，以文其言，使人易於記誦，無能增改，且無方言俗語雜於其間，始能達意，始能行遠。此孔子於《易》所以著《文言》之篇也。」（《揅經室集》三集卷二）

⑤ 訒的本意是納於言。《論語・顏淵》篇：「仁者其言也訒。」《荀子・正名》篇的訒字疑是詥字之誤。詥，意謂夸衒其辭。

⑥ 堅白論和無厚論，都是名學的論點，是「名家」的辯說。荀子《修身》篇和《呂氏春秋・君守》都把「堅白（同異）之察」與「（有厚）無厚」之說並舉。按莊子《天下》篇：「無厚，不可積也，其大千里。」

⑦ 見郭紹虞《中國文學批評史・緒論》第二頁。

⑧ 現存的《公孫龍子》有《迹府》篇，一般以爲是後人收集有關公孫龍的言行事迹而寫下來的，文中也有這樣的一段：「且白馬非馬，乃仲尼之所取。龍聞楚王張繁弱之弓，載忘歸之矢，以射蛟兕於雲夢之圃而喪其弓。左右請求之。王曰：『止。楚人遺弓，楚人得之，又何求乎？』仲尼聞之曰：『楚王仁義而未遂也。亦曰人亡

弓，人得之而已，何必楚？』若此，仲尼異楚人於所謂人。夫是仲尼異楚人於所謂人，而非龍異白馬於所謂馬，悖。」

第四篇　中國修辭思想的成熟期
——兩漢時代

一、楔　子

兩漢時代，封建制度已臻於成熟的階段。由於執政者和著名學者，都大力提倡儒家的學說。反映在文學藝術方面是重視辭藻形式的辭賦獨盛，鋪陳超乎常度；而針對這種修辭現象所作的批評，也顯得比較具體。就拿論述飾辭來說，不論贊成也好，反對也好，都已有了比較具體的觀念。對於一般的修辭理論（包括論消極修辭）或是辭格（積極修辭），也大都能清楚地表示了自己的主張和看法。這一個時期可以說是修辭思想的成熟期。

二、董仲舒《春秋繁露》論《春秋》的用辭

西漢景帝時博士董仲舒著《春秋繁露》十七卷，發揮《春秋》的旨意，多主《公羊》①，往往涉及陰陽五行之說，是一部有關政治、歷史、倫理、禮俗的著作。書中也談論到《春秋》的用辭（用他自己的說法是論《春秋》的「爲辭之術」）。這書在宋代才開始流布，以樓鑰的校本爲定本。後人證以《漢書》所載書名，不相符合，所以頗疑其僞托。《四庫全書・提要》謂「今觀其文，雖未必全出仲舒，然

中多根極理要之言，非後人所能依托也。」這書的大部分仍是出於仲舒之手，是可以無疑義的。在這部書裏，董仲舒流露出的思想傾向却是要不得的。如《制度第二十七》（一名《調均》篇）以爲衣裳之有五彩，是專爲貴人而作的，若不設制度加以限制，讓人人從其所欲，將大亂人倫，浪費金錢，不但失去文采所遂生的意義，天下也將因此而大亂了。董氏尊崇權貴、賤視庶民的思想意識是很分明的。至於論述《春秋》的用辭，董氏的《春秋繁露》也未必能比晉杜預的《春秋釋例》更爲精翔周密，得其體要，但從修辭學的歷史來說，董氏生當漢初，在修辭思想剛剛成熟的時期，雖仿《公羊》、《穀梁》二傳問答式的老方法，却能深入地闡明《春秋》遺辭設句的道理，不能不說是一個開創者。現在學數例說明於後。《玉杯第二》云：

《春秋》譏文公以喪取。難者曰：喪之法，不過三年。三年之喪，二十五月。今按經，文公乃四十一月方取，取時無喪，出其法也久矣，何以謂之喪取？曰：《春秋》之論事，莫重於志。今取必納幣，納幣之月在喪分，故謂之喪取也。

按古代的喪法，父母死了，必須居喪三年之後才可以娶妻，所謂三年之後，實在只有二十五個月（卽兩個足年二十四個月加上第三年的第一個月共計二十五個月）便可以聘娶了。又按「僖以三十三年十二月薨」，公子於文四年夏五月才迎娶，相隔已三年又五個月（計四十一個月）了。所以難者曰：「取時無喪，出其法也久矣，何以謂之喪取？」董氏的解釋是：《春秋》論事，注重實際的意義（就是他的所謂「志」）；娶妻必先下聘禮（納幣），公子於文二年的冬天——在父親（僖公）死後還不及兩年的時候，便跑到齊國去納幣下聘了。納幣也是迎娶的一種行爲。他納幣之月，還在居喪，所以謂之「喪取」。

董氏說明《春秋》譏公文喪取，用辭設句是確當無誤的。

> 《四祭第六十八》云：
>
> 古者歲四祭。四祭者，因四時之所生熟，而祭其先祖父母也。故春曰祠，夏曰礿，秋曰嘗，冬曰烝。此言不失其時，以奉祀先祖也。過時不祭，卽失為人之道也。祠者，以正月始食韭也；礿者，以四月食麥也；嘗者，以七月嘗黍稷也；烝者，以十月進初稻也。

同是祭祀，而春、夏、秋、冬的用辭却不同，董氏釋其不同的意義，以適於四季而分別使用，也就等於指出《春秋》用辭的切當。《禮・王制》云：「天子諸侯宗廟之祭，春曰礿，夏曰禘，秋曰嘗，冬曰烝。」按《禮記》所記，是夏、商的祭名；《春秋》所記，是周的改稱。《爾雅・釋天》云：「春祭曰祠，夏祭曰礿，秋祭曰嘗，冬祭曰烝。」《春秋繁露》所述，正與《爾雅》相同。但《詩・小雅天保》篇則云：「禴祠烝嘗。」次序又有所不同。

> 《精華第五》云：
>
> 《春秋》愼辭，謹於名倫等物者也。是故小夷言伐而不得言戰，大夷言戰而不得言獲，中國言獲而不得言執，各有辭也。又小夷避大夷而不得言戰，大夷避中國而不得言獲，中國避天子而不得言執，名倫弗予，嫌於相臣之辭也。是故大小不逾等，貴賤如其倫，義之正也。

董氏說《春秋》用辭，於名倫等物之分，非常謹愼；伐、戰、獲、執等字，須視國之大小，恰如其分地加以使用，不得僭越，這樣，「大小」才能不「逾等」，「貴賤」才能「如其倫」。雖論用辭，仍不忘其所謂大小貴賤的名倫觀念。

《楚莊王》篇云：

義不訕上，智不危身。故遠者以義諱，近者以智畏。畏與義兼，則世逾近而言逾謹矣。此定、哀之所以微其辭。以故用則天下平，不用則安其身，《春秋》之道也。

他的所謂「微其辭」，是指在那言論不自由、出言一不小心往往足足以致禍的時代，明哲之人說話多謹愼含蓄的意思。

《精華第五》又云：

難晉事者曰：《春秋》之法，未逾年之君稱子，蓋人心之正也。至里克殺奚齊，避此正辭而稱君之子，何也？曰：此聞《詩》無達詁，《易》無達占，《春秋》無達辭。……晉，《春秋》之同姓也，驪姬一謀而三君死之，天下所共痛也。本其所爲爲之者，蔽於所欲得位而不見其難也。《春秋》疾其所蔽，故去其位辭，徒言「君之子」而已。

史稱驪姬立爲晉獻公夫人之後，生奚齊及卓子；不久，譖殺太子申生，立奚齊爲太子。獻公死後，奚齊、卓子相繼卽位，都被里克所殺。《春秋繁露》謂「驪姬一謀而三君死之」，謀，指驪姬譖殺太子申生，立奚齊爲太子；三君死之，指申生、奚齊、卓子都被殺戮。《春秋》的作者「疾其所蔽」，所以提到里克殺奚齊的時候，去其位辭「子」字而不用，只說是「君之子」。陳望道氏《修辭學發凡》第一篇第四節論「修辭同情境和題旨」說：

總之，修辭以適應題旨情境爲第一義，不應是僅僅語辭的修飾，更不應是離開情意的修飾。……卽使偶然超脫常律，也應是這樣適應的結果，並非故意超常越格造成怪怪奇奇的「破格」。……

凡是成功的修辭，必定能够適合內容複雜的題旨，內容複雜的情境，極盡語言文字的可能性，使人覺得無可移易，至少寫說者自己以為無可移易。

《春秋繁露》論述《春秋》的修辭，也正是如此。

《春秋繁露》也偶有論述辭格的，如《王道通三第四十四》云：

古之造文者，三畫而連其中謂之王。三畫者，天地與人也；而連其中者，通其道也。取天地與人之中以為貫而參通之，非王者孰能當是？

這分明是論「析字」辭格。論時代，雖比《左傳》「止戈爲武」晚，但比南朝宋劉義慶《世說新語》所記楊修悟析字要早幾百年。東漢孔融的《離合作郡縣姓名詩》，可能是受到了董仲舒論析字辭格的啓示而作的。

體例和《春秋繁露》差不多而成書略早於《春秋繁露》的，有《公羊傳》和《穀梁傳》。《公羊傳》，舊雖題爲公羊高所作，但據徐彥《公羊傳疏》引戴宏《序》，却說是景帝時高之玄孫壽與胡母子都著於竹帛者。至於《穀梁傳》，《四庫提要》主徐彥《公羊傳疏》所說「穀梁亦是著竹帛者，題其親師，故曰《穀梁傳》。」但誰著於竹帛，則不可考了。二傳都注重在講倫常，雖也釋用辭，但其修辭價值都不及《春秋繁露》。郭紹虞先生說《公羊》、《穀梁》二傳，都講到了語法，而且是結合着修辭講的（《漢語語法修辭新探》）。但我想借用郭先生的話，二傳都「可惜分析不密」，而且也欠明朗化，所以眞正的將語法修辭結合着而論列的，當是始於梁劉勰的《文心雕龍・章句》篇。

三、賈誼《陳政事疏》論諱飾王逸《離騷經序》王符《潛夫論》論譬喻

先秦時代，修辭思想尚在萌芽階段，所以提到積極修辭的辭格，只有莊子自說他的著作「寓言十九」，偶然創造了一個辭格的名稱（「寓言」），並沒有談論它；傳說孔子、老子曾論一字的刪節（「楚人遺弓，楚人得之」，孔子認爲應該刪「楚」字，老子則以爲應該刪「人」字，已見前文），這似乎論到「省略」的辭格了，但見於《呂氏春秋》和劉向《說苑》的記載，可靠與否，頗有疑問。又惠子見梁王論譬喻之不可無，亦是見於《說苑》，未必十分可靠。所以先秦諸子寫、說時用辭格的地方雖多，但談論辭格的却不容易見到，卽使偶而見到，所論也不夠具體。

漢人論辭格，要比先秦時代進步得多，如西漢文帝時賈誼《陳政事疏》論諱飾：

古者大臣有坐不廉而廢者，不謂不廉，曰「簠簋不飾」；坐汚穢淫亂男女無別者，不曰汚穢，曰「帷薄不修」；坐罷軟不勝任者，不謂罷軟，曰「下官不職」。故貴大臣定有其罪矣，猶未斥然正以呼之也，尚遷就而為之諱也。

賈誼在擧了諱飾辭格的例證之後，清楚地表示了他對於這一類辭格的看法和批評。

《禮記，玉藻》云：「於大夫所，有公諱，無私諱。凡祭不諱，廟中不諱，教學臨文不諱。」說的是在哪樣的情境下可以不諱。《曲禮》亦云：「禮不諱嫌名」。據漢鄭玄的注解：「嫌名，謂音聲相近，

若禹與雨，丘與區也。」。《檀弓》記孔子的母親名徵在，兩字不併言，卽「言徵不言在，言在不言徵。」說的都是關於避諱的事，不過只是敍述和記載而已，還沒有形成爲辭格論。

東漢王逸《離騷經序》云：

> 《離騷》之文，依詩取興，引類譬喻，故善鳥香草以配忠貞，惡禽臭物以比讒佞，靈脩美人以媲於君，宓妃佚女以譬賢臣，虬龍鸞鳳以託君子，飄風雲霓以為小人。其詞溫而雅，其義皎而朗。

指出屈原《離騷》能「依詩取興」，善用借喻的修辭法，措辭溫雅，而意義明白。

王符《潛夫論・釋難》篇說：「夫譬喻也者，生於直告之不明，故假物之然否以彰之。」這是闡述譬喻辭格產生的原因，但却沒有擧出例證來。（又「潛夫論・務本》篇云：「教訓者，以道義爲本，以巧辯爲末。辭語者，以信順爲本，以詭麗爲末。」他是反對巧辯和麗辭的。）

四、劉向《說苑》主張飾辭和善說

兩漢時代的大編輯家劉向，在元帝時曾數上書言天下事，以陰陽休咎，論時政得失，譏刺時事，指陳災異；只因那時候外戚專權，屢遭誹謗，劉向終於沒有被「君上」所器重。可是劉向並不灰心，也沒有因此改變了他的「志願」。他悟出自己的陳辭太切直了，太沒有講究修飾了，這也許是失敗的一大原因吧？因此他寫了一篇《善說》，後來收在《說苑》裏，開頭便說：

> 孫卿曰：「夫談說之術，齊莊以立之，端誠以處之，堅強以持之，譬稱以諭之，分別以明之，歡忻憤懣以送之，寶之珍之，貴之神之，如是則說常無不行矣。夫是之謂能貴其所貴。」《傳》

曰：「唯君子為能貴其所貴也。」《詩》云：「無易由言，無曰苟矣。」鬼谷子曰：「人之不善而能矯之者難矣。說之不行，言之不從者，其辯之不明也；既明而不行者，持之不固也；既固而不行者，未中其心之所善也。辯之明之，持之固之，又中其人之所善，其言神而珍，白而分，能入於人心，如此而說不行者，天下未嘗聞也。此之謂善說。」子貢曰：「出言陳辭，身之得失，國之安危也。」《詩》云：「辭之繹矣，民之莫矣。」夫辭者，人之所以自通也。主父偃曰：「人而無辭，安所用之。」昔子產修其辭而趙武致其敬，王孫滿明其言而楚莊以慚，蘇秦行其說而六國以安，蒯通陳其說而身得以全。」夫辭者乃所以尊君重身、安國全性者也。故辭不可不修，說不可不善。

他最後兩句話說得最是透徹明白，原來辭是不可不修的，而修辭的目的，是爲了遊說時能說得好，能爲人君所重用。

劉向也特別强調用譬喻的修辭法。在《善說》篇中，他舉出這樣的一則故事：

客謂梁王曰：「惠子之言事也善譬，王使無譬，則不能言矣。」王曰：「諾。」明日見，謂惠子曰：「願先生言事則直言耳，無譬也。」惠子曰：「今有人於此而不知彈者，曰：『彈之狀何若？』應曰：『彈之狀如彈。』則諭乎？」王曰：「未諭也。」於是更應曰：「彈之狀如弓，而以竹為弦。則知乎？」王曰：「可知矣。」惠子曰：「夫說者，固以其所知諭其所不知而使人知之。今王曰：『無譬』，則不可矣。」王曰：「善。」

比喻是我們寫、說時最常用的一種修辭法，也是最重要的一個辭格；用了比喻，可以省掉許多嚕囌的說明。自從上古以來，文人們都喜歡用比喻來寫、說。劉向舉了這個故事，來强調談說之術用比喻的重要性。殊不知劉向雖然重視修辭，但內心却是反對「辯言好辭」的。在《臣術》篇中，他曾說過這樣的話：「入則辯言好辭，出則更復異其言語，使白黑無別，是非無間，……如此者亡國之臣也。」

五、司馬遷、桓寬、揚雄、班固、王符、荀悅論華質

司馬遷的《太史公自序》，引述其父談的話說：「道家無爲，又曰無不爲，其實易行，其辭難知。」他父子以爲道家的修辭太隱晦，不容易了解，那麼，他主張文辭要通俗易曉，是不言而喻的。又說：「敦厚慈孝，訥於言，敏於行，務在鞠躬，君子長者。」（《自序》）他以爲說話遲頓，恭敬謹愼，才是君子長者；那種滔滔不絕、善於辯言的行徑，他是不敢苟同的。他批評司馬相如的《子虛》、《大人》賦，「靡麗多誇。」（《自序》）他主張「約其文辭，去其煩重，以制義法。」（《十二諸侯年表》序。）但他又說：「自孔子卒，京師莫崇庠序，惟建元、元狩之間，文辭粲如也。」（《自序》）則又似乎未必完全排斥文采了。他所著述的《史記》，很受人推崇，以爲善於修辭，其實修辭失當的地方頗不少，金代王若虛的《滹南遺老集》，有《〈史記〉》辨惑一文，已經指出了它的一些用辭欠妥之處。

桓寬（昭帝時人）的《鹽鐵論》，也談論到辭的華質：「有華言矣，未見其實也。」（《相刺》第二十）又說：「歌聲不期於利聲而貴在中節，論者不期於麗辭而貴在事實。」（同上）他甚至以爲「文繁於春華，無效於抱風。飾虛言以亂實，道古以害今。」（《遵道》第二十三）他是反對文章華而不實的。

西漢論辭的華質的，還有一位揚雄（成帝時人），其《法言・吾子》篇云：

或問：「吾子少而好賦？」曰：「然。童子雕蟲篆刻。」俄而曰：「壯夫不為也。」或曰：「賦可以諷乎？」曰：「諷乎？諷則已；不已，吾恐不免於勸也。」……或問：「景差、唐勒、宋玉、枚乘之賦也益乎？」曰：「必也淫。」「淫則奈何？」曰：「詩人之賦麗以則，辭人之賦麗以淫。如孔氏之門用賦也，則賈誼升堂，相如入室矣。」

他以爲賦只是雕蟲小技，壯夫不爲，但却又稱讚賈誼和司馬相如的賦。北齊的顏之推很不以揚雄的說法爲然。《顏氏家訓・文章》篇云：

或問揚雄曰：「吾子少而好賦？」雄曰：「然。童子雕蟲篆刻，壯夫不為也。」余竊非之曰：虞舜歌《南風》之詩，周公作《鴟鴞》之咏，吉甫、史克，《雅》、《頌》之美者，未聞皆在幼年累德也。孔子曰：「不學《詩》，無以言。」「自衛反魯，樂正，《雅》、《頌》各得其所。」大明孝道，引《詩》證之。揚雄安敢忽之也？若論「詩人之賦麗以則，辭人之賦麗以淫」，但知變之而已，又未知雄自為壯夫何如也？

他以爲詩賦一類的作品，自有其修辭的作用和效果，是不容加以否定的。宋蘇軾《答謝民師書》云：

揚雄好為艱深之辭，以文淺易之說：若正言之，則人人知之矣。此正所謂雕蟲篆刻者，其《太玄》《法言》皆是物也。而獨悔於賦，何哉？終身雕蟲，而獨變其音節，便謂之經，可乎？屈原作《離騷經》，蓋風雅之再變者，雖與日月爭光可也。可以其似賦而謂之雕蟲乎？

他指出了揚雄自己喜歡雕篆而又鄙薄雕篆的行爲。

揚雄又以爲「事勝辭則伉，辭勝事則賦，事辭稱則經，足言足容，德之藻矣。」（《吾子》篇）他主張事辭能夠相稱便是好文章，不必蓄意雕飾。他說：「人道象焉其事而不務其辭」。（《太玄經》）又說：「雕篆之文，徒費日也；雕文刻鏤，傷農事也。」（《太玄經》）又說：「女惡華丹之亂窈窕也，書惡淫辭之掘法度也。」（《吾子》篇）他憎惡藻飾過甚的「淫辭」，是顯然的。他又說，「辭約謂之要」（見《淵鑒類函》所引），他主是張辭約的。可是，他的《寡見》篇却又說：「或曰：『良玉不雕，美言不文，何謂也？』曰：『玙不雕，璵、璠不作器；言不文，典、謨不作經。』」他以爲起碼的雕飾還是必要的。他指出樸質與雕飾的分別：「質幹在乎自然，華藻在乎人事。」（《太玄經》卷七）自然和人事，便是質樸和雕飾的特徵。

《漢書・藝文志》載東漢班固《詩賦略論》云：「漢興，枚乘、司馬相如、下及揚子雲，競爲侈麗閎衍之辭，沒其風諭之義。」又其《典引》論司馬相如云：「司馬相如洿行無節，但有浮華之辭，不周於用。」班固以爲辭賦過事雕飾文采，會掩沒諷諭的本意——他是反對以辭害意的。他的《離騷序》也說：「其文弘博麗雅，爲辭賦宗。後世莫不斟酌其英華，則像其從容。……漢興，枚乘、司馬相如、劉向、揚雄，騁極文辭，好而悲之，自謂不能及也。」班固認爲《離騷》弘博麗雅，爲辭賦之所宗，而漢代的辭賦作者，但知騁極文辭，自無法與修辭精當的《離騷》相比擬了。

可是抨擊「雕麗之文」最徹底、態度最明朗、立論最警策的要算東漢王符的《潛夫論》了。其《務本》篇云：

今學問之士，好語虛無之事，爭著雕麗之文，以求見異於世。品人鮮識，從而高之，此傷道德之實，而惑矇夫之大者也。詩賦者，所以頌善醜之德，泄哀樂之情也。故溫雅以廣文，興喻以盡意。今賦頌之徒，苟為饒辯屈蹇之辭，競陳誣罔無然之事，以索見怪於世。愚夫戇士，從而奇之，此悖孩童之思而長不誠之言者也。

他認爲當代的文人，受老、莊的影響，「好言虛無之事，爭著雕麗之文」，是有「傷道德之實」的。他又認爲當世盛行的辭賦，多失其「頌善醜」、「泄哀樂」的本意，徒以奇辭麗文眩耀於世，是助長文辭不能忠實地表現作者的本意的風氣。他對漢代那種歪賦的批評，可以說是最淋漓痛快的。《交際》篇說：「士貴有辭，亦憎多口。故曰：文質彬彬，然後君子。與其不忠，剛毅木納（應作「訥」），尙近於仁。」他主張文質兼顧，與其以文害意，不如說話遲頓。他是反對巧言的。

荀悅《中鑒·雜言下》說：「辯言美矣，其理不若絀；文爲顯矣，其中不若礼。」又說：「辭約謂之要。」他認爲辯不若絀，文不若礼，主張「辭約」，則尙質而輕文的態度，是很明顯的了。

六、王充《論衡》反對華文飾辭、評論誇飾

王充是東漢偉大的思想家，他不能容忍當時萎靡不振的文風，首先揭櫫了形式原於內容的觀點，他認爲形式與內容應該「外內表裏，自相副稱」，不應該只顧形式的雕琢，而忽視了內容的眞實。在《論衡·超奇》篇中，他說：

有根株於下，有榮葉於上，有實核於內，有皮殼於外。文墨辭說，士之榮葉皮殼也。實誠在胸臆，文墨著竹帛，外內表里，自相副稱；意奮而筆縱，故文現而實露也。人之有文也，猶禽之有

毛也。毛有五色，皆生於體。苟有文無實，則是五色之禽，毛妄生也。

他以爲文只是要表意，用不着虛飾。他又說：「文由胸中而出，心以文爲表。」「情見於辭，意驗於言。」「淺意於華葉之言，無根核之深，不見大道體要。」「虛妄之言，僞飾之辭，莫不證定。」（《超奇》篇）

他主張文字要通俗，使讀者能看得懂：「冀俗人觀書而自覺，故直露其文，集以俗言。或譴謂之淺。答曰：以聖典而示《小雅》，以雅言而說丘野，不得所曉，無不逆者。」（《自紀》篇）他批評漢賦舖飾過度，遂使旨意不明，而有復古的傾向：「深覆典雅，指意難睹，唯賦頌耳。」（《自紀》篇）他提到了《論衡》的寫作態度說：「《論衡》者，論之平也。口則務在明言，筆則務在露文……言無不可曉，指無不可睹。觀讀之者，曉然若盲之開目，聆然若聾之通耳。」（《自紀》篇）他甚至主張文、言應該合一：「夫文由語也，或淺露分別，或深迂優雅，孰爲辯者？故口言以明志，言恐滅遺，故著之文字。文字與言同趨，何爲猶當隱閉指意？」（《自紀》篇）

王充生當賦頌盛行的時代，獨倡文、言合一之說，以爲語言是表達人們的意志（「口言以明志」），文字是代表語言的工具（「文由語也」），恐語言不能留存久遠（「言恐滅遺」），所以「著之文字」。文字與語言本來是一體的（「文字與言同趨」），爲什麼不直寫胸臆，而要加以「隱閉」呢？他又說：「經傳之文，賢聖之語，古今言殊，四方談異也。當言事時，非務難知使指意閉隱也。」（《自紀》篇）他實在已經用辯證的方法，來分析語言文字的演變；他知道春秋戰國時代的所謂「經傳之文，賢聖之語」，還是根據當時的語言文字而寫、說的；但由於語言文字的演變，加上四方方言的不同，致使漢代的人讀起來，有「古今言殊」，不容易理解的感覺，並不是當初寫作、言談的時候，故作使人難知之語，使意難明的話。王充眞不愧爲偉大思想家！我們只稍看淸儒還在提倡復古，甚至到了「五四」時代還有復古派如林琴南之流極力反對白話文，而在將近兩千年前的王充，竟能主張文、言合一之說，這不能不說是難能可貴了！

他以爲文章要寫到使人「易曉」並不容易，相反的，要寫得使人難知却是輕而易擧的事；他一再强調寫作須力求通俗，不務深奧。他說：「夫筆著者欲其易曉而難爲，不貴難知而易造。口論務解分而可聽，不務深迂而難睹。」（《自紀》篇）他曾爲《論衡》作辯護說：

或曰：「文貴約而指通，言尚省而趨明。辯士之言要而達，文人之辭寡而章。今所作新書出萬言，繁不省，則讀者不能盡；篇非一，則傳者不能領。被躁人之名，以多為不善。語約易言，文重難得。玉少石多，多者不為珍；龍少魚衆，少者固為神。」答曰：「有是言也！蓋寡②言無多，而華文無寡。為世用者，百篇無害；不為用者，一章無補。如皆為用，則多者為上，少者為下。累積千金，比於一百，孰為富者？蓋文多勝寡，財寡愈貧。世無一卷，吾有百篇；人無一字，吾有萬言，孰者為賢？今不曰所言非而云泰多；不曰世不好善而云不能領。斯蓋吾書所以不得省也。夫宅舍多，土地不得小；戶口衆，簿籍不得少。今失實之事多，華虛之語衆，指實定宜，辯爭之言，安得約徑？」（《自紀》篇）

這些意見，後來葛洪的《抱朴子》曾加以引述。

王充更反對美辭（即「華文」）。在《對作》篇中，他說：

> 故虛妄之語不黜，則華文不見息；華文放流，則實事不見用。故《論衡》者，所以銓輕重之言，立真偽之平；非苟調文飾辭，為奇偉之觀也。……世俗之性，好奇怪之語，說虛妄之文。何則？實事不能快意，而華虛驚耳動心也。是故才能之士，好談論者，增益實事，為美盛之語；用筆墨者，造生空文，為虛妄之傳。聽者以為真。然說而不舍，覽者以為實事，傳而不絕。」

他極力排斥虛妄的語文，以爲修辭應該講求實用。所以他主張「沒虛華之文，存敦龐之樸。論貴是而不務華，事尙然而不高合。辯論是非，言不得巧。」（《自紀》篇）他更以爲「養實者不育華，調行者不飾辭。」「飾貌以强類者失形，調辭以務似者失情。」（《自紀》篇）又說：「天文人文，豈徒調墨弄筆，爲美麗之觀哉？」（《佚文》篇）

他還寫了《藝增》、《儒增》、《語增》諸篇。「增」是誇張的意思，梁劉勰的《文心雕龍》稱之爲「誇飾」，有時候也稱之爲「誇張」。所謂「藝增」，是指經書（「六經」也叫做「六藝」）用誇張辭；所謂「儒增」，是指諸子書傳用誇張辭；所謂「語增」，是指世俗傳言用誇張辭。在《藝增》篇中，他說：「然而必論之者，方言經藝之增，與傳語異也。」他以爲經書用誇張修辭是情有可原的，世俗傳言用誇張修辭是不應該的，因爲它「失實」。其實，如果說是失實麼，經書用誇張辭也一樣是失實的。王充在《藝增》篇中，稱引經書用誇張辭的時候，有時雖然替它辯解，有時也批評它失實。甚至一開頭便說：

> 世俗所患，患言事增其實，著文垂辭，辭出溢其真，稱美過其善，進惡沒其罪。何則？俗人好奇，不奇，言不用也。故譽人不增其美，則聞者不快其意；毀人不益其惡，則聽者不愜於心。聞

一增以為十，見百益以為千，使夫純樸之事，十剖百判；審然之語，千反萬畔。墨子哭於練絲，楊子哭於歧道，蓋傷失本，悲離其實也③。

他反對用誇張辭的態度是很明顯的。

《藝增》篇又說：

《尚書》：「協和萬國。」……欲言堯之德大，所化者衆，諸夏夷狄，莫不雍和，故曰「萬國」。猶《詩》言「子孫千億」④矣。美周宣王之德，能慎天地，天地祚之，子孫衆多，至於千億。言「子孫衆多」，可也；言「千億」，增之也。夫子孫雖衆，不能千億，詩人頌美，增益其實。

這似乎是在替《書》、《詩》用誇張辭而作的辯解。

《藝增》篇又說：

《詩》云：「鶴鳴九臯，聲聞於天。」⑤……天之去人，以萬數遠，則目不能見，耳不能聞。今鶴鳴，從下聞之，鶴鳴近也；以從下聞其聲，則謂其鳴於地，當復聞於天，失其實矣。其鶴鳴於雲中，人從下聞之，如鳴於九臯，人無在天上者，何以知其聞於天上也？無以知，意從准況之也。詩人或時不知，至誠以為然；或時知而欲以喻事，故增而甚之。

這似乎一面說《詩經》用誇張辭失實，一面却又替它辯解。其實，當一個人感情激動的時候，自然而然地會用誇張辭，正如王力先生所說，誇張辭「是一種極度形容語，使語言增加生動性。」⑥而不是存心要「失實」的。

《藝增》篇又說：

《詩》曰：「維周黎民，靡有孑遺。」是謂周宣王之時遭大旱之災也。詩人傷旱之甚，民被其害，言無有孑遺一人不愁痛者。夫旱甚則有之矣；言無孑遺一人，增之也。夫周之民，猶今之民也；使今之民也，遭大旱之災，貧羸無蓄積，扣心思雨；若其富人穀食饒足者，廩囷不空，口腹不飢，何愁之有？天之旱也，山林之間不枯，猶地之水，丘陵之上不湛也。山林之間，富貴之人，必有遺脫者矣。而言靡有孑遺，增益其文，欲言旱甚也。

孟子《萬章》篇引《詩・大雅・雲漢》篇「維周黎民⑦，靡有孑遺」，接着說：「信斯言也，是周無遺民也。」可見孟子對這詩句的解釋，是說周宣王時遭大旱之災，老百姓都餓死了，沒有一個人能夠倖免。而王充對這詩句的解釋，却是「民被其害，言無有孑遺一人不愁痛者。」孟子的解釋是誇張到底；王充爲了存心要替經書辯解，所以他的解釋比較保守。其實，既然用了誇張辭，便應該誇張到底，讀者也才知道是誇張辭，可以「以意逆志」地去了解它；如果誇張不到底，讀者不覺得是誇張辭，反會誤認作者是在說謊。所以我以爲孟子的解釋，才是詩人的本意。

《藝增》篇又說：

《武成》言「血流浮杵」，亦太過焉。死者血流，安能浮杵？案武王伐紂，於牧之野；河北地高，壤靡不乾燥，兵頓血流，輒燥入土，安得杵浮？且周、殷士卒，皆齎盛糧（或作乾糧），無杵臼之事，安得杵而浮之？言血流杵，欲言誅紂，惟兵頓士傷，故至浮杵。

王充既然根據歷史事實，力說「血流浮杵」之失實，但最後却又替《尚書》辯解說：「欲言誅紂，惟兵頓士傷，故至浮杵。」這說法是非常勉强而不合實際的。

至於世俗傳言中所用的誇張辭，所謂「語增」，王充便一味指摘，不再替它作辯解了。《語增》篇云：

或言：「武王伐紂，兵不血刃。」夫以索鐵伸鉤之力，輔以蜚廉、惡來之徒，與周軍相當，武王德雖盛，不能奪紂素所厚之心；紂雖惡，亦不失所與同行之意。雖為武王所擒，時（疑爲料字之誤）亦宜殺傷十百人。今言「不血刃」，非紂多力之效，蜚廉、惡來助紂之驗也。……凡天下之事，不可增損，考察前後，效驗自判。自判，則是非之實有所定矣。世稱紂力能索鐵伸鉤，又稱武王伐之，兵不血刃。夫以索鐵伸鉤之力當人，則是孟賁、夏育之匹也；以不血刃之德取人，是則三皇五帝之屬也。以索鐵之力，不宜受服；以不血刃之德，不宜頓兵。今稱紂力，則武王德貶；譽武王，則紂力少。索鐵，不血刃，不得兩立；殷周之稱，不得二全。不得二全，則必一非。

又云：

傳語曰：「文王飲酒千鍾，孔子百觚。」欲言聖人德盛，能以德將酒也。如一坐千鍾百觚，此酒徒，非聖人也。飲酒有法，胸腹小大，與人均等。飲酒用千鍾，用肴宜盡百牛，百觚則宜用十羊。夫以千鍾百牛、百觚十羊言之，文王之身，如防風之君，孔子之體，如長狄之人，乃能堪之。案文王、孔子之體，不能及防風、長狄，以短小之身，飲食衆多，是缺文王之廣，貶孔子之崇也。

他以爲這些誇張的現象，都是「華文飾辭」的結果，是「失其實誠」的「虛說」。但是，王充並沒有完全否定形式的作用，對於那些文情並茂的作品，他還是重視的。所以在《對作》篇中，他又說過這樣的話：「人如無文則爲樸人。」這種論調，看似矛盾，實是調和，因爲他所反對的只是「華而不實」的修辭罷了。

七、小結

漢人論修辭，和先秦諸子一樣，只是在華、質和辭、意這兩方面立說，而且也都不作過於偏頗和絕對的言論。例如劉向的《說苑》，雖然主張飾辭和善說（《善說》篇）；但在《臣術》篇中，却又反對「辯言好辭」。又如王充的《論衡》，强調「外內表裏，自相副稱」（《超奇》篇），在《語增》篇中，批評誇飾的修辭法，並且把它否定了的；可是同在《超奇》篇中，他又認爲華與實，是相輔而成的：「夫華與實俱成者也；無華生實，物稀有之。」他以爲無華不能生實，所以在同一文中，他又說：「羣諸瞽言之徒，言事粗醜，文不美潤，不指所謂，文辭淫滑，不被濤沙之謫，幸矣！」《論衡》甚至對較早時持不同的修辭論的劉向的文章，加以稱許地說：「劉向之切議，以知爲本，筆墨之文，將而送之；豈徒雕文飾辭，苟爲華葉之言哉？精誠由中，故其文語感動人深。」（《超奇》篇）他和劉向的修辭論，看來雖似是南北極，然其主歸却是一致的。

我在前一篇第四節《儒家的修辭論》文中曾引述宋代理學家張載批評孟子對《詩經》的誇張辭的讀法——「以意逆志」；郭紹虞先生以文學批評的觀點，批評漢人附和孟子的解詩之見。現在將郭氏的評語詳引於後：

原來漢宋儒者的解詩，同樣用以意逆志的方法，但是「逆志」的態度不同，一則艱險求之，一則平易求之，所以所得的結果亦正相反。漢人以艱險求詩，所以多穿鑿；宋儒以平易求詩，所以又一反漢人的見解。說是鑿空，同樣的是鑿空。後來清儒只知揚漢抑宋，於漢人所說則闡揚之不遺餘力，而巧為圓說；於宋人所言則排斥之不遺餘力，而詆為臆說。這也是不公平的。事實上，一個時代的解釋，都有各個不同的時代意義。漢人受了當時隱語的影響，受了《離騷》美人香草的影響，受了賦家諷諭的影響，受了以三百五篇作諫書的影響，所以覺得只有以艱險求之，才為以意逆志。⑧

郭氏以爲是由於時代與環境的不同，所以同樣本着儒家的見地，同樣本着孟子的方法——讀《詩》的方法，但結論却大不相同。

其實，孟子所謂「以意逆志」的方法，是專對《詩經》中的誇張辭（如《雲漢》篇的「周餘黎民，靡有孑遺」）的讀法說的，是教人要從誇張辭的含意追溯到當初詩人創作的時候（還未用誇張辭的時候）所欲表達的本意，這樣的讀詩法，才算是「庶幾得之」。並非如張載所說，對於所有三百零五篇（張氏認爲「志至平易」）的詩句，一律以「艱險求之」。孟子教人「以意逆志」去讀誇張辭，才能得詩人的本意，張氏反說他「喪其本心，何由見詩？」這就證明張載雖是一個開明的哲學家，但似乎還沒有了解「以意逆志」一語的意義，也忽略了孟子的本意是專對誇張辭而說的。所以漢儒和宋儒對於孟子的見地和方法，有着不同的結論，也未必完全是由於時代和環境的不同，更重要的是理解與觀點的不同。

孟子「以意逆志」的讀詩（專指誇張辭）法，不但漢儒能夠理解，梁代的劉勰也理解到了，他說：

雖《詩》《書》雅言，風格訓世，事必宜廣，文亦過焉。是以言峻則「嵩高極天」，論狹則「河不容舠」，說多則「子孫千億」，稱少則「民靡孑遺」；襄陵擧「滔天」之目，倒戈立「漂杵」之論；辭雖已甚，其義無害也。（《文心雕龍・誇飾》）

爲什麼「辭雖已甚」「其義」却「無害」呢？就因爲有了「以意逆志」的讀詩法。

注釋

① 例如關於《春秋》記「隕石於宋五」與「六鷁退飛過宋都」，《公羊傳》云：

「曷爲先言霣而後言石？霣石，記聞，聞其磌然，視之則石，察之則五。……曷爲先言六而後言鷁？六鷁退飛，記見也，視之則六，察之則鷁，徐而察之，則退飛。」

《春秋繁露》則云：

「《春秋》別物之理以正其名，名物必各因其眞。眞其義也，眞其情也，乃以爲名。名隕石則後其五，退飛則先其六，此皆其眞也。聖人於言無所苟而已矣。」（實性）

《公羊傳》認爲一個是記聞，一個是記見。而董仲舒却提升到理論的高度，提出了「眞」。這確是修辭學上的一個重要原則。把「眞」作爲衡量修辭的一個重要標準，這是董仲舒的創見。（見《中國語文》一九五九年六月號譚全基《中國最早的一部有關修辭理論的著作——《春秋繁露》。）

② 劉盼遂《論衡集解》以爲「寡」字是「要」字的形體之誤。

③ 《墨子・所染》篇云：「墨子見染絲而嘆曰：『染於蒼則蒼，染於黃則黃。』」《列子・說符》篇云：「楊子之鄰人亡羊，既率其黨，又請楊子之豎追之。楊子曰：『嘻！亡一羊，何追者之衆？』鄰人曰：『多歧路。』既反，問：『獲羊乎？』曰：『亡之矣。』曰：『奚亡之？』曰：『歧路之中，又有歧焉，吾不知所之，所以反也。』楊子戚然變容，不言者移時，不笑者竟日。」

④《詩・大雅・假樂》篇：「千祿百福，子孫千億，穆穆皇皇，宜君宜王，不愆不忘，率由舊章。」

⑤語出《詩・小雅・鶴鳴》篇。

⑥見《古代漢語》下册第二分册《古漢語的修辭》一文。

⑦《雲漢》篇原文是「周餘黎民，靡有孑遺。」原詩如下：「旱既大甚，則不可推，兢兢業業，如霆如雷。周餘黎民，靡有孑遺。昊天上帝，則不我遺，胡不相畏，先祖於摧。」

⑧郭紹虞氏《中國文學批評史・北宋道學家之詩論》。

第五篇　中國修辭學的發展期
——魏晉南北朝

一、楔　子

魏晉南北朝，是封建制度的延續期。由於異族入侵，文苑南移，更兼貴族階級的崇尚，遂使文學披上華麗的外衣，與形式主義結下了不解的緣分。於是駢四儷六，侈靡的文風，盛極一時，作家們競相在辭巧上用功夫，而不惜以文害辭，以辭害意。這難免要引起了一些批評家的批評。這些批評都與修辭學有關，也就是修辭的理論了。所以這個時期談論修辭學的風氣也跟着創作一樣的繁盛起來，可以說是修辭學的發展期，也可以說是修辭學的繁盛期。現在分爲(1)一般的修辭論；(2)論文體與修辭；(3)論作家的修辭技巧；(4)談論辭格等四項論述於後。

二、一般的修辭論

魏晉南北朝的文人們對一般的修辭理論所闡述的意見，也和兩漢一樣，大都偏於華麗與樸質、文采與情意這方面，而涉及文辭和語辭或是古雅與俚俗這一方面的問題，則較少提到。曹植《與楊德祖書》云：

夫街談巷說，必有可采；擊壤之歌，有應風雅；匹夫之思，未易輕棄也。辭賦小道，固未足以揄揚大義，彰示來世也。昔揚子雲先朝執戟之臣耳，猶稱壯夫不為也。吾雖德薄，位為蕃侯，猶庶幾戮力上國，流惠下民，建永世之業，留金石之功，豈徒以翰墨為勛績，辭賦為君子哉！

他以爲文章不必求古雅，街談巷議，匹夫之思，都有可採之處。他自己少小時雖然也寫過賦，但後來認爲賦不足以揄揚大義，所以不再寫了。又他的《文章序》說：「質素也如秋蓬，摛藻也如春葩。」以爲樸質與藻飾各有千秋。

善於修辭者，在其寫、說之前，必先認淸寫、說的目的和對象。可是，魏徐幹却把這一個論據應用到待人處世的投機和圓通的方法上去。其《中論·貴言》篇云：

君子非其人則弗與之言；若與之言，必以其方：農夫則以稼穡，百工則以技巧，商賈則以貴賤，府史則以官守，大夫及士則以法制，儒生則以學業。……故君子之與人言也，使辭足以達其知慮之所至，事足以合其性情之所安，弗過其任而強牽制也。

這意思雖然一半是由孔子的「可與言而不與言，失人；不可與言而與之言，失言」的話推衍而來的，但一半却將修辭須適情應景這一個論據，應用到「巧言」（投機）這一個技巧上來。

其《核辯》云：

俗士之所謂辯者，非辯也。非辯而謂之辯者，蓋聞辯之名，而不知辯之實，故目之妄也。俗之所謂辯者，利口者也。彼利口者，苟美其聲氣，繁其辭令，如激風之至，如暴雨之集，不論是非之性，不識曲直之理，期於不窮，務於必勝；以故淺識而好奇者，見其如此也，固以為辯，不知木

> 訥而達道者，雖口屈而心不服也。夫辯者求服人心也，非屈人口也。故辯之為言別也，為其善分別事類而明處之也，非謂言辭切給而以陵蓋人也。故傳稱《春秋》微而顯，婉而辯者。然則辯之言必約以至，不煩而諭，疾徐應節，不犯禮教，足以相稱，樂盡人之辭，善致人之志，使論者各盡得其願，而與之得解，其稱也無其名，其理也不獨顯，若此則可謂辯。故言有拙而辯者焉，有巧而不辯者焉。

他認爲辯說的是非，應該根據道理的曲直，而不應該見定於口舌的巧拙，理直者雖木訥仍是，理屈者雖巧言仍非，不能以「言辭切給而以陵蓋人也」。又云：

> 遇人之是而猶不止，苟言苟辯，則小人也。雖美說何異乎鵙之好鳴，鐸之喧嘩哉？故孔子曰，小人毀訾以為辯，絞急以為智，不遜以為勇。斯乃聖人所惡，而小人以為美，豈不哀哉！夫利口之所以得行乎世也，蓋有由也。且利口者，心足以見小數，言足以盡巧辭，給足以應切問，難足以斷俗疑，然而好說而不倦，諜諜如也。夫類族辯物之士者寡，而愚暗不達之人者多，孰知其非乎？此其所以無用而不見廢也。

他以爲辯士應該要服從眞理，遇人之是還是諜諜不休、苟言苟辯的人則是小人。他主張言必有徵：「事莫貴乎有驗，言莫棄乎無徵，言之未有益也，不言未有損也。」（《貴驗》篇）他說：「君子口無戲謔之言。」「忽其辭令，而望民之則我者，未之有也。」（《法象》篇）這些修辭論點，要比他的《貴言》篇深刻多了。

同代桓范著《世要論》，其《序作》篇云：「故作者不尚其辭麗，而貴其存道也；不好其巧慧，而惡其傷義也。」所論似近於徐幹的《貴驗》，是尚質實（道）而輕浮藻的一位文論家。

晉左思的《三都賦序》，論及兩漢辭賦家的用辭說：

然相如賦《上林》而引『盧橘夏熟』；揚雄賦《甘泉》而陳『玉樹青葱』；班固賦《西都》而嘆以『出比目』；張衡賦《西京》而述以『游海若』，假稱珍怪，以為潤色。若斯之類，匪啻于茲。考之果木，則生非其壤；校之神物，則出非其所。于辭則易為藻飾，於義則虛而無徵。

他指出司馬相如、揚雄、班固、張衡等爲了藻飾，竟至虛造無徵的果木、神物；可是左思自己據說是構思十年始成的《三都賦》，却一向有「辭采華麗」之稱。這也正是所謂能言者未必能行吧。

《全晉文》載歐陽建《言盡意論》云：

古今務於正名，聖賢不能去言，其故何也？誠以理得於心，非言不暢；物定於彼，非名不辯。言不暢志，則無以相接；名不辯物，則鑑識不顯。鑑識顯而名品殊，言稱接而情志暢，原其所以，本其所由，非物有自然之名，理有必定之稱也。欲辯其實，則殊其名；欲宣其志，則立其稱。名逐物而遷，言因理而變，此猶聲發響應，形存影附，不得相與為二矣。苟其不二，則言無不盡矣。

他以爲言辭應暢抒其情志，應隨着理意而變易，看來他是主張意先於辭的。

晉葛洪的《抱朴子》，也談論到修辭。他原是反對辯言飾辭的：「不以巧辯飾其非，不以華辭文其失。」（《交際》篇）可是在《鈞世》篇中，他又以爲文飾乃是出於時勢之所趨：「古者事事醇素，今則莫不雕飾，時移世改，理自然也。」他甚至認爲文飾愈於樸質：「至於罽錦麗而且堅，未可謂之減於簑衣；輜軿妍而又牢，未可謂之不及椎車也。」（《鈞世》篇）在《辭義》篇中，他更堅稱：「義以罕睹爲異，辭以不常爲美。」又說：「文貴豐贍，何必稱善如一口乎？」但過於設喻取譬，或是「妍而無據」，他也是深以爲病的：「屬筆之家，亦各有病：其深者，則患乎譬煩言冗，申誡廣喻，欲棄而惜，不覺成煩也；其淺者，則患乎妍而無據，證援不給，皮膚鮮澤，而骨鯁迴弱也。」（《辭義》篇）大抵古人論修辭，多不作過激過偏之言，葛洪也不例外。《應嘲》篇云：

夫制器者珍於周急，而不以采飾外形為善；立言者貴於助教，而不以偶俗集譽為高。……非不能屬華艷以取悅，非不知抗直言之多吝，然不忍違情曲筆，錯濫真偽，欲令心口相契，顧不愧景，冀知音之在後也。……而著書者，徒飾弄華藻，張磔迂闊，屬難驗無益之辭，治靡麗虛言之美，有似堅白厲修之書，公孫刑名之論，雖曠籠天地之外，微入無間之內，立解連環，離同合異，鳥影不動，鷄卵有足，犬可為羊，大龜長蛇之言，適足示巧表奇以誑俗，何異乎畫敖倉以救饑，仰天漢以解渴。

則是完全否定了尚文之說了。

晉代又有摯虞作《文章流別論》，散見於各種類書中，有關修辭的部分可不少。如說：

古詩之賦，以情義為主，以事類為佐；今之賦，以事形為本，以義正為助。情義為主，則言省而文有例矣；事形為本，則言當而辭無常矣。文之繁省，辭之險易，蓋由於此。

他主張文章應以情義爲主，如果麗靡過度，便與情義相悖，便無足取。這種理論，實在是後來劉勰「文附質」（《文心雕龍・情采》）的理論之所本。

南朝宋范曄《獄中與諸甥侄書》云：「嘗謂情志所托，故當以意爲主，以文傳意。以意爲主，則其旨必見；以文傳意，則其詞不流。然後抽其芬芳，振其金石耳。」其說本於摯虞的《流別》。范氏嘗刪定各家《後漢書》而成爲一家之作。其《後漢書·文苑傳贊》云：「情志旣動，篇辭爲貴。抽心呈貌，非雕非蔚。殊狀共體，同聲異氣。言觀麗則，永監淫費。」他强調篇辭不要偏於雕飾，不要過於注重文采，和前說是相符合的。

《宋書·王微傳載王微《與從弟僧綽書》云：「文辭不怨思抑揚，則流澹無味。」范文瀾氏以爲「夫怨思發於性情，强作抑揚，非爲文而造情何？」①這推論很有道理。

但是談論修辭比較有分量的著作，當首推梁代劉勰的《文心雕龍》（劉勰的撰製《文心雕龍》其實是在齊代）。《文心雕龍》雖是一部包括文章作法、文學批評和修辭學的綜合論著，但修辭學所佔的比重却不小，而且也很突出。其《養氣》篇云：

> 夫三皇辭質，心絕於道華；帝世始文，言貴於敷奏；……戰代枝詐，攻奇飾說，漢世迄今，辭務日新，爭光鬻采，慮亦竭矣。故淳言以比澆辭，文質懸乎千載；率志以方竭情，勞逸差於萬里：古人所以餘裕，後進所以莫遑也。

他指出戰國以還，屬辭所以不及三代，是由於「攻奇飾說」，「辭務日新，爭光鬻采」。他又說：「辭人愛奇，言貴浮詭，飾羽尙畫，文繡鞶帨」，馴至「離本彌甚，將遂訛濫」（《序志》篇）了。其《情采》篇云：

> 文采所以飾言，而辯麗本於情性。故情者文之經，辭者理之緯；經正而後緯成，理定而後辭暢：

> 此立文之本源也。昔詩人篇什，為情而造文；辭人賦頌，為文而造情。……故為情者要約而寫真，為文者淫麗而煩濫。而後之作者，采濫忽真，遠棄風雅，近師辭賦，故體情之製日疏，逐文之篇愈盛。

我們知道，自漢魏以來，雕琢藻飾的文風，日益盛行，所以六朝的文學批評家，分析批評，也最熱烈。《情采》篇對於華麗與樸質的修辭觀點，大抵是正確的。劉勰對於當時的辭賦，爲了文采，而造虛情，是很不以爲然的。《情采》篇又說：「是以聯辭結采，將欲明理；采濫辭詭，則心理愈翳。固知翠綸桂餌，反所以失魚。言隱榮華，殆謂此也。」他以爲文飾泛濫的結果，是會使文章旨意更加難於明白。最後，他終於說出他的修辭準則來了：

> 是以衣錦褧衣，惡文太章；賁象窮白，貴乎反本。夫能設模以位理，擬地以置心，心定而後結音，理正而後摛藻，使文不滅質，博不溺心，正采耀乎朱藍，間色屏於紅紫，乃可謂雕琢其章，彬彬君子矣。（《情采篇》）

他的修辭準則扼要地說，是「文不滅質，博不溺心。」這幾個字常被後來的文學批評家所稱引。

《章句》篇云：

> 若辭失其朋，則羈旅而無友；事乖其次，則飄寓而不安。是以搜句忌於顛倒，裁章貴於順序，斯固情趣之指歸，文筆之同致也。若夫筆句無常，而字有條數，四字密而不促，六字格而非緩，或變之以三五，蓋應機之權節也。

這是說文章須倫次通順，用字的多、少、緩、密，須視情形的需要而應機變易。

《章句》篇同時也論到助詞的用法，可以說是一篇最早的文法、修辭結合論。這一點，留待本篇第六節再加以論述。

《練字》篇云：

是以綴字屬篇，必須練擇：一避詭異，二省聯邊，三權重出，四調單復。詭異者，字體瓌怪者也。曹攄詩稱『豈不願斯游，褊心惡呦呶。』兩字詭異，大疵美篇，況乃過此，其可觀乎！聯邊者，半字同文者也。狀貌山川，古今咸用，施於常文，則齟齬為瑕，如不獲免，可至三接，三接之外，其字林乎！重出者，同字相犯者也。《詩》《騷》適會，而近世忌同，若兩字俱要，則寧在相犯。故善為文者，富於萬篇，貧於一字，一字非少，相避為難也。單複者，字形肥瘠者也。瘠字累句，則纖疏而行劣；肥字積文，則黯黕而篇暗。善酌字者，參伍單複，磊落如珠矣。凡此四條，雖文不必有，而體例不無。②

這是劉勰論消極修辭應注意的四條要件。第一是避用怪僻的字，並舉「呦呶」二字爲例。中國文字最怪的當是「䨺䨻」，兩「或」相對，卽悖，寫下半字時須將紙張倒置來寫。第二是少用偏旁相同（卽劉氏所謂聯邊）的字於一句之中，若果非用不可，最多不要超過三字相連；如張協《游仙詩》，「嵯峨天嶙峭」，鮑照《自勵山東震澤詩》，「瀾漫潭洞波」，前者五字之中，四字聯邊，後者五字都聯邊，則是劉氏所謂字林了。第三是斟酌用重出的字，簡單的說，是應用卽用，不應用卽不用。第四是調度字形肥瘠的字，卽是須參伍應用，不應肥字積在一起，也不應瘠字積在一起。劉氏所論，只有一三兩點，到現在還是站得住；至於二四兩點，已經少有人注意到了，只有喜歡作對聯的人有時還在故意弄巧而已。

又有《指瑕》篇論用辭失當和比擬不倫，並舉例證云：

> 陳思之文，羣才之俊也；而《武帝誄》云，尊靈永蟄；《明帝頌》云，聖體浮輕。浮輕有似於蝴蝶，永蟄頗擬於昆蟲，施之尊極，豈其當乎？左思《七諷》，說孝而不從，反道若斯，餘不足觀矣。潘岳為才，善於哀文；然悲內兄，則云感口澤；傷弱子，則云心如疑。禮文在尊極，而施之下流，辭雖足哀，義斯替矣。若夫君子擬人必於其倫，而崔瑗之《誄李公》，比行於黃虞；向秀之賦嵇生，方罪於李斯；與其失也，雖寧僭無濫，然高厚之詩，不類甚矣。凡巧言易標，拙辭難隱，斯言之玷，實深白圭，繁例難載，故略舉四條。

這仍是論消極修辭應注意的事項。楊明照先生的《〈文心雕龍〉研究中值得商榷的幾個問題》（見中華書局編印的《文史》第五期），於談論到《指瑕》篇的這一段文字的時候，從「繁例難載，故略舉四條」立論，以爲劉氏所指的修辭之失當，實爲措辭失體、立言乖理、遣辭不當、比擬不倫等四例（條例），而非止用辭失當和比擬不倫而已。（《顏氏家訓・文章》篇也有一段論措辭失體云：「陳思王《武帝誄》，遂深永蟄之思；潘岳《悼亡賦》，乃愴手澤之遺：是方父于蟲，譬婦爲考也。……」當是仿《文心雕龍》而作的。）

梁鍾嶸著《詩品》，批評自漢以下著名詩人的修辭技巧，將留待以後「論作家的修辭技巧」一節來論述。這裏先錄其《詩品序》文中的一段話：

> ……今之士俗，斯風熾矣。才能勝衣，甫就小學，必甘心而馳騖焉。於是庸音雜體，人各為容，至使膏腴子弟，恥文不逮，終朝點綴，分夜呻吟，獨觀謂為警策，衆睹終淪平鈍。

他的意見，和劉勰的《情采》篇所論，大致是相同的。

蕭繹的《內典碑銘集林序》也談論到修辭的繁省華實。他說：

> 繁則傷弱，率則恨省；存華則失體，從實則無味。……能使艷而不華，質而不野，博而不繁，省而不率，文而有質，約而能潤，事隨意轉，理逐言深，所謂菁華，無以間也。（《廣弘明集》卷二十）

我們再看蕭統的《陶淵明集序》所說：「夫文，典則累野，麗亦傷浮。能麗而不浮，典而不野，文質彬彬，有君子之致。吾嘗欲為之，但恨未遑耳。」③他兄弟倆對修辭的繁省華實所持的意見大致是相同的，「麗而不華，質而不野」，是他們所立的修辭準則。

顏之推「始仕蕭梁，終於隋代」，但他的《顏氏家訓》向來只題北齊；唐人修史，也把他列入《北齊書·文苑傳》中。我們姑且把《顏氏家訓》看做是北齊時的著作吧④。那裏面有《文章》一篇，論到修辭的地方可不少。如說：

> 凡為文章，猶乘騏驥，雖有逸氣，當以銜勒制之。勿使流亂軌躅，放意填坑岸也。文章當以理致為心腎，氣調為筋骨，事義為皮膚，華麗為冠冕。今世相承，趨末棄本，率多浮艷。辭與理競，辭勝而理伏；事與才爭，事繁而才損。放逸者流宕而忘歸，穿鑿者補綴而不足。時俗如此，安能獨違？但務去泰去甚耳。必有盛才重譽，改革體裁者，實吾所希。

顏氏對於當時那些雕飾過度的華麗文章，只顧浮艷，不顧事理，也頗為不滿，希望有「盛才」者出來，加以改革。這實是後來提倡文體改革的先聲。

我們知道，修辭是巧妙的，有時候不依照語文的正常組織，却使用一種特殊的手法，組織了特殊的語句，所以辭頭可能略有轉折。譬如藏詞法，在漢時或更早的時候便已經有人使用了，可是顏之推却認爲是破格不通的。在《文章》篇裏，他又有這樣的話：

> 自古宏才博學，用事誤者有矣。百家雜說，或有不同，書儻湮沒，後人不見，故未敢輕議之。今指知決紕繆者，略舉一兩端以為誡。……《詩》云『孔懷兄弟。』孔，甚也；思也；言甚可思也。陸機《與長沙顧母書》述從祖弟士璜死，乃言『痛心拔腦，有如孔懷。』心旣痛矣，卽為甚思，何故言『有如』也？觀其此意，當謂親兄弟為孔懷；《詩》云『父母孔邇』，而呼二親為『孔邇』，於義通乎？

他是極力反對這種破格的修辭法的。他說：「吾家世文章，甚爲典正，不從流俗。」也就可見他的「抱負」了。

《顏氏家訓》又有《書證》一篇，仿董仲舒《春秋繁露》論用辭，並詳釋辭義；有時也談論到辭格和文法（助詞），當留待後面再來論述。《書證》篇有兩處詳釋量詞和數詞的意義及其用例。其一云：

> 《三輔決錄》⑤云：『前隊大夫范仲公，鹽豉蒜果共一筩』。『果』當作魏顆⑥之『顆』。北土通呼物一凷（按：卽塊），改為一顆（按：改字贅），蒜顆是俗閒常語耳。故陳思王《鷂雀賦》曰：『頭如果蒜，目似擘椒。』

曹植的《鷂雀賦》將《果蒜》連文，《沈氏考證》遂以爲《顏氏家訓》引《三輔決錄》作蒜顆是倒置，是錯誤的。而不知曹賦的「頭如果蒜」與「目似擘椒」是對偶句，「擘椒」的擘既是動字，所以「果蒜」的果也應該是動字。果同羸，是祖露之意，與蒜顆的顆是風馬牛不相及的。

又云：

或問：一夜何故五更？更何所訓？答曰：漢魏以來，謂爲甲夜、乙夜、丙夜、丁夜、戊夜；又云鼓，一鼓、二鼓、三鼓、四鼓、五鼓；亦云一更、二更、三更、四更、五更，皆以五爲節。《西都賦》亦云：衛以嚴更之署。所以爾者，假令正月建寅，斗柄夕則指寅，曉則指午矣。自寅至午，凡歷五辰。冬夏之月，雖復長短參差，然辰間遼闊，盈不過六，縮不至四，進退常在五者之間。更，歷也，經也，故曰五更爾。

仿效《公羊》、《穀梁》、《春秋繁露》的體例，假借一問一答，詳釋辭義和用例。量詞和數詞的應用，也屬於修辭學所應討論的問題，所以《顏氏家訓・書證》篇所論，是有其修辭學的價值的。

三、論文體與修辭

一、曹丕《典論・論文》

魏文帝曹丕的《典論・論文》（其實，曹丕寫《典論・論文》時還是太子），第一次提到了各種不同的文體有各種不同的修辭準則，也即是論修辭與文體的關係，可以說是修辭與文體結合論的濫觴。他說：

夫文本同而末異，蓋奏議宜雅，書論宜理，銘誄尚實，詩賦欲麗。

文體既不同，作用也互異，爲了適情應景，於是有各種不同的修辭準則。

魯迅先生在《魏晉風度及文章與藥及酒的關係》一文中，提到了曹丕的《典論・論文》說：

丕著有《典論》，現已失散無全本，那裡面說：『詩賦欲麗』，『文以氣為主』。《典論》的零零碎碎，在唐宋類書中；一篇整的《論文》，在《文選》中可以看見。後來有一般人很不以他的見解為然。他說詩賦不必寓教訓，反對當時那些寓訓勉於詩賦的見解，……所以曹丕的詩賦很好，更因他以『氣』為主，故於華麗以外，加上壯大。（《魯迅全集》）第三卷四九〇至四九一頁）

拙著《魯迅詩話》二三《詩賦欲麗》引了魯迅先生上述的一段話之後，曾加以引申說：「其實，所謂『詩賦欲麗』之說，早已見于揚雄的《法言》（漢揚雄《法言》有云：「詩人之賦麗以則，辭人之賦麗以淫。」我在上一篇第三節曾加以引述了），不過到曹丕的時代，更爲之敷衍鼓吹，相望不輟地將文學裝上華麗的外衣而已。」曹丕在修辭方法上重視文采，主張辭勝于理。《北堂書鈔》（唐虞世南編撰）引曹丕論屈原、相如辭賦云：

或問：『屈原相如之賦孰優？』曰：『優游案延，屈原之尚也；窮侈極妙，相如之長也。然原據托譬喻，其意周旋綽有餘度矣，長卿、子雲未能及已。』

他稱許相如辭賦的文采富贍，「窮侈極妙」，又贊頌屈原「據托譬喻」，善用積極的修辭法——辭格。

魯迅提到曹丕論文，以「氣」爲主，又稱許他的文章「于華麗以外，加上壯大」。可見他認爲這個「氣」字說的是有關修辭的。按曹丕《論文》，提到「氣」字的，有：「文以氣爲主，氣之清濁有體，不可力强而致。」「徐幹時有齊氣。」「孔融體氣高妙，有過人者」等。這個「氣」字的意義，有三種不同的說法。其一是以爲曹丕的所謂「氣」，是指人之才氣而說，如人民教育出版社編印的《古代散文選》

以及中華書局編印的《中華活葉文選》，在《典論・論文》的題解裏，把這個「氣」字解釋爲創作的天才或作家的才氣和個人的風格。其一是以爲氣是指人之修養而言，如蘇轍《上樞密韓太尉書》所說：「文者，氣之所形，然文不可以學而能，氣可以養而致。」這種說法，本自孟子的「我善養吾浩然之氣」以及王充的「養氣自守」（《自紀》篇）。劉勰《文心雕龍・鳳骨》云：「孔氏（孔融）卓卓，信含異氣。」亦以爲「氣」字是指人的氣質而言。其一是以爲「氣」是指文章的氣勢與辭采，如韓愈《答李翊書》所說的：「氣，水也；言，浮物也。水大而物之浮者大小畢浮。氣之與言猶是也，氣盛，則言之長短與聲之高下皆宜。」又如唐李德裕《文章論》論文氣云：

魏文《典論》稱『文以氣為主，氣之清濁有體』，斯言盡之矣。然氣不可以不貫，不貫則雖有英辭麗藻，如編珠綴玉，不得為全璞之寶矣。鼓氣以勢壯為美，勢不可以不息，不息則流宕而忘返，亦猶絲竹繁奏，必有希聲窈眇，聽之者悅聞；如川流迅激，必有洄洑逶迤，觀之者不厭。

照前兩說，則「氣」字與修辭毫無關係；但若照韓愈、李德裕的說法，則《典論》的所謂「氣」正是文氣與辭采的結合，是關係到修辭的標準和尺度。蘇韓二君論文氣，雖未若李德裕之明指《典論》，然都本自曹丕的《論文》，自不待言。可是清代章學誠的《文史通義・文德》篇，竟宣賓而奪主，以爲文氣之說，創自韓愈：「蘇轍氏出，本韓愈氏說而昌論文氣。」章太炎的《文學總略》，則更正其說：「昔者，文氣之論，發諸魏文帝《典論》，而韓愈、蘇轍竊焉。」

又「徐幹時有齊氣」的「齊氣」，也有各種不同的解說。一般的解釋是：古代的齊國，其俗文氣舒緩；徐幹的文章氣勢，頗與之相類，所以曹丕有這樣的評語。這一個釋義說「齊氣」是一種修辭現象，可惜不能成立。《三國誌・王粲傳》注引《典論・論文》作「粲長于辭賦，幹時有逸氣。」逸氣可解作人的風格，也可解作修辭的現象，可謂模稜兩可。但此說也不能成立。有人以爲「齊」字是「高」字的形誤，「齊氣」應該作「高氣」。「高氣」是淸高的氣概和節操的縮寫，與修辭學完全沒有瓜葛，所以「齊氣」決不是高氣之誤。我以爲「齊氣」應當釋作「壯采」⑦，那曹丕所論的也還是徐幹的修辭現象。

二、陸機《文賦》

晉代的陸機，歷代批評家都說他的詩文力求藻飾，以排偶是尚，沒有什麼成就之可言。可是他的《文賦》，在中國修辭學史上自有其不可磨滅的價值。其論文體與修辭的關係，也比《典論・論文》透徹：

> 詩緣情而綺靡；賦體物而瀏亮；碑披文以相質；誄纏綿而凄慘；銘博約而溫潤；箴頓挫而清壯；頌優游以彬蔚；論精微而朗暢；奏平徹以閑雅；說煒曄而譎誑：雖區分之在茲，亦禁邪而制放；要辭達而理擧，故無取乎冗長。

他既繼承了曹丕的論點（曹丕只將文體分爲奏議、書論、銘誄、詩賦四類，而陸機却詳別爲詩、賦、碑、誄、銘、箴、頌、論、奏、說等十類；幷提出了各類文體的修辭準則，比《典論》較深入、明晰。如論銘誄，《典論》只說「銘誄尙實」，《文賦》則說「誄纏綿而淒慘，銘博約而溫潤。」其餘各類，讀者可以自己去比較和細察。）同時，又提出了自己對于修辭與謀篇的主張，那便是以禁邪、制放、辭達、理擧爲要務，而不以冗長取勝。

《文賦》有許多論及修辭的地方，有的幾乎全節都是論修辭的，如：「或仰逼于先條，或俯侵于後章。或辭害而理比，或言順而義妨。」以爲文章應該着眼于表情達意，倫次通順，不要爲着「言順」而妨害本意。又如：「立片言而居要，乃一篇之警策。雖象辭之有條，必待茲而效績。」却是談到「警策」的修辭法與文章主題的關係。這也就是孟子「吾于《武成》取二三策」（《盡心》篇）之意⑧。至如：「若夫豐約之裁，俯仰之形，因宜適變，曲有微情：或言拙而喻巧，或理朴而辭輕，或襲故而彌新，或沿濁而更清。」這裏除了談到文章的繁簡須視適情應景而變異外，還論及了「比喻」和「引用」（王力先生謂之「稽古」）的修辭法。

《文賦》論修辭，有時主艷麗，如：「游文章之林府，嘉麗藻之彬彬。」「其會意也尚巧，其遣言也貴妍。」有時却又主理意重于辭采，如說：「理扶質以立幹，文垂條而結繁。」又說：「或文繁理富，而意不指適。極無兩致，盡不可益。」他批評遺棄理意，只求虛飾的修辭現象說：「或遺理以存異，徒尋虛而逐征，言寡情而鮮愛，辭浮漂而不歸。」但是過度的朴質，他也是不以爲然的：「或清虛以婉約，每除煩而去濫，闕大羹之遺味，同朱絃之清氾，雖一唱而三嘆，固既雅而不艷。」陸機本人，不但提出了修辭的理論來，就是他的詩文辭賦，也刻意在文辭上用工夫；他的《與長沙顧母書》，便因爲用藏辭法而被顏之推所指摘。

三、摯虞《文章流別論》

晉摯虞的《文章流別論》，其書今已失傳，但自片段的佚文中，尚可窺見其論修辭之一斑。如論辭賦的修辭之失當，頗有發明：

夫假象過大，則與類相遠；逸詞（應作辭）過壯，則與事相違；辨言過理，則與義相失；麗靡過美，則與情相悖。……是以司馬遷割相如之浮説，揚雄疾辭人之賦麗以淫。（《藝文類聚》五十六

自來論修辭，大多以正面立論，說某種文體的修辭準則是如何如何，或是修辭技巧應該怎樣，而摯虞在辭賦駢儷盛行的時代，獨能從反面精細地指出辭賦修辭的欠妥之處，列爲四類，有如威嚴的判官，鐵面無私地判處辭賦的罪狀，給忽視內容、徒事雕飾的辭賦家以無情的打擊，這在當時是轟動文苑的。

四、李充《翰林論》

此外，在此時期的著作，談論到文體與修辭的關係的，還有李充的《翰林論》，全書今已亡佚，淸嚴可均輯得其佚文八則，編入《全晉文》卷五十三。近人駱鴻凱氏又增補其四則。據今日尙能得見的資料，李充有時談到文體產生的原因，如「容象圖而贊立」；有時談到寫作的對象，如「盟檄發于師旅」；有時談到寫作的目的，如「以風規治道，盖有詩人之旨」（論應休璉五言詩，見于《文選・百一詩》注引），「誡誥施于弼違」等。有時他又談到文體的修辭法，如論贊，則「宜使詞（按：應作辭）簡而義正」；論奏，則「宜以遠大爲本」；論駁，則「不以華藻爲先」；論表，則二者須兼顧：「宜以遠大爲本，不以華藻爲先」；論「論」，則「貴于允理，不求支離」；論封禪，則「計其勝負，比其優劣」；論賦，則病其「首尾負揭，狀若文章」。所論都很踏實，而不尙于空談。

五、蕭統《文選序》

梁蕭統的《文選序》，也稍稍談到了各種文體的特徵。如說：

頌者，所以游揚德業，褒贊成功；吉甫有『穆若』之談，季子有『至矣』之嘆。舒布為詩，既言

如彼；總成為頌，又亦若此。次則箴興於補闕，戒出於弼匡，論則析理精微，銘則序事清潤，美終則誄發，圖像則贊興。

他在論述文體產生的原因、寫作的目的之餘，也涉及了修辭的方法。

六、劉勰《文心雕龍》

《文心雕龍》前五卷二十五篇，有涉及文體的，有涉及文章作法的，有涉及文學批評的，但談論到修辭現象或是修辭方法的部份可以說是最有份量。如《徵聖》篇說：

雖精義曲隱，無傷其正言；微辭婉晦，不害其體要。體要與微辭偕通，正言共精義并用。

他所謂「聖」，是指古代的作者。《徵聖》篇一開頭便說：「夫作者曰聖，述者曰明」。他以爲古代的作者——特別是孔子的文章，雖然文意隱晦，文辭婉曲，但無害于體要和修辭。

《宗經》篇云：

故文能宗經，體有六義：一則情深而不詭，二則風清而不雜，三則事信而不誕，四則義直而不回，五則體約而不蕪，六則文麗而不淫。

「約而不蕪」，「麗而不淫」，「辭約而旨豐，事近而喻遠。」這雖是對經書的贊辭，但也是作者對經書的評隲而概括出的修辭標準。

《辨騷》篇云：「文辭雅麗，爲辭賦之宗。」又云：「故能氣往轢古，辭來切今，驚采絕艷，難與幷能矣。」他對《離騷》的文氣和辭采，是頌贊唯恐不及的。

《明詩》篇云：「人禀七情，應物斯感；感物吟志，莫非自然。」他以爲詩歌是感物而作，感情應該是出于自然的流露；對着那種徒事雕飾的侈靡的詩風，他是帶着譏笑的口吻而加以評述的：「儷采百字之偶，爭價一句之奇，情必極貌以寫物，辭必窮力而追新：此近世之所競也。」

《詮賦》篇云：

情以物興，故義必明雅；物以情觀，故辭必巧麗。麗辭雅義，符采相勝⑨，如組織之品朱紫，畫繪之著玄黃，文雖新而有質，色雖糅而有本，此立賦之大體也。

《頌贊》篇云：

原夫頌惟典雅，辭必清鑠。敷寫似賦，而不入華侈之區；敬慎如銘，而異乎規戒之域。揄揚以發藻，汪洋以樹義⑩，唯纖曲巧致，與情而變。其大體所底，如斯而已。

贊者，明也，助也。昔虞舜之祀，樂正重贊，蓋唱發之辭也。及益贊於禹，伊陟贊於巫咸，幷颺言以明事，嗟嘆以助辭也。

他指出頌的修辭法似賦而與賦不同，似銘而與銘有別。至于贊的修辭法，他認爲應該注重在「颺言以明事，嗟嘆以助辭」，幷舉例證明。

《銘箴》篇云：

箴全禦過，故文資確切；銘兼褒贊，故體貴弘潤。其取事也必核以辨，其摛文也必簡而深：此其大要也。

他以爲箴和銘的修辭法是殊途而同歸的。對于誄碑的修辭準則，他只說是「辭哀而韵長。」（《誄碑》篇）對于雜文的修辭準則，他則强調「藻溢于辭，辭盈乎氣。」（《雜文》篇）對于史傳的修辭準則，他說須按實記事，力避複疊。他說：「文非泛論，按實而書。」「兩記則失于複重，偏舉則病于不周。……故張衡摘史、班之舛濫，傅玄譏後漢之尤煩」。（《史傳》篇）對于論說的修辭法，也就是所謂游說之術，他認爲如果能夠「喻巧而理至」，雖危言也可免于得罪（「故雖危而無咎」）；反之，如果是「事緩而文繁」，便會到處碰壁（「所以歷騁而罕遇也」）（《論說》篇）。《詔策》篇云：

優文封策，則氣含風雨之潤；敕戒恒誥，則筆吐星漢之華；治戎燮伐，則聲有洊雷之威；眚灾肆赦，則文有春露之滋；明罰敕法，則辭有秋霜之烈：此詔策之大略也。

他認爲同是詔策一類的文體，以其有各種不同的寫作目的，便要有各種不同的修辭準則，才能適情應景，收到寫作的效果。

《檄移》篇云：

譎詭以馳旨，煒曄以騰說。……故其植義颺辭，務在剛健。插羽以示迅，不可使辭緩；露板以宣衆，不可使義隱：必事昭而理辨，氣盛而辭斷，此其要也。

它的大意是：檄文的目的是諭令軍士，所以須煒曄植義，使辭造句，宜急不宜緩，宜露不宜隱；若「曲趣密巧」，便無所取材了。至於「移」的目的則是要移風易俗，使「令往而民隨」，所以它的修辭準則應該是「文曉而喻博」，「辭剛而義辨。」（《檄移》篇）

《封禪》篇云：

樹骨於訓典之區，選言於宏富之路，使意古而不晦於深，文今而不墜於淺，義吐光芒，辭成廉鍔，則為偉矣。

對於封禪一類的修辭準則，他主張意古而不淪於艱深晦澀，用當代通用的文辭而不因襲古語；若是因襲古語，雖然「道極數殫」，終於是「相襲」的。他以爲「日新其采者」，才能「超前轍焉」。

《章表》篇云：

章以造闕，風矩應明；表以致禁，骨采宜耀，循名課實，以文為本者也。是以章式炳賁，志在典謨，使要而非略，明而不淺；表體多包，情偽屢遷，必雅義以扇其風，清文以馳其麗。然恨惻者辭為心使，浮侈者情為文使⑪；繁約得正，華實相勝，脣吻不滯，則中律矣。

他認爲章和表的寫作目的既不同，所以修辭準則也互異；但「繁約得正，華實相勝」，是二者共同的修辭準則。

他認爲「奏」的修辭準則應該是「辭質而義近」，「事略而意徑」；「啓」的修辭準則「必斂飭入規，促其音節，辨要輕清，文而不侈。」這兩個修辭準則大致是相同的，因爲奏和表，都是「言敷於下，情進於上」的；而古來的君主，又大多是昏庸的，若辭繁而義遠，必難使其曉悟，而失去了啓奏的目的了。

《議對》篇云：

理不謬搖其枝，字不妄舒其藻。……然後標以顯義，約以正辭。文以辨潔為能，不以繁縟為巧；事以明核為美，不以深隱為奇：此綱領之大要也。若不達政體，而舞筆弄文，支離構辭，穿鑿會巧，空騁其華，固為事實所擯；設得其理，亦為游辭所埋矣。昔秦女嫁晉，從文衣之媵，晉人貴媵而賤女；楚珠鬻鄭，為薰桂之櫝，鄭人買櫝而還珠。若文浮於理，末勝其本，則秦女楚珠，復在於茲矣。

他談到了「議」的修辭法則，能提綱挈領，而且舉了兩個有趣的例證，說明「文浮於理，末勝其本」的後果。至於「對」，他認爲是「賦之別體」，其修辭法則是：「言中理準」「辭氣質素」。可惜「魏晉已來，稍事文麗，以文紀實，所失已多」。如能像「風恢恢而能遠，流洋洋而不溢」那樣，才是「王庭之美對」。

關於書記的修辭法則，他以爲「書者，舒也，舒布其言，陳之簡牘，取象於夬，貴在明決而已。」（《書記》篇）它的修辭法應該是「肅以節文」的。他批評先秦兩漢的獻書、筆札，「詭麗輻輳」，辭氣紛紜」，是不足取法的。又說：「記之言志，進己志也。」因爲各言己志，所以修辭現象也就因人而異：「或事本相通，而文意各異；或全任質素；或雜用文綺。」他又說：「隨事立體，貴乎精要；意少一字則義缺，句長一言則辭妨。」認爲修辭要能恰到好處才是難能可貴的。

以上所引，是《文心雕龍》分篇論述每一種文體的修辭準則或技巧。還有在一篇之中，簡要地兼論各種文體的修辭準則的，如《定勢》篇云：

是以括囊雜體，功在詮別，宮商朱紫，隨勢各配。章表奏議，則準的乎典雅；賦頌歌詩，則羽儀乎清麗；符檄書移，則楷式於明斷；史論序注，則師範於核要；箴銘碑誄，則體制於弘深；連珠七辭，則從事於巧艷：此循體而成勢，隨變而立功者也。

雖然劉勰在《序志》篇中評「魏《典》密而不周」，「陸《賦》巧而碎亂」，「《流別》精而少巧」，「《翰林》淺而寡要」，在《總述》篇中，又指「昔陸氏《文賦》，號爲曲盡，然泛論纖悉，而實體未該」；但他在《定勢》篇中泛論各種不同的文體的修辭準則時，仍是繼承《典論》、《文賦》的方法；只是他那些分篇論述每一種文體的修辭方法和技巧的論文，比《典論》和《文賦》要詳細、進步得多了。淸包世臣《安吳四種・藝舟雙楫敍》云：

> 論文之書，始於《典論・論文》，而《文賦》繼之。魏文評時流得失，士衡論體裁當否。《文心雕龍》後出，則推本經籍，條暢旨趣，大而全篇，小而一字，莫不以意逆志，得作者用心所在。

四、論作家的修辭技巧

魏晉南北朝，論作家修辭技巧的風氣，盛極一時，有論述先秦兩漢作者的修辭技巧的，也有論述同時代作者的修辭技巧的。這裏所要論列的，以論述同時代（卽魏晉南北朝）作者的修辭技巧的爲限；至於論述同時代作者的修辭技巧，却拿先秦、兩漢的作者來比較批評的，也在引述之列。曹丕的《典論・論文》說：

> 王粲長於辭賦，徐幹時有齊氣，然粲之匹也。如粲之《初征》、《登樓》、《槐賦》、《征思》，幹之《玄猿》、《漏卮》、《圓扇》、《橘賦》，雖張蔡不過也。然於他文，未能稱是。琳瑀之章表書記，今之雋也。應瑒和而不壯，劉楨壯而不密。孔融體氣高妙，有過人者，然不能持論，

> 理不勝辭，以至乎雜以嘲戲，及其所善，揚班儔也。

曹丕論王粲，只說「長於辭賦」，論陳琳、阮瑀的表章書記，只說是「今之雋也」，都不夠具體，而且與修辭學也沒有直接的關係。但論應瑒、劉楨、孔融，都說到了他們的修辭技巧。他的《與吳質書》說：

> 偉長獨懷文抱質，……著《中論》二十餘篇，成一家之言。辭義典雅，足傳於後：此子為不朽矣。……孔璋章表殊健，微為繁富。公幹有逸氣，但未遒耳，其五言詩之善者，妙絕時人。元瑜書記翩翩，致足樂也。仲宣獨自善於辭賦，惜其體弱，不足起其文，至於所善，古人無以遠過。

這裏曹丕論述各家修辭技巧，仍舊不忘「體氣」之說，但却特別推許徐幹，這是別有原因的。其實，徐幹的《中論》，其修辭技巧，未必像曹丕在《與吳質書》中所稱道的那樣好。《中論》原有二十餘篇，今所傳本只有二十篇，又《羣書治要》載逸文《札記》和《制役》二篇，都是立論平庸，而修辭技巧也不如曹丕所說的遠甚。如《智行》第九云：「伏羲作八卦，文王增其辭，斯皆窮神知化，豈徒特行善而已乎？」「徒」「特」二字，應去其一。同文又云：「人之省莫大於孝，莫顯於淸。曾參之孝，有虞不能易；原憲之淸，伯夷不能閑，然不得與游夏列在四行之科，以其才不如也。」「科」字下却又少了一個「者」字。這是隨手所舉的《中論》修辭失當之例。《中論》原有序文一篇，未署作者姓名，不知爲誰所作，文中也有「求其辭，時若有少失者」的話，可見《中論》的修辭技巧實際上並不如曹丕所稱許的那樣；曹丕所論，是另有其政治目的的。

晉陸雲的《陸士龍文集》有《與兄平原書》，論其兄陸機的文章，所論全不夠具體；近世文學批評家，競相推贊，不知是什麼道理。如被朱東潤先生的《中國文學批評史大綱》稱之爲「足以見其識力」的話：「兄文章之高遠絕異，不可復稱言，然猶皆欲微多，但清新相接，不以此爲病耳。」「兄文方當日多，但文實無貴於爲多；多而如兄文者，人不厭其多也。」所論也不實際。旣嫌乃兄文章多，而文實無貴於多；又說如乃兄之文，人不厭其多，則雖多又何妨！難怪《文心雕龍．熔裁》篇說：

> 至如士衡才優，而綴辭尤繁；士龍思劣，而雅好清省。及雲之論機，亟恨其多，而稱清新相接，不以為病，蓋崇友于耳。夫美錦製衣，修短有度，雖玩其采，不倍領袖。巧猶難繁，況在乎拙？而《文賦》以為榛楛勿剪，庸音足曲。其識非不鑒，乃情苦芟繁也。

劉氏指出陸雲之論陸機，極憾其爲文之多，又稱其清新相接，不以爲病；這是由於崇敬兄弟的緣故。陸雲給陸機之書，稍稍及於修辭技巧的，有「古今之能爲新聲絕曲者，又無過兄；兄往日文雖多瑰瓅，至於文體，實不如今日。」「《文賦》甚有辭，綺語頗多。」這才道出了其兄作品的修辭現象，但却是本於《文賦》的「藻思綺合，清麗芊眠，炳若縟綉，凄若繁弦。」也不是有什麼創見。

《全晉文》載葛洪《抱朴子．逸文》，其中論到陸機、陸雲兄弟的修辭技巧：「二陸重規沓矩，無多少也」「陸君深疾文士放蕩流遁，遂往不爲虛誕之言，非不能也。陸君之文，猶玄圃之積玉，無非夜光」。前者引朱淮南說過的話，指陸氏兄弟的作品，缺乏豪邁的筆力。後者稱許其不爲虛誕之言，且說陸君的文章，如昆侖頂上的積玉，雖高遠不可得見，但在夜裏却能隱約見到它的光彩。評價過高。

李充的《翰林論》，論到文體和修辭的關係，前一節已經說過。其論作家的修辭技巧，大都含混而欠明晰。如論孔文擧之書，陸士衡之議，曹子建之表，但說：「可謂成文矣。」論稽康之「論」也只說：「文矣。」只有論到潘安仁的文章，才用比喻來說明：「猶翔禽之羽毛，衣被之綃縠。」不但使人有比較明確的印象，而且也道及修辭的現象。

劉逵、衞瓘，都爲左思的《三都賦》作序，也都評論《三都賦》的修辭技巧。劉序云：「觀中古以來爲賦者多矣，相如《子虛》擅名於前，班固《兩都》理勝其辭，張衡《二京》文過其意。至若此賦，擬議數家，傅辭會義，抑多精緻，非夫研核者不能鍊其旨，非夫博物者不能統其異。」衞序云：「余觀《三都》之賦，言不苟華，必經典要，品物殊類，禀之圖籍，辭義瓌瑋，良可貴也。」劉氏說《三都賦》既不像《兩都賦》之「理勝其辭」，也不像《二京賦》之「文過其意」，而能夠「傅辭會意」，兼顧到義理和辭采兩方面。衞氏說《三都賦》「言不苟華」，似乎是主樸質的了，但却又稱贊它「辭義瓌瑋」。這「辭義」兩個字，釋爲「辭與義」也好，釋爲「辭之義」也好，但既用「瓌瑋」二字來形容它，便不是樸質的了。所以衞氏所論，前後不能一致。

梁蕭子顯的《文學傳論》，見於《南齊書》，那裏面說：

今之文章，作者雖衆，總而為論，略有三體：一則啓心閑繹，托辭華曠，雖存巧綺，終致迂迴，宜登公宴，本非（原作「凡」，依殿本《南齊書》校改）準的，而疏慢闡緩，膏肓之病，典正可採，酷不入情。此體之源，出靈運而成也。次則緝事比類，非對不發，博物可嘉，職成拘制，或全借古語，用申今情，崎嶇牽引，直為偶說，唯睹事例，頓失清彩。此則傅咸《五經》，應璩《指事》，雖不全似，可以類從。次則發唱驚挺，操調險急，雕藻淫艷，傾炫心魂，亦猶五色之有紅紫，八音之有鄭、衛，斯鮑照之遺烈也。

他根據修辭現象和修辭技巧，倒過來把文章分爲三體，並舉出每一體類的代表作家。中間的一體，「全借古語，用申今情」，指的是引用的修辭法，而極盡引用之能事的是「集句」。中國之有集句的修辭法，創始於晉傅咸的集《五經》（實爲七經）的四言詩。

梁沈約的《謝靈運傳論》，概述周秦漢魏以來文學的演變，也談論到作家的修辭技巧。他說：

> 至於建安，曹氏基命，三祖、陳王，咸蓄盛藻，甫乃以情緯文，以文被質。自漢至魏，四百餘年，辭人才子，文體三變。相如工為形似之言，班固（《文選》作「二班」）長於情理之說，子建、仲宣以氣質為體，並標能擅美，獨映當時，是以一世之士，各相慕習。源其飇流所始，莫不同祖《風》《騷》；徒以賞好異情，故意制相詭。降及元康，潘、陸特秀，律異班、賈，體變曹、王，縟旨星稠，繁文綺合。

沈氏說三祖（曹操、曹丕、曹叡）、陳王（陳思王曹植）「以情緯文，以文被質」，可謂文情並重；說潘岳、陸機「縟旨星稠，繁文綺合」，則指其偏重於濃艷辭藻的推砌：都只是客觀的敍述。但提到「子建（曹植）、仲宣（王粲）以氣質爲體，並標能擅美」之後，却加上「獨映當時」一語，表示他對曹、王作品的修辭技巧的賞識。

劉勰的《文心雕龍》，《祝盟》篇有一處「修辭」二字連用：「立誠在肅，修辭必甘。」又《宗經》篇也有一處「修辭」二字連用：「……而建言修辭，鮮克宗經。」從下文「是以楚艷漢侈，流弊不還」看來，這「修辭」的意義和我們現在所說的修辭大體上是相同的。《才略》篇且有兩處「修辭」二字連用，一是「及乎《春秋》大夫，則修辭聘會」，一是「國僑以修辭捍鄭。」前一個「修辭」的下文是「

磊落如琅玕之圃，焜燿似縟錫之肆」，所以這個修辭的意義和我們現在所說的修辭是一樣的；至於子產以修辭捍鄭事，見於《左傳・襄公二十五年》：「仲尼曰：志有之，言以足志，文以足言；不言，誰知其志？言之無文，行而不遠。晉爲伯，鄭入陳，非文辭不爲功，愼辭也。」可見後一個修辭的意義也和我們所說的修辭相同。這當是古書上最早將「修辭」二字連用，而它又確是指 Rhetoric 而說的。

《才略》篇多評論上古以至兩漢魏晉作者的文學創作，其中談論到魏晉以還作家的修辭技巧的，有「子建……詩麗而表逸」，「仲宣……辭少瑕累」，「劉楨情高以會采，應瑒學優以得文」，「阮籍使氣以命詩，殊聲而合響，異翮而同飛」，「潘岳敏給，辭自和暢」，「陸機……辭務索廣，故思能入巧，而不制繁」，「士龍（陸雲）……布采鮮淨，敏於短篇」，「孫楚綴思，每直置以疏通；摯虞述懷，必循規以溫雅」，「劉琨雅壯而外風，盧諶情發而理昭」，「景純（郭璞）艷逸，足冠中興」，「庾元規之表奏，靡密以閑暢；溫太眞之筆記，循理而淸通」等等的話。范文瀾先生注《文心雕龍》，稱其「誠是篤論」，是切合實際情況的。

《才略》篇論到張華的修辭技巧說：「張華短章，奕奕淸暢，其《鷦鷯》寓意，卽韓非之《說難》也。」可是我們讀了張華的《鷦鷯賦》和韓非的《說難》，却找不到有寓意相同的地方。大概因爲《鷦鷯賦・小序》的結尾有「夫言有淺而可以托深，類有微而可以喩大，故賦之云爾」的話，所以劉勰以爲《鷦鷯賦》「卽韓非之《說難》也。」其實並不像。張華的《鷦鷯賦》，原是取義於莊子的。先看他的《小序》：

鷦鷯，小鳥也，生於蒿萊之間，長於藩籬之下，翔集尋常之內，而生生之理足矣。色淺體陋，不為人用；形微處卑，物莫之害；繁滋族類，乘居匹游，翩翩然有以自樂也。

再看他的賦：

何造物之多端兮，播羣形於萬類。惟鷦鷯之微禽兮，亦攝生而受氣。育翩翾之陋體，無玄黃以自貴。毛弗施於器用，肉不登於俎味。鷹鸇過猶俄翼，尚何懼於罿罻？

又云：「伊茲禽之無知，何處身之似智？不懷寶以賈害，不飾表以招累。」這些寓意，完全出自《莊子》的《山木》篇：

莊子行於山中，見大木，枝葉盛茂，伐木者止其旁而不取也。問其故，曰：「無所可用。」莊子曰：「此木以不材得終其天年。」

《鷦鷯賦》又云：

其居易容，其求易給；巢林不過一枝，每食不過數粒。棲無所滯，遊無所盤；匪陋荊棘，匪榮茝蘭；動翼而逸，投足而安；委命順理，與物無患。

這也是本自《莊子》的《逍遙遊》：「鷦鷯巢於深林，不過一枝；偃鼠飲河，不過滿腹。歸休乎君，予無所用天下爲！」張華的《鷦鷯賦》，完全取義於《莊子》，可以說是用仿擬的修辭法寫成的。（《學齋佔畢》也以爲《鷦鷯賦》出自莊周之書。）奇怪的是一向被稱爲斠理精審的《文心雕龍》，竟誤爲《鷦鷯》的寓意卽是韓非《說難》之再版。

《時序》篇可以說是一篇文學史的縮寫，並論及晉代作家的修辭技巧：「然晉雖不文，人才實盛：茂先搖筆而散珠，太衝動墨而橫錦，岳、湛曜聯璧之華，機、雲標二俊之采，應、傅、三張之徒，孫、摯、成公之屬，並結藻清英，流韵綺靡。」他形容張華的修辭技巧，說是「搖筆而散珠」，形容左思的修辭技巧，說是「動墨而橫錦」，形容潘岳、侯湛的修辭技巧，說是「曜聯璧之華」，形容陸機、陸雲兄弟的修辭技巧，說是「標二俊之采」，形容應貞，傅玄、傅咸父子，張載、張協、張亢三兄弟以及孫楚、摯虞、成公綏這些人的修辭技巧，說是「並結藻清英，流韵綺靡。」接下去說，「前史以爲運涉季世，人未盡才，誠哉斯談，可爲嘆息！」劉氏對於上述諸子的才華（其實是華麗的辭采），深爲賞識，推許備至，可惜運涉末世，未能人盡其才，這是他所最感惋惜的一回事！從這一點看起來，他似乎並不反對麗采。

《明詩》篇云：

> 建安之初，五言騰踴：文帝陳思，縱轡以騁節；王徐應劉，望路而爭驅。並憐風月，狎池苑，述恩榮，敘酣宴，慷慨以任氣，磊落以使才；造懷指事，不求纖密之巧；驅辭逐貌，唯取昭晰之能：此其所同也。乃正始明道，詩雜仙心，何晏之徒，率多浮淺。唯嵇志清峻，阮旨遙深，故能標焉。若乃應璩《百一》，獨立不懼，辭譎義貞，亦魏之遺直也。晉世羣才，稍入輕綺，張潘左陸，比肩詩衢，采縟於正始，力柔於建安，或析文以為妙，或流靡以自妍，此其大略也。江左篇制，溺乎玄風，嗤笑徇務之志，崇盛亡機之談；袁孫已下，雖各有雕采，而辭趣一揆，莫與爭雄，所以景純仙篇，挺拔而為俊矣。宋初文咏，體有因革，莊老告退，而山水方滋；儷采百字之偶，爭價一句之奇，情必極貌以寫物，辭必窮力而追新：此近世之所競也。

劉氏稱賞遺辭只顧清楚明白，不求纖巧的作風，語氣之間，對於「近世（宋初）之所競」（儷采百字之偶，爭價一句之奇，情必極貌以寫物，辭必窮力而追新），則頗以爲病，所以刻意雕琢的文風，他是不敢苟同的。

同代鍾嶸著《詩品》，據說也和劉勰一樣，是由於不滿當時的創作風氣而作的。他批評了從漢到齊、梁的一百多個詩人，差不多一一都指出他們的詩之所祖；從這一點來說，《詩品》可以說是談論「仿擬」辭格的專著。《詩品》對於每一位詩人的修辭技巧，也分別加以論述，要比《文心雕龍》詳細多了。如論曹氏兄弟及建安七子中的主要作家王粲、徐幹、應瑒、劉楨等的文章氣勢，《文心雕龍》說他們「縱轡以騁節」「望路而爭驅」，范文瀾氏已指出他本自《典論・論文》的「斯七子者，……咸自以騁驥騄於千里，仰齊足而並馳⑫」。回頭我們看《詩品》怎樣論曹氏兄弟的修辭技巧：《詩品》論魏文帝詩，「其源出於李陵，頗有仲宣之體。則所計新製⑬百許篇，率皆鄙質如偶語。惟『西北有浮雲』十餘首，殊美贍可玩，始見其工矣。不然，何以銓衡羣彥，對揚厥弟者耶？」論魏陳思王植詩，「其源出於國風。骨氣奇高，詞采華茂，情兼《雅》怨，體被文質，粲溢古今，卓爾不羣。」

《詩品》評論曹丕的作品，說大多鄙質如偶語，修辭惡劣；對於曹植的作品，則極力推贊。先前一般論客的看法，也大率類此。劉勰頗替曹丕抱不平，他說：

> 魏文之才，洋洋清綺，舊談抑之，謂去植千里。然子建思捷而才俊，詩麗而表逸；子桓慮詳而力緩，故不競於先鳴；而樂府清越，《典論》辯要，迭用短長，亦無懵焉。但俗情抑揚，雷同一響，遂令文帝以位尊減才，思王以勢窘益價，未為篤論也。（《才略》篇）

至於劉勰說何晏浮淺，却是事實，我們只稍看他的《失題》詩的結句：「且以樂今日，其後非所知」，便知道其浮淺到了什麼程度了。

《詩品》論嵇康詩，謂「頗似魏文，過爲峻切，訐直露才，傷淵雅之致」。論阮籍，則謂「其源出於《小雅》，無雕蟲之功。而《咏懷》之作，可以陶性靈，發幽思，言在耳目之內，情寄八荒之表，洋洋乎會於風雅……頗多感慨之辭，厥旨淵放，歸趣難求。」這與劉氏所謂「嵇志清峻，阮旨深遠」，論點相同，不過一則以詳，一則以簡而已。

《詩品》論應璩詩，謂其「祖襲魏文，善爲古語，指事殷勤，雅意深篤，得詩人刺激之旨。」乃是就應璩一般的詩作而論；而《文心雕龍》所論，却是專對《百一》詩篇而發，所以論點稍有不同。

「張潘左陸」，即《詩品・序》所謂「三張（張載、張協、張亢）二陸（陸機、陸雲兄弟），兩潘（潘岳、潘尼）一左（左思）」。《詩品》評張協說：「其源出於王粲。文體華淨，少病累，又巧構形似之言，雄於潘岳，靡於太沖，風流調達，實曠代之高手。辭采葱蒨，音韻鏗鏘，使人味之亹亹不倦。」論陸機，謂「其源出於陳思。才高詞贍，舉體華美，氣少於公幹，文劣於仲宣，尚規矩，不貴綺錯，有傷直致之奇；然其咀嚼英華，厭飫膏澤，文章之淵泉也。」論陸雲，但云「清河（指陸雲）之方平原，殆如陳思之匹白馬[14]。」論潘岳，謂「其源出於仲宣。」又引謝混云：「潘詩爛若舒錦，無處不佳；陸文如披沙簡金，往往見寶。」論潘尼，謂「正叔（潘尼字）綠蘩[15]之章，雖不具美，而文采高麗」。論左思，謂「其源出於公幹。文典以怨，頗爲精切，得諷諭之致。」與《文心雕龍》所論，同是注重在各家的修辭技巧方面。

《詩品》論袁宏，謂「彥伯《咏史》，雖文體未遒，而鮮明緊健，去凡俗遠矣。」論孫綽，謂「彌善恬淡之辭。」論郭璞，謂「憲章潘岳，文體相輝，彪炳可玩。……但《遊仙》之作，辭多慷慨，乖遠玄宗。」與《文心雕龍》所論，正可以互相發明。

《詩品・序》也談論到作家的修辭現象。如論永嘉時代的作者說：「永嘉時，貴黃、老，稍尚虛談，於時篇什，理過其辭，淡乎寡味。」論謝靈運說：「才高辭盛，富艷難踪。」又論陸機、李充、王微、顏延之、摯虞諸君的作品說：「陸機《文賦》，通而無貶；李充《翰林》，疏而不切；王微《鴻寶》，密而無裁；顏延論文，精而難曉；摯虞《文志》，詳而博贍，頗曰知言」。論任昉、王融，則云：「詞不貴奇，競須新事，爾來作者，寖以成俗。遂乃句無虛語，語無虛字」。各有褒貶。《詩品》對謝靈運、顏延之，任昉、王融，又分別加以評論。其論謝靈運云：「其源出於陳思，雜有景陽之體。故尚巧似，而逸蕩過之。頗以繁富爲累。」這是序文中「富艷難踪」一語的發揮。又論顏延之云：「其源出於陸機，尚巧似。體裁綺密，情喻淵深。動無虛散，一句一字，皆致意焉。」則似與序文所論，稍有出入之處。論任昉，略云：「善銓事理，拓體淵雅。」論王融，則云：「詞美英淨。」都足以補序文所論之不足，而且不離於修辭的。

劉勰的《文心雕龍》和沈約的《謝靈運傳論》，都沒有提陶淵明。楊明照先生的《〈文心雕龍〉研究中值得商榷的幾個問題》（《文史》第五輯），分析其原因，說是與當時的風尚有關。但鍾嶸的《詩品》却論到陶潛詩的修辭技巧：「文體省淨，殆無長語。……辭興惋愜，……風華淸靡。」蕭統的《陶淵明集序》，則稱其「辭采精拔，跌宕昭彰，……抑揚爽朗，莫之與京。」蕭統所謂「辭采精拔」，與《詩品》所謂「文體省淨，殆無長語」，其意義大致是相近的。

蕭繹的《金樓子・立言》篇也論到作家的修辭技巧和修辭現象，如云：

潘安仁清綺若是，而評者止稱情切，故知為文之難也。曹子建、陸士衡，皆文士也，觀其辭致側密，事語堅明，意匠有序，遣言無失，雖不以儒者命家，此亦悉通其義也。

所謂曹子建「辭致側密」之論，本於顏延之，其《庭誥》云：「至於五言流靡，則劉楨、張華；四言側密，則張衡、王粲；若夫陳思王，可謂兼之矣。」

梁裴子野的《雕蟲論》（見《全梁文》），也論到作者的修辭技巧。如云：「宋明帝博好文章，……於是天下向風，人自藻飾，雕蟲之藝，盛於時矣。……爰及江左，稱彼顏、謝，箴繡鞶帨，無取廟堂。」又云：「宋初迄於元壽，……學者以博依爲急務，謂章句爲專魯，淫文破典，斐爾爲功，無被於管弦，非止乎禮義。」「鞶帨」句本於揚雄《法言》：「今之學也，非獨爲之華藻也，又從而綉其鞶帨。」這是以文綉的巾帶，比喻詩書文辭的藻采。從「無取」「無被」諸句看來，裴氏對於「箴繡鞶帨」「淫文破典，斐爾爲功」的修辭現象，是否定而不是肯定的。

北齊顏之推的《顏氏家訓・文章》篇，多論述作家的爲人方面，也偶有論到修辭現象的，如說：「何遜詩實爲清巧，多形似之言。」雖只寥寥幾個字，却能道出何遜詩的特色和修辭技巧。謝靈運有咏鄴下八子詩，多涉及八子的爲人及其生平事跡，只有咏曹丕的一首，提到了他的修辭技巧：「論物靡浮說，析理實敷陳，羅縷豈闕辭，窈窕究天人。」「顏延之有咏竹林七賢中的五子詩，也只有咏阮籍的「寓辭類托諷」及咏劉伶的「酒頌雖短章，深衷自此見」稍涉及修辭技巧。酒頌指《酒德頌》。中國歷史上的文人，以詩論詩，恐怕也是始於顏延之吧？至於謝靈運咏曹丕詩，從句意看來，可能是以詩論文而不是論詩之作。

五、談論辭格

對於積極修辭的辭格的記述和談論，在這一個時期也有可觀的表現。現在我們所說的析字格，春秋戰國時代歸入於「繆語」，見晉杜預的《春秋左氏經傳集解》的解釋；又屬於「廋辭」的一種，孫奭注《孟子・公孫丑》篇云：「大抵廋辭云者，如今呼筆爲管城子，紙爲楮先生，錢（泉）爲白水眞人，又爲阿堵物之類是也。」其中「錢」字，是先將「錢」諧音爲「泉」，再將「泉」析爲「白水」而稱之爲「眞人」。漢魏時所謂「離合」，却是專指析字而說的。劉勰的《文心雕龍》，有時稱析字爲離合（見《明詩》篇），有時却將析字歸於諧讔（見《諧讔》篇），這和杜預一樣，把析字列入謎語的一個部分。

析字亦稱字隱。《文心雕龍・練字》篇云：「及魏代綴藻，則字有常檢，追觀漢作，翻成阻奧。故陳思稱揚馬之作，趣幽旨深，讀者非師傳不能析其辭，非博學不能綜其理。豈直才懸，抑亦字隱。」「隱」又衍義作「讔」，《諧讔》篇云：「讔者，隱也，遁辭以隱意，譎譬以指事也。」又云：

昔楚莊齊威，性好隱語；至東方曼倩，尤巧辭述。但謬辭詆戲，無益規補。自魏代以來，頗非俳優，而君子嘲隱，化為謎語。謎也者，回互其辭，使昏迷也。或體目文字，或圖像品物，纖巧以弄思，淺察以衒辭，義欲婉而正，辭欲隱而顯。荀卿《蠶賦》，已兆其體。至魏文陳思，約而密之；高貴鄉公，博舉品物，雖有小巧，用乖遠大。夫規古之為隱，理周要務，豈為童稚之戲謔，博髀而抃笑哉？

劉勰理想中的讔是「義欲婉而正，辭欲隱而顯」，貴在能「理周要務」，他指出「隱語之用，被於記傳，大者與治濟身，其次弼違曉惑」，（《諧讔》篇）而不在於戲謔和抃笑。他以爲荀子的《蠶賦》，才是他理想中的讔。按荀子有《賦》篇，裏面有賦五篇和詩兩首，其第四篇的賦便是《蠶賦》，文云：

有物於此，儳儳兮其狀，屢化如神。功被天下，為萬世文。禮樂以成，貴賤以分。養老長幼，待之而後存。名號不美，與暴為鄰。功立而身廢，事成而家敗。棄其耆老，收其後世。人屬所利，飛鳥所害。臣愚而不識，請占之五泰。五泰占之曰：此夫身女好而頭馬首者與？屢化而不壽者與？善壯而拙老者與？有父母而無牝牡者與？冬伏而夏遊，食桑而吐絲，前亂而後治，夏生而惡暑，喜濕而惡雨，蛹以為母，蛾以為父，三俯三起，事乃大已。夫是之謂蠶理。

這是借蠶之吐絲作繭，終自廢滅，以喻理想中的封建統治者，也應該是「功立而身廢，事成而家敗」，是屬於借喻的修辭法，但《文心雕龍》却將這一種修辭法也包括在他的所謂「諧讔」之中。

《比興》篇云：

故金錫以喻明德，珪璋以譬秀民，螟蛉以類敎誨，蜩螗以寫號呼，澣衣以擬心憂，席卷以方志固：凡斯切象，皆比義也。至如麻衣如雪，兩驂如舞，若斯之類，皆比類者也。……夫比之為義，取類不常：或喻於聲，或方於貌，或擬於心，或譬於事。宋玉《高唐》云：「纖條悲鳴，聲似竽籟。」此比聲之類也。枚乘《菟園》云：「焱焱紛紛，若塵埃之間白雲。」此則比貌之類也。賈生《鵩賦》云：「禍之與福，何異糺纆。」此以物比理者也。王褒《洞簫》云：「優柔溫潤，如慈父之畜子也。」此以聲比心者也。馬融《長笛》云：「繁縟絡繹，范蔡之說也。」此以響比辯者也。張衡《南都》云：「起鄭舞，蠒曳緒。」此以容比物者也。

這是專論譬喻的修辭法，而且也能列舉例證了。

《聲律》篇云：

夫吃文為患，生於好詭，逐新趣異，故喉脣糺紛，將欲解結，務在剛斷，左礙而尋右，末滯而討前，則聲轉於吻，玲玲如振玉；辭靡於耳，累累如貫珠矣。

這是論述「飛白」辭格產生的原因。所謂「吃文」，就是用白字，也就是《後漢書・尹敏傳》所說的「別字」。用白字有兩種情形：一是口吃，如漢高帝欲廢太子，而立戚姬子如意爲太子，周昌廷爭之云：「臣口不能言，然臣期期知其不可，陛下欲廢太子，臣期期不奉詔！」（《漢書・張蒼傳》）箋注家都說周昌吃舌，又盛怒，所以說滑了把「綦」說成「期期」。綦的本意是極，《荀子・王霸》篇：「目欲綦色，耳欲綦聲。」是說欲極聲色之娛。但我們從《後漢書》所記看來，「然臣綦知其不可」固然說得通；至於「臣綦不奉詔」，却不大妥當。王先謙《漢書補注》，釋「期」意爲「必」，是比較可取的。我想，也可能周昌原來只想說「然臣知其不可」和「臣不奉詔」，但由於吃舌，說到了中途，一時忽然說不出，從齒縫間噴出了「期期」的聲音，或未必有「綦」字的意義。另一種是明知其誤却故意仿效，如《聲律》篇所說的。《聲律》篇談論「飛白」（吃文）辭格，沒有舉例證。

《物色》篇云：

詩人感物，聯類不窮。流連萬象之際，沈吟視聽之區，寫氣圖貌，既隨物以宛轉；屬采附聲，亦

> 與心而徘徊。故灼灼狀桃花之鮮，依依盡楊柳之貌，杲杲為出日之容，瀌瀌擬雨雪之狀，喈喈逐黃鳥之聲，喓喓學草蟲之韻。並以少總多，情貌無遺矣。雖復思經千載，將何易奪？

這是論「摹狀」的修辭法，同時也是論「複迭」的修辭法，因爲所舉的辭例，都能身兼摹狀和複迭兩種的職責。

劉氏的《熔裁》篇提出了文章的繁簡問題，他說：「二意兩出，義之駢枝也；同辭重句，文之疣贅也。」於是他主張省略和節縮：

> 句有可削，足見其疏；字不得減，乃知其密。精論要語，極略之體；遊心竄句，極繁之體。謂繁與略，隨分所好，引而伸之，則兩句敷為一章；約以貫之，則一章删成兩句。思贍者善敷，才核者善删。善删者字去而意留，善敷者辭殊而意顯。字删而意闕，則短乏而非核；辭敷而言重，則蕪穢而非贍。（《熔裁》篇）

所論很是精當。尤其是「善删者字去而意留，善敷者辭殊而意顯」這兩句話，眞是言簡而意賅，雋永有味，所以常爲後世文學批評家所稱引。《體性》篇說：「精約者，核字省句，剖析毫釐者也。……繁縟者，博喻釀采，煒燁枝派者也。」這段話，可作上舉《熔裁》篇所論的注脚。《誇飾》篇云：

> 夫形而上者謂之道，形而下者謂之器。神道難摹，精言不能追其極；形器易寫，壯辭可得喻其眞：才非短長，理自難易耳。故自天地以降，豫入聲貌，文辭所被，誇飾恒存。雖詩書雅言，風格訓世，事必宜廣，文亦過焉。是以言峻則嵩高極天，論狹則河不容舠，說多則子孫千億，稱少則民靡孑遺，襄陵舉滔天之目，倒戈立漂杵之論：辭雖已甚，其義無害也。

他以爲抽象的道理難於描寫，所以自有言語以來，「文辭所被，誇飾恒存。」他不但指出「誇張」辭格產生的原因和它的歷史背景，而且列擧《詩・大雅》的《嵩高》、《假樂》、《雲漢》，《衞風》的《河廣》以及《尙書》的《堯典》、僞《武成》等篇中所用的誇張辭，作爲例證。在同一文裏，他又引孟子「說詩者不以文害辭，不以辭害意」的話，以爲如果能夠「以意逆志」，便可以了解作者的本意，所以他說，這一類的誇張辭，「辭雖已甚，其義無害也。」他又說：

至如氣貌山海，體勢宮殿，嵯峨揭業，熠熠焜煌之狀，光彩煒煒而欲然，聲貌岌岌其將動矣。莫不因誇以成狀，沿飾而得奇也。

他以爲卽使是描繪具體的事物，也不妨用誇張辭，才能「喻其眞」，才能感動人。不過，如果誇飾過度，他是不贊成的，所以最後說：

然飾窮其要，則心聲鋒起；誇過其理，則名實兩乖。若能酌《詩》、《書》之曠旨，翦揚、馬之甚泰，使誇而有節，飾而不誣，亦可謂之懿也。

有人評論說「彥和雖不廢誇飾，但欲去泰去甚，故作持平之論。」其實，既然用了誇張辭，便應誇張到底（本書第三篇第六節已經講過了），不必再顧到合於邏輯與否；如果誇張得不夠，讀者不知其在用誇張的修辭法，反會發生誤解哩。

《通變》篇也論到了誇張辭，他說：

夫誇張聲貌，則漢初已極；自兹厥後，循環相因，雖軒翥出轍，而終入籠內。枚乘《七發》云：「通望兮東海，虹洞兮蒼天。」相如《上林》云：「視之無端，察之無涯。日出東沼，月生西陂。」馬融《廣成》云：「天地虹洞，固無端涯；大明出東，月生西陂。」揚雄《校獵》云：「出入日月，天與地沓。」張衡《西京》云：「日月於是乎出入，像扶桑於濛汜。」此並廣寓極狀，而五家如一。諸如此類，莫不相循，參伍因革，通變之數也。

彥和在這裏却不用「誇飾」而稱「誇張」了。後人論修辭，當談到誇張辭的時候，每說《文心雕龍》之所謂「誇飾」，就是我們現在所說的「誇張」，這是沒有注意到《通變》篇已經用了「誇張」一辭的緣故。從彥和所舉漢代五個名家的句子看來，覺得都是對於日月的眞情實景的描寫和形容，並不算誇張；倒是五家描繪日月，「莫不相循」，可以說是仿擬吧。

《麗辭》篇云：

故麗辭之體，凡有四對：言對為易，事對為難，反對為優，正對為劣。言對者，雙比空辭者也；事對者，並舉人驗者也；反對者，理殊趣合者也；正對者，事異義同者也。長卿《上林賦》云：「修容乎禮園，翱翔乎書圃。」此言對之類也。宋玉《神女賦》云：「毛嬙鄣袂，不足程式；西施掩面，比之無色。」此事對之類也。仲宣《登樓》云：「鍾儀幽而楚奏，莊舃顯而越吟。」此反對之類也。孟陽《七哀》云：「漢祖想枌榆，光武思白水。」⑯此正對之類也。凡偶辭胸臆，言對所以為易也；徵人之學，事對所以為難也；幽顯同志，反對所以為優也；並貴共心，正對所以為劣也。又以事對，各有反正，指類而求，萬條自昭然矣。

彥和把「對偶」的辭格，分爲四種，卽：言對、事對、反對和正對；並舉司馬相如的《上林賦》、宋玉的《神女賦》、王粲的《登樓賦》和張載的《七哀詩》等的對句爲例，以爲言對發抒胸臆，所以爲易；

事對須徵引事故，所以爲難；反對互爲映襯，所以爲優；正對平舖直敍，所以爲劣。又云：

張華詩稱「遊鴈比翼翔，歸鴻知接翮⑰」；劉琨詩言「宣尼悲獲麟，西狩泣孔邱⑱」：若斯重出，卽對句之駢枝也。

他以爲對偶不應該上下兩句意義重出，若重出，便不高明了。

《事類》篇是古今第一篇專論「引用」辭格的文章，全篇沒有一個字不是談論引用辭格。他說：

事類者，蓋文章之外，據事以類義，援古以證今者也。昔文王繇《易》，剖判爻位：《既濟》九三，遠引高宗之伐；《明夷》六五，近書箕子之貞⑲：斯略舉人事以徵義者也。至若《胤征》義和，陳政典之訓⑳；《盤庚》誥民，敍遲任之言㉑：此全引成辭，以明理者也。然則明理引乎成辭，徵義舉乎人事，乃聖賢之鴻謨，經籍之通矩也。

他稱引用爲事類。他替這個辭格下定義說：「事類者，蓋文章之外，據事以類義，援古以證今者也。」陳望道先生的《修辭學發凡》，替每一個辭格下定義，用的也正是這個方法。他又以爲引用（事類）的修辭法有兩個方式，其一是「略舉人事，以徵義者」，並舉《易·既濟》及《明夷》篇以爲例證；另一則是「全引成辭，以明理者」，並舉僞《胤征》引義、和二氏陳政典之訓以及遷都於殷、引遲任之言以曉喻臣民的話，只是沒有把原文照錄而已。他又說：

觀夫屈宋屬篇，號依詩人，雖引古事，而莫取舊辭。唯賈誼《鵩賦》，始用《鶡冠》之說；相如《上林》，撮引李斯之書：此萬分之一會也。及揚雄《百官箴》㉒，頗酌於詩書；劉歆《遂初賦》㉓，歷敍於紀傳：漸漸綜采矣。至於崔班張蔡，遂捃摭經史，華實布濩，因書立功，皆後人之範式也。

他指出屈原、宋玉作《離騷》，雖然援引古事，却並未照抄原文。這我們稱之爲「暗引」的修辭法。至如賈誼的《鵩賦》，引用《鶡冠子・世兵》篇的語句；司馬相如的《上林賦》，引用李斯《諫逐客書》的語句……等。這我們稱之爲「明引」法。鶡冠子，世傳爲春秋戰國時楚人，而未詳其姓氏。《抱經堂文集・書鶡冠子後》云：「《鶡冠子》十九篇，昌黎稱之，柳州疑之，學者多是柳。蓋其書本雜採諸家之文而成。如五至之言，則郭隗之告燕昭者也，伍司里有司之制，則管仲之告齊桓者也。《世兵》篇又襲魯仲連《遺燕將書》中語，謂取其賈誼《鵩賦》之文又奚疑？」他認爲《鶡冠子》是因襲賈誼的文句。彥和相信《鵩冠子》眞正是世傳周時楚國的鶡冠子所作，所以說賈誼的《鵩賦》引用了《鶡冠子》的語句；抱經堂以爲《鶡冠子》多是後人的僞托，所以說《鶡冠子》襲取賈誼的《鵩賦》。這本是考據學的事，與修辭學可以無關，不論是誰引用誰的句子，都是「明引」法。至於如司馬相如的《上林賦》，引用了李斯《諫逐客書》的句子，箋注家指出《上林賦》中的「建翠華之旗，樹靈鼉之鼓」，實取自李斯《諫逐客書》中「建翠鳳之旗，樹靈鼉之鼓。」彥和大概爲了節省篇幅，在論述時，只是擧了題目，沒有引述原文。但《事類》篇論引用，到了最後，終於擧出原文來了：

陳思，羣才之英也。《報孔璋書》云：葛天氏之樂，千人唱，萬人和，聽者因以蔑《韶夏》矣。此引事之實謬也。按葛天之歌，唱和三人而已㉔。相如《上林》云：奏陶唐之舞，聽葛天之歌，千人唱，萬人和。唱和千萬人，乃相如接人㉕，然而濫侈葛天，推三成萬者，信賦妄書，致斯謬也。陸機《園葵詩》云：庇足同一智，生理合異端㉖。夫葵能衛足，事譏鮑莊㉗；葛藟庇根，辭自樂豫㉘。若譬葛為葵，則引事為謬；若謂庇勝衡，則改事失真：斯又不精之患。夫以子建明練，士衡沉密，而不免於謬；曹仁之謬高唐，又曷足以嘲哉？夫山木為良匠所度，經書為文士所擇，木美而定於斧斤，事美而制於刀筆，研思之士，無慚匠石矣。

劉氏指出曹植《報孔璋書》、司馬相如《上林賦》及陸機《園葵詩》等引用成語故事的誤謬和失眞，並舉出了例證。這就可見《文心雕龍》論辭格，有時確如郭紹虞先生所指出的那樣：「分析不密，例證未備」；但有時却能說出辭格產生的原因，或是替辭格作定義，不但分析縝密，例證詳備，並且連古人誤用辭格也給舉出來了。如上舉《比興》篇論譬喻，《夸飾》篇論誇張，《通變》篇論仿擬，《麗辭》篇論對偶，《事類》篇論引用，都是很有斤兩的辭格論。

梁任昉著《文章緣起》一書，敍述文章的源流體制，間有涉及修辭格的地方。如論離合云：「字可析而合成文，故曰離合也。」這是替離合（卽析字）辭格而作的定義，只是沒有舉例證罷了。

北齊顏之推的《顏氏家訓．文章》篇，雖然譏諷陸機《與長沙顧母書》用藏辭法（以「孔懷」代「兄弟」），但在同一文裏，他也談論辭格，如云：

王籍《入若耶溪》詩云：「蟬噪林逾靜，鳥鳴山更幽。」江南㉙以為文外斷絕，物無異議。簡文吟咏不能忘之，孝元㉚諷味以為不可復得。至《懷舊志》載於籍傳。范陽盧詢祖，鄴下才俊，乃言此不成語，何事於能？魏收亦然其論。《詩》云：「蕭蕭馬鳴，悠悠旗旌。」《毛傳》曰：「言不諠譁也。」吾每嘆此解有情致，籍詩生於此意耳。

顏氏指出王籍詩取意於《詩．小雅．車攻》篇的詩句，這可以說是取意的仿擬。又《勉學》篇亦論仿擬云：

談說製文，援引古昔，必須眼學，勿信耳受。江南閭里閒士大夫或不學問，羞為鄙朴，道聽塗說，強事飾辭，……凡有一二百件，傳相祖述，尋問莫知原由，施安時復失所。莊生有乘時鵲起之說㉛，故謝朓詩曰：「鵲起登吳臺。」吾有一親表作《七夕》詩云：「今夜吳臺鵲，亦往共塡河。」《羅浮山記》云：「望平地樹如薺」，故戴暠詩云：「長安樹如薺」㉜。又鄴下有一人《咏樹詩》云：「遙望長安薺」。又嘗見謂矜誕為「夸毗」㉝，呼高年為『富有春秋』㉞，皆耳學之過也。

這是譏耳學者不解原義，妄爲仿擬，結果難免用辭欠妥了。

六、小　結

魏晉南北朝的修辭學，盛極一時，其間最傑出的修辭學家，當推劉勰，他的《文心雕龍》，可以說是「五四」運動以前談論修辭能顧到多方面（如一般的修辭理論——文與質、理與辭以至於消極修辭所應注意的要件，論文體與修辭的關係，論作家的修辭技巧，談論辭格等），而且所論也比較深入、精翔的一部著述；雖然書中也兼論文學批評、文法和文章作法，但論修辭所占的分量相當的大（如《事類》篇全文論「引用」的修辭法）。所以要研究這一個時期的修辭學，可以《文心雕龍》爲中心。其《通變》篇云：

榷而論之，則黃唐淳而質，虞夏質而辨，商周麗而雅，楚漢侈而艷，魏晉淺而綺，宋初訛而新。

從質及訛，彌近彌淡。何則？競今疏古，風味氣衰也。

他以爲文章從質到麗、到艷、到綺、到訛，是由於文人們「競今疏古」之所致。《定勢》篇引述各家論文人們的修辭風尚云：

桓譚稱文家各有所慕，或好浮華而不知實核，或美衆多而不見要約。陳思亦云，世之作者，或好煩文博彩，深沉其旨者；或好離言辨白，分毫析釐者：所習不同，所務各異，言勢殊也。劉楨云，文之體指實強弱，使其辭已盡而勢有餘，天下一人耳，不可得也。公幹所談，頗亦兼氣；然文之任勢，勢有剛柔，不必壯言慷慨，乃稱勢也。又陸雲自稱往日論文，先辭而後情，尚勢而不取悅澤；及張公論文，則欲宗其言。夫情固先辭，勢實須澤，可謂先迷後能從善矣。自近代辭人，率好詭巧，原其為體，訛勢所變，厭黷舊式，故穿鑿取新。察其訛意，似難而實無他術也，反正而已。

文人們各有所尚，或好浮華，或好衆多(指辭繁)，或好博文，或好離言，或好任勢，或好詭巧——就是劉勰所謂的「訛」。較早時，《抱朴子》的《辭義》篇也曾說過這樣的話：「夫才有清濁，思有修短，雖並屬文，參差萬品，或浩瀁而不淵潭，或得事情而辭鈍，違物理而言功。」這段話，可與劉氏「訛」說參照。劉氏對那些詭巧藻飾的詩文，提出了他的閱讀方法：

夫綴文者情動而辭發，觀文者披文以入情。沿波討源，雖幽必顯。世遠莫見其面，覘文輒見其心，豈成篇之足深，患識照之自淺耳。

他一再闡述詩文的閱讀方法，證明其與孟子同調；所謂「沿波討源」，與孟子的「以意逆志」是異文同義的。

這一時期的文學作品，正如劉勰所說的那樣，「情必極貌以寫物，辭必窮力而追新」，極盡藻飾形容之能事。結果呢，批評反應，也最熱烈，這就是本時期修辭學獨盛的原因。但古人論修辭，每不喜作過偏的言論，魏晉南北朝也一樣。例如對於文質華實的論點，一般都主張文質相稱，華實相扶。《文心雕龍・才略》篇所謂「文質相稱，固亘儒之情也。」實代表了這一時期大多數修辭論者的意見。

我在第三篇第三節曾指出東漢時代的王充，已經運用辯證的方法來分析古今語言的演變，加以各地方言的不同，致使後人讀古人文，而有難知的感覺；其實古人的寫作言談，也是根據當時的語言文字，並非故意「使指意閉隱」的。關於這一點，本時期也曾有人談論到，如摯虞《文章流別論》云：「文辭之異，古今之變也。」《抱朴子・鈞世》篇亦云：

且古書之多隱，未必昔人故欲難曉，或世異語變，或方言不同，經荒歷亂，埋藏積久，簡編朽絕，亡失者多，或雜續殘缺，或脫去章句，是以難知，似若至深耳。

葛洪所論，完全繼承了《論衡》的論點，但指出另一個原因，那便是：年湮代久，簡編短殘，可能脫去章句，所以更加難解。

最後要說的，是這一個時期論修辭，有兼論文法的。如陸雲《與兄平原書》便有論文言虛字的當用與不當用。《文心雕龍・章句》篇云：

詩人以兮字入於句限，《楚辭》用之，字出句外。尋兮字成句，乃語助餘聲，舜咏南風，用之久矣。而魏武弗好，豈不以無益文義耶？至於夫惟蓋故者，發端之首唱；之而於以者，乃札句之舊

> 體；乎哉矣也，亦送末之常科。據事似閑，在用實切。

這其實已提到了文法結合着修辭的問題，可以說是文法（或語法）修辭的結合論了。後來劉知幾《史通》所說的「夫樞機之發，亹亹不窮，必有餘音足句爲其始末。是以伊惟夫蓋，發語之端也；焉哉矣兮，斷句之助也。去之則言語不足，加之則章句獲全」，語意雖襲自《文心雕龍》，却也是結合着修辭的現像而論文法的。

《顏氏家訓・書證》篇多仿《春秋繁露》論用辭，其間也有將文法和修辭結合起來論述的，如云：

> 「也」是語已及助句之辭，文籍備有之矣。河北經傳悉略此字。其間字有不可得無者，至如「伯也執殳㉟」，「於旅也語㊱」，「回也屢空㊲」，「風，風也，教也。」及《詩、傳》云：「不戢，戢也；不儺，儺也㊳。」「不多，多也㊴。」如斯之類，儻削此文，頗成廢闕。《詩》言「青青子衿」。《傳》曰：「青衿，青領也，學子之服㊵」。按古者斜領下連於衿，故謂領為衿。孫炎郭璞注《爾雅》，曹大家注《列女傳》，並云：「衿，交領也㊶。」鄴下《詩》本，既無「也」字，羣儒因謬說云：「青衿、青領，是衣兩處之名，皆以青為飾。」用釋「青青」二字，其失大矣。又有俗學，聞經傳中時須也字，輒以意加之，每不得所，益成可笑。

顏氏以爲「也」這一個「助句之辭」，如當用而不用，則句意可能被誤解；如果加之不得其所，將「益成可笑」了。又《音辭》篇云：

> 案：諸字書，焉者鳥名，或云語辭，皆音於愆反。自葛洪《要用字苑》分焉字音訓：若訓何、訓

安，當音於愆反，「於焉逍遙」，「於焉嘉客㊷」，「焉用佞」，「焉得仁㊸」之類是也；若送句及助詞，當音矣愆反，「故稱龍焉」，「故稱血焉㊹」，「有民人焉」，「有社稷焉㊺」，「託始焉爾㊻」，「晉鄭焉依㊼」之類是也。江南至今行此分別，昭然易曉。而河北混同一音，雖依古讀，不可行於今也。

說到「焉」字這一個助辭的讀音和在句子中的位置之不同，訓義也就跟著不同，並舉了例證。顏氏所論，都提到了文法結合着修辭的問題。

注釋

① 見范文瀾《文心龍注》下册《情采》篇注。

② 范文瀾《文心雕龍》云：「雖文不必有，而體例不無，似當作而體非必無。」范說非，依上文，應作「而體例不能無」方是。

③ 《四部叢刊》影明本《梁昭明太子文集》卷三《答湘東王求文集及詩苑英華書》，亦有此段文字。

④ 余嘉錫氏以爲《顏氏家訓》實作於隋開皇九年平陳之後（《四庫提要辨證》卷十四）。曹家琪氏則以爲《顏氏家訓》纂定成書當在開皇十七年（五九七）夏四月戊寅（據《隋書・高祖紀》）之後（《文史》第三輯《顏之推卒年與〈顏氏家訓〉之纂定、結銜》）。

⑤ 《三輔決錄》，漢趙岐撰，摯虞注。

⑥ 魏顆，晉大夫，見《左傳・宣公十五年》。

⑦ 拙著《選集・典論論文齊氣解》引《文心雕龍・銓賦》篇說：「傳長博通，時逢壯采。」按：「齊氣」讀如「齋氣」。《禮記》《家語》皆以「齊壯」連文，「莊」「壯」古通用。「齊氣」的「氣」既作「文氣」解，而「文」「采」互用，亦已約定俗成，故「齊氣」實爲「壯采」。至其下文，據《魏志》注引作「然非粲匹也」。

是。

⑧《武成》，《書》篇名。《書·序》云：「武王伐殷，往伐，歸獸，識其政事，作《武成》。」又《文賦》論警策，意本孟子，說見朱珔《文選集釋》。

⑨這裏所謂「符」和陸機《辨忘論》「抑有前符」的「符」一樣，是指義理，「采」則指辭采；和左思《蜀都賦》「符采彪柄」的「符采」不同。據《蜀都賦》注，「符采」是指玉的橫文，兩個字不能分開來說的。

⑩義，一作儀。

⑪一作「浮侈者情爲文屈」，是。

⑫見范文瀾《文心雕龍注》。

⑬製，原作奇，依范文瀾說改。

⑭魏武帝子彪，封白馬王。

⑮潘尼《迎大駕詩》，有「綠蘩被廣隰」之句。

⑯孟陽，張載字。《文選》載張載《七哀詩》二首，無此二句。當是另有一首，蕭統不爲採入，遂致亡佚。

⑰語出張華《雜詩》，見《玉臺新詠》。

⑱語出劉琨《重贈盧諶詩》，見《文選》及《晉書》本傳。宣尼，謂孔子。《漢書·平帝紀》：「封孔子後均爲褒成侯，奉其祀，追謚孔子曰褒成宣尼公。」

⑲《易·旣濟》：「九三，高宗伐鬼方，三年克之。」《易·明夷》：「六五，箕子之明夷，利貞。」

⑳《胤征》，《書》有僞《胤征》：「政典曰：『先時者殺無赦，不及時者殺無赦。』」這是引掌天地四時之官的羲和二氏說過的話。按《書·堯典》：「乃命羲和。」（傳：重黎之後，羲氏和氏，世掌天地四時之官。）

㉑《盤庚》，《書》篇名，乃是詔告人民之書。遲任，相傳爲古之賢人。盤庚將遷都於殷，民多有怨言，庚乃舉遲任之言以喻之曰：「人惟求舊；器非求舊，惟新。」

㉒揚雄嘗依《虞箴》作《十二州》、《二十五官箴》。自胡廣以後，人多簡稱之爲《百官箴》；百，意指其多，

非指確數。

㉓ 劉歆《遂初賦》，載《古文苑》。

㉔ 《呂氏春秋・古樂》篇：「昔葛天氏之樂，三人操牛尾投足以歌八闋。」

㉕ 接人，據黃叔琳校，以爲當作「推之」。是。

㉖ 陸機《園葵詩》原作「庇足同一智，生理各萬端。》《文必雕龍》引述時誤作「合異端」。

㉗ 《左傳・成公十七年》：「鮑國相施氏忠，故齊人取以爲鮑氏後。仲尼曰，鮑，莊子之知，不如葵，葵猶能衞其足。杜注「葵傾葉向日以蔽其根，言鮑牽居亂，不能危行言孫。」

㉘ 《左傳・文公七年》：「（宋）昭公將去羣公子。樂豫曰：『不可。公族，公室之枝葉也，若去之，則本根無所庇陰矣。葛藟猶能庇其本根，故君子以爲比，況國君乎？』」

㉙ 江南，爲「江南閭里閒士大夫」的縮寫，見《勉學》篇。

㉚ 孝元，卽梁元帝蕭繹。

㉛ 《太平御覽》引《莊子》云：「鵠上高城之垝，而巢於高榆之顚，城壞巢折，陵風而起。故君子之居世也，得時則蟻行，失時則鵠起也。」《困學紀聞》載《莊子》佚文，亦有此語。

㉜ 補注云：此嵩《度關山》詩也，首云：「昔聽隴頭吟，平居已流涕，今上關山望，長安樹如薺。」

㉝ 《爾雅・釋訓》：「夸毗，體柔也。」與夸誕義殊異。

㉞ 《後漢書・樂恢傳》：「上疏諫曰：『陛下富於春秋，纂承大業。』」注：「春秋謂年也，言年少春秋尚多，故稱富。」與高年義正相反。

㉟ 原注：《詩・衞風・伯兮》文。

㊱ 原注：《儀禮》文。

㊲ 原注：《論語》文。

㊳ 原注：見《小雅・桑扈》篇。

㊴原注：見《大雅・卷阿》篇。
㊵原注：見《鄭風》。
㊶原注：郭注見《爾雅・釋器》。曹注已亡。
㊷原注：見《詩・小雅・白駒》篇。
㊸原注：見《論語》。
㊹原注：見《易・文言》。
㊺原注：見《論語》。
㊻原注：隱二年《公羊傳》文。
㊼原注：隱六年《左傳》文。

第六篇　中國修辭學發展的延續期——隋唐時代

一、楔　子

隋唐時代是封建制度的第二個延續期，由於政治上的南北分裂復歸於統一，文化教育也跟着發展起來。較早時，北朝的顏之推在他的《顏氏家訓》裏，已經提倡了宗經明道之說，而蘇綽也已提倡了古文了。無如時機未至，所以沒有蔚爲風氣。待到韓愈等出而提倡古文（散文），一反六朝駢儷的歪風，才使文學語言與口語的距離逐漸拉近了；但因過於强調「文以載道」，遂使復古的思想性抑制了革新的藝術性，使得修辭不能極盡發展形容之能事，故談論修辭現象的修辭理論，也就相應減色了。

但由於近體詩（律詩和絕句）的盛行，談論詩格的著作有如雨後春筍般的出現，沈約的八病之說，也因日人遍照金剛《文鏡秘府論》的問世而得以闡揚。這些談論詩格和詩病的著作，大都只涉及消極的修辭法，即論如何如何爲詩格之所忌、怎樣怎樣爲詩之病，應當避免而已。不過這一個時期論述積極修辭的辭格論，也相當多，日僧遍照金剛的《文鏡秘府論》所引述的辭格更是不少。所以這個時期可以說是中國修辭學發展的延續期。

二、反駢儷而正文體的主張

隋代文章，幾乎完全繼承了梁、陳的遺風，競尙文辭，惟華靡是騖，那種情形，有如李諤《上隋高帝革文華書》所說：「貴賤賢愚，唯務吟詠。遂復遺理存異，尋虛逐微，競一韵之奇，爭一字之巧。連篇累牘，不出月露之形；積案盈箱，唯是風雲之狀。世俗以此相高，朝廷據茲擢士。祿利之路既開，愛尙之情愈篤。於是閭里童昏，貴游總丱，未窺六甲，先制五言。至如羲皇舜禹之典，伊傅周孔之說，不復關心，何嘗入耳。以傲誕爲清虛，以緣情爲勛績，指儒素爲古拙，用詞賦爲君子。故文筆日繁，其政日亂，良由棄大聖之規模，構無用以爲用也。損本逐末，流遍華壤，遞相師祖，久而愈扇。」李諤以爲這是由於「魏之三祖，更尙文辭，忽君子之大道，好雕蟲之小藝。下之從上，有同影響，競騁文華，遂成風俗。」

隋文帝開皇四年（五八四），爲改革文風，曾「普詔天下公私文翰，並宜實錄。」無如積習已久，這種歪風，一時似乎不容易改得掉。所以李諤的《上隋高帝革文華書》又有這樣的話：

及大隋受命，聖道聿興，屛出輕浮，遏止華僞。自非懷經抱質，志道依仁，不得引預搢紳，參厠纓冕。開皇四年，普詔天下公私文翰，並宜實錄；其年九月，泗州刺史司馬幼之，文表華艷，付所司治罪。自是公卿大臣，咸知正路，莫不鑽仰墳索（原作『集』，當是『索』字，今改正），棄絶華綺，擇先王之令典，行大道於茲世。如聞外州遠縣，仍踵弊風，選吏擧人，未遵典則。……臣旣忝憲司，職當糾察。若聞風卽劾，恐掛綱者多。請勒諸司，普加搜訪；有如此者，具狀送

臺。（《隋書》卷六十六《李諤傳》所引）

李諤身爲治書侍御史，不能容忍當時那種輕薄的文風，上書請正文體，他的修辭的標準是：屏出輕浮，棄絕華綺，公私文翰，並宜實錄。這意見是値得稱頌的。後來唐代的一些文人，上書主張改革文風，多少受了李諤的影響。如白居易「議碑碣辭賦」云：

問：國家化天下以文明，奬多士以文學，二百餘載，文章煥焉。然則述作之間，書事者罕聞於直筆，褒美者多睹其虛辭。今欲去僞抑淫，芟蕪刻穢，黜華於枝葉，反實於根源，引而救之，其道安在？臣謹按：……大成不能無小弊，大美不能無小疵。是以凡今秉筆之徒，率爾而言者有矣，斐然成章者有矣。故歌咏詩賦、碑碣贊咏之制，往往有虛美者矣，有媿辭者矣。若行於時，則誣善惡而惑當代；若傳於後，則混真僞而疑將來。臣伏思之，恐非先王文理化成之教也。且古之為文者，上以紐王教，系國風，下以存炯戒、通諷諭。故懲勸善惡之柄，執於文士褒貶之際焉；補察得失之端，操於詩人美刺之間焉。今褒貶之文無核實，則懲勸之道缺矣；美刺之詩不稽政，則補察之義廢矣。雖雕章鏤句，將焉用之？臣又聞稂莠秕稗生於穀，反害穀者也；淫辭麗藻生於文，反傷文者也。故農者耘稂莠，簸秕稗，所以養穀也；王者刪淫辭，削麗藻，所以養文也。伏惟陛下詔主文之司，諭養文之旨，俾辭賦合炯誡諷諭者，雖質屬野，采而奬之；碑誄有虛美愧辭者，雖華雖麗，禁而絕之。若然，則為文者必當尚質抑淫，著誠去僞，小疵小弊，蕩然無遺矣。則何慮乎皇家之文章不與三代同風者歟！

但李諤的呼號，並沒有收到預期的效果，正如魏徵的《隋書·文學傳序》所說：

高祖初統萬機，每念斲雕為朴，發號施令，減去浮華。然時俗詞藻，猶多淫麗。故憲臺執法，屢飭飛霜。煬帝初習藝文，有非輕側之論，暨乎卽位，一變其風。其《與越公書》、《建東都詔》、《冬至受朝詩》及《擬飲馬長城窟》，並存雅體，歸於典制。雖意在驕淫，而詞無浮蕩，故當時綴文之士，遂得依而取正焉。所謂能言者未必能行，蓋亦君子不以人廢言也。

「能言者未必能行」，這句話眞是說得好！就拿李諤的《上隋高帝革文華書》來說，也仍舊是一篇極盡華麗之能事的駢儷文，自身還沒有擺脫六朝的駢儷習氣，所謂「競騁文華，遂成風俗」，李君自己也還是未能免俗。「上不正則下不從」，這當是文體終於沒有在隋時徹底改革過來的原因之一。正如「五四」前夕胡適之陳獨秀等提倡白話文，廢古語，但作爲文學革命的宣言書如《文學改良芻議》等篇，却仍用文言文寫成。大概積弊既久，一時難於解脫吧？

《唐會要》六十五記云：

貞觀七年，上謂侍臣曰：『……朕嘗戲作艷詩。』世南進表諫曰：『聖作雖工，體制非雅。上之所好，下必隨之。此文一行，恐致風靡，輕薄成俗，非為國之利。』①

但虞世南奉王命而纂撰的《兎園册》（卽《北堂書鈔》）十卷，正如《晁氏讀書志》所說，「皆偶儷之語。」這是能說者未必能行的又一個例證。

初唐楊炯的《王勃集序》也說：

嘗以龍朔初載，爭揚變體，乂構纖微，競為雕刻，……思革其弊，用光志業。……長風一振，衆萌自偃，遂使繁綜淺術，無藩籬之固；紛繪小才，失金湯之險。積年綺碎，一朝清廓，翰苑豁如，詞林增峻。反諸宏博，君之力焉；矯枉過正，文之權也。

楊氏指出王勃生前對於當時那種「爭構纖微，競爲雕刻」的修辭歪風，也有意「思革其弊」；所惜由於「促齡」，以致才氣未盡，壯志未酬而已。

三、主辭巧的修辭論

前面說過，北朝的蘇綽已提倡過古文了，只因時機尚未成熟，故附和者寡，而令狐德棻甚至批評他爲「質樸之言」。《周書・王褒庾信傳贊》云：「然綽建言務存質樸，……雖屬詞有師古之美，矯枉非適時之用，故莫能常行焉。」既然批評質樸，自然重視藻飾辭巧了。但是他又說：「其理也當貴，其辭也欲巧。……文質因其宜，繁約適其變。……和而能壯，麗而能典。」他强調辭巧，同時也沒有忘掉理意，主張文質有度，繁約適情，看來又似乎是折中的修辭論了。我要一再指出，大抵古人論修辭，都不喜作一偏之見，先秦兩漢如此，魏晉南北朝和以後也一樣。但在武后時做過策賢良方正的張說，却主張錯綜潤飾，其《洛州張司馬集序》云：

夫言者志之所之，文者物之相雜。然則心不可蘊，故發揮以形容；辭不可陋，故錯綜以潤色。萬象鼓舞，入有名之地；五音繁雜，出無聲之境。非窮神體妙，孰能與乎？

《唐昭容上官氏文集序》亦云：

臣聞七聲無主，律呂綜其和；五彩無章，黼黻交其麗。是知氣有壹鬱，非巧辭莫之通；形有萬變，非工文莫之寫。先王以是經天地，究人神，闡寂寞，鑒幽昧。文之辭義大矣哉！

像這樣主張「巧喩」、「工文」的修辭理論，在當時並不只張說一人而已。至於反對藻飾的人，自己寫文章却不忘藻飾，甚至寫反對藻飾的文章，本身也忘不了要藻飾一番。

皎燃的《詩式》，是一部專論詩格的著作。其中《取境》一則談論到詩的華樸說：

評曰：或云，詩不假修飾，任其醜樸，但風韻正，天真全，則名上等。予曰：不然。無鹽闕容而有德，曷若文王太姒有容而有德乎？又云：不要苦思，苦思則喪自然之質。此亦不然。夫不入虎穴，焉得虎子。取境之時，須至難至險，始見奇句。成篇之後，觀其氣（一作風）貌，有似等閑，不思而得，此高手也。有時意靜神王，佳句縱橫，若不可遏，宛如神助。不然，蓋由先積精思，因神王而得乎？

他反樸而尚文，以爲苦思始能見奇句，則其主辭巧是顯而易見的。

梁肅論文，雖主載道，但也不忘飾辭，其《補闕李君前集序》云：

本文於道，失道則傅（一作傳）之以氣，氣不足則飾之以辭，蓋道能兼氣，氣能兼辭，辭不當則文斯敗矣。

他認爲飾辭足以補文氣之不足，而文氣又足以補道之失，可以說是飾辭與載道並重論。

李觀與韓愈同登進士第。陸希聲《唐太子校書李觀文集序》論韓、李修辭云：

文以理為本，而辭質在所尚。元賓（觀字）尚於辭，故辭勝其理；退之尚於質，故理勝其辭。退之雖窮老不休，終不能為元賓之辭；假使元賓後退之之死，亦不能及退之之質。

陸氏說李觀的文章辭采勝於理意，而韓愈的文章則理意勝於辭采。李、韓二君，各有所重，但彼此都無法超越對方之所重。

皇甫湜是主張意新與辭奇的，其《答李生第一書》云：

夫意新則異於常，異於常則怪矣；詞高則出於衆，出於衆則奇矣。虎豹之文不得不炳於犬羊，鸞鳳之音不得不鏘於鳥鵲，金玉之光不得不炫於瓦石，非有意先之也，乃自然也。

這當是取意自《文心雕龍・情采》篇的「虎豹無文，則鞟同犬羊；犀兕有皮，而色資丹漆，質待文也。若乃綜述性靈，敷寫器象，鏤心鳥迹之中，織辭魚網之上，其爲彪炳，縟采名矣。」《文心雕龍》則取義自《論語・顏淵》：「文猶質也，質猶文也；虎豹之鞟，猶犬羊之鞟。」及《左傳・宣公二年》：「牛則有皮，犀兕尚多，棄甲則那？役人曰：從其有皮，丹漆若何？」皇甫湜加以引申，以爲辭奇乃出於行文的自然，不足爲病。其《答李生第二書》又說：

夫文者非他，言之華者也，其用在通理而已，固不務奇，然亦無傷於奇也。使文奇而理正，是尤雅也。

「不務奇，然亦無傷於奇」，似乎一反前說，而提出折中之論。

孫樵的《與友人論文書》說：

古今所謂文者，辭必高然後為奇，意必深然後為工，煥然如日月之經天也，炳然如虎豹之異犬羊也。

也出自同一論據，他們都是崇尚辭巧的。

李翺雖是韓愈的大弟子，但論修辭却是主辭工的。他的《答朱載言書》云：

天下之語文章有六說焉：其尚異者，則曰文章辭句奇險而已。其好理者，則曰文章敍意苟通而已。其溺於時者，則曰文章必當對。其病於時者，則曰文章不當對。其愛難者，則曰文章宜深不當易。其愛易者，則曰文章宜通不當難。此皆情有所偏，滯而不流，未識文章之所主也。……故義雖深，理雖當，詞不工者不成文，宜不能傳也。

他以爲辭不工者不成文，不成文則不能傳；故能傳之文，其辭必工，也必是成文之文，這是不在話下的。

自先秦以來，至於隋唐，論修辭專主辭巧的，只有張說、孫樵、皇甫湜、李翺等數人而已。

四、反對麗辭的修辭論

隋唐五代的文人，大多是反對麗辭的，這和他們的宗經明道大有關係。

隋末大儒王通，他的門人私諡之爲文中子，著有《中說》十卷，其《王道》篇說：

子在長安，楊素、蘇夔、李德林皆請見。子與之言，歸而有憂色。門人問子，子曰：……德林與吾言終日，言文而不及理。門人曰：然則何憂？子曰：……非爾所知也。……言文而不及理，是天下無文也。王道從何而興乎？吾所以憂也。②

他認爲言文而不及理，不能算是文，則其注重理意反對浮藻可知了。其《事君》篇又有這樣的話：

房玄齡問史，子曰：古之史也辨道，今之史也耀文。問文，子曰：古之文也約以達，今之文也繁以塞。

這雖是對古今文史造辭的評價，但他對於修辭所持的意見，可由此推想而得：重古，因爲「古之文約以達」，輕今，因爲「今之文繁以塞」。再從前面所引《王道》篇的話（文而不及理，是天下無文也）看起來，重古，是由於古之文重理（卽重道）；輕今，是由於今之文只顧雕飾。這實是唐代的古文運動所本。

唐魏徵《隋書・文學傳序》云：

> 梁自大同之後，雅道淪缺，漸乖典則，爭馳新巧。簡文湘東，啓其淫放；徐陵庾信，分路揚鑣。其意淺而繁，其文匿而彩；詞尚輕險，情多哀思，格以延陵之聽，蓋亦亡國之音乎？

論述簡文帝蕭綱、梁元帝蕭繹（初封東湘王）兄弟以及徐陵、庾信諸君的修辭技巧，謂其「文匿而彩，辭尚輕險」，是「亡國之音」。魏徵在《梁書》卷六《敬帝紀》後面也說：「太宗聰睿過人，……富贍辭藻；然文艷用寡，華而不實，體窮淫麗，義罕疏通，……何救江陵之滅亡哉！」他認爲富贍的辭藻，無補於金陵的覆沒，所以非極力反對不可。

陳子昂《與東方左史虬修竹篇序》云：「僕嘗暇時觀齊、梁間詩，彩麗競繁，而興寄都絕，每以永嘆。思古人常恐（世之文風）逶迤頹靡，風雅不作，以耿耿也。」（《陳伯玉文集》）陳氏所「常恐」的，是當世的文風，但知辭采，頹靡不振，是以耿耿於懷。他用節縮的修辭法，略去了「世之文風」四個字。

盧藏用《右拾遺陳子昂文集序》云：

> 孔子歿二百歲而騷人作，於是婉麗浮侈之法行焉。漢興二百年……長卿、子云之儔，瑰詭萬變，

> 亦奇特之士也。惜其王公大人之言，溺於流辭而不顧。

他嘆息司馬相如、楊雄輩「溺於流辭而不顧」，直到後來，「逶迤陵頹，流靡忘返」，「於是風雅之道掃地盡矣。」

李白有《古風》二首，以詩論詩文，其一云：「自從建安來，綺麗不足珍。」他認爲綺藻麗辭，是不足爲貴的。又云：「文質相炳發，衆星羅秋旻。」文質互相炳發，才是他理想中的修辭現象。

獨孤及《檢校尚書吏部員外郎趙郡李公中集序》云：

> 志非言不形，言非文不彰。……世道陵夷，文亦下衰。故作者往往先文字，後比興，其風流蕩而不返，乃至有飾其詞而遺其意者，則潤色愈工，其實愈喪。及其大壞也，儷偶章句，使枝對葉比，以八病四聲為梏拲，拲拲守之，如奉法令。

獨孤氏重質輕文，慨嘆世道陵夷，惟儷偶是尙，「以八病四聲爲梏拲」，越是飾辭，越失眞實，將不知伊於胡底了。

柳冕《答楊中丞論文書》云：「逮德下裂，風雅不作，形似艷麗之文興，而雅頌比興之義廢。艷麗而工，君子恥之，此文之病也。」《與徐給事論文書》亦云：「蓋文有餘而質不足則流，才有餘而雅不足則蕩；流蕩不返，使人有淫麗之心，此文之病也。」又《答衢州鄭使君論文書》云：「惜乎王公大人之言，而溺於淫麗怪誕之說，非文之罪也，爲文者之過也。《與滑州盧大夫論文書》且云：「故淫麗形似之文，皆亡國哀思之音也。」柳氏以爲艷麗之文，是文之病；淫麗怪誕之說，是爲文者之過；甚至以爲淫麗形似之文，是亡國之音，可見其疾淫麗之文，是到了怎樣的程度了。

裴度《寄李翺書》說：「常以時世之交，多偶對儷句，屬綴風雲，羈束聲韵，爲文之病甚矣。故以雄詞遠志，一以矯之。」矯正的方法，他認爲應以「文字爲意，以達其心，以窮其理，而不在磔裂章句，隳廢聲韵。」

韓愈輩提倡復古，實有雙重的意義：一是在文章的形式上主張摒棄東漢以來駢儷的文體，復興兩漢以前的古文——散文；一是在文章的內容方面注重寫古聖人之道，不再爲了飾辭而令內容空洞無物，使文章比較接近於口語。這是韓愈和一般主張復古者的貢獻；但因過度重視載道的結果，而論修辭現象和方法的修辭學也就跟着衰退下來了。

韓愈《送陳秀才彤序》云：

> 讀書以為學，纘言以為文，非以誇多而斗靡也。蓋學所以為道，文所以為理耳。苟行事得其宜，出言適其要，雖不吾面，吾將信其富於文學也。

他以爲文章在於闡理，也就是在於載道，而不在於文字上的誇多鬭靡。還有一點，他提倡古文，只是想一反駢儷的歪風，而恢復像西漢以前的古文——散文罷了，並不是叫人去襲用古人的辭句，所以他的《答劉正夫書》說：「……古聖賢人所爲書俱存，辭皆不同，宜何師？必謹對曰：師其意，不師其辭。」他在《答李翊書》中主張：「惟陳言之務去。」而在他的《答李秀才書》則說：「愈之所志於古者，不惟其辭之好，好其道焉耳。」《題歐陽生哀辭後》又說：「學古道則欲兼通其辭；通其辭者，本志乎古道也。」他以爲通其辭是志在古道的。

柳宗元也是主張文以明道，而不以務采色、誇聲音爲能的。《答韋中立論師道書》云：

> 始吾幼且少，為文章，以辭為工。及長，乃知文者以明道，是固不苟為炳炳烺烺、務采色、誇聲音而以為能也。

他承認幼且少的時候，是曾經「以辭爲工」的，後來才知道自己的錯誤。其《復杜溫夫書》亦云：

> 吾雖少，為文不能自雕斫，引筆行墨，快意累累，意盡便止，亦何所師法，立言狀物未嘗求過人……。

他少時雖以飾辭爲工，但爲文却不能自雕斫，意謂雖欲飾辭而未能；但從下文「立言狀物未嘗求過人」看來，他是不欲自雕斫，而不是不能自雕斫的。《送從兄偁罷選歸江淮詩序》云：「言不稱德，文不盡志，適爲累而已矣。」强調了文以盡志。他的《非國語序》說：「余懼世之學者溺其文采而淪於是非。」更加明白地表示反對溺於辭采的了。又《答吳武陵論非國語書》也說：

> 夫為一書，務富文采，不顧事實，而益之以誣怪，張之以闊誕，以炳然誘後生，而終之以僻，是猶用文錦覆陷阱也。

杜牧主張爲詩文不務奇麗。其《獻詩啓》云：「某苦心爲詩，本求高絕，不務奇麗。」其《答莊充書》，更加以伸論：

> 某白，莊先輩足下：凡為文以意為主，氣為輔，以辭彩章句為之兵衛③，未有主強盛而輔不飄逸者、兵衛不華赫而莊整者。……苟意不先立，止以文彩辭句，繞前捧後，是言愈多而理愈亂，如入闤闠，紛紛然莫知其誰，暮散而已。是以意全勝者，辭愈樸而文愈高；意不勝者，辭愈華而文愈鄙。是意能遣辭，辭不能成意：大抵為文之旨如此。

這是唐人論修辭主張樸質、反對麗辭的最精彩、最透徹的一段文字了。「是以意全勝者，辭愈樸而文愈高；意不勝者，辭愈華而文愈鄙。」眞是至理名言。

李翺的《百官行狀奏》也說：

> 務於華而忘其實，溺於辭而棄其理，故為文則失六經之古風，記事則非史遷之實錄，不如此則辭句鄙陋，不能自成其文矣。

批評華而不實的修辭，也很得力。

黃滔《與王雄書》云：

> 夫儷偶之辭，文家之戲也，焉可資其戲於作者乎？是若揚優喙於諫舌，啼妾態叅婦德，得不為罪人乎？

他反對儷偶的修辭，態度也是堅決的。

荆鰲文雖不傳，但史書偶有稱引其對於修辭的主張。如說，「文章者所以達道德之本，發才智之蘊，使旨勝於辭，理過於文。」他是主張理意重於文辭的，故對於「摘裂章句，鈎校屬耦，綺麗悅目，清新沃耳」的詩文，他是頗以爲病的。

五、劉知幾的《史通》論華約、辭格及其他

劉知幾的《史通》內外計四十九篇，雖以談論歷史的作法爲主，但涉及修辭的言論之多，僅次於《文心雕龍》和《文鏡秘府論》。他的《自序》篇有「苟時無品藻，則理難銓綜」的話，《敍事》篇又有

「夫飾言者爲文，編文者爲句，句積而章立，章積而篇成。篇目既分，而一家之言備矣。古者行人出境，以詞令爲宗；大夫應對，以言文爲主。況乎列以章句，刊之竹帛，安可不勵精雕飾，傳諸諷誦者哉？」的話。他認爲非勵精雕飾不足以傳諸諷誦，是主雕飾說。但《敍事》篇又說：「夫史之稱美者，以敍事爲先。至若書功過，記善惡，文而不麗，質而非野，使人味其滋旨，懷其德音，三復忘疲，百遍無斁，自非作者曰聖，其孰能與於此乎？」他以爲「文而不麗，質而非野」，是修辭的最高境界，不是平常的人所能做得到的。

《言語》篇又說：

蓋「樞機之發，榮辱之主」，「言之不文，行之不遠」，則知飾詞專對，古之所重也。夫上古之世，人惟樸略，言語難曉，訓釋方通。是以尋理則事簡而意深，考文則詞艱而義釋，若《尚書》載伊尹之訓、皋陶之謨、《洛誥》《康誥》、《牧誓》《泰誓》是也。周監二代，郁郁乎文，大夫行人，尤重詞命，語微婉而多切，言流靡而不淫，若《春秋》載呂相絕秦，子產獻捷，臧孫諫君納鼎，魏絳對戳楊干是也。

他由孔子的話，知道古人重視飾辭；他自己既有崇古的觀念，自然是不反對有限度的飾辭了。他以爲上古的言語文字，過於樸略，故意深而辭艱。這指責却是很對的。他說周代的文章，「語微婉而多切，言流靡而不淫」，這雖在稱贊古人，其實也正是他的修辭準則。

《載文》篇云：

爰洎中葉，文體大變，樹理者多以詭妄爲本，飾辭者務以淫麗爲宗。譬如女工之有綺穀，音樂之有鄭衞。蓋語曰：不作無益害有益。至如史氏所書，固當以正為主。

這分明是反對「務以淫麗爲宗」的修辭法，認爲這種修辭法是「無益害有益」，是不正的。同文又云：

凡今之為史而載文也，苟能撥浮華，采真（一作貞）實，亦可使夫雕蟲小技者，聞義而知徙矣。此乃禁淫之堤防，持雅之管轄，凡為載削者，可不務乎！

他說出了他的理想中的修辭準則是：「撥浮華，採眞實」，使那些專注重雕章琢句的人，知道改變作風。到此，他的立場是很分明的了。

《敍事》篇云：

而今之所作，有異於是：其立言也，或虛加練飾，輕事雕彩；或體兼賦頌，詞類俳優，文非文，史非史，譬夫烏孫造室，雜以漢儀，而刻鵠不成，反類於鶩者也。

他慨嘆「今之所作」，還是「虛加練飾，輕事雕彩」，不能符合他的修辭標準。《序例》篇云：

嶠言辭簡質，敍致溫雅，味其宗旨，亦孟堅之亞歟！爰洎範曄，始革其流，遺棄史才，矜衒文彩；後來所作，他皆若斯。於是遷固之道忽諸，微婉之風替矣！

他一面贊賞後漢華嶠「言辭簡質」，一面抨擊晉范曄「矜衒文彩」，則其尚質而輕文，也就不在話下了。《雜說中》論方言俗語說：

或問曰：王劭《齊志》多記當時鄙言，為是乎？為非乎？對曰：古往今來，名目各異，區分壤隔，稱謂不同。所以晉、楚方言，齊、魯俗語，六經諸子，載之多矣。

他以爲方言俗語，既然六經諸子多有援引記載，自不能以援引方言俗語而加以非議。《雜說下》又云：

自梁室云季，雕蟲道長。平頭上尾，尤忌於時，對語麗辭，盛行於俗。始自江外，被於洛中。而史之載言，亦同於此。假有辨如酈叟，吃若周昌，子羽修飾而言，仲由率爾而對，莫不拘以文禁，一概而書。必求實錄，多見其妄矣。

對於辨言與飛白，飾辭與不飾，傚言直書，這正是修辭方法的見長之處；劉氏反以爲「多見其妄」。《史通》論辭格的內容頗多，並多能列舉例證，且其立論也相當精審。如《敍事》篇論省略的修辭格說：

夫國史之美者，以敍事為工；而敍事之工者，以簡要為主。簡之時義大矣哉！歷觀自古作者權輿，《尚書》發踪，所載務於寡事；《春秋》變體，其言貴於省文。斯蓋澆淳殊致，前後異跡。然則文約而事豐，此述作之尤美者也。始自兩漢，迄乎三國，國史之文，日傷煩富。逮晉已降，流宕逾遠。尋其冗句，摘其煩詞，一行之間，必謬增數字；尺紙之內，恒虛費數行。夫聚蚊成雷，羣輕折軸，況於章句不節，言詞莫限，載之兼兩，曷足道哉！

他强調敍事以簡要爲主，應該「言貴於省文」，「文約而事豐」；他認爲謬增字數的冗句煩辭是不足道的。

劉知幾談論作文修辭的方法，是否一以省略是尚，而不顧修辭的技巧，須適情應景而隨機應變呢？答案是否定的。試看他的《煩省》篇所說的：

昔荀卿有云：遠略近詳。則知史之詳略不均，其為辨者久矣。及于令升《史議》，歷詆諸家，而獨歸美《左傳》，云「丘明能以三十卷之約，括囊二百四十年之事，靡有孑遺，斯蓋立言之高標，著作之良模也。」又張世偉著《班馬優劣論》云：「遷敍三千年事，五十萬言；固敍二百四十年事，八十萬言，是班不如馬也。」然則自古論史之煩省者，咸以左氏爲得，史公爲次，孟堅爲甚。自魏晉已還，年祚轉促，而爲其國史，亦不減班書，此則後來逾煩，其失彌甚者矣。余以爲近史蕪累，誠則有諸，亦猶古今不同，勢使之然也，輒求其本意，略而論之：何者？當春秋之時，諸侯力爭，各閉境相拒，關梁不通，其有吉凶大事，見知於他國者，或因假道而方聞，或以通盟而始赴；苟異於是，則無得而稱。魯史所書，實用此道。至如秦燕之據有西北，楚越之大啓東南，地僻界於諸戎，人罕通於上國，故載其行事，多有闕如。且其書自宣成以前，三紀而成一卷；至昭襄已下，數年而占一篇。是知國阻隔者，記載不詳，年淺近者，撰錄多備。此丘明隨聞見而成傳，何有故爲簡約者哉？及漢氏之有天下也，普天率土，無思不服。會計之吏，歲奏於闕廷；輶軒之使，月馳於郡國。作者居府於京兆，征事於四方，用使夷夏必聞，遠近無隔。故漢氏之史，所以倍增於《春秋》也。

他不以爲于令昇的《史議》，「歷詆諸家，而獨歸美《左傳》」爲然。他以爲春秋時代，交通不便，關梁不通，「其有吉兇大事，見知於他國者」，是未必能將它詳記下來的。又諸戎「罕通於上國，故載其行事，多有闕如。」而《史記》《漢書》字數所以倍增於《春秋》，是由於「作者居于京兆，征事於四方，用使夷、夏必聞，遠近無間。」他並沒有忘記了著述所不能忽視的社會背景。所以在同一文裏，他又說：「夫論史之煩省者，但當要（一作求）其事有妄載，苦於蕪；言有闕書，傷於簡略，斯則可矣。必量世事之厚薄，限篇第以多少，理則不然。」故不應撇開寫作的社會背景而不談，但以文章的繁簡、字數的多寡而定優劣，這意義是很明白的了。

不過，不必要的拉長字數，他是反對的。《論贊》篇云：「司馬遷始限於篇終各書一論，必理有非要，則強生其文，史論之煩，實萌於此。」他認爲司馬遷的《史記》，限定在每一篇的終篇之後，來了個「太史公論曰……」，這是苟炫文采，不知史書之大體，載削之指歸者之所爲的。在同一篇裏，他推許班孟堅「辭唯溫雅，理多愜當」，批評了自荀悅以下的許多作者，「大多皆華多於實，理少於文。」所以他究竟還是主張辭約的。

我們再來看他的《敍事》篇怎樣論辭約：

> 又敍事之省，其流有二焉：一曰省句，二曰省字。《左傳》宋華耦來盟，稱其先人得罪於宋，魯人以為敏。夫以鈍者稱敏，則明賢達所嗤，此為省句也。《春秋經》曰：「隕石於宋五。」夫聞之隕，視之石，數之五，加以一字太詳，減其一字太略，求諸折中，簡要合理，此為省字也。其有反於是者，若《公羊》稱郤克眇，季孫行父禿，孫良夫跛，齊使跛者逆跛者，禿者逆禿者，眇者逆眇者。蓋宜除「跛者」已下句，但云「各以其類逆」。必事加再述，則於文殊費，此為煩句也。《漢書·張蒼傳》云：「年老，口中無齒。」蓋於此一句之內，去「年」及「口中」可矣。夫此六文成句，而三字妄加，此為煩字也。然則省句為易，省字為難，洞識此心，始可言史矣。
>
> 苟句盡餘剩，字皆重複，史之煩蕪，職由於此。

華耦無故提先祖華督弒殤公之事，確是一種不智之舉，《左傳》的作者不直說他不智，却說「魯人以爲敏」，這實在是婉約的修辭法，而不是省略的修辭法，因爲文字上不但沒有省略，反而增多。如果用直敍法，可寫作「其愚甚矣！」比「魯人以爲敏」還省了一個字。至於另舉《春秋》和《公羊》（應作《穀梁》）的兩個應該省略的例證，却說得很對。金代王若虛的《滹南遺老集》亦曾引述。《史通》論辭格的特點，和《文心雕龍》一樣，都能列舉例證，說明問題。

省字約文的修辭法，他也稱之爲「晦」。他說：

然章句之言，有顯有晦。顯也者，繁詞縟說，理盡於篇中；晦也者，省字約文，事溢於句外。然則晦之將顯，優劣不同，較可知矣。夫能略小存大，舉重明輕，一言而巨細咸該，片語而洪纖靡漏，此皆用晦之道也。（《敍事》篇）

據他所敍述的看來，所謂晦，其實就是婉約或是含蓄的修辭法，而不是節縮或省略的修辭法。提到古人務却浮辭方面，他舉例說：

昔古文義，務却浮詞。《虞書》云：「帝乃殂落，百姓如喪考妣。」《夏書》云：「啓呱呱而泣，予弗子。」《周書》稱「前徒倒戈」，「血流漂杵」。《虞書》云：「四罪而天下咸服。」此皆文如闊略，而語實周贍，故覽之者初疑其易，而為之者方覺其難，固非雕蟲小技所能斥苦其說也。（《敍事》篇）

第一個例子以「如喪考妣」喻老百姓對虞舜的愛戴，用的是譬喻的修辭格。第二個例子以「啓呱呱而泣，予弗子」見得夏禹的憂國忘家，是說他事以明本事的一種婉約的修辭法。第三個例子說武王伐紂，紂前徒倒戈攻於後，以北，血流漂杵，則是誇張修辭法。王充的《論衡》和劉彥和的《文心雕龍》都已經論述過了。以上三個例子使人更直覺地認爲是譬喻、婉轉、誇張的修辭法，未必便是節省辭句的省略或是節縮的修辭法，只有最後的一個例子，謂舜流共工於幽州，放驩兜於崇山，竄三苗於三危，殛鯀於羽山，天下之人，咸服舜之用刑以當其罪，簡言爲「四罪而天下咸服」，才可以說是省略句法。可是劉知幾却以爲都是「務却浮辭」的省略的修辭法。他又說：

> 亦有方以類聚，譬諸昔人，如王隱稱諸葛亮挑戰，冀獲曹咎之利；崔鴻稱慕容冲見幸，為有龍陽之姿。其事相符，言之讜矣。而盧思道稱邢邵喪子不慟，自東門吳已來，未之有也；李百藥稱王琳雅得人心，雖李將軍恂恂善誘，無以加也。斯則虛引古事，妄足庸音，苟矜其學，必辨而非當者矣！（《敘事》篇）

這是論引用修辭法的用之不當，並列舉例證。

《敘事》篇論比擬云：

> 昔文章既作，比興由生：鳥獸以媲賢愚，草木以方男女，詩人騷客，言之備矣。洎乎中代，其體稍殊：或擬人必以其倫，或述事多比於古。當漢氏之臨天下也，君實稱帝，理異殷周；子乃封王，名非魯衛。而作者猶謂帝家為王室，公輔為王臣；盤石加建侯之言，帶河申俾侯之誓。而史臣撰錄，亦同彼文章，假托古詞，翻易今語，潤色之濫，萌於此矣！

他所謂古昔文章，當是指《詩經》而說，《詩經》用以比擬的，只及於草木蟲魚鳥獸之類，而且止於抒情的詩文；自「中代」（指漢代）以後，比擬的修辭法却稍有不同了，那便是「擬人必於其倫，述事多比於古」。他指出漢以後君王、公輔的稱謂，與春秋時代不同，但史家撰錄，却仍是假托古辭；他認爲這是潤色之濫所自始，不足爲訓的。

《模擬》篇（按《史通》所謂模擬實卽仿擬）論模擬的修辭法說：

夫述者相效，自古而然。故列御寇之言理也，則憑李叟；揚子雲之草《玄》也，全師孔公；符朗則比跡於莊周，范曄則參踪於賈誼。況史臣注記，其言浩博，若不仰範前哲，何以貽厥後來？

他以爲模擬乃仰範前哲，頗有師古之義，不但未可厚非，而且是於勢不能無有的。他又提出「模擬之體，厥途有二：一曰貌同而心異，二曰貌異而心同。」什麼是「貌同而心異」的模擬呢？他學例說：

當春秋之世，列國甚多，每書他邦，皆顯其號，至於魯國，直云我而已。如金行握紀，海內大同，君靡客主之殊，臣無彼此之異，而干寶撰《晉紀》，至天子之葬，必云葬我某皇帝。且無二君，何我之有？以此而擬《春秋》，又所謂貌同而心異也。（《史通・模擬》篇）

《春秋》稱魯國爲我，因爲那時列國甚多；晉代天下統一，而干寶撰《晉紀》，仍稱我某皇帝，是擬《春秋》於不倫了。怎樣又是「貌異而心同」的模擬呢？他再學例說：

《左氏》與《論語》，有敍人酬對，苟非煩詞積句，但是往復唯諾而已，則連續而說，去其「對曰」「問曰」等字。如裴子野《宋略》云：李孝伯問張暢：「卿何姓？」曰：「姓張。」「張長史乎？」以此而擬《左氏》、《論語》，又所謂貌異而心同也。（《史通・模擬》篇）

上面的「曰：『姓張』」的「曰」，原應作「張暢對曰」四字，《宋略》省去了「張暢對」三個字；又「張長史乎」之上，原應加「李孝伯復問曰」六個字，也略去了。這樣模仿《左傳》、《論語》的語意筆法，模仿得很到家。所以他說：「蓋貌異而心同者，模擬之上也。」所謂貌異而心同者是師其語意筆法而不師其辭，貌同而心異者則是師其辭而不師其意。韓愈的《答劉正夫書》，主張對所謂「古聖賢人」所爲書，宜師其意，而不師其文，也是從這一觀點出發的。

《史通》也談論到語法和助詞，它是結合着修辭講的。《浮辭》篇云：

夫樞機之發，亹亹不窮，必有餘音足句，爲其始末。是以伊、惟、夫、蓋，發語之端也；焉、哉、矣、兮，斷句之助也。去之則言語不足，加之則章句獲全。而史之敍事，亦有時類此：故將述晉靈公厚斂雕牆，則且以不君爲稱；欲云司馬安四至九卿，而先以巧宦標目，所謂說事之端也。又書重耳伐原示信，而續以一戰而霸，文之教也；載匈奴爲偶人像郅都，令馳射，莫能中，則云其見憚如此。所謂論事之助也。昔尼父裁經，義在褒貶，明如日月，持用不刊，而史傳所書，貴乎博錄而已。至於本事之外，時寄抑揚，此乃得失稟於片言，是非由於一句，談何容易，可不愼歟?!

劉知幾論助詞，本於劉勰。《文心雕龍・章句》篇云：「至於夫、惟、蓋、故者，發端之首唱……；乎、哉、矣、也，亦送末之常科。」《浮辭》篇於談論語法助詞之後，擧史之敍事以類比，却談到修辭了。《左傳・宣公二年》云：「晉靈公不君，厚斂以雕牆，從臺上彈人而觀其辟丸也。」要說晉靈公厚斂於人民而大事雕飾牆宇，先說其有失爲君之道，這和在語句上用發語詞是相類的。《史記・汲黯列傳》云：「黯姑姊子司馬安亦少與黯爲太子洗馬。安文深巧善宦，官四至九卿」。按《傳》文至「深巧」截句，「善宦」以下另讀。而潘岳《閒居賦序》，竟破四句作「巧宦」，劉知幾從之，所以說「欲云司馬安四至九卿，而先以巧宦標目」。這自修辭說是所謂說事之端，和語法上之用發語詞也是相類的。《左傳・僖公二十七年》云：「晉侯（重耳）始入而教其民。……將用之。子犯曰：『民未知信，未宣其用。』於是乎伐原以示之信。……民聽不惑而後用之。出谷戍，釋宋圍。一戰而霸，文之教也。」又《史記・酷吏列傳》云：「匈奴素聞郅都節，居邊，爲引兵去，竟郅都死不近雁門。匈奴至爲偶人像郅都，令騎馳射莫能中。見憚如此。」《左傳》於敍述重耳教民之後，續以「一戰而霸，文之教也」；《史記》於敍述匈奴令騎馳射郅都像莫能中之後，來了「見憚如此」四字，都是修辭上的「論事之助」，與語法上之用結末助詞（「斷句之助」）也都是相類的。劉氏談論語法，確是結合着修辭講的。

六、論作家的修辭技巧、南北修辭的不同及各種文體的修辭特徵

隋代王通的《中說》，也曾論到六朝各家的修辭技巧：

子謂文士之行可見：謝靈運小人哉！其文傲，君子則謹；沈休文小人哉！其文冶，君子則典。鮑照、江淹，古之狷者也，其文急以怨；吳筠、孔珪，古之狂者也，其文怪以怒；謝莊、王融，古之纖人也，其文碎；徐陵、庾信，古之誇人也，其文誕。或問孝綽兄弟④。子曰：鄙人也，其文淫。或問湘東王兄弟⑤。子曰：貪人也，其文繁。謝朓，淺人也，其文捷；江總，詭人也，其文虛。皆古之不利人也。子謂顏延之、王儉、任昉有君子之心焉，其文約以則。

對於六朝的衆多文人，他都只用一個字來批評他們的文章的修辭現象，那便是傲、冶、急（以怨）、怪（以怒）、碎、誕、淫、繁、捷、虛等。在王通看來，他們文章的修辭技巧，都是欠佳的；只有顏延

之、王儉、任昉三人的文章約以則，是值得稱許的。

唐魏徵《隋書・文學傳序》論南北修辭風尙的不同，說：

江左宮商發越，貴於清綺；河朔詞義貞剛，重乎氣質。氣質，則理勝其詞；清綺，則文過其意。理深者便於時用，文華者宜於咏歌：此其南北詞人得失之大較也。

他指出南北朝修辭現象不同的原因，及其各有所倚重之處，一則理勝其辭，一文過其意。於是他提出了他理想的修辭準則是：「若能掇彼淸音，簡玆累句，各去所短，合其兩長，則文質彬彬，盡善盡美矣！」

元稹《白氏長慶集序》云：

夫以諷諭之詩長於激，閑適之詩長於遣，感傷之詩長於切，五字律詩百言而上長於贍，五字七字百言而下長於情；賦贊箴戒之類長於當，碑誄敍事制詔長於實，啓奏表狀長於直，書檄詞策剖判長於盡。總而言之，不亦多乎哉！

他先論述各種不同的內容和各種不同的形式的詩，各以不同的修辭技巧見長；繼論各種不同的文體，有各種不同的修辭標準。他論文體與修辭的關係，比曹丕的《典論・論文》所論的，要廣泛了些。

牛希濟《文章論》也論到各種不同的文體應有各種不同的修辭法。他說：

今國朝文士之作，有詩、賦、策、論、箴、判、贊、頌、碑、銘、書、序、文、檄、表、記，此十六者，文章之區別也，製作不同，師模各異。然忘於教化之道，以妖艷為勝。

至於各種文體不同之處何在，修辭的準則如何，却一字也沒道及。只說作者們都「忘於教化之道，以妖艷爲勝。」看來他也是反對飾辭的。

司空圖的《與李生論詩書》云。

《詩》貫六義，則諷諭、抑揚、停蓄、溫雅，皆在其中矣。然直致所得，以格自奇。前輩諸集，亦不專工於此；矧其下者耶！王右丞、韋蘇州澄澹精緻，格在其中，豈妨於道舉哉？賈閬仙誠有警句，然視其全篇，意思殊餒，大抵附於蹇澀，方可致才，亦為體之不備也，矧其下者哉！噫！近而不浮，遠而不盡，然後可以言韻外之致耳。

他先論《詩》的修辭法，繼論王維、韋應物、賈島諸詩人的修辭技巧，最後說到他理想中的「韻外之致」的修辭現象：是一段比較深入的修辭論。

七、《藝文類聚》論連珠（即頂眞）

《藝文類聚》是初唐歐陽詢等編輯的一部類書，凡一百卷，所據典籍一千四百餘種。其卷第五十七論「連珠」辭格，前引傅玄《連珠序》，以爲「連珠興於漢章帝之世，班固、賈逵、傅毅三子受詔而作」，繼舉漢揚雄《連珠》及班固《擬連珠》爲例。歐陽詢等明知「連珠」創始於揚雄，而班固擬之，但却又從傅玄之誤，以爲《連珠》與於漢章帝之世，殊不可解。

從《藝文類聚》所引有關連珠辭格的文章看來，有人以爲凡臣子所作，用《臣聞》起句；帝王所作，則用「蓋聞」起句。

其實臣子所擬的連珠，也有用「蓋聞」起句的。如庾信的「擬連珠」等是。可見「蓋聞」未必爲帝王所專用。宋謝惠連的《連珠》，也是用「蓋聞」起句的，文曰：

> 蓋聞獻技者易忽，養德者難致。是以子張重趼，不獲哀公之祿；干木偃息，不受文侯之位。蓋聞機心難湛，不接異類；淳德易孚，可狎殊方。是以高羅舉而雲鳥降，海人萃而水禽翔。蓋聞春蘭早芳，實忌鳴鴂；秋菊晚秀，無憚繁霜。何則？榮乎始者易悴，貞乎末者難傷。是以傅長沙而志沮，登金馬而名揚。蓋聞修己知足，慮德其逸；竟榮昧進，志忘其審。是以飲河滿腸，而求安愈泰；緣木務高，而下滋甚。

除了「臣聞」「蓋聞」之外，也有用「常聞」起句的。如梁宣帝《連珠》是。

至於連珠之名，有「擬連珠」「仿連珠」「演連珠」……等等。梁劉孝儀「探物作艷體連珠」（一作「爲人作連珠」），却別開生面，用「妾聞」起句。

最後，《藝文類聚》引梁沈約《注制旨連珠表》曰：

> 竊尋連珠之作，始自子雲，放《易》象《論》，動模經誥。班固謂之命世，桓譚以為絕倫。連珠者，蓋謂辭句連續，互相發明，若珠之結排也。雖復金鑣互騁，玉軑並馳；妍蚩優劣，參差相間。翔禽伏獸，易以心威，守株膠瑟，難與適變。水鏡芝蘭，隨其所遇，明珠燕石，貴賤相懸。

所引沈約的話，也明說連珠之體，始創於揚雄。可知《藝文類聚》的編輯，實欠精審，故前引傅玄《連珠序》，謂連珠興於章帝之世，班固等受詔作之；繼復舉揚雄《連珠》及班固《擬連珠》，則連珠爲揚雄所創，而班固擬之，是很明白的了，但編者對此却並未加以指出；甚至舉後漢潘勖的《擬連珠》，只舉一段，沒有全串舉出來，何得「辭句連續，互相發明，若珠之結排」呢？最後引沈約的《注制旨連珠表》，才明說連珠始自子雲。前後文氣不能一貫，一至於此。

《藝文類聚》雖是一部巨型的百科全書，但涉及修辭的部分也只有「連珠」一則和曹植的《鏡銘》八字（回文）而已。

八、武曌《織錦回文記》

明徐師曾《文體明辨》引《笠澤叢書》所載唐陸龜蒙的話，謂「悠悠遠道獨煢煢，由是反復興焉。」一般以爲是出自晉傅咸的「悠悠遠邁，我獨煢煢」的四言回文詩。及讀《漢魏六朝百三名家集》中之《傅丞集》，並無此詩；唯集中有《答曹志書》，全文只有八個字，却是回文。書云：「英氣泉湧，逸藻波騰。」可是談回文者自來不曾提到過。

唐皮日休《雜體詩序》，謂晉溫嶠的「寧神靜泊，損有崇亡」是回文詩之始。其實，最早的回文應該是《孟子》的「爾爲爾，我爲我」。宋桑世昌的《回文類聚》，則以爲回文「自蘇伯玉妻作《盤中詩》爲肇端，竇滔妻作《璇璣圖》而大備。」蘇伯玉，漢長安人，他妻子的名氏已不可考。《文體明辨》記《盤中詩》云：「伯玉被使在蜀，久而不歸，其妻居長安，思念之，因作詩。」詩中多傷離怨別之辭。

這詩實際上不能算是回文詩，不過它的讀法盤旋屈曲，有點類似於後來的回文，所以桑世昌說《盤中詩》是回文的肇端。

至於眞正回文詩的創作，當首推前秦苻堅時竇滔妻蘇氏的《織錦回文詩》了。梁元帝蕭繹《蕩婦秋思賦》的「妾怨回文之錦」，薛道衡⑥《昔昔鹽》的「織錦竇家妻」，指的都是作《織錦回文詩》的竇滔妻蘇氏⑦。唐武曌《蘇氏織錦回文記》云：

前秦苻堅時，秦州刺史扶風竇滔妻蘇氏，陳留令武功道質第三女也，名蕙，字若蘭。識知精明，儀容秀麗，謙默自守，不求顯揚。行年十六，歸於竇氏，滔甚敬之。然蘇性近於急，頗傷妒嫉。滔字連波，右將軍真之孫，朗之第二子也。風神秀偉，該通經史，允文允武，時論高之。苻堅委以心膂之任，備歷顯職，皆有政聞。遷秦州刺史，以忤旨謫戍敦煌。會堅寇晉襄陽，慮有危逼，借滔才略，乃拜安南將軍，留鎮襄陽焉。

初，滔有寵姬趙陽台，歌舞之妙，無出其右，滔置之別所，蘇氏知之，求而獲焉，苦加捶辱，滔深以為憾。陽台又專伺蘇氏之短，讒毀交至，滔益忿焉。蘇氏時年二十一。及滔將鎮襄陽，邀其同往，蘇氏忿之，不與偕行。滔遂携陽台之任，斷其音問。

蘇氏悔恨自傷，因織錦回文，五彩相宣，瑩心耀目。其錦縱廣八寸，題詩三千餘首，計八百餘言，縱橫反復，皆成文章。其文點畫無缺，才情之妙，超古邁今，名曰《璇璣圖》。然讀者不能盡通，蘇氏笑而謂人曰：「徘徊宛轉，自成文章，非我佳人，莫之能解。」遂發蒼頭賚至襄陽焉。

滔省覽錦字，感其妙絕，因送陽台之關中，而具車徒如禮，邀迎蘇氏，歸於漢南，恩好愈重。

蘇氏著文詞五千餘言，屬隋季喪亂，文字散落，追求不獲；而錦字回文，盛見傳寫，是近代閨怨之宗旨，屬文之士，咸龜鑒焉。

朕德政之暇，留心墳典，散帙之次，偶見斯圖，因述若蘭之才，復羨連波之悔過，遂制此記，聊示將來也。如意元年五月一日，大周天册金輪皇帝御制。（據舊鈔本《蠡測編》）

這位唐代武則天女皇帝，對《織錦回文詩》作者的修辭技巧，備加讚賞。同時對《織錦回文詩》產生的家庭背景、製作的動機以及它的修辭技巧如何的感動了讀者（竇滔）和所收到的預期的效果，都有翔實的記載。的確，這《織錦回文詩》可以說是中國歷史上回文詩中罕有的巨製，極盡回文辭格的技巧之能事；我們雖然不必鼓勵現代的人浪費許多寶貴的時間來作回文詩，但却不能不佩服古代回文詩作者的巧思。所以武曌所論，還是中肯的。

九、杜甫以詩論辭格

我在本書第四章第三節曾經說過，中國歷史上以詩論文，始於謝靈運的詠曹丕詩；以詩論詩，始於顏延之的詠阮籍、劉伶詩，同時也批評到了他們（阮、劉）的修辭技巧。至於以詩論辭格，當始於杜甫的《戲爲六絕句》中的最後二首。詩云：

不薄今人愛古人，清詞麗句必為鄰。竊攀屈、宋宜方駕，恐與齊、梁作後塵。

未及前賢更勿疑，遞相祖述復先誰？別裁偽體親風雅，轉益多師是汝師。

郭紹虞先生有《杜甫戲爲六絕句集解》一文。又郭氏主編的《中國歷代文論》，也選了杜甫的《戲爲六絕句》，因爲這六絕句是以詩論詩和論文的著作。《中國歷代文論選》對這六絕句的注釋，頗有精闢的見解。現在參照郭氏的集解和注釋，來說明這兩首詩的意義，以見杜甫對仿擬修辭法的主張和態度。

第一首首句的「不薄」和「愛」是互文，意思是不薄也不愛今人和古人，換句話說，對於今人和古人，他是一視同仁的。接下去（卽第二句）他說，只要他們有淸辭麗句，必有可取。「鄰」，與下一首「親風雅」的「親」意義是相近的。一說「今人愛古人」五字連讀，指當時人嗤點漢魏綺麗的風氣，是由於愛古人之故，原是不可輕薄視之的。下一句則是轉折的語氣：「但建安以來淸辭麗句自有不廢江河者在。」（郭紹虞《杜甫戲爲六絕句集解》）

三、四兩句，是說仿擬古人，必須上攀屈、宋，仿擬其意，才能與之並駕齊驅，如果僅僅追求於辭藻形式之美，恐怕不免落入齊、梁的後塵了。

第二首首二兩句是說時人作詩寫文，都喜歡仿擬前代有成就的作家，那麼不能跨越前人是不足爲怪的。既然遞相祖述，因襲成風，所以誰也不能比誰佔先了。

後兩句指出仿擬的正確方法。僞體，指只顧藝術形式缺乏思想內容的作品。別裁僞體，意謂去僞存眞。「轉益多師是汝師」，意思是說，凡是有益於文者則師之，而不必固定要師誰，只要不悖於這個原則，誰都可以作爲你的老師。而最後則應歸於風、雅。

這兩首詩的主旨，同劉知幾《史通・模擬》篇，都以爲模擬貴在「貌異而心同」，並點出了當時模擬的歪風，也就是問題的癥結之所在。（按《史通・模擬》篇之所謂模擬其實就是仿擬。）

十、《詩式》與《詩品》

唐代是詩歌創作的全盛時代，到了晚唐，尤重格律，評論詩歌修辭的著作也就應運而生了。初、盛唐時代，雖已有評詩的著述，但大多是繼承六朝的對偶聲病之說，以及作詩所應忌避的各點，是屬於消極的修辭法。待到晚唐五代，一些論詩的著述，才由消極的忌避轉向評論積極的辭格。可惜散佚的爲數不少，如張天覺的《律詩格》，《苕溪漁隱叢話》後集卷三十四曾引其「辨諷刺」一則云：

> 諷刺不可怒張，怒張則筋骨露矣。若『廟堂生莽卓，岩谷死伊周』之類也。未如『花濃春寺靜，竹細野池幽』。『花濃』喻媚臣秉政，『春寺』比國家，『竹細野池幽』喻君子在野未見用也。『沙鳥晴飛遠，漁人夜唱閑。』『沙鳥晴飛遠』喻小人見用，『漁人』比君子夜不明之象，言君子處昏亂朝廷而樂道也。『芳草有情皆礙馬，好雲無處不遮樓。』『芳草』比小人，『馬』喻勢力之輩，『雲』喻諂佞之臣，『樓』比鈞衡之地。若此之類，可謂言近而意深，不失風騷之體也。其說數十，悉皆類此。

這是論比擬辭格的修辭法。他的所謂諷刺，其實也就是比擬。他先說運用比擬辭格所應注意之點，然後列舉例句，並一一說明其所比擬的事物，最後則評論其修辭技巧。只是沒有對比擬辭格立下定義而已。

然而這個時期的詩格之類的著作中，也有屬於積極修辭的辭格論。這裏舉皎然的《詩式》爲例，並作簡略的介紹。如論「用事」云：

> 詩人皆以徵古為用事，不必盡然也。今且於六義之中，略論比興。取象曰比，取義曰興，義卽象下之意。凡禽魚草木人物名數，萬象之中義類同者，盡入比興，《關雎》卽其義也。陶公以孤雲比貧士，鮑照以直比朱弦，以清比冰壺。時人呼比為用事，祀（按：疑字誤）用事為比。如陸機《齊謳行》：「鄙哉牛山嘆，未及至人情。爽鳩苟已徂，吾子安得停！」此規諫之中（按：原作忠，據《詩學指南》本改），是比非用事（按：原作用事非比，據《詩學指南》本改）也。如康樂公《還舊園作》：「

偶與張邴合，久欲歸東山。」此敘志之中（按：原作忠，據《詩學指南》本改），是比非用事也。詳味可知。

這是論比擬的修辭法。他替比擬的辭格立下定義，列舉例證，並作簡單的說明。

他分詩格爲跌宕格，淈格，調笑格等。跌宕格又分爲二品，卽越俗與駭俗；每品之下，先作評語，再列舉例證。如「駭俗」品下有評語說：「其道如楚有接輿，魯有原壤，外示驚俗之貌，內藏達人之度。」接下去是例證：王梵志《道情詩》：「我昔未生時，冥冥無所知，天公强生我，生我復何爲？無衣使我寒，無食使我饑，還你天公我，還我未生時。」賀知章《放達詩》：「落花眞好些，一醉一回顚。」……等等。陳望道氏的《修辭學發凡》，在每一辭格之中，再分爲若干類，先說明辭格的意義，然後列舉例證。想不到一千多年前皎然的《詩式》，已懂得這麼做了。

。仿擬辭格，《詩式》謂之「偸」。偸又分爲三類，卽偸語、偸意、偸勢。偸語詩例云：

如陳後主詩云：『日月光天德。』取傅長虞『日月光太清。』上三字字同，下二字義同。

「偸意詩例」云：

如沈佺期詩：『小池殘暑退，高樹早涼歸。』取柳惲『太液滄波起，長楊高樹秋。』

「偸勢詩例」云：

如王昌齡詩：『手携雙鯉魚，目送千里雁，悟彼飛有適，嗟此罹憂患。』取嵇康『目送歸鴻，手揮五弦，俯仰自得，游心太玄。』

又有所謂「百葉芙蓉菡萏照水例」云：

如曹子建詩：『明月照高樓，流光正徘徊。』……江文通詩：『露彩方泛灩，月華始徘徊。』此類是也。

以上都是論仿擬的辭格，總評說：「偸語最爲鈍賊，……公行刼剝，……無處逃刑。其次偸意，事雖可罔，情不可原。……其次偸勢，才巧意精，若無朕跡，……吾亦賞俊，從其漏網。」他辨證地評述三偸⑧，以爲只有偸勢才是他所賞俊的。

郭紹虞先生主編的《中國歷代文論選》，於選錄《詩式》之後，附有「說明」云：

唐人詩歌理論，有兩條不同的路線：其一是重視詩歌的現實內容與社會意義，由陳子昂發展到白居易、元稹，一直到皮日休；其一比較側重於詩歌藝術，發揮了較多的創見，並且勒成了專書，由皎然的《詩式》，發展到司空圖的《二十四詩品》。

所謂「側重於詩歌的藝術」，其實就是側重於談論詩歌的修辭技巧。

《二十四詩品》原名《詩品》，後人爲了要和鍾嶸的《詩品》來區別，又因爲司空圖在這書裏把詩分爲二十四品，所以稱它爲「二十四詩品」。它深解詩理，「品評詩的風格，比較細緻」⑨，論詩格也常常有獨到的地方。

《四庫提要》卷一九五《詩文評類》一，說司空圖的二十四詩品「各以韵語十二句體貌之。所列諸體皆備，不主一格。王士禎但取其『采采流水，蓬蓬遠春』二語，又取其『不著一字，盡得風流』二語，以爲詩家之極則，其實非圖意也。」羅根澤氏以爲「《四庫提要》所謂『各以韵語十二句體貌之』，譯成現在的術語，就是（各）用十二句比喻的韵語，提示二十四種詩品的意境與風趣。本來什麼是『雄渾』，什麼是『冲淡』，視之似易，說出實難，所以只好用比喻以體貌之。」⑩現在略舉數品於後：

「纖穠」品末四句云：「乘之愈往，識之愈眞，如將不盡，與古爲新。」他以爲纖穠的美辭，是「乘之愈往，識之愈眞」的；而這纖穠的美辭，又是享用不盡，萬古常新的。揆之司空圖的《與李生論詩書》，有「足下之詩，時輩固有難色，倘復以全美爲工，即知味外之旨矣。勉旃！」可見他論詩的修辭雖主張艷麗，但也不忘味外之旨。

「綺麗」品前四句云：「神存富貴，始輕黃金，濃盡必枯，淺者屢深。」他以爲詩之所以綺麗，重在神情，而不重在形式如黃金一般的艷麗。物極必反，倘辭藻過於濃麗則詩意必形枯竭；反之，造辭淺却是常常有深意的。又「形容」品後四句云：「俱似大道，妙契同坐，離形得似，庶幾斯人。」他主張作詩須離形而得其似。《與李生論詩書》云：「蓋絕句之作，本於詣極，此外千變萬狀，不知所以神而自神也，豈容易哉？」司空圖論詩，主神情說。

「含蓄」品的前四句云：「不著一字，盡得風流。語不涉難，已不堪憂。」所謂含蓄，例如詩語不用難（艱難）字，却已能令人讀之不勝其憂了。《與李生論詩書》對此有進一步的闡述：「近而不浮，遠而不盡，然後可以言韵外之致耳。」又《與極浦書》引載容州云：「詩家之景，如藍田日暖，良玉生煙，可望而不可置於眉睫之前也。」司空圖以爲這是「象外之象，景外之景」，都是含蓄的修辭現象。

「縝密」品後四句云：「語不欲犯，思不欲痴，猶春之綠，明月雪時。」意謂詩語不欲犯聲⑪，詩思不欲痴肥（卽繁累），猶如春光之於綠野，明月照積雪之時。前二句論詩的修辭法，兼顧到形式和內容兩方面；後二句所寫，便是他的所謂詩味。《與李生論詩書》云：「文之難，而詩之難尤難，古今之喻多矣，而愚以爲辨於味，而後可以言詩也。」足以互相印證。

「實境」品前四句云：「取語甚直，計思匪深，忽逢幽人，如見道心。」前二句論實境詩的修辭準則，也兼顧到形式和內容兩方面。《與李生論詩書》的「然直致所得，以格自奇」，說的也正是這一品的詩格。

晚唐的詩格之著作，多至不遑枚擧，這裏只介紹了皎然的《詩式》和司空圖的《詩品》，因爲他們論修辭的地方比較多而又比較可取。

十一、白居易、柳宗元、皇甫湜論辭格

白居易的《與元九書》，文長四千言，向來被文學批評家所重視。書中有三處談論到辭格，卽論比擬和仿擬、比擬和示現，以及節縮等。論比擬和仿擬云：

> 《國風》變為《騷》辭，五言始于蘇李。……然去《詩》未遠，梗概尚存，故興離別，則引雙鳧一雁為喻；諷君子小人，則引香草惡鳥為比；雖義類不具，猶得風人之什二三焉[12]。

自唐以來，都以爲蘇武、李陵的贈答詩，是五言詩之始；經近來學者的研究，認爲是後人的僞托，已成定論。白居易相信他眞的是出於漢代的蘇武、李陵之手，與《離騷》離《詩經》的創作時代未遠一樣，「梗概尚存」。這卽是說，類此的修辭法等尚存。白氏論辭格，也知道擧例證，他擧蘇武自匈奴歸國時留別李陵詩中的「雙鳧俱北飛，一雁獨南翔」以比擬他們的離別；又擧《離騷》以香草、惡鳥，比擬當

時的君子和小人。

白氏一面說《離騷》和蘇李贈答詩都用比擬的修辭格，一面又指出這種比擬的修辭法，原是仿擬《詩經》的比興，只是仿擬得不夠完善而已。所以這一段話實際上是兼論比擬和仿擬兩個辭格的。他又說：

至於梁陳間，率不過嘲風雪、弄花草而已。噫！風雪花草之物，三百篇中豈舍之乎？顧所用何如耳。設如『北風其凉』，假風以刺威虐也；『雨雪霏霏』，因雪以愍征役也；『棠棣之華』，感華以諷兄弟也；『采采芣苢』，美草以樂有子也：皆興發于此而義歸於彼。反是者，可乎哉？然則『餘霞散成綺，澄江淨如練』、『離花先委露，別葉乍辭風，』之什，麗則麗矣，吾不知其所諷焉。故僕所謂嘲風雪、弄花草而已。

他以爲風雪花草之物，須用比擬或示現的修辭法寫下來，象《詩經》那樣，才能感動人。他舉了例證：象《詩經・邶風・北風》的「北風其凉」，是以風比擬暴虐的統治，這是用比擬的修辭法。又如《詩經・小雅・采薇》的「雨雪霏霏」，使讀者因雪想象到征役的可愍，這是用示現的修辭法。又舉《詩經・小雅・棠棣》的「棠棣之華」，感華以比擬兄弟的友愛，用的也是比擬的修辭法。再舉《詩經・周南・芣苢》的「采采芣苢」，以樂有子，也不離於比擬的修辭法。白氏根據漢儒之說詩來作爲比擬和示現修辭法的例證，雖然未必都恰當（如《芣苢》「以樂有子」之說，出於後代經師的歪曲，非詩原意。《芣苢》是婦女采集芣苢的勞動歌唱，她們將采集芣苢的過程和她們對勞動的熱愛，都唱出來，如在目前；實際上是詩人不自覺地運用了示現的修辭格。）但他主張用比擬或示現的修辭法來描寫風雪花草，這一點却是正確的。否則，象謝眺《晚登三山還望京邑》和鮑照《翫月城西門》的詩句那樣，「麗則麗矣，吾不知其所諷焉。」爲修辭而修辭，失去詩歌諷刺的作用，那只是嘲風雪、弄花草而已，又有什麼意義呢？

白居易的《與元九書》也論到省略的修辭法：

> 凡人為文，私於自是，不忍于割截，或失于繁多；其間妍媸，益又自惑；必待交友有公鑒無姑息者，討論而削奪之，然後繁簡當否，得其中矣[13]。況僕與足下，為文尤患其多。己尚病之，況他人乎？

他指出文人們的通病，是私於自是，益又自惑，故往往繁辭累句，不忍於割截。白氏書中說「況僕與足下，爲文尤患其多。」這個「多」字不是說篇數多，或是文章長，而是說繁辭累句多，所以「已尚病之」。白氏可以說是有自知之明了。

柳宗元《答韋中立論師道書》云：

> 本之《書》以求其質，本之《詩》以求其恒，本之《禮》以求其宜，本之《春秋》以求其斷，本之《易》以求其動。此吾所以取道之原也。參之穀梁氏以厲其氣，參之《孟》《荀》以暢其支，參之《莊》《老》以肆其端，參之《國語》以博其趣，參之《離騷》以致其幽，參之《太史》以著其潔。此吾所以旁推交通而以為之文也。

對於模擬的修辭法，他主張以《五經》爲本，再參照《孟子》、《荀子》、《莊子》、《老子》、《國語》、《離騷》、《史記》諸名著。其中只有本之《詩》是要模擬其恒久動人的抒情，本之《禮》是要求其等級制度能合於封建社會的倫理觀念，本之《易》是要求其諸爻相生而遞變等稍微涉及對經書的內容之模擬，其餘所論，都是偏重對於形式的模擬。柳宗元與韓愈，雖然都是以明道和主張維護封建社會的倫常著稱，但是他們對於模擬古籍所持的態度却稍有不同，韓愈是明白表示「師其意，而不師其辭」的。

皇甫湜《答李生第三書》，也有兩處論到辭格。其論比擬云：

生以松柏不艷比文章，此不知類也。凡比必于其倫。松柏可比節操，不可比文章。大人虎變，君子豹變，此文章比也。

他强調比擬應該要切當，以松柏比文章，是擬於不倫。通常是以松柏比人的節操，因爲松柏能經冬不變其節。《史記・平原君虞卿列傳》：毛遂自荐於平原君，「平原君曰：『夫賢士之處世也，譬若錐之處囊中，其末立見。今先生處勝之門下三年於此矣，左右未有所稱誦，勝未有所聞，是先生無所有也。先生不能，先生留。』毛遂曰：『臣乃今日請處囊中耳。使遂蚤得處囊中，乃脫穎而出，非特其末見而已。』」平原君以「錐處囊中」，比諸士之處世，以「其末立見」喻鋒芒易露，這樣的比擬才是恰到好處。

《答李生第三書》又云：「孟子常（此通作嘗）引《詩》云：『周餘黎民，靡有孑遺。』豈周遂不遺一民哉？」這是論《詩經》用誇張辭格。從最後一句話看來，他對於《詩經》這誇張辭格的解釋，是從《孟子》而不從王充的。

十二、《文鏡秘府論》對中國修辭學的影響

弘法大師空海，佛號遍照金剛，於唐德宗貞元二十年至中國留學，配住在那「爛漫香風引貴游，高僧移步亦遲留」的西明寺，事法於惠果法師。法師圓寂時，衆推空海爲撰碑文幷勒書，可見他的漢文和書法的造詣了。

元和元年，大師離唐返日。《文境秘府論》六卷，是返日後才寫成的。此書多論漢、魏到隋唐詩文的修辭方法，頗涉聲病之說。雖聲病之說，自宋以後，爲世所詬病，但它對消極修辭也不無貢獻。誠如王利器先生所說：「聲病之說，爲世詬病久矣。今天我們從《文鏡秘府論》中，才得見其全部癥結之所在。……但是，平心而論，其中也有積極的因素，這就是他提高和加強了詩的音樂性。」（《中華文史論叢》一九七九年第四輯，《弘法大師與〈文鏡秘府論〉》）詩的音樂性是與積極修辭結了緣的。王氏又說：「我們只要堅持實事求是的態度，去正確對待詩的藝術形式問題，就不會完全否定聲病說對詩的影響了。」朱東潤先生《中國文學批評史大綱》第十一《沈約》云：

> 沈約八病之說，於後代詩體，影響至巨，然於約書，無可考證。《文鏡秘府論》引休文《答北魏甄琛書》云：『作五言詩者，善用四聲，則諷詠而流靡，能達八體，則陸離而華潔。』其意或即在此。舊籍中論及八病者，語不詳密，今獨唐時日本有遍照金剛，著《文鏡秘府論》，略述之，且有文病二十八種之說，蓋自梁陳迄唐，推演益密，其說益完，而唐時日僧來吾國求學者，遂得而存之。

朱氏以爲《文鏡秘府論》足以補中國舊籍中論八病之語不夠詳密的缺點，是正確的。

王利器先生又指出「《文鏡秘府論》南卷《定位》篇引陸機《文賦》全文，取以與蕭統的《文選》所錄者相較，則佳字勝義，層出不窮；而《文選》所錄者，實多有錯字。」因爲《文賦》是中國古代一篇很重要的修辭學著作，《文鏡秘府論》能幫助我們校正《文選》所載的錯字，給我們以正確的原文，所以對研究古代修辭學也就有其不容否定的貢獻。

清楊守敬《日本訪書志》論及《文鏡秘府論》說：

此書蓋為詩文聲病而作，滙集沈隱侯、劉滔、僧皎然、王兢及王氏、崔氏之說。今世傳惟皎然之書，餘皆泯滅。按《宋書》雖有平頭、上尾、蜂腰、鶴膝諸說，近代已不得其詳。此篇中所列二十八種病，皆一一引詩，證佐分明。又論有韵謂之文，無韵謂之筆，不可相混雜。雖其中或涉膚淺，然指陳利病，不可謂非操觚之準繩。

他說平頭、上尾、蜂腰、鶴膝諸說，得此篇始佐證分明。據日人小西甚一教授所著《文鏡秘府論考・研究篇》引內藤湖南博士《弘法大師的文藝》一文所說，《文鏡秘府論》直接引用的原典，計有：《四聲譜》（沈約撰）、《四聲指歸》（劉善經撰）、《詩格》（王昌齡撰）、《詩式》（釋皎然撰）、《唐朝新定詩體》（崔融撰）《詩髓腦》（元兢撰）、《文筆式》（撰者未詳）、《河岳英靈集》（殷璠撰）、《古今詩人秀句》（元兢撰）、《帝德錄》（撰者未詳）。這些典籍，大都與修辭學有關，也有賴於《文鏡秘府論》的稱引，我們才得窺見其一斑。

郭紹虞先生爲周維德氏校點的《文鏡秘府論》而寫的《前言》說：

可能有人還有這樣的想法：《文鏡秩府論》天卷論聲和西卷論病的一些材料，固然可以用來說明中國文學批評史上一部分問題；而其他各卷，如地卷的論勢與例，東卷的論對，北卷的論句端，他們的價值又如何呢？我以為這可以從兩個方面來看：一方面，這些材料中的絕大部分，對於研究當時的詩歌聲律問題，具有參考價值；另一方面，對研究漢語語法修辭，也有借鑒的作用。

可見《文鏡秘府》論不但對中國文學的研究有所貢獻，就是對中國修辭學的研究也是有貢獻的。郭氏又說：

近來有些語法研究者已注意到漢語語法的實用意義，我認為是值得重視的現象，所以對《文鏡秘府論》中這些用來教初學的資料，也就特別感到興趣。由此還聯想到，漢語語法學所以還不能發揮它的實用價值，可能由於沒有和修辭相結合的關係，因此我正在寫語法修辭結合論，提出一些看法，以供進一步探討。這又是我從《文鏡秘府論》中得到啓發的另一點。

郭氏甚至由《文鏡秘府論》中的資料得到了啓示，聯想到漢語語法學所以還不能發揮他的實用價值，是由於沒有和修辭相結合的緣故，因此他決心寫語法修辭結合論，並已完成，書名是《漢語語法修辭新探》，分上下兩册，於一九七九年七月由商務印書館出版。這又是《文鏡秘府論》對現代中國修辭學的貢獻了。

一般以爲《文鏡秘府論》只論作詩應忌避的聲病之說，這是不對的；其實，《文鏡秘府論》論積極修辭——辭格——的地方還比論消極修辭爲多。如地卷《十七勢》第八「下句拂上句勢」云：

下句拂上句者，上句說意不快，以下句勢拂之，令意通。古詩云：『夜聞木葉落，疑是洞庭秋。』昌齡云：『微雨隨雲收，濛濛傍山去。』又云：『海鶴時獨飛，永然滄洲意。』

這是陳望道氏三十八個辭格中所沒有的辭格，但不失爲積極的修辭法之一，所以可稱之爲「拂勢」辭格。又《十七勢》第十「含思落句勢」云：

含思落句勢者，每至落句，常須含思，不得令語盡思窮；或深意堪愁，不可具說。卽上句爲意語，下句以一景物堪愁，與深意相愜便道，仍須意出成感人始好。昌齡《送別詩》云：『醉後不能語，鄉山雨雾雾。』又落句云：『日夕辨靈藥，空山松桂香。』又：『墟落有懷縣，長烟溪樹邊。』又李湛詩云：『此心復何已，新月淸江長。』

這是論含蓄的修辭法，並舉王昌齡和李湛的詩以爲例證。又第十一「相分明勢」云：

相分明勢者，凡作語皆須令意出，一覽其文，至於景象，恍然有如目擊；若上句說事未出，以下一句助之，令分明出其意也。如李湛詩云：『雲歸石壁盡，月照霜林淸。』崔曙詩云：『田家收已盡，蒼蒼唯白茅。』

這是論「映襯」的修辭法，並舉李湛、崔曙的詩以爲例證。第十二「一句中分勢」云：「一句中分勢者，『海淨月色眞。』」仍舊是屬於映襯的辭格。前者是兩句句意互相映襯，後者則是一句之中，前後互相映襯。第十三「一句直比勢」云：

一句直比勢者，『相思河水流。』

這是論「比擬」的修辭法，以河水流比擬相思的久長。第十七「心期落句勢」云：

心期落句勢者，心有所期是也。昌齡詩云：『青桂花未吐，江中獨鳴琴。』又詩云：『還舟望炎海，楚葉下秋水。』

這是論「示現」的修辭法，屬於「懸想的示現」。所謂心有所期，卽是懸想之意。並舉王昌齡的詩以爲例證。

同卷《十四例》第十三云：

疊語之例。詩曰：『故人心尚爾，故心人不見。』又詩曰：『旣爲風所開，還爲風所落。』

這是「復疊」辭格中的「復辭」，而非疊字。用復疊的辭法須是爲着適情應景的需要，才不覺其累贅。

同卷《十體》五「雕藻體」云：

雕藻體者，謂以凡事理而雕藻之，成於妍麗，如絲彩之錯綜，金鐵之砥煉是。詩曰：『岸綠開河柳，池紅照海榴。』又曰：『華志怯馳年，韶顏慘驚節。』

其實，凡利用各種辭格寫成的詩文，都可以說成是雕藻體，正不必另立一格（體）。這裏所舉的例句，用辭妍麗，對仗工整，故稱爲「雕藻體」。

《十體》六「映帶體」云：

映帶體者，謂以事意相愜，復而用之者是。詩曰：『露花疑濯錦，泉月似沉珠。』

自注謂「此意花似錦、月似珠，自昔通規矣。然蜀有濯錦川，漢有明珠浦，故特以爲映帶。」濯錦關顧到上文的露花，沉珠關顧到上文的泉月。但濯錦又暗指濯錦川，沉珠（沉珠疑原作明珠，始得與明珠浦相映帶；後因輾轉抄錄，遂誤作沉珠。）又暗指明珠浦。這種映帶的修辭法，現在稱之爲「雙關」。

《十體》八「婉轉體」云：

婉轉體者，謂屈曲其辭，婉轉成句是。詩曰：『歌前日照梁，舞處塵生襪。』又曰：『泛色松烟舉，凝花萷露滋。』此卽婉轉之類。

這是論婉轉的修辭法。婉轉辭格的名稱現在仍沿用《文鏡秘府論》，沒有改換。不過從《文鏡秘府論》對婉轉辭格所作的定義及其所舉的例句看來，他的所謂婉轉，似乎着重於辭句形式的婉曲；而我們現在所說的婉轉，却着重在表意方面的婉曲。

《十體》十「菁華體」云：

菁華體者，謂得其精而忘其粗者是。詩曰：「青田未矯翰，丹穴欲乘鳳。」鶴生青田，鳳出丹穴；今只言青田卽可知鶴，只言丹穴，卽可知鳳，此卽是文典之菁華。又曰：「曲沼疏秋蓋，長林卷夏帷。」（曲沼，池也。）又曰：「積翠徹深潭，舒丹明淺瀨。」（丹卽霞，翠卽烟也。今只言丹翠，卽可知烟霞之義。況近代之儒，情識不周於變通，卽坐其危險，若茲人者，固未可與言。）

「菁華體」中所指的，其實就是我們現在所謂「借代」的辭格。借靑田代鶴，借丹穴代鳳，是借事物的產地代事物的修辭法。又所舉「曲沼」句，似乎未必能合于同一的體例。《韵會》云：「圓曰池，曲曰沼。」故沼乃池之曲者，與池爲同一事物，怎能謂爲「得其精而忘其粗者」呢？最後所舉的例句，以丹代霞，以翠代烟，則是借抽象代具體的修辭法。

東卷《論對》云：

或曰：文詞妍麗，良由對屬之能；筆札雄通，實⑭安施之巧。若言⑮不對，語必徒申；韵而不切，煩詞枉費。元氏⑯云：「《易》曰：『水流濕，火就燥。』『雲從龍，風從虎。』《書》曰：『滿招損，謙受益。』此皆聖作切對之例也。況乎庸才凡調，而對而不求切哉！」

所舉例句，不但是「對偶」的辭格，同時也是「警策」的辭格。

同卷《二十九種對》第四「聯綿對」云：

或曰：……灼灼，菁菁，赫赫，輝輝，汪汪，落落，素素，蕭蕭，穆穆，堂堂，巍巍，訶訶：如此之類，各聯綿對。

上舉的所謂聯綿對，其實都是摹狀的疊字，屬於「摹狀」辭格。

第十「回文對」云：

詩曰：『情親由得意，得意遂情親；新情終會故，會故亦經新。』

這和《老子》的「信言不美，美言不信」、《論語》的「仕而優則學，學而優則仕」一樣，不能算是眞正的回文，但可以算是「頂眞」辭格。

第十六「聲對」云：

或曰：聲對者，若曉路、秋霜。「路」是道路，與「霜」非對，以其與「露」同聲故。或曰：聲對者，謂字義俱別，聲作對是。詩曰：「彤騶初驚路，白簡未含霜」。「路」是途路，聲卽與「露」同，故將以對「霜」。又曰：「初蟬韵高柳，密蔦掛深松。」蔦草屬，聲卽與「鳥」同，故以對「蟬」。

他所謂「聲對」，其實是諧音的「雙關」辭格，是用一語音雙關兩種不同的事物的修辭方式，如路（露）、蔦（鳥）等是。

第十七「側對」云：

元氏曰：「側對者，若馮翊（地名，在右輔也。）龍首（山名，在西京也。）此為「馮」字半邊有「馬」，與「龍」為對；「翊」字半邊有「羽」，與「首」為對：此為側對。又如泉流、赤峰；「泉」字其上有「白」，與「赤」為對。凡一字側耳，卽是側對，不必兩字皆須側也。

這裏所謂側對，其實是「析字」的修辭法。所舉的幾個例證與白居易《游紫霄宮詩》差不多是同一修辭方式。不過白居易那首詩是用析字而兼連珠（卽頂眞）的修辭法寫成的，而《文鏡秘府論》所舉，只是析字辭格的例證。南卷《論文意》云：

凡詩者，雖以敵古為上，不以寫古為能。立意於衆人之先，放詞於羣才之表，獨創雖取，使耳目不接，終患倚傍之手。或引全章，或插一句，以古人相粘二字、三字為力，厠麗玉於瓦石，殖芳芷於敗蘭，縱善，亦他人之眉目，非己之功也，況不善乎？時人賦孤竹則云「冉冉」，詠楊柳則云「依依」，此語未有之前，何人曾道。謝詩云：「江菼亦依依」，故知不必以冉冉繫竹，依依在楊。常手傍之，以為有味，此亦強作幽想耳。且引靈均為證，文譎氣貞，本於《六經》，而制體創詞，自我獨致，故歷代作者師之。此所謂勢不同，而無模擬之能也。（班固雖謂屈原露才揚己，引崑崙玄圃之事不經，然其文雅麗，可爲賦之宗。）若比君於堯舜，況臣於稷禼，綺里之高逸，於陵之幽貞，褒貶古賢，成當時文意，雖寫全章，非用事也。

這是論「引用」辭格。他反對引用古人成語，認爲雖善亦是他人之善，況不善乎？他主張作詩須自我作典，並舉屈原爲證。屈原文雖本於《六經》，而創辭却自我獨致。至於「比君於堯舜」等句，乃指「比擬」的修辭法，並非「引用」。

以上都是論積極修辭的辭格。至於《文鏡秘府論》論消極修辭，除了二十八病之說外，還有：

地卷《十七勢》第十六「景入理勢」云：

景入理勢者，詩一向言意，則不清及無味；一向言景，亦無味。事須景與意相兼始好。凡景語入理語，皆須相愜，當收意緊，不可正言。景語勢收之，便論理語，無相管攝。方今人皆不作意，慎之。昌齡詩云：「桑葉下墟落，鵾雞鳴渚田，物情每衰極，吾道方淵然。」

這是論情不能離景而獨立，而須情景互托。但他却又將情與理合而爲一，故標題曰「景入理勢」，並舉王昌齡詩，前二句寫景，後二句寫理，以爲例證。情是不能離景而獨立的，歐陽修的《生查子》[17]詞：「去年元夜時，花市燈如晝，月上柳梢頭，人約黃昏後。今年元夜時，月與燈依舊，不見去年人，淚濕春衫袖。」後兩句寫離別之情，借前六句所寫的景而表現出來，這種意境，很能感動人的。不過，《文鏡秘府論》說「一向言景，亦無味」，這可不一定的。「暮春三月，江南草長，雜花生樹，羣鶯亂飛。」四句雖純是寫景，但春情却油然而生，未必是無味的。

同卷《十四例》十五云：

陳王之誄武帝：遂稱「尊靈永蟄」；孫楚之哀人臣，乃云「奄忽登遐。」（子荆《王驃騎誄》。此錯謬一例也，見《顏氏傳》。）今於古律之上，始末酷論，以祛未悟，則反正之道，可得而聞也。

這裏論曹植等用辭失當與比擬不倫，本於《文心雕龍》的《指瑕》篇。

南卷《論文意》云：「凡詩，兩句卽須團却意，句句必須有底蓋相承，翻覆而用。」這是論上下文意須互相照應的消極修辭法。又云：

或云：今人所以不及古者，病於儷詞。予云：不然。《六經》時有儷詞，揚馬張蔡之徒始盛。「雲從龍，風從虎」，非儷耶？但古人後於語，先於意。

他以爲儷辭非病，病在不知「後於語（辭），先於意」。此說取自皎然的《詩式・評論》篇。

南卷《論體》云：

至如稱博雅，則頌、論為其標；（頌明功業，論陳名理，體貴於弘，故事宜博；理歸於正，故言必雅之也。）語清典，則銘、贊居其極；（銘題器物，讚述功德，皆限以四言，分有定準，言不沉遁，故聲必清；體不詭雜，故辭必典也。）陳綺艷，則詩、賦表其華；（詩兼聲色，賦敍物象，故言資綺靡，而文極華艷。）敍宏壯，則詔、檄振其響；（詔陳王命，檄敍軍容，宏則可以及遠，壯則可以威物。）論要約，則表、啓擅其能；（表以陳事，啓以述心，皆施之尊重，須加肅敬，故言在於要，而理歸於約。）言切至，則箴、誄得其實。（箴陳戒約，誄述哀情，故義資感動，言重切至也。）凡斯六事，文章之通義焉。苟非其宜，失之遠矣。博雅之失也緩，清典之失也輕，綺艷之失也淫，宏壯之失也誕，要約之失也闌，切至之失也直。體大義疏，辭引聲滯，緩之致焉；（文體既大，而義不周密，故云疏；辭雖引長，而聲不通利，故云滯也。）理入於浮，言失於淺，輕之起焉；（敍事爲文，須得其理，理不甚會，則覺其浮；言須典正，涉於流俗，則覺其淺。）艷貌違方，逞欲過度，淫以興焉；（文雖綺艷，猶須準其事類相當，比擬敍述。不得艷物之貌，而違於道；逞己之心，而過於制也。）制傷迂闊，辭多詭異，誕則成焉；（宏壯者，亦須準量事類可得施言，不可漫爲迂闊，虛陳詭異也。）情不申明，事有遺漏，有遺漏，闌自見焉；（謂論心意不能盡申，敍事理又有所闕焉也。）體尚專直，文好指斥，直乃行焉。（謂文體不經營，專爲直置；言無比附，好相指斥也。）故詞人之作也，先看文之大體，隨而用心，（謂上所陳文章六種，是基本體也。）遵其所宜，防其所失，（博雅、清典、綺艷、宏壯、要約、切至等，是所宜也；緩、輕、淫、闌、誕、直等，是所失也。）故能辭成煉核，動合規矩。而近代作者，，好尚互舛，苟見一塗，守而不易，至今摛章綴翰，罕有兼善。豈才思之不足，抑由體制之未該也。

此篇之作，雖或受陸機《文賦》等的啓發，但其論述各種不同的文體有各種不同的修辭準則，立論完全出於己意，用辭也能創新，而所論要比《文賦》和《文心雕龍》精當。此篇在論各種不同的文體有各種不同的修辭特徵之後，再就各種不同的辭徵的反面，指出其修辭之失及其所以爲失之原因。最後則指出「遵其所宜，防其所失」，才能「辭成煉核」；深嘆近代作者，「摛章綴翰，罕有兼善」者。從這些看起來，《文鏡秘府論》對中國修辭學是有一定的貢獻的。

又同卷《定位》篇云：

其為用也，有四術焉：一者，分理務周；（謂分配其理，科別須相準望，皆使周足得所，不得令或有偏多偏少者也。）二者，敍事以次；（謂敍事理須依次第，不得應在前而入後，應入後而出前，及以理不相干，而言有雜亂者。）三者，義須相接；（謂科別相連，其上科末義，必須與下科首義相接也。）四者，勢必相依。（謂上科末與下科末，句字多少及聲勢高下，讀之使快，即是相依也。其犯避等狀，已具聲病條內。然文縱有非犯而聲不便者，讀之是悟，即須改之，不可委載也。）理失周，則繁約互舛；（多則義繁，少則義約，不得分理均等，事故云舛也。）事非次，則先後成亂；（理相參錯，故失先後之次也。）義不相接，則文體中絕；（兩科際會，義不相接，故尋之若文體中斷絕也。）勢不相依，則諷讀為阻。（兩科聲勢，自相乖舛，故讀之以致阻難也。）若斯並文章所尤忌也。

這與陳望道氏《修辭學發凡》第四篇論消極修辭四要項，幾乎完全吻合。陳氏的消極修辭四要項是：詞句平勻、倫次通順、意義明確和安排隱密。現在試拿來和《文鏡秘府論．定位》篇的四要項（卽分理務周、敍事以次、義理相接、勢須相依）比較其立論之同異：

一、《修辭學發凡》「詞句平勻」，是「究竟用古的今的，中的外的，文的白的，官的土的，粗的細的，生的熟的，難的易的，繁的簡的，須有一個平正的標準。」這樣，才能保證「是一篇平穩無議的達意語辭。」（《修辭學發凡》，上海教育出版社）

《文鏡秘府論》所謂「分理務周」，「謂分配其理，科別須準望，皆使周足得所，不得令或有偏多偏少者也。」

比較：《文鏡秘府論》所謂「分配其理，須相準望，周足得所，不得令偏」，便是《修辭學發凡》所謂「一個平正的標準」，「一篇平穩無議的達意語辭。」

二、《修辭學發凡》所謂「倫次通順」是「尋常修辭，都不可不依順序，不可不相銜接，並且不可沒有照應。能夠依順序，相銜接，有照應的，就稱爲通順。」

《文鏡秘府論》所謂「敍事以次」，「謂敍事理須依次第，不得應在前而入後，應入後而出前，及以理不相干，而言有雜亂者。」

比較：《文鏡秘府論》的「敍事以次」，便是《修辭學發凡》所謂「倫次通順」；至於兩者所作的釋義，也幾乎是完全一樣的。

二、《修辭學發凡》所謂「意義明確」，「就是要寫說者把意思分明地顯現在語言文字上」，「應當努力的就是表出方式上的明確」；要使表出方式明確，便要「使詞和詞的關係分明。」

《文鏡秘府論》所謂「義須相接」，「謂科別相連，其上科末義，必須與下科首義相接也。」

比較：《文鏡秘府論》所謂「其上科末義，必須與下科首義相接」，便是《修辭學發凡》所謂「使詞和詞的關係分明。」

四、《修辭學發凡》所謂「安排穩密」，「就應注意詞句的安排，……至少要有切境切機的穩和不盈不縮的密。」「穩不是說與世間相妥協，只是與內容相貼切」。

《文鏡秘府論》所謂「勢須相依」，「謂上科末與下科末，句字多少及聲勢高下，讀之使快，即是相依也。」

比較：《文鏡秘府論》「謂上科末與下科末，句字多少及聲勢高下，讀之使快」，類於《修辭學發凡》所謂「詞句的安排，……要有切境切機的穩和不盈不縮的密。」又《文鏡秘府論》所謂「相依」，便是《修辭學發凡》所謂「貼切」。

陳望道氏的《修辭學發凡》第四篇所論述的消極修辭四要項，雖然本自《文鏡秘府論》，但只是擷取了一部分前人研究的成果，加以吸收，並與自己研究的心得相融合，使成爲有機的統一；所以他的修辭學，是具有創造性的，決不是古董的片斷陳列而已。

南卷《集論》篇云：

> 自屈宋已降，揚班擅場，諧合《風》《騷》之序，凄[18]鏘《雅》《頌》之曲。長卿詞賦，色麗江波之錦；安仁文藻，彩映河陽之花。子建婉潤，張衡清綺，公幹氣質，景純宏麗。陳琳書記道[19]

健，文舉奏議詳雅。太沖繁博，仲宣響亨。謝永嘉之璀璨，袁東陽之浩蕩。平原綺思，司空嘆其寥廓；吏部英才，隱侯稱其絕世。莫不競宣五色，爭動八音，或工於體物，或善於情理，詠之則風流可想，聽之則舒慘在顏。足以比景先賢，軌儀來秀矣。

論各家修辭技巧，方法和筆調，雖然本自《文心雕龍》，但《文鏡秘府論》所論，比較更側重於聲調和辭藻，而且觀點也完全是他自己的。

《集論》篇又云：

然近代詞人，爭趨誕節，殊流並派，異轍同歸。文乖麗則，聽無宮羽。聲高曲下，空驚偶俗之唱；彩濕文疏，徒誇悅目之美。或奔放淺致，或嘈嘈野音，可以語宣，難以聲取；可以字得，難以義尋。謝病於新聲，藏拙於古體，其會意也僻，其適理也疏。以重濁為氣質，以鄙直為形似，以冗長為繁富，以誇誕為情理。激浪長堤之表，揚鑣深埒之外。詞多流宕，罕持風檢。庸生末學者慕之，若夕鳥之赴荒林；采奇好異者溺之，似秋蛾之落孤焰。奔激潰潦，汩蕩泥破[20]，波瀾浸盛，有年載矣。

論詞人修辭之失，在於只注重文采形式之美，而忽視聲調音律之宜，不顧義理之適與不適，徒「以誇誕為情理」；而庸生末學之徒，又趨而慕之。這是他最感痛惜的事。他認為正確的修辭法是：「必當詞與旨相經，文與聲相會。詞義不暢，則情旨不宣；文理不清，則聲節不亮。詩人因聲以緝韵，沿旨以制詞，理亂之所由，《風》《雅》之所在。固不可以孤音絕唱，寫流道於胸懷；棄徵捐商，混妍蚩於耳目。」除了辭必須與旨相經之外，他也强調文必須與聲相會。他主聲律之說是一貫的。

近代日本學者研究《文鏡秘府論》的著作很多，而成績最著的，當推小西甚一氏的《文鏡秘府論考》，分研究篇上、研究篇下及考文篇三册；研究篇上爲音韵論，研究篇下爲表現論，而考文篇則校定《文鏡秘府論》所引述的資料，考證精密，以實踐的方法論作爲批評的基礎，並附關係圖籍的詳細索引，是研究《文鏡秘府論》的基本文獻。至於日本古代研究或論述《文鏡秘府論》的著作，以平安末期觀智院本的《作文大體》、教尋的《四聲五音九弄反紐圖》以及傳良源的《五韵次第》等爲最早，其後歷代都有有關《文鏡秘府論》的研究的著述。

十三、小　結

這一個時期是中國修辭學發展的延續期，由李諤的《上隋高帝革文華書》開其端，但由於「能言者未必能行」，所以有張說等主辭巧的修辭論的繼起。唐代是詩歌創作的極盛時代，「自景雲以前，詩人猶習齊梁之氣，不除故態，以纖巧爲工。開元後格律一變，遂超然度越前古。當時雖李杜獨據關鍵，然一時輩流，亦非大歷、元和間諸人可跂望。」㉑詩歌格律的轉變，也反映在修辭學的理論上；所以到頭來還是反麗辭的修辭論佔了上風。

劉知幾的《史通》，論修辭的分量，僅次於前一個時期的《文心雕龍》，以及稍後的《文鏡秘府論》。其論辭格，涉及節縮、省略、譬諭、婉轉、誇張、引用、比擬、仿擬等。劉氏是歷史上第一個指責《史記》修辭欠妥的人；雖然《史通》有些地方仿《文心雕龍》而作，但其論《史記》修辭失檢之處，却被金代王若虛的《滹南遺老集》所取法。

武曌的《織錦回文記》，雖意在稱賞蘇氏的巧慧與竇滔的知悔，不能算是純論回文辭格的著述；但由於作者是中國歷史上惟一的一位女皇帝，所以影響特別大。宋代桑世昌的《回文類聚》的編著，以及後來對回文遊戲的研究及仿製者的繼起，都可以說是或多或少受了武曌這篇文章的影響。

但這一個時期對中國修辭學貢獻最大、影響最廣的還是日僧遍照金剛的《文鏡秘府論》。我說《文鏡秘府論》對中國修辭學的貢獻最大，是因爲此書所引的典籍，包括沈約的聲病之說，大都已經失傳了，賴此書的稱引使我們得以窺見其一斑，故此書實有繼絕學的作用，雖則聲病之說自宋以來已受到了普遍的不滿和批評，拿它來作爲寫詩的規範固是大可不必，但若作爲修辭學史的資料來看待，却還是有其存在的價值的。還有，此書論積極修辭的辭格，竟達十二種之多，即映襯、示現、復叠、雙關、婉轉、借代、對偶、警策、摹狀、回文、析字、引用等，比《文心雕龍》和《史通》所論的辭格還要多，（雖然原或受《文心雕龍》的影響而作）而且對於每一個辭格，大多能爲它們下了定義、說明用法，並列舉例證。

但正如郭紹虞氏爲《文鏡秘府論》（周維德的校點本）而寫的《前言》所說，「在重視《文鏡秘府論》的學術價值的同時，我們也必須着重指出這部書中……尤其在北卷《帝德錄》中，大量宣揚了古代帝王的種種迷信傳說，並歌頌他們的所謂「聖德」。這些都是糟粕，我們今天也不必爲《文鏡秘府論》諱。」所以，我們閱讀這本書，必須抱着批判地繼承的態度。

注釋

① 宋王應麟《困學紀聞》卷十四《考史》亦云：「鄭毅夫謂唐太宗功業雄卓，然所爲文章纖靡浮麗，嫣然婦人小兒嬉笑之聲，不與其功業並稱。甚矣，淫辭之溺人也！」

② 《中說》中提到王通時稱「子」，所以我以爲《中說》是後人所僞托，也很可能是門人記載王通的言論而成書的。

③ 《韓非子・難勢》篇云：「今以國位爲車，以勢爲馬，以號令爲轡，以刑罰爲鞭筴」。牧之語句似從此脫胎者。

④ 孝綽兄弟：指劉孝綽和他的兄弟孝威、孝儀。《梁書》有《劉孝綽傳》。

⑤ 湘東王兄弟：梁元帝蕭繹，初封湘東郡王。其兄弟昭明太子蕭統，簡文帝蕭綱，都嗜好文學。

⑥ 唐劉餗《隋唐嘉話》云：「煬帝善屬文，而不欲人出其右。司隸薛道衡，由是得罪，後因事誅之，曰：「更能作『空梁落燕泥』否？」又曰：「煬帝爲《燕歌行》，文士皆和，著作郎王胄獨不下帝，帝每銜之。胄坐此見害。而誦其警句曰：『庭草無人隨意綠』，復能作此語耶？」司馬公采此二事入《通鑑》，見煬帝大業九年。

⑦ 《四庫全書總目提要・總集類》謂「《藝文類聚》載曹植《鏡銘》八字，回環讀之，無不成文，實在蘇蕙以前。」

⑧ 三偸云云，並見於唐李叔（恐是後人所僞托）的《詩苑類格》。

⑨ 語見祖保泉氏《司空圖詩品注釋及譯文》一書（商務印書館出版）。

⑩ 見羅根澤氏《中國文學批評史》第五編第五章第四節。

⑪ 白居易《和答詩・序》云：「故理太周則辭繁，意太切則言微。……足下來序，果有詞犯文繁之說。」所謂詞犯，也是指犯聲（變調）而說。

⑫ 上海古籍出版社編印的《中華活頁文選》，於注釋此文時，誤將「什二三」連讀，以爲意卽十分之二三。其實

什應是指詩之篇什而言，故「風人之什」四字應該連讀。試看下一段「然則『餘霞散成綺，澄紅淨如練』、『離花先委露，別葉乍辭風』之什，……」句可知。

⑬ 白居易此語，本自曹植《與楊德祖書》：「世人之著述，不能無病。僕常好人譏彈其文，有不善者，應時改定。昔丁敬禮嘗作小文，使僕潤飾之。僕自以才不過若人，辭不爲也。敬禮謂僕：『卿何所疑難？文之佳惡，吾自得之，後世誰相知定吾文者耶？』吾常嘆此達語，以爲美談。」

⑭ 「實」子下當有「乃」字。

⑮ 羅根澤云：「『言』字下疑奪一『而』字。」是。

⑯ 元氏卽元兢，著有《詩髓腦》。

⑰ 此闋《生查子》詞，或以爲秦少游所作，惟宋乾道本《淮海長短句》無此詞。楊升庵《詩品》卷二誤作朱淑眞詞，《四庫全書總目提要》已辨其非。《東府》本及《琴趣》本皆收此詞，當爲歐陽修所作無疑。

⑱ 周維德云：「『凄』字疑當作『鏗』。」是。

⑲ 「道」，《箋本》旁注引京都栂尾《高野寺無點本》，作「遒」。

⑳ 「破」，《箋本》旁注引京都栂尾《高野寺無點本》作「波」。周維德云：「疑爲『坡』字之誤。」是。

㉑ 文引《蔡寬夫詩話》。

第七篇　中國修辭學發展的再延續期——宋金元代

一、楔　子

宋（北宋、南宋）、金、元代，是封建制度的第三個延續期，由於中央集權的制度相當鞏固，隨着經濟的進步，使工商各業更加發展和繁榮。在文體與修辭方面，韓愈以後，雖然還有一些文人們在熱心推動古文運動，主張棄駢儷而復古文（散文），但由於能說者未必能行，提倡者自己亦不能以身作則，所以駢四儷六的形式仍舊流行，散文也沒有普遍地推廣。待到宋代的柳開、歐陽修等人的繼續努力提倡，散文才眞正流行了。宋吳曾《能改齋漫錄》「古文自柳開始」條云：「本朝承五季之陋，文尙儷偶，自柳開首變其風。始天水趙生，老儒也，持韓愈文數十篇授開，開嘆曰：『唐有斯文哉！』因謂文章宜以韓爲宗，遂名肩愈，字紹元。亦有意於子厚耳。故張景謂：『韓道大行，自開始也』」歐陽修的《蘇氏文集序》也說：『天聖間（一〇二三—一〇三二），予擧進士於有司，見時學者務以言語聲偶擿裂，號爲時文，以相夸尙。』可見到了天聖之間（大約是天聖初年），一般人還是以所謂「時文」（卽華偶之文）爲尚，積習難改。後來年輕的仁宗皇帝趙禎繼隋高祖之後，下詔改革文體，有如歐陽修《答荆南樂秀才書》所說：「天聖中，天子下詔書，敕學者去浮華。其後風俗大變，今時之士大夫所爲，彬彬有兩漢之風矣。」（《歐陽文忠公文集》四十七）嘉祐二年（一〇五七），「士子尚有險怪奇澀之文，號『太學體』，修痛排斥之，凡如是者輒黜。①……然場屋之習從是遂變。」（《歐陽文忠公文集》附錄）所以眞正「文起八代（到柳、歐時已是九代）之衰者」應是柳開和歐陽修而不是韓愈。

散文既興，加以唐宋詩詞的風靡不輟，於是討論文學作品的修辭技巧也或多或少地散見於一些文論和詩論的著作中了。這個時期談論修辭學的論著有宋陳騤的《文則》，它是中國歷史上第一部專論修辭的專著。至與修辭學有關的談論詩文的著作，比較著名或比較有分量的，有宋吳曾的《能改齋漫錄》、宋洪邁的《容齋隨筆》、宋胡仔輯述的《苕溪漁隱叢話》、宋魏慶之輯述的《詩人玉屑》、宋俞文豹的《吹劍錄》、宋嚴羽的《滄浪詩話》、宋李耆卿的《文章精義》、金王若虛的《滹南遺老集》、元王應麟編撰的《困學紀聞》（作者本宋人，成書於元）、元王構輯述的《修辭鑑衡》等。其他文論、詩話、筆記之類的著作，也都有涉及修辭學的；特別是宋人的詩話，談論積極修辭的辭格，更是豐富。所以這個時期可說是中國修辭學發展的再延續期。

二、主綺麗、折衷與反雕飾的修辭論

宋人談修辭，也不出於主綺麗與反雕飾的論爭。范溫的《詩眼》有云：

> 世俗喜綺麗，知文者能輕之。後生好風花，老大卽厭之。然文章論當理與不當理耳，苟當於理，

則綺麗風花，同入於妙；苟不當理，則一切皆為長語。上自齊梁諸公，下至劉夢得、溫飛卿輩，往往以綺麗風花，累其正氣，其過在於理不足而詞有餘也。老杜云：「綠垂風折筍，紅綻雨肥梅」，「岸花飛送客，檣燕語留人」，亦極綺麗，其模寫景物，意自親切，所以妙絕古今。

他以爲文章修辭，要在當理與不當理而已，如果當理，則無妨於綺麗；如果理不足而辭有餘，也會「累其正氣」的。君實並不一味强調綺麗，到底還是不忘理意的。理學家程顥則主辭重於意，其《易傳序》云：

> 得於辭不達其意者有矣；未有不得於辭，而能通其意者也。

得於辭尚且未必能達其意，不得於辭更是不能達其意了。

吳處厚的《青箱雜記》(屬於筆記小說類)，偶然也談到修辭。如云：

> 文章純古，不害②其為邪；文章艷麗，亦不害其為正。然世或見人文章鋪陳仁義道德，便謂之正人君子；及花草月露，便謂之邪人，茲亦不盡也。皮日休曰：「余嘗慕宋璟之為相，疑其鐵腸與石心，不解吐婉媚辭；及睹其文，而有《梅花賦》，清便富麗，得南朝徐庾體。」然余觀近世所謂正人端士者，亦皆③艷麗之詞，如前世宋璟之比。

說文章艷麗，不害其爲正，則主張麗辭是顯然的了。吳氏又看到近世所謂正人端士者，亦皆作艷麗之辭，以爲他們既可作艷麗之辭，一般人更可作艷麗之辭了。這是他的邏輯。

周必大《皇朝文鑑序》云

> 臣聞文之盛衰，主乎氣；辭之工拙，存乎理。昔者帝王之世，人有所養，而教無異習；故其氣之

> 盛也，如水載物，小大無不浮；其理之明也，如燭照物，幽隱無不通。（《四部叢刊》本《皇朝文鑑》）

所謂「臣聞」，是聞自曹丕的「文以氣爲主」。（《典論・論文》）文氣之喻，取自韓愈的「氣，水也；言，浮物也。水大，而物之浮者大小畢浮。氣之與言猶是也：氣盛，則言之短長與聲之高下皆宜。」（《答李翊書》）周氏論修辭，似乎主理，以爲「辭之工拙，存乎理。」可是，他效《典論・論文》談論到各種不同的文體的各種不同的修辭準則，却說：

> 古賦詩騷，則欲主文而譎諫；典册詔誥，則欲溫厚而有體；奏疏表章，取其諒直而忠愛者；箴銘讚頌，取其精慤而詳明者；以至碑記論序書啓雜著，大率事辭稱者為先，事勝辭則次之；文質備者為先，質勝文則次之。（《皇朝文鑑・序》）

這分明是强調藻飾辭采的修辭論，以爲事勝辭或質勝文都是次等的。最後，他又說：「蓋魚躍於淵，氣使之也；追琢其章，理貫之也。」（《皇朝文鑑・序》）他雖主張雕章琢句，但仍是忘不了應該以「理貫之」。

吳曾《能改齋漫錄》「詩文當得文人印可」條云：

> 韓子蒼言：「作詩文當得文人印可，乃不自疑。所以前輩汲汲於求知也。」又云：「詩文要縱，縱則奇。然未易到也。」

他所謂「得文人印可」，是指詩文須得當時文人的肯定，才不致懷疑自己的作品是否有價值。至於主張詩文要縱，要奇，當是屬於藻飾的一派了。

劉跂《趙氏金石錄序》云：「若乃庸夫野人所述，其言不雅馴，則望而知之，直差易耳。」劉氏鄙薄俚語，以爲「差異」，無疑是主張雅馴、文飾了。

文天祥《西澗書院釋菜講義》云：

修辭者，謹飭其辭也。辭之不可以妄發，則謹飭之，故修辭所以立其誠，誠卽上面忠信字，居有守之之意，蓋一辭之誠，固是忠信；以一辭之妄間之，則吾之業頓隳，而德亦隨之矣。故自其一辭之修，以至於無一辭之不修，則守之如一，而無所作輟，乃居業之義。……上言修辭；辭之修，卽業之修也。……辭之義有二：發於言則為言辭，發於文則為文辭。（《文文山集》卷十一）

文天祥認爲修辭和德業大有關係，所以應該謹愼從事；又以爲修辭的「辭」有兩個意義：「發於言則爲言辭，發於文則爲文辭。」比劉跂所論，要全面多了。

楊萬里的《劉良佐詩稿序》，也談到了辭和意的問題。他說：

夫詩何為者也？曰，尚其詞而已矣。曰，善詩者去詞。然則，尚其意而已矣。曰，善詩者去意。然則，去詞去意，則詩安在乎？曰，去詞去意而詩有在矣。然則，詩果焉在？曰，嘗食夫飴與荼乎？人孰不飴之嗜也，初而甘，卒而酸。至於荼也，人病其苦也，然苦未旣而不勝其甘。詩亦如是而已矣。

楊氏以爲作詩須尙其辭，但是善詩者却去辭而尙意，或甚至辭意並去。如吃麥芽糖，初甘而卒酸；又如喝茶，苦未盡而不勝其甘矣。

元周德淸《作詞十法》論造語云：

未造其語，先立其意，語意俱高為上。短章辭旣簡，意欲盡。長篇要腰腹飽滿，首尾相救。造語必俊，用字必熟。太文則迂，不文則俗。（《中原音韻》）

周氏主張辭、意並重，不要太事文飾，也不要太俗，正是折衷的意見。

至於反雕飾的修辭論，當以柳開為其先導。淸《四庫總目提要》卷百五十二說：「宋人變偶儷為古文，實自柳開（字仲涂）《應責》篇開始。」《應責》篇全文都用古文（散文）寫成，一掃駢儷的氣味。其釋古文云：

古文者，非在辭澀言苦，使人難讀誦之，在於古其理，高其意，隨言短長，應變作制，同古人之行事，是謂古文也。（據《唐宋文舉要》）

他反對「辭澀言苦」的表現手法，强調「隨言短長，應變作制」的古文修辭法。他說：

欲行古人之道，反類今人之文，譬乎游於海者乘之以驥，可乎哉？苟不可，則吾從於古文。

他認為欲行古人之道，不可以從今人之文，所謂今人之文，就是駢儷之文；旣不可以從今人之文，所以他決心於古文——散文了。柳開和歐陽修打倒駢文所以能成功，是「能說而又能行」。他們從不曾寫那駢四儷六的文章。

穆修《答喬適書》云：

今世士子習尚淺近，非章句聲偶之辭，不置耳目，浮軌濫轍，相迹而奔，靡有異塗焉。其間獨敢以古文語者，則與語怪者同也。衆又排詬之、罪毀之，不目以為迂，則指以為惑，謂之背時遠名，闊於富貴，先進則莫有譽之者，同儕則莫有附之者。其人苟失自知之明，守之不以固，持之

不以堅，則莫不懼而疑，悔而思，忽焉且復去此而卽彼矣。（《四部叢刊》本《皇朝文鑑》）

穆氏指責當世士子迷於章句聲偶之辭，立場是分明的④。又指出有敢獨取以古文語者，反被目爲語怪，而被攻擊得體無完膚，可見當時主駢文派的聲勢仍盛，竟能令意志薄弱的人，「忽焉且復去此（古文——散文）而卽彼（今文——駢文）。」

范仲淹《尹師魯河南集序》云：

> 洎楊大年以應用之才，獨步當世，學者刻辭鏤意，依稀仿佛，未暇及古也。其間甚者，專事藻飾，破碎大雅，反謂古道不適於用，廢而弗學者，久之。洛陽尹師魯，少有高識，不逐時輩，從穆伯長游，力爲古文，而師魯深於《春秋》，故其文謹嚴，辭約而理精，章奏疏議，大見風采，士林方聳慕焉。遽得歐陽永叔，從而大振之。由是天下之文一變，而其深有功於道歟！（《四部叢刊》本《范文正公集》卷六）

他批評了「刻辭鏤意」「專事藻飾」的修辭現象，以爲辭約而理精才能得士林傾慕，極力推崇歐陽修變文之功。

蘇軾的《上歐陽內翰書》，提到了宋仁宗下詔改革文體之後的情形，他說：

> 自昔五代之餘，文教衰落，風俗靡靡，日以塗地。聖上慨然太息，思有以澄其源，疏其流；明詔天下，曉諭厥旨。於是招來雄俊魁偉、敦厚朴直之士；罷去浮巧輕媚、叢錯彩繡之文。將以追兩漢之餘，而漸復三代之故。士大夫不深明天子之心，用意過當，求深而或至於迂，務奇者怪僻而不可讀。餘風未殄，新弊復作。大者鏤之金石，以傳久遠；小者轉相模寫，號稱古文，紛紛肆

行，莫之或禁。（《四部叢刊》本《經進東坡文集事略》）

浮巧輕媚的餘風未殄，而求新務奇的新弊復作，這是他所深以爲憾的一回事。

孫復《答張洞書》也說：「故文之作也，必得之於心而成之於言。……若肆意構虛，無狀而作，非文也，乃無用之瞽言爾，徒汚簡册，何所貴哉？」（《皇朝文鑑》）

蘇軾以求新務奇爲憾，孫氏則以肆意構虛爲無用之瞽言，都是反對雕飾浮巧的。

歐陽修《與石推官書》云：

足下又云：「我實有獨異於世者，以疾釋老，斥文章之雕刻者。」此又大不可也。夫釋老，惑者之所為；雕刻文章，薄者之所為；足下安知世無明誠篤厚君子之不為乎？……夫士之不為釋老，與不雕刻文章者，譬如為吏而不受貨財，蓋道當爾，不足恃以為賢也。

歐陽修認爲士之不爲釋老，不雕刻文章，譬如爲官不貪汚，是理所當然，沒有什麼値得自我標榜的。

沈作喆《寓簡》云：

為文當存氣質，氣質渾圓，意到辭達，便是天下之至文。若華靡淫艷，氣質雕喪，雖工不足尚矣，此理全在心識通明。心識不明，雖博覽多好，無益也。古人謂「文滅質，博溺心」者，豈特為儒之病哉？亦為文之弊也。」（《知不足齋叢書》本《寓簡》卷八）

他認爲評價作品應以氣（風格）質（內容）爲主，如果文滅質，博溺心，便是爲文之大弊。他又指出「柳子厚作楚辭，卓詭譎怪，韓退之不能及；退之古文深閎雄毅，子厚又不及。」（《寓簡》卷四）可見他是輕視「卓詭譎怪」之文風的。

張鎡《仕學規範》引劉貢父語云：

詩以意義為主，文詞次之。或意深義高，雖文詞平易，自是奇作。世人見古人詩句平易，仿效之而不得其意義，隨人（疑當作「遂成」）鄙野可笑。（《仕學規範》卷三十六）

張鎡引劉氏的話，主張意重於辭，作詩以思想意識爲主，文詞不妨平易，他是反對綺麗的詩風的。

周敦頤是宋代理學的開山祖師，其《周子通書》（簡稱「通書」）有云：

文所以載道也，輪轅飾而人弗庸，徒飾也，況虛車乎？文辭，藝也；道德，實也。篤其實而藝者書之，美則愛，愛則傳焉。賢者得以學而致之，是為教。故曰：「言之無文，行之不遠。」然不賢者，雖父兄臨之，師保勉之，不學也；強之，不從也。不知務道德而第以文辭為能者，藝焉而已。噫！弊也久矣！

所謂文以載道的「道」，指的當然是道學的「道」，文章旣以道爲重，自然無暇及於文辭了；他未必是爲了顧慮到雕飾會以辭害意，所以才反對雕飾。

程頤是周敦頤的大弟子，其《顏子所好何學論》云：

不求諸己，而求諸外，以博聞強記，巧文麗辭為工；榮華其言，鮮有至於道者，則今之學，與顏子所好異矣。（《皇朝文鑑》）

程氏和他的老師一樣，主張以道爲先，而不重視巧文麗辭，以爲一味追逐巧文麗辭，是鮮有能及於道的。他鄙薄「專務章句，悅人耳目」者之所爲，以爲「非俳優而何？」（《正誼堂全書》本《二程語

錄》卷十一）

王安石論修辭，主張樸質，重理而輕辭。他的《讀江南錄》說：「辭意質直，忠臣之言。」又《上邵學士書》云：

某嘗患近世之文，辭弗顧於理，理弗顧於事，以襞積故實為有學，以雕繪語句為精新，譬之撷奇花之英，積而玩之，雖光華馨香，鮮縟可愛，求其根柢濟用，則蔑如也。（《王文公文集》卷第三）

他以爲辭是表達理意的工具，如果不能表達理意，只是雕繪語句，是無濟於事的。他的《上人書》說得更是透徹了：

所謂辭者，猶器之有刻鏤繪畫也。誠使巧且華，不必適用；誠使適用，亦不必巧且華。要之以適用為本，以刻鏤繪畫為之容而已。不適用，非所以為器也；不為之容，其亦若是乎？否也。然亦未可已也，勿先之，其可也。（《王文公文集》卷第三）

這是反葛洪《鈞世》篇之意的。《鈞世》篇說：「且夫古者事事醇素，今則莫不雕飾，時移世改，理自然也。至於罽錦麗而且堅，未可謂之減於蓑衣；輜軿妍而又牢，未可謂之不及椎車也。」王安石一反其意，以爲修辭猶如器物加上雕繪，華巧者未必適用，適用者不必華巧。不過他也並不是完全反對雕繪，只要「勿先之」（不要藝術第一）便好了。

張耒《答李推官書》，指其文字壞奇險怪；他論修辭，重理而不務奇。如云：

足下之文，可謂奇矣！捐去文字常體，力為瓌奇險怪，務欲使人讀之，如見數千歲前科斗鳥迹所記弦匏之歌、鐘鼎之文也。足下之所嗜者如此，固無不善者；抑耒之所聞，所謂能文者，豈謂其能奇哉？能文者，固不能以奇為主也。夫文何為而設也？知理者不能言；世之能言者多矣，而文者獨傳。豈獨傳哉？因其能文也，而言益工；因其言工，而理益明，是以聖人貴之。自《六經》以下，至於諸子百氏騷人辯士論述，大抵皆將以為寓理之具也。是故理勝者，文不期工而工；理詘者，巧為粉澤，而隙間百出。此猶兩人持牒而訟：直者操筆不待，累累讀之，如破竹橫斜，反復自中節因；曲者雖使假詞於子貢，問字于揚雄，如列五味而不能調和，食之於口，無一可愜，況可使人玩味之乎？故學文之端，急於明理。夫不知為文者，無所復道；如知文而不務理，求文之工，世未嘗有是也。（《四部叢刊》本《張右史文集》）

張氏認爲理勝而文自工，反是，雖巧爲雕飾，也是徒勞無功的。他又認爲經書文字雖奇，乃是自然的趨勢。在同一文裏，他說：

六經之文，莫奇於《易》，莫簡於《春秋》；夫豈以奇與簡為務哉？勢自然耳。傳曰：「吉人之辭寡」，彼豈惡繁而好寡哉？雖欲為繁而不可得也。自唐以來至今，文人好奇者不一，甚者或為缺句斷章，使脈理不屬，又取古書訓詁希於見聞者，衣被而說合之，或得其字，不得其句；或得其句，不知其章，反復咀嚼，卒亦無有，此最文之陋也。足下之文雖不若此，然其意靡靡，似主於奇矣，故預為足下陳之。願無以僕之言質俚而不省也。

這都是崇經崇聖的思想在作祟。至他謂自唐以來文人好奇之作，都不足爲法，却指責得好。

游酢是周敦頤的再傳弟子，其《孫莘老易傳序》云：

晚而成書，辭約而旨明，義直而事核，又將與學者共之；蓋亦先聖之所期，豈徒為章句以自名家而已？

他稱讚孫莘老的文章辭約旨明，不徒以章句名家。可見他是主張重理意而不重辭采的。

黃庭堅《與王觀復書》云：

所送詩，皆興寄高遠；但語生硬，不諧律呂，或詞氣不逮初造意時，此病亦只是讀書未精博耳。長袖善舞，多錢善賈，不虛語也。南陽劉勰，嘗論文章之難云：「意翻空而易奇，文徵實而難工。」此語亦是沈謝輩為儒林宗主時，好作奇語，故後生立論如此。好作奇語，自是文章病；但當以理為主，理得而辭順，文章自然出羣拔萃。觀杜子美到夔州後詩，韓退之自潮州還朝後文章，皆不煩繩削而自合矣。往年嘗請問東坡先生作文之法；東坡云：「但熟讀《禮記·檀弓》，當得之。」既而取《檀弓》二篇讀數百過，然後知後世作文章不及古人之病，如觀日月也。文章蓋自建安以來，好作奇語，故其氣象衰薾。其病至今猶在，唯陳伯玉、韓退之、李習之，近世歐陽永叔、王介甫、蘇子瞻、秦少游，乃無此病耳。

說詩「語生硬，不諧律呂」，似乎是主雕飾；但又認爲「好作奇語，自是文章病」，文「當以理爲主，理得而辭順」，可見他是重理輕文的。他稱賞韓愈的文章，不煩繩削而自合，認爲爲文造語，應出自然，不必求諸雕琢。蘇軾詩云：「文章本天成，妙手自得之。」既說文章出於自然的流露，又何需乎「妙手」始能「自得之」呢？這也許就是山谷所謂「理得而辭順」的意思吧？

陳師道《後山詩話》云：「寧拙無巧，寧樸無華，寧粗無弱，寧僻無俗，詩文皆然。」僻則奇，奇則巧，巧則不拙了；無俗則雅，雅則華，華則不樸了。《後山詩話》大概經過後人所增損，所以前後矛盾，竟到了這樣的地步。

陸游《上辛給事書》云：

君子之有文也，如日月之明，金石之聲，江海之濤瀾，虎豹之炳蔚；必有是實，乃有是文。夫心之所養，發而為言；言之所發，比而成文。人之邪正，至觀其文，則盡矣決矣，不可復隱矣。

（《古典文學研究資料滙編》《陸游卷》）

又云：「……然知文之不容僞也，故務重其身而養其氣。」他主張尙實，「有是實，乃有是文」；注重養氣，重視作家的獨特風格。《答邢司戶書》又云：

近時頗有不利場屋者，退而組織古語，剽裂奇字，大書深刻，以眩世俗。考其實，更出科擧下遠甚，讀之使人面熱。足下謂此等果可言文章乎？（《古典文學研究資料滙編》《陸游卷》）

既主張尙實，自然要痛斥浮巧眩俗的文章了。《陳長翁文集序》說：「或以纖巧摘裂爲文，或以卑陋俚俗爲詩，後生或爲之變而不自知。」前者是指那些「得志者司詔令，垂金石」而作的官書，後者是指那些「流落不偶者，娛憂紓憤」而作的詩文。他力斥以纖巧摘裂而爲文，却又以俚俗語入詩爲卑陋，指出後生者受他們的影響而不自知。語意之間，似乎他對此是深感痛惜的。

黃幹《與辛稼軒侍郎書》，指當世「語文章者多虛浮」，深以爲病。其《黃西坡文集序》說：

善學者先立其本，文詞之末，達而已矣。然本深者，末必茂，不務其本而末焉是先，未見其能工也。（《南宋文範》）

黃幹是朱熹的弟子，他的所謂本，當是指道學的「道」；不過，就修辭論修辭，他認爲文辭是末，只要能達意就好了。他又說：「有本者如是，文辭特餘事耳。」他覺得黃西坡君的文章頗注重辭巧，所以序文的結語說：「予懼讀君之文者，愛其辭不求其本，故爲之言。」

包恢《答曾子華論詩書》云：

世之爲詩者，……蓋本無情，而牽強以起其情，本無意，而妄想以立其意；初非彼有所觸，而此乘之，彼有所擊，而此應之者。故其言愈多而愈浮，詞愈工而愈拙，無以異乎草木之妖聲也。況在心爲志，發言爲詩，今日多不思詩自志出者也。不反求於志，而徒外求於詩，猶表斜而求其影之正也，奚可得哉？志之所至，詩亦至焉，豈苟作者哉？

他批評那些無病呻吟的詩作，言多虛浮，雖辭巧亦於事無補。他以爲詩應自志（思想感情）出，表面的浮華是不足取的。

趙與虤《娛書堂詩話》云：

吾舅嘗論詩云：「文章以意為之主，字語為之役，主強而役弱，則無使不從。世人往往驕其所役，至跋扈難制，甚者反役其主。」可謂深中其病矣。又曰：「以巧為巧，其巧不足；巧拙相濟，則使人不厭。唯甚巧者，乃能就拙為巧。所謂遊戲者，一文一質，道之中也。雕琢太甚，則傷其全；經營過深，則失其本。」……其篤實之論哉！

趙與虤的舅家主張「文章以意爲主……」的一段話，是襲取前人之說，已見於前篇。至論巧拙相濟及雕琢太甚，確是篤實之論。

吳可《藏海詩話》云：

凡裝點者好在外，初讀之似好，再三讀之則無味。要當以意為主，輔之以華麗，則中邊皆甜也。裝點者外腴而中枯故也。或曰秀而不實。晚唐詩失之太巧，只務外華，而氣弱格卑，流為詞體耳。又子由敘陶詩，外枯中膏，質而實綺，癯而實腴，乃是敘意在內者也。

吳可論修辭，主張以意爲主，以華麗爲之輔。這可以說是正統的修辭論。

朱弁《風月堂詩話》亦云：

大抵句無虛辭，必假故實；語無空字，必究所從。拘攣補綴而露斧鑿痕跡者，不可與論自然之妙也。

朱氏論詩，着重故實，强調自然之妙，反對雕鑿。

僧惠洪《冷齋夜話》「老嫗解詩」一則云：「白樂天每作詩，令一老嫗解之，問曰：解否？嫗曰，解，則錄之；不解，則易之。故唐末之詩，近於鄙俚也。」惠洪以爲詩用俗語，老嫗能解，近於鄙俚。同書「詩用方言」一則又云：「句法欲老健，有英氣，當間用方俗言爲妙；如奇男子行人羣中，自然有穎脫。」却主張自然渾成，用俗語，反對雕琢。

元劉壎云：「誠齋先生楊文節公萬里嘗作古賦，然其天才宏縱，多欲出奇，亦間有以文爲戲者，故不錄。」（《隱居通議》卷四）劉氏以楊萬里古賦多奇語，甚至雕琢其章，以文爲戲，便不爲著錄，可見他反對浮巧雕琢是十分明顯的。

三、論消極修辭

論消極修辭的修辭論，在古籍中比較少，這一個時期也不例外。宋范季隨輯《陵陽室中語》記韓子蒼論詩云：

> 凡作詩使人讀第一句知有第二句，讀第二句知有第三句，次第終篇，方為至妙。如老杜「莽莽天涯雨，江村獨立時，不愁巴道路，恐濕漢旌旗，」是也。
>
> 大概作詩要從首至尾，語脈連屬，如有理詞狀。古詩云：「喚婢打鴉兒，莫教枝上啼，啼時驚妾夢，不得到遼西。」可為標準。

這是論消極修辭要依順序、句與句互相銜接和上下文能夠互相照應；換言之，即是結構要嚴密。並且舉了例證。又云：

> 僕嘗請益曰：「下字之用當如何？」公曰：「正如奕棋，三百六十路都有好著，顧臨時如何耳。」
>
> 僕復請曰：「有二字同意而用此字則穩，用彼字則不穩，豈牽於平仄聲律乎？」公曰：「固有二字一意而聲且同，可用此而不可用彼者。選詩云：『亭皋木葉下』，『雲中辨煙樹』，還可作『亭皋樹葉下』，『雲中辨煙木』否？至此唯可默曉，未易言傳耳。」

論用詞切當，有如下棋，須適情應景，隨機應變。又「木」與「樹」同爲仄音，但詩中「木葉」不能易「樹葉」，「煙樹」不能易「煙木」；這不關於聲律，只是慣常使用的語言或約定俗成而已，沒有什麼道理可說。

宋沈存中「夢溪筆談》卷十四《藝文》一云：

> 往歲士人，多尚對偶為文。穆修、張景輩始為平文，當時謂之古文。穆、張嘗同造朝，待旦於東

華門外，方論文次，適見有奔馬踐死一犬，二人各記其事，以較工拙。穆修曰：「馬逸，有黃犬遇蹄而斃。」張景曰：「有犬死奔馬之下。」時文體新變，二人之語皆拙澀，當時已謂之工，傳之至今。

沈存中以爲穆易、張景二人所記，「語皆拙澀」。陳善則以爲《夢溪筆談》所敘「適有奔馬踐死一犬」爲最可取，其《捫虱新話》五云：

文字意同而立語自有工拙。沈存中記穆修、張景二人同造朝，方論文次，適有奔馬踐死一犬，遂相與各記其事，以較工拙。穆修曰：「馬逸，有黃犬遇蹄而斃」。張景曰：「有犬死奔馬之下」。今較此二語，張當為優。然存中但云「適有奔馬踐死一犬」，則又渾成矣。

陳望道先生却以爲「其實張語並不見得優，沈語也不見得怎樣渾成。只因張着眼在犬，沈着眼在馬，各爲一句，穆着眼在犬馬兩物，就此記以兩句罷了。」（《修辭學發凡》第四篇《消極修辭》二）這是談論消極修辭應該分清賓主的問題。陳氏說張着眼在犬，沈着眼在馬，前者以犬爲主，以馬爲賓；後者以馬爲主，以犬爲賓，所以措辭也就不盡相同了。我們正不必以此而分優劣。

宋沈義父《樂府指迷》云：

結句須要放開，含有餘不盡之意，以景結情最好。如清真之「斷腸院落，一帘風絮」；又「掩重關，遍城鐘鼓」之類是也。或以情結尾亦好，往往輕而露，如清真之「天便教人，霎時廝見何妨」。又云（應作如）「夢魂凝想鴛侶」之類，便無意思，亦是詞家病，却不可學也。

這是論結句要有所謂含有餘不盡之意。其一是「以景結情」。所謂以景結情，是寫情的詩文以寫景的句子作結，他學了周邦彥的《瑞龍吟》和《掃花游》兩詞的結句爲例證。其一是「以情結尾」，他學了周邦彥《風流子》一詞的結句爲例證。

還有一種情景互托的結句法，是《樂府指迷》所沒有指出來的，如李之儀（端叔）的《謝池春》詞，「且將此恨，分付庭前柳。」也一樣有所謂含有餘不盡之意的境界。

宋胡仔《苕溪漁隱叢話》後集卷三十九云：

> 苕溪漁隱曰：凡作詩詞要當如常山之蛇，救首救尾，不可偏也。如晁無咎作《中秋洞仙歌辭》，其首云：「青煙冪處，碧海飛金鏡，永夜閑階臥桂影。」固已佳矣。其後云：「待都將許多明付與金樽，投曉共流霞傾盡。更携取胡床上南樓，看玉做人間，素秋千頃。」若此可謂善救首尾者也。至朱希真作《中秋念奴嬌》，則不知出此。其首云：「插天翠柳，被何人推上，一輪明月，照我藤床涼似水，飛入瑤臺銀闕。」亦已佳矣。其後云：「洗盡凡心，滿身清露，冷浸蕭蕭髮，明朝塵世，記取休向人說。」此兩句全無意味，收拾得不佳，遂並全篇氣索然矣。

論作詩須懂得「救首救尾」，前後文意能互相照應，才是好詩。難得的是他能舉出「能知此」與「不能知此」的相反的兩個例證，並加以比較和說明。

元陶宗儀《輟耕錄》亦云：

> 喬夢符（吉）博學多能，以樂府稱。嘗云：「作樂府亦有法，曰：鳳頭、豬肚、豹尾六字是也。」「大概起要美麗，中要浩蕩，結要響亮。尤貴在首尾貫穿，意思清新。」苟能若是，斯可以言樂府矣。

所謂「首尾貫穿，意思淸新」，也是上下文要互相照應、意義要明確的意思，都是消極修辭所應該注意的要件。

還有一個要件是「務去贅語」。宋邵博《聞見後錄》⑤云：

曾南豐讀歐陽公《晝錦堂記》「來治於相」，《真州東園記》「泛以畫舫之舟」二語，皆以為病。（《聞見後錄》十六）

宋周輝《淸波雜志》（五）亦云：「《蘭亭序》『絲竹管弦』⑥或病其說，而歐陽公《眞州東園記》『泛以畫舫之舟』，南豐曾子固亦以爲疑。」絲竹是原料，管弦是製成品，借代修辭法可以原料代製成品，所以絲竹與管弦不必重用。這雖是論消極修辭「務去贅語」，却涉及積極修辭的辭格（借代格）論了。

四、論作家的修辭技巧

朱東潤氏謂唐宋古文家論文，往往不離於道：至蘇氏父子，始能擺脫羈勒，爲文而言文⑦。朱氏所謂爲文而言文，指的是純粹談論作家們的修辭技巧的文章。如蘇洵的《上歐陽內翰書》，便是爲文而言文的一篇修辭論：

執事之文章，天下之人莫不知之。然竊自以為洵之知之特深，愈於天下之人。何者？孟子之文，語約而意盡，不為巉刻斬絕之言，而其鋒不可犯。韓子之文，如長江大河，渾浩流轉，魚鼈蛟龍，萬怪惶惑，而抑遏蔽掩，不使自露，而人望見其淵然之光，蒼然之色，亦自畏避不敢迫視。

執事之文，紆餘委備，往復百折，而條達疏暢，無所間斷，氣盡語極，急言竭論，而容與閑易，無艱難勞苦之態。此三者皆斷然自為一家之文也。惟李翱之文，其味黯然而長，其光油然而幽，俯仰揖讓，有執事之態。陸贄之文，遣言措意，切近得當，有執事之實。而執事之才，又自有過人者。蓋執事之文，非孟子、韓子之文，而歐陽子之文也。（《唐宋文舉要》甲編卷八）

批評孟子、韓愈、李翱、陸贄的文章，以及稱譽歐陽修的文章，都只就他們的修辭技巧，設喻作譬，論其得失，而不涉於爲文所載之道。這種就文論文的修辭論，在魏、晉南北朝是常見的；但在文以載道之說還是盛行的宋代，却是難能可貴的。

蘇軾《書黃子思詩集後》云：

蘇、李之天成，曹、劉之自得，陶、謝之超然，蓋亦至矣；而李太白、杜子美以英瑋絶世之姿，凌跨百代，古今詩人盡廢。然魏晉以來高風絶塵，亦少衰矣。李杜之後，詩人繼作，雖間有遠韻，而才不逮意。獨韋應物、柳宗元發纖穠於簡古，寄至味於淡泊，非餘子所及也。唐末司空圖崎嶇兵亂之閒，而詩文高雅，猶有承平之遺風。（《四部叢刊》本《經進東坡文集事略》）

蘇氏評論各家詩文，重點也放在修辭方面，而不涉於道。

陳師道《後山詩話》云：

退之以文為詩，子瞻以詩為詞，如教坊雷大使之舞，雖極天下之工，要非本色。今代詞手，惟秦七、黃九爾，唐諸人不迨也。

莊、荀皆文士而有學者，其《說劍》、《成相》、《賦》篇，與屈《騷》何異？揚子雲之文，好奇而卒不能奇也，故思苦而詞艱。善為文者因事以出奇。江河之行，順下而已，至其觸山赴谷，風搏物激，然後盡天下之變。子雲惟好奇，故不能奇也。詩欲其好，則不能好矣，王介甫以工，蘇子瞻以新，黃魯直以奇。而子美之詩，奇常工易新陳，莫不好也。

也是純論各家詩文的修辭技巧。不過他說莊子的《說劍》，荀子的《成相》、《賦》篇，「與屈《騷》何異？」却是值得商榷的。莊、荀諸篇，與屈原的《離騷》相較，不論就文章的格調說，或就其所鋪敍的內容說，都不能說是「何異」的。

晁補之（無咎）慕陶淵明的爲人，自號歸來子。《復齋漫錄》載其論詞云：

世言柳耆卿曲俗，非也，如《八聲甘州》云：「漸霜風淒緊，關河冷落，殘照當樓。」此唐人語不減高處矣。歐陽永叔《浣溪紗》云：「堤上游人逐畫船，拍堤春水四垂天，綠楊樓外出秋千。」要皆絕妙，然只一「出」字，自是後人道不到處。東坡詞，人謂多不諧音律，然居士詞⑧，橫放傑出，自是曲中縛不住者。黃魯直間作小詞，固高妙，然不是當家語，自是着腔子唱好詩。晏元獻不蹈襲人語而風調閑雅，如「舞低楊柳樓心月，歌盡桃花扇底風」，知此人不住三家村也。張子野與柳耆卿齊名，而時（瑜案：時字下當有人字）以子野不及耆卿，然子野韻高，是耆卿所乏處。近世以來，作者皆不及秦少游，如「斜陽外，寒鴉數點，流水繞孤村」，雖不識字人，亦知是天生好言語。

晁氏評論宋各詞家的修辭技巧，大體可以說是精當的；所舉例句，尤爲恰切。

葉夢得是晁無咎的外甥，其《書高居實集後》云：

始天下名文章稱無咎、文潛，曰晁張。無咎雄健峻拔，筆力欲挽千鈞；文潛容衍靖深；獨居實之文，氣和而思遠，言約而理暢，超然常出事物之外，而觀者每有餘味，故人以為似文潛。（《南宋文范》）

葉氏評論無咎、文潛、居實三家的作品，是相當精審和公允的。他的《石林詩話》云：

詩語固忌用巧太過，然緣情體物，自有天然工巧，雖巧而不見刻削之痕。老杜「細雨魚兒出，微風燕子斜」，此十字殆無一字虛設。雨細着水面為漚，魚常上浮而淰，若大雨則伏不出。燕體輕弱，風猛則不能勝，惟微風乃受以為勢，故又有「輕燕受風斜」之語。至「穿花蛺蝶深深見，點水蜻蜓款款飛」，「深深」字若無「穿」字，「款款」字若無「點」字，皆無以見其精微如此。然讀之渾然全似未嘗用力，此所以不礙其氣格超勝。使晚唐諸子為之，便當如「魚躍練江拋玉尺，鶯穿絲柳織金梭」體矣。

他論杜詩的修辭，雖不肆意用巧而自有其天然的工巧，並舉例闡釋其詩句無一字虛設，讀之全似渾然未嘗用力，毫無斧鑿的痕跡。葉氏評論詩的修辭，分析入裏，非常細膩，這在宋人詩話中是不可多得的。

張戒《歲寒堂詩話》云：

國朝諸人詩為一等，唐人詩為一等，六朝詩為一等，陶、阮、建安七子、兩漢為一等，《風》《騷》為一等。學者須以次參究，盈科而後進可也。

阮嗣宗詩專以意勝，陶淵明詩專以味勝，曹子建詩專以韵勝，杜子美詩專以氣勝。然意可學也，味亦可學也，若夫韵有高下，氣有強弱，則不可強矣。此韓退之之文，曹子建、杜子美之詩，後世所以莫能及也。世徒見子美詩多粗俗，不知粗俗語在詩句中最難。非粗俗，乃高古之極也。自曹劉死至今一千年，唯子美一人能之。……近世蘇、黃亦喜用俗語，然時用之，亦頗安排勉強，不能如子美胸襟流出也。

張氏論阮籍、陶潛、曹植、杜甫諸家詩的修辭技巧，都只用一個字(意、味、韻、氣)定其優劣。認爲在詩句中用俗語最難，只有杜甫詩用俗語，不見其俗。他也和葉夢得的《石林詩話》一樣，極力推崇杜詩。

敖陶孫，號臞庵，著有《臞庵集》。其《臞翁詩評》云：

因暇日與弟侄輩評古今諸名人詩：魏武帝如幽燕老將，氣韵沉雄。曹子建如三河少年，風流自賞。鮑明遠如饑鷹獨出，奇矯無前。謝康樂如東海揚帆，風日流麗。陶彭澤如絳雲在霄，舒卷自如。王右丞如秋水芙蕖，倚風自笑。韋蘇州如園客獨茧，暗合音徽。孟浩然如洞庭始波，木葉微脱。杜牧之如銅丸走坂，駿馬注坡。白樂天如山東老課農桑，言言皆實。元微之如李龜年說天寶遺事，貌悴而神不傷。劉夢得如鏤冰雕瓊，流光自照。李太白如劉安鷄犬，遺響白雲，核其歸存，恍無定處。韓退之如囊沙背水，惟韓信獨能。李長吉如武帝食露盤，無補多欲。孟東野如埋泉斷劍，臥壑寒松。張籍如優工行鄉飲，醻獻秩如，時有詼氣。柳子厚如高秋獨眺，霽晚孤吹。李義山如百寶流蘇，千絲鐵網，綺密瑰妍，要非適用。本朝蘇東坡如屈注天潢，倒連滄海，變眩百怪，終歸雄渾。歐公如四瑚八璉，止可施之宗廟。荆公如鄧艾縋兵入蜀，要以險絶爲功。山谷如陶弘景祇詔入宮，析理談玄，而松風之夢故在。梅聖俞如關河放溜，瞬息無聲。秦少游如時女步春，終傷婉弱。後山如九皋獨唳，深林孤芳，沖寂自妍，不求識賞。韓子蒼如梨園按樂，排比得倫。呂居仁如散聖安禪，自能奇逸。其他作者，未易殫陳。獨唐杜工部，如周公制作，後世莫能擬議。（《詩人玉屑》卷二）

全文用譬喻的修辭法，一氣呵成，評論魏晉以來各家的作品多半恰當；至於與敖氏同代（宋）的作家，如蘇軾、歐陽修、王安石、黃山谷、梅聖俞、陳師道、韓子蒼、呂居仁等都在評論之列；最後則獨推崇杜甫，謂「後世莫能擬議」。其推崇杜詩，更有甚於葉、張二子。

五、第一部修辭學的專著——《文則》

一九六四年，我在拙著《中國修辭學的變遷》一書裏，曾指出陳騤的《文則》，是中國最早的一部專談修辭而又比較有系統的著作。現在還沒有發現別的修辭專著比它更早。《文則》成書於孝宗乾道六年（一一七〇），離現在已經八百餘年了。「文則」的意義，據作者的自序說：「古人之文，其則著矣，因號曰《文則》。」他雖自謙「蓋將所以自則」，其實書中所論，是大可以「示人以爲則」的。現在將全書重分爲五項（即：一、論文體與修辭，二、論消極修辭，三、論語法與修辭，四、論積極修辭——辭格，五、談風格），論述於後。《文則》辛第一條云：

春秋之時，王道雖微，文風未殄，森羅辭翰，備括規摹。考諸《左氏》，摘其英華，別為八體，各系本文：一曰命婉而當，二曰誓謹而嚴，三曰盟約而信，四曰禱切而愨，五曰諫和而直，六曰讓（疑應作議）辨而正，七曰書達而法，八曰對美而敏。作者觀之，庶知古人之大全也。

自從曹丕的《典論・論文》第一次提到了文體與修辭的關係，各種不同的文體有各種不同的修辭準則之後，陸機的《文賦》，李充的《翰林論》，蕭統的《文選序》，劉勰的《文心雕龍》以及唐元稹的《白氏長慶集序》，宋周必大的《皇朝文鑑序》，都曾論到文體與修辭的關係和各種文體的修辭標準。《文則》所論，雖限於《左傳》一書所載的八體，然其例句多引自《尙書》，簡賅精當，實不在《典論・論文》之下；所舉八體，附以例證，都是《典論・論文》所沒有做到的。

《文則》論消極修辭的地方尤多，如甲第三條云：

夫樂奏而不和，樂不可聞；文作而不協，文不可誦。文協尚矣！是以古人之文，發於自然，其協亦自然；後世之文，出於有意，其協也亦有意。

他認爲文章出於自然，文辭也自然和協，即「意與言會，言隨意遣」；如果出於有意，便是故意雕飾、矯揉造作了。他是反對雕飾的。

戊第一條又云：

《禮記》之文，始自後蒼，成於戴聖，非純格言，間有淺語。如「掩口而對」，「毋投與狗骨」，「羹之有菜者用挾」，「男女相答拜也」，「癢不敢搔」，「衣裳綻裂」，「年未滿五十」，「取婦之家」，「嫂不撫叔，叔不撫嫂」，若此等語，雖在曲妨人情，然少施斫削。

他指出《禮記》也有用淺近俗語，而這些淺近俗語是「少施斫削的」。

談論到消極修辭所應注意的事項，陳氏主張用當代的語文來寫作。他說：

古人之文，用古人之言也。古人之言，後世不能盡識，非得訓切，殆不可讀。如登崤險，一步九嘆。既而強學焉，搜摘古語，撰敍今事，殆如昔人所謂大家婢學夫人，舉止羞澀，終不似真也。

（《文則》甲第八條）

他以爲古人之文，本來是用古人的話寫下來的，但由於時代不同，言語演變，所以在當時是常語，而後人却視爲艱深之文；因此他反對「搜摘古語，撰敍今事」，這話是符合於進化的觀點和大衆的要求的；其說出自漢王充的《論衡》，晉葛洪的《抱朴子》已經覆述在先，陳氏不過加以闡發罷了。

《文則》乙第四條云：

夫文有病辭，有疑辭。病辭者，讀其辭則病，究其意則安，如《曲禮》曰：「猩猩能言，不離禽獸。」《繫辭》曰：「潤之以風雨。」蓋禽字於猩猩為病，潤字於風為病也。疑辭者，讀其辭則疑，究其意則斷，如《何彼穠矣》曰：「平王之孫。」《檀弓》曰：「容居魯人也。」蓋平王疑為東遷之平王，魯人疑為魯國之人也。凡觀此文，可不深考？

他的所謂病辭是：看起來好像有毛病，但究其意則是平穩妥當的。如「凡可擒者，皆謂之禽。」將猩猩也包括在禽獸之列；又以爲「凡物氣和則潤，先言潤，則風之和可知矣。」這樣的解說是很勉强的。陳望道先生以爲上引《禮記・曲禮》和《易・繫辭》的話，都是上下文欠照應的，因爲風不能潤、猩猩非禽⑨。其實，這都是偏義複詞，並不是什麼欠照應。禽獸是複詞，偏取獸義；風雨是複詞，偏取雨義。關於偏義複詞的應用，我在本書的附論將有比較詳細的論述，這裏不多說了。

至於疑辭，是容易使人發生歧解的。陳望道先生說得好：要使話語文章的意義明確，「就是要寫說者把意思分明地顯現在語言文字上，毫不含混，絕無歧解。」⑩《文則》所舉的兩個例句，是會使人發生歧解的，注引《毛傳》云：「平，正也，指文王，言能正天下之王也。」又引鄭康成云：「魯，鈍也。」但前者却使人疑爲東遷之平王，後者却使人疑爲魯國之人。

陳騤說：「凡觀此文（指這一類的疑辭），可不深究？」這是站在讀者方面來說；如果站在作者方面說，就是寫作之前，要十分小心，極力避免使用那些足以使人發生歧解的疑辭。

《文則》乙第五條云：「辭以意爲主，故辭有緩有急，有輕有重，皆生乎意也。」他以爲辭的緩急輕重，須視適情應景的需要，應緩則緩，應急則急，應輕則輕，應重則重。一切都由意而生，辭須爲意而作。他是反對因辭害意的。

《文則》丁第五條云：

載事之文，有先事而斷以起事也，有後事而斷以盡事也。如《左氏傳》欲載晉靈公厚斂雕墻，必先言「晉靈公不君」；《公羊傳》欲載楚靈王作乾溪臺，必先言「靈王為無道」；《中庸》欲言舜好問而好察邇言，亦先曰「舜其大智也與」；《孟子》欲言梁惠王以其所不愛及其所愛，亦先曰「不仁哉梁惠王也」。若此類，皆先斷以起事也。如《左氏傳》載晉文公教民而用，卒言之曰：「一戰而霸，文之教也。」又載晉悼公賜魏絳和戎樂，卒言之曰：「魏絳於是乎始有金石之樂，禮也。」若此類皆後斷以盡事也。

所謂「先事而斷以起事」，與「後事而斷以盡事」，其實都是指上下文須相銜接，相貫串。是消極修辭所應注意的事項。

《文則》戊第四條云：

《儀禮》，周家之制也，事涉威儀，文苦而難讀。《鄉黨》，孔門之記也，言關訓則，文婉而易觀。今略摘《儀禮》之文，證以《鄉黨》，昭然辨矣。

「執圭，入門，鞠躬焉，如恐失之。」（《鄉黨》曰：『執圭，鞠躬如也，如不勝。』）「下階，發氣，怡焉，再三舉足，又趨。」（《鄉黨》曰：『出，降一等，逞顏色，怡怡如也，沒階趨，進，翼如也。』）「及享，發氣焉，盈容。」（《鄉黨》曰：『享禮，有容色。』）「賓出，公再拜送，賓不顧。」（《鄉黨》曰：『賓退，必復命曰，賓不顧矣。』）「若君賜之食，君祭先飯。」（《鄉黨》曰：『侍食於君，君祭先飯。』）

《禮記》與《論語》寫作的目的既不同，修辭的方法也因而而互異；修辭的方法既然互異，那麼讀者的感受也就有「文苦而難讀」與「文婉而易觀」之別了。

戊第十條云：

古語曰：「黶子在頰則好，在顙則醜。」言有宜也。自晉以降，操觚含毫之士，喜學經語者多矣，且如孫盛著史，書曰：「某年春帝正月。」（謂盛作《魏晉陽秋》也。且《春秋》書『王正月』，示魯侯用周天子正朔，曹馬躬有天下，不當書『帝正月』。）謝惠連作賦，乃曰：「雪之時義遠矣哉。」（謂惠連作《雪賦》也，按《易》卦義深者，以此語贊之。大抵文士雪月之咏，非所當也。）此蓋不知黶子在顙之為醜也。

《文則》論修辭最膾炙人口的，就是「黶子在頰則好，在顙則醜」這一句話。同是一粒黑痣，如果生在頰上，便覺得美好，如果生在額上，便覺得醜了。這是說：同是一個辭兒，如果用在適當的地方，便覺得好，如果用在不適當的地方，便覺得不好了。

他又以為文章語句的長短，須視適情應景的需要而定。他說：「鳧頸雖短，續之則憂；鶴頸雖長，斷之則悲。《檀弓》文句，長短有法，不可增損，其類是哉。」（《文則》己第二條）應短則短，不可衍長；應長則長，不可截短。長短有法，如《檀弓》的文句者是。他又以爲句法的長短與寫作的目的有關，《文則》己第五條說：

《春秋》文句，長者逾三十餘言，短者止於一言。（如季孫行父、臧孫許、叔孫僑如、公孫嬰齊帥師會晉郤克、衞孫良父、曹公子首，及齊侯戰於鞌之類，是長句也。如『螽』之類，是短句也。）《詩》之文句，長不逾八言，短者不減二言。（八言者，如『我不敢效我友自逸』之類是也。摯虞云：『《詩》有九言，「泂酌彼行潦挹彼注茲」是也。』二言者，若『肇禋』之類。）《春秋》主於褒貶，《詩》則本於美刺，立言之間，莫不有法。

他認爲《春秋》主於褒貶，故文句長者逾三十餘言，短者止於一言；《詩》則本於美刺，故文句長不逾八言，短者不減二言。並據此以爲「立言之間，莫不有法。」其實，陳騤的這一論據是站不住的，他的所謂「法」是不科學的。褒貶之句未必便需長則極長，短則止於一字；美刺之句也不必便長則不過八言，短則不少於兩字。句子的長短與寫作的目的關係較小，與文章體裁的關係較大，《春秋》是散文，故文句一般較長，《詩經》是詩，故文句一般較短。

《文則》丁第四條云：

數人行事，其體有三：或先總而後數之，如孔子謂「子產有君子之道四焉：其行己也恭，其事上也敬，其養民也惠，其使民也義。」此類是也。或先數之而後總之，如子產數鄭公孫黑曰：「爾有亂心無厭，國不女堪，專伐伯有，而罪一也；昆弟爭室，而罪二也；董隧之盟，女矯君位，而罪三也。有死罪三，何以堪之。」此類是也。或先既總之而後復總之，如孔子言「臧文仲其不仁者三，不知者三：下展禽，廢六關，妾織蒲，三不仁也；作虛器，縱逆祀，祀爰居，三不知也。」此類是也。

所謂「先總而後數之」，是先提綱挈領，然後在下文分別敍述；所謂「先數之而後總之」，是先分別敍述，然後總結上文；所謂「先既總之而後復總之」，是先提綱，在分別敍述之後，再行總結上文。善爲文者須視情景的需要而決定應該採用哪一種修辭法；或在一文之中，遇到需要採用這一類的修辭法不止一種的時候，將上舉三種不同的修辭法，輪流採用，使有錯綜變化之妙。

《文則》庚第一條云：

文有數句用一類字，所以壯文勢，廣文義也。然皆有法。韓退之為古文伯，於此法尤加意焉。如《賀册尊號表》用「之謂」字，蓋取《易・繫辭》；《畫記》用「者」字，蓋取《考工記》；《南山詩》用「或」字，蓋取《詩・北山》。悉注於後，孰謂退之自作古哉？

或法。（《詩・北山》曰：「或燕燕居息，或盡瘁事國；或息偃在床，或不已於行；或不知叫號，或慘慘劬勞；或栖遲偃仰，或王事鞅掌；或湛樂飲酒，或慘慘畏咎；或出入風議，或靡事不為。」退之《南山詩》云：「或連若相從，或蹙若相鬥，或妥若弭伏，或竦若驚雊，或散若瓦解，或赴若輻輳，或翩若盤游，或決若馬驟。」皆廣《北山》「或」字法而用之也。《老子》曰：「故物或行或隨，或呴或吹，或強或羸，或載或隳。又一法也。）

者法。（《考工記》曰：「脂者，膏者，臝者，羽者，鱗者。」又曰：「以脰鳴者，以注鳴者，以旁鳴者，以翼鳴者，以股鳴者，以胸鳴者。」《莊子》曰：「激者，謞者，叱者，吸者，叫者，譹者，宎者，咬者。」韓退之《畫記》云：《行者，牽者，奔者，涉者，陸者，翹者，顧者，鳴者，寢者，訛者，立者，齕者，飲者，溲者，陟者，降者。」凡此用「者」字，其原出於《考工記》及《莊子》法也。）

之謂法。（《繫辭》曰：「富有之謂大業，日新之謂盛德，生生之謂易，成象之謂乾，效法之謂坤，極數知來之謂占，通變之謂事，陰陽不測之謂神。」韓退之《賀册尊號表》云：「臣聞體仁以長人之謂元，發而中節之謂和，無所不通之謂聖，妙而無方之謂神，經緯天地之謂文，戡定禍亂之謂武，先天不違之謂法天，道濟天下之謂應道。」蓋取《易・繫辭》也。）

陳氏在「之謂法」以下，一連再舉了四十二法，共計四十五法，其中絕大多數都是關於虛字的用法。但陳氏只是列舉例證，很少說到應用的方法，這在當時已是少有人能做得到了。虛字本屬於語法的範圍，但陳氏談到文章裏數句用同一類字，其目的是在加强文章的氣勢，和擴大文辭的意義，這就涉及修辭的理論了。所以說《文則》在這一條裏所論的，是語法修辭的結合論，也未嘗不可。這裏只錄其與韓愈的《南山詩》、《畫記》、《賀册尊號表》有關的「或法」「者法」「之謂法」等三種法。他認爲退之的《南山詩》，數句連用或字，是廣《北山》「或」字法而用之，《畫記》連用「者」字，其原出於《考工記》及《莊子》，《賀册尊號表》連用「之謂」，蓋取自《易・繫辭》。但沒有說到這些字和辭在文句裏的功用。丁傳靖輯《宋人軼事滙編》卷十一范鎮第五十六引《曲洧舊聞》云：

范忠文公在蜀，始為薛簡肅公所知，及來中州，人未有知者，初與二宋相見，二宋亦莫之異。一日，相約結課，以「長嘯却胡騎」為題，公賦成，二宋讀之，不敢出所作；既而謂公曰：君賦極佳，但破題兩句無頓挫之功，每句之內各添一「者」如何？公欣然從之。

像《曲洧舊聞》所述的那樣，指出在句子之內，加上『者』字，有頓挫之功。這才是修辭學所要求的。《文則》將語法與修辭結合着而論述的，還有乙第一條，云：

文有助辭，猶禮之有儐，樂之有相也。禮無儐則不行，樂無相則不諧，文無助則不順。（唐有杜溫夫者，爲文不識助辭疑之之辭如『耶』『乎』之類，決之之辭如『耳』『矣』之類，皆一用之，柳宗元所以深言其病，不可不知。）《檀弓》曰：「勿之有悔焉耳矣。」《孟子》曰：「寡人盡心焉耳矣。」《檀弓》曰：「我吊也與哉。」《左氏傳》曰：「獨吾君也乎哉。」凡此一句而三字連助，不嫌其多也。《左氏傳》曰：「其有以知之矣。」又曰：「其無乃是也乎。」此二者，六字成句，而四字為助，亦不嫌其多也。《檀弓》曰：「南宮縚之妻之姑之喪。」《樂記》曰：「不知手之舞之足之蹈之也。」凡此不嫌用之字為多。《禮記》曰：「言則大矣美矣盛矣。」此不嫌用矣字為多。《檀弓》曰：「美哉奐焉。」《論語》曰：「富哉言乎。」凡此四字成句，而助辭半之，不如是文不健也。（司馬長卿《封禪文》曰：『遐哉邈乎』，此雖知助辭，而『遐』『邈』同義，又失矣。）《左氏》曰：「美哉泱泱乎，大風也哉，表東海者，其太公乎，國未可量也。」此文每句終用助，讀之殊無齟齬艱辛之態。《左氏傳》曰：「以三軍軍其前。」欲見下軍字有陳列之意，則當用其字為有力。《公羊傳》曰：「入其大門，則無人門焉者。」欲見下門字有守禦之意，則當用焉者字為有力。

他先論文章如無助詞，則語氣不通順，繼擧《禮記》、《孟子》、《左傳》的句子爲例，以證明用助詞不厭其多——甚至有的句子只有六個字成句，助詞却佔了四個字，也不嫌其多。又論述之字矣字不嫌多用，甚至句句都用助詞，讀之也毫無齟齬艱辛之態。最後，陳氏學《左傳》「以三軍軍其前」爲例，指出下一個軍字名詞作動詞用，有陳列之意，則其下當用其字爲有力；又學《公羊傳》「入其大門，則無人門焉者」爲例，指出下一個門字也是名詞用如動詞，有守衞之意，則其下當用焉者二字爲有力。這兩個例句中的後一個「軍」字和「門」字，都是將名詞作動詞使用，是詞的變性和活用，是屬於語法的範圍；但陳騤說到「則其下當用某字爲有力」，這就兼論到修辭了，所以也可說是語法修辭的結合論。陳望道先生的《修辭學發凡》第七篇積極修辭三有一個辭格叫「轉品」，從所學的例句和說明文字看來，都只是談到了詞的變性和活用，不出於語法的範疇；只有學《太平廣記》二百四十五所引《啓顏錄》：

晉王戎妻語戎為卿。戎謂曰：「婦那得卿婿？於禮不順。」答曰：「我親卿愛卿，是以卿卿；我不卿卿，誰當卿卿？」

陳先生說「這裏三個卿卿，下面一個卿字都是代詞，上面一個卿字都是轉品的動詞。用法也極尋常，但因用得合拍，便覺異常生動，終至歷代流傳爲親昵的稱謂。」才稍稍涉及修辭。要如《文則》上學最後的兩個例子，在指出變性的詞義之後，兼論及上下文氣及其與變性的詞的修辭關係，才是兼論修辭而不是只論語法的。

還有己第六條，也是兼論語法與修辭的：

詩人之用助詞，辭必多用韵。……《禮記》非詩人之文，助詞之上，亦有韵協。如曰「禮行於郊，而百神受職焉；禮行於社，而百貨可極焉；禮行於祖廟，而孝慈服焉；禮行於五祀，而正法則焉。」此則用「焉」詞，而「職」「極」「服」「則」為協。

他論助詞兼及辭的聲調協韵。正如陳望道先生所說：「辭的音調是利用語言文字的聲音以增飾語辭的情趣所形成的現象。辭的音調，也和語辭的風味一樣，——甚或在語辭的風味以上，爲過去的許多執筆者所留心講究。⑪」這裏《文則》所論的，仍是語法修辭的結合論。

郭紹虞先生認爲《文則》中的語法修辭結合論，頗受黃徹《䂬溪詩話》的影響，他說：

惟黃氏此書獨能在詩格詩例方面，另出手法，以創為語法修辭之規律，則事屬首創，其功有不容湮沒者矣。蓋黃氏飽學，能觀其通，能窺其微，故蹊徑獨闢，固非一般作詩格詩例者所可比矣。彥和《文心》，始發其緒；知幾《史通》又加廣焉。日人遍照金剛《文鏡秘府論》薈萃衆說，綱舉目張，庶幾粗具規模，然精粗雜糅，未能盡脫唐人之見，可知篳路藍縷，其功匪易。黃氏繼之，獨能於詩學創立類例，精詣卓識，此正人所難及之處。稍後陳騤《文則》，殆深受其影響，而終惜其後繼無人也。（《宋詩話考》上卷）

《文則》論辭格的地方也不少，而且所論多很精當。如甲第二條論仿擬云：

或曰：《六經》創意，皆不相師。試探精微，足明詭說。

他不同意《六經》各自創意，不相仿擬的說法。接着，他爲舉《詩·小旻》篇，指其意師自《書·洪范》；又舉《詩·楚茨》四章，指其意師於《儀禮》。他以爲仿擬的修辭法，由來已久，自從上古的《書經》，已有相互仿擬的情形了。並且舉出了例證。

可是，在庚第二條裏，他却自己否定了前面所說過的話：

大抵經傳之文，有相類者，非固出於蹈襲，實理之所在，不約而同也。略條於後，則可推矣。《

詩》曰：「禮義不愆，何恤於人言。」《左氏傳》載士蘇稱諺曰：「心苟無瑕，何恤乎無家。」《詩》曰：「謂予不信，有如皦日。」《左氏傳》載公子重耳曰：「所不與舅氏同心者，有如白水。」《詩》曰：「不憖遺一老，俾屏予一人以在位。」此不約而同，一也。《左氏傳》曰：「晉韓起聘魯，觀書於太史氏，見《易象》與《魯春秋》，曰：『周禮盡在魯矣。吾乃今知周公之德與周之所以王也。』」《家語》曰：「孔子適周，歷郊社之所，考明堂之則，察廟朝之度，於是喟然曰：『吾乃今知周公之聖與周之所以王也。』」此不約而同，二也。《左氏傳》曰：「晉侯疾病，求醫於秦，秦伯使醫緩為之，醫至，曰：『疾不可為也，在肓之上，膏之下。』」《戰國策》曰：「扁鵲見秦武王，武王示之病，扁鵲請除左右，曰：『君之病在耳之前，目之下。』」此不約而同，三也。《左氏傳》載周子曰：「二三子用我，今日，否，亦今日。」《國語》載吳王曰：「孤之事君，在今日，不得事君，亦在今日。」此不約而同，四也。《國語》載觀射父曰：「先王之祀也，以一純、二精、三牲、四時、五色、六律、七事、八種、九祭、十日、十二辰以致之。」《左氏傳》載晏子曰：「先王之濟五味，和五聲，以平其心成其政也。聲亦如味，一氣、二體、三類、四物、五聲、六律、七音、八風、九歌以相成也。」此不約而同，五也。《考工記》曰：「柘為上，杞次之，檿桑次之，橘次之，木瓜次之，荊次之。」《禮器》曰：「禮，時為大，順次之，體次之，宜次之，稱次之。」此不約而同，六也。

先以為經傳之文，互相仿擬；這裏却又認為經傳之相類，並不是出於蹈襲，而是理之所在，不約而同的。

《文則》甲第四條論省略的修辭法云：

且事以簡為上，言以簡為當。言以載事，文以著言，則文貴其簡也。文簡而理周，斯得其簡也。讀之疑有闕焉，非簡也，疏也。《春秋》書曰：「隕石於宋五。」《公羊傳》曰：「聞其磌然，視之則石，察之則五。」《公羊》之義，經以五字盡之，是簡之難者也。劉向載泄冶之言曰：「夫上之化下，猶風靡草，東風則草靡而西，西風則草靡而東，在風所由，而草為之靡。」此用三十有二言而意方顯；及觀《論語》曰：「君子之德風，小人之德草，草上之風必偃。」此減泄冶之言半，而意亦顯。又觀《書》曰：「爾惟風，下民惟草。」此復減《論語》九言而意愈顯。吾故曰是簡之難者也。

他指出簡與疏的不同，並舉簡與不簡之例：同記一件事，《公羊傳》用了十二個字，但《春秋經》却以五個字盡之。《公羊傳》是用問答體解經的，用字當然要比經書的原文多。其實《文則》所引，於「聞其磌然」之上，還漏去了「隕石記聞」四個字；如果再加上前面的問辭：「曷爲先言隕，而後言石？」則總共有二十五個字，爲經書原文的五倍。唐劉知幾的《史通‧敍事》篇談到這件事主張用字須「求諸折中，簡要合理」，與陳騤所說的「文簡而理周，斯得其理」，大致是相同的。又甲第五條云：

文之作也，以載事為難，事之載也，以蓄意為工。觀《左氏傳》載晉敗於邲之事，但云：「中軍、下軍爭舟，舟中之指可掬。」則攀舟亂刀斷指之意自蓄其中。《公羊傳》載秦敗於殽之事，但云：「匹馬隻輪無反者。」則要擊之意自蓄其中。若《公羊傳》載齊使人迓郤克臧孫之事，則曰：「客或跛或眇，齊使跛者迓跛者，眇者迓眇者。」《孟子》載天下歸舜之事，則曰：「天下諸侯朝覲者，不之堯之子而之舜，謳歌者不謳歌堯之子而謳歌舜。」凡此則意隨語竭，不容致思。

他的所謂蓄意，是蓄其意而略其文，實質上是論省略或節縮的修辭法。按楚軍圍鄭，晉師救鄭，欲敗楚服鄭，事見《左傳》宣公十二年。當楚師北移，師次於郔的時候，晉師則在敖、鄗二山（皆在今河南滎澤縣境地）之間；後來楚軍突然對晉軍發動攻勢，「桓子不知所爲，鼓於軍中曰：『先濟者有賞。』中軍、下軍爭舟，舟中之指可掬也。」這一役晉軍保存實力撤退，並沒有被打敗，《左傳》這樣的記載着：「殿其卒而退，不敗。」「楚師軍於邲，晉之移師不能軍」，是稍後的事。《文則》說晉敗於邲在爭舟一役是錯誤的。由於先濟者不但得以保全性命，而且還有賞，兵士們遂爭奪而登舟，互相斫斷對方的手指，不讓他人捷足先登，結果舟中之指可掬。有些《左傳》的注解家，說是二軍（晉、楚）爭舟先濟；但從文意和文勢看來，爭舟者實在只是晉軍的中軍和下軍，由下文「晉師右移，上軍未動」可以看得出來。《左傳》的作者略去攀舟亂刀斷指而不表，只將爭舟的結果寫了下來，讀者自可想見斫指的情狀，這省略的修辭法被《文則》的作者所賞識，贊爲「蓄意之工」，並援引作爲例證。

金王若虛的《滹南遺老集》，提到《左傳》的這一省略修辭例的時候，却不以爲然。他說：

> 左氏書晉敗於邲，軍士爭舟，舟中之指可掬。《獻帝紀》云：帝渡河，不得渡者皆爭攀船，船上人以刃擽斷其指，舟中之指可掬。劉子玄稱丘明之體，文雖缺略，理甚昭著，不言攀舟以刃斷指，而讀者自見其事。予謂此亦太簡，意終不完，未若《獻帝紀》之為是也。（《滹南遺老集》卷三十四）

劉知幾的《史通》，認爲《左傳》雖不言以刃斷指，而讀者自見。王氏不贊同《史通》與《文則》對《

左傳》的稱許，認為《左傳》文字太簡，意思未盡，還是《史記》的記載來得好。至如《公羊傳》⑫載齊使人迓郤克臧孫之事，《孟子》載天下歸舜之事，陳氏以為意隨語竭，都不足取。《史通・敘事》篇已言之在先了。

《文則》戊第七條云：

子曰：「為命，裨諶草創之，世叔討論之，行人子羽修飾之，東里子產潤色之。」質之《左氏》，則此文簡而整。（《左氏傳》曰：「裨諶能謀，謀於野則獲，謀於邑則否。鄭國將有諸侯之事，子產乃問四國之為子羽，且使多為辭令，與裨諶乘以適野，使謀可否，而告馮簡子，使斷之，事成，乃授子太叔使行之，以應對賓客。」）子曰：「孟之反不伐，奔而殿，將入門，策其馬，曰：『非敢後也，馬不進也。』」質之《左氏》，則此文緩而周。（《左氏傳》曰：「孟之側後入，以為殿，抽矢策其馬曰：『馬不進也。』」）「南容三復白圭」，司馬遷則曰：「三復白圭之玷。」辭雖備，而其意竭矣。「在邦必達，在家必達」，司馬遷則曰：「在邦及家必達。」辭雖約，而其意疏矣。

陳氏舉《論語》與《左傳》記載同一件事而比較其文字的詳略優劣，認為《論語》簡而整，緩而周，比《左氏》高明；又舉《論語》的文字與《史記》相較，以為《史記》非辭備意竭，則辭約意疏。陳氏又認為《論語》雖是羣弟子所記，疑其已經「聖人」之手，故其文字詳亦佳，簡亦佳，若《史記》則詳亦不是簡亦不是了。《史記》的修辭，固有許多欠妥之處，但「三復白圭之玷」決不會比「三復白圭」不高明。這里白圭當指白玉，不是《貨殖列傳》所載的治生之祖（人名）。玷是玉的瑕疵，《詩・大雅・抑》云：「白圭之玷，尚可磨也。」故「三復白圭之玷」實比「三復白圭」之義長，《文則》所論，是欠公允的。

同記一事而比較其文字之詳略優劣者，尚有己第一條云：「觀《檀弓》之載事，言簡而不疏，旨深而不晦，雖《左氏》之富艷，敢奮飛於前乎。」陳騤舉了一個例子：

> 世子申生為驪姬所譖，或令辯之。《左氏》載其事，則曰：『或謂太子：「子辭，君必辯焉。」太子曰：「君非姬氏，居不安，食不飽。我辭，姬必有罪。君老矣，吾又不樂。」』《檀弓》則曰：『「子盍言子之志於公乎？」世子曰：「不可，君安驪姬，是我傷公之心也。」』考此，則《檀弓》為優。（《穀梁傳》載其事曰：『世子之傅里克謂世子曰：「入自明。入自明，則可以生；不入自明，則不可以生。」世子曰：「吾君已老矣，已昏矣，吾若此而入自明，則驪姬必死，驪姬死，則吾君不安。」』若此文，非惟不及《檀弓》，亦不及《左氏》矣。）

陳氏以爲《檀弓》之文優於《左傳》，而《穀梁傳》的記載最差。話是不錯的，但只說優和不及，沒有指出其優點和不及之處，不夠具體。以《左傳》與《檀弓》同記一事爲例，《左傳》載「君非姬氏，居不安，食不飽」。《檀弓》但云：「君安驪姬」，是簡而明；《左傳》載「我辭，姬必有罪。君老矣，吾又不樂。」《檀弓》但云：「是我傷公之心也。」是，等於上文言其志於公的省略，是用一個字代表了上文「子盍言子之志於公乎」，其意若曰：如我言我之志於公……，接下去用「傷公之心」四個字，也比《左傳》所載十三字簡單明了。這就是陳氏認爲《檀弓》文字優於《左傳》的地方。

《文則》丙第四條云：

> 《左氏傳》載諸國燕饗賦《詩》之事，但云賦某《詩》，或云賦某《詩》之卒章，皆不載《詩》

文，而意自具。其曰「賦《棠棣》之七章以卒」，則知賦七章以卒盡八章也。其曰「在《揚水》卒章之四矣」，則知取「我聞有命」也。《左氏》於此等文，最為得體。

這是論省略兼論引用的修辭法，《左傳》引《詩》只是引其題目，而略去原文，陳氏認爲這「最爲得體」。

《文則》丙第二條云：

凡伯刺厲之詩，而曰「先民有言」，（《板》三章曰：『先民有言，詢於蒭蕘。』鄭康成云：『此古賢者有言也。』）吉甫美宣之詩，而曰「人亦有言」，（《烝民》五章曰：『人亦有言，柔則茹之，剛則吐之。』此亦謂前人有言如此。）胤侯之征，乃舉《政典》，（《政典》曰：「先時者殺無赦，不及時者殺無赦。』孔安國云：『《政典》，夏后爲政之典籍。』）盤庚之告，亦載遲任，（遲任有言曰：『人惟求舊，器非求舊，惟新』。孔安國云：『遲任，古賢人。』）或稱古人言，（《秦誓》曰：『古人有言曰：「撫我則后，虐我則仇。」』此類是也。）是皆有所援也。《詩》、《書》而降，傳記籍籍，援引之言，不可具載。且左氏採諸國之事以為經傳，戴氏集諸儒之篇以成禮志，援引《詩》、《書》，莫不有法。推而論之，蓋有二端：一以斷行事，二以證立言。二者又各分三體。

他指出《詩經》引用古人成語，或作「先民有言」，或作「人亦有言」，或稱「古人言」，都舉了例證。又指出《左傳》和《禮記》援引《詩經》和《書經》，莫不有法：其一是以斷行事，其二是以證立言。以斷行事，是以斷語論證事物，又分爲三體：其一體是獨引《詩經》的一句詩以斷之；其二體是共引《詩經》的數句詩以合斷之；其三體是「既引詩文，又釋其義以斷之」。以證立言，是根據所學的例證而立論，也分爲三體：其一體是「採綜羣言，以盡其義」；其二體是「言終引證」（先論述然後引證）；其三體是「斷析本文，以成其言」（將引語融化在自己的言語中，作爲自己言語的一部分，以爲斷析。）《文則》所述以上各體的修辭法，都舉了例證。

《文則》戊第九條云：

語出於己，作之固難，語借於古，用亦不易。觀歷代雕蟲小技之士，借古語以成篇章者，紛紛籍籍，試陳一二，以鑒後來。張茂先《勵志詩》曰：「德輶如羽。」又曰：「熠耀宵流。」雖變二字，以協音韻，而不知詩人言「行」有緩飛之意，言「毛」有至輕之喩。應吉甫《華林集詩》有曰：「文武之道，厥猷未墜。」既言「之道」，復綴「厥猷」，此所謂屋下架屋者歟。陸倕《石銘闕》曰：「惟王建國，正位辨方。」遂令「辨方」後於「正位」，所謂轉衣為裳者歟。

這是論引用成語不容改易。如張茂先作詩援引《詩經》的句子，易「德輶如毛」爲「德輶如羽」，改「熠耀宵行」爲「熠耀宵流」，雖是爲了協韻，却失去了詩人的本意了。其實這是解《詩》不同所引起的爭論。「熠耀宵行」語出《詩・豳風・東山》篇，朱熹《集傳》以爲熠耀是燐，是螢火。茂先釋詩與《集傳》合，以爲熠耀是燐，於宵夜流光，故易作流，淸陳奐《詩毛氏傳疏》云：「此章熠耀，《傳》謂燐之光，當是相傳古說；下章言「倉庚于飛，熠耀其羽」，則熠耀又爲鳥羽之光明矣。」陳槃解詩，與《傳》疏合，以爲熠耀乃鳥羽之光，言行有緩飛之意，故責茂先易行爲流之失當。

陳氏又指出應吉甫《華林集詩》，既言「之道」，復綴「厥猷」，這是意義重複，因爲「猷」的意義也是「道」。又責陸倕《石闕銘》將「辨方」和「正位」倒置，是所謂轉衣爲裳。古時候不論男女，上半身穿的都叫衣，下半身穿的都叫裳，轉衣爲裳，以喻用辭倒置。其實，這是倒裝的修辭法，是辭格的一種。

然而，《文則》對於倒裝的修辭法，有時却又認爲是「言之妙」。乙第二條云：

倒言而不失其言者，言之妙也，倒文而不失其文者，文之妙也。文有倒語之法，知者罕矣。《春秋》書曰：「吳子遏伐楚，門於巢，卒。」《公羊傳》曰：「門於巢卒者何？入門乎巢而卒也。」然夫子先言門後言於巢者，於文雖倒，而寓意深矣。（何休曰：「吳子欲伐楚，過巢，不假塗，卒暴入巢門，門者以爲欲犯巢而射殺之。」）仲山甫誠歸於謝，《詩》則曰：「謝於誠歸。」……於義皆不害也。《禹貢》曰：「厥篚玄纖縞。」又曰：「雲土夢作乂。」用纙字不在玄上，土字不在夢下，亦一倒法也。（司馬遷作《夏本紀》改曰『雲夢土作乂』，烏足與知此。）

按《禹貢》「厥篚玄纖縞」句下，孔安國《傳》：「玄，黑繒。縞，白繒。纖，細也。纖在中，明二物皆當細。」《禹貢》用倒裝的修辭法，將「篚玄縞纖」寫作「篚玄纖縞」。又「雲夢土作乂」意謂雲澤和夢澤的土壤可以樹藝五谷及蔬果以養人，《禹貢》用倒裝的修辭法，將「雲夢土作乂」⑬寫作「雲土夢作乂」。其實，這裏《禹貢》的倒裝修辭法是不合慣例的，倒是上舉的「正位辨方」才合於慣例。但陳騤却指責前者「轉衣爲裳」，而稱贊後者「倒言而不失其言，倒文而不失其文」，以爲是言文之妙。司馬遷《夏本紀》將它還原爲「雲夢土作乂」，反被斥爲「烏足與知此？」

《文則》丁第二條云：

文言交錯之體，若纏糾然，主在析理，理盡後已。《書》曰：「念茲在茲，釋茲在茲，名言茲在茲，允出茲在茲。」《莊子》曰：「有始也者，有未始有始也者，有未始有夫未始有始也者。」又曰：「以指喻指之非指，不若以非指喻指之非指也。」《荀子》曰：「不利而利之，不如利而後利之之利也；利而後利之，不如利而不利者之利也。」《國語》曰：「成人在始與善，始與善，善進善，不善蔑由至矣。；如與不善，不善進不善，善亦蔑由至矣。」《穀梁》曰：「人之所以為人者，言也，人而不能言，何以為人？言之所以為言者，信也，言而不信，何以為言？信之所以為信者，道也，信而不道，何以為信？」此類多矣，不可悉擧，然取《莊子》而法之，則文斯邃矣。

所謂交錯之體，就是錯綜的修辭法。但最後一例所擧《穀梁傳》的文字，則是屬於層遞的修辭法而非錯綜。丁第一條論層遞云：

文有上下相接，若繼續然，其體有三：其一曰敍積小至大，如《中庸》曰：「能盡其性，則能盡人之性；能盡人之性，則能盡物之性；能盡物之性，則可以贊天地之化育；可以贊天地之化育，則可以與天地參矣。」此類是也。其二曰敍由精及粗，如《莊子》曰：「古之明大道者，先明天，而道德次之；道德已明，而仁義次之；仁義已明，而分守次之；分守已明，而形名次之；形名已明，而因任次之；因任已明，而原省次之；原省已明，而賞罰次之。」此類是也。其三曰敍自流極源，如《大學》曰：「古之欲明明德於天下者，先治其國；欲治其國者，先齊其家；欲齊其家者，先修其身；欲修其身者，先正其心；欲正其心者，先誠其意；欲誠其意者，先致其知。」此類是也。

他用「上下相接，若繼踵然」八個字來形容層遞辭格，又分層遞的辭格「其體有三」：其一是敍積小到大，其二是敍由精及粗，其三是敍自流極源，並各舉例證。

《文則》乙第三條云：

字有偏旁，故文有取偏旁以成句；字有音韻，故文有取音韻以成句，皆所以明其義也。《周禮》曰：「五人為伍。」《中庸》曰：「誠者自成也。」《孟子》曰：「征之為言正也。」《莊子》曰：「庸也者用也。」《檀弓》曰：「夫祖者且也。」《祭統》曰：「銘者自名也。」《表記》曰：「仁者人也。」凡此皆取偏旁者也。

這是論析字的修辭法。所謂取偏旁以成句，就是化形析字；所謂取音韻以成句，就是諧音析字，並各舉例證。

《文則》丙第一條論譬喻云：「《易》之有象，以盡其意，《詩》之有比，以達其情。文之作也，可無喻乎？博採經傳，約而論之，取喻之法，大概有十。」這十條是：

一曰直喻：或言猶，或言若，或言如，或言似，灼然可見。

二曰隱喻：其文雖晦，義則可尋。

三曰類喻：取其一類，以次喻之。

四曰詰喻：雖為喻文，似成詰難。（這一類的修辭法其實應該屬於設問。）

五曰對喻：先比後證，上下相符。

六曰博喻：取以為喻，不一而足。

七曰簡喩：其文雖略，其意甚明。

八曰詳喩：須假多辭，然後義顯。

九曰引喩：援取前言，以證其事。（這一類的修辭法也可歸於引用辭格。）

十曰虛喩：既不指物，亦不指事。

陳望道先生的《修辭學發凡》，將譬喩辭格歸納爲三種，卽明喩，隱喩和暗喩。明喩便便是《文則》所謂的「直喩」，隱喩卽是《文則》所謂的「簡喩」，（據陳氏說：明喩的形式是「甲如同乙」，隱喩的形式就是「甲就是乙」。又據《文則》於簡喩下所學的例句云：「《左氏傳》云：『名，德之輿也。』《揚子》曰：『仁，宅也。』此類是也。」可知《文則》所謂簡喩，便是陳望道氏所謂的隱喩。）借喩則《文則》所學的十種喩中，似乎無一相同者，只有引喩略近之。《文則》所列十種比喩的修辭法，其所學的例證，有切當的，也有不切當的，這裏一概從略。

《文則》丁第六條論複疊云：

載言之文，有不避重複，如《穀梁傳》載麗姬故謂君曰：「吾夜者夢夫人趨而來曰：『吾苦畏，胡不使大夫將衛士而衛塚乎？』」故君謂世子曰：「麗姬夢夫人趨而來曰：『吾苦畏。』女其將衛士而往衛塚乎！」此不避重複一也。《家語》載魯公索氏將祭，而忘其牲，孔子聞之曰：「公索氏不及二年而必亡。」後一年而亡，門人問曰：「昔公索氏將祭而亡其牲，而夫子曰：『不及二年必亡。』今過期而亡。」此不避重複二也。《公羊傳》載陽處父諫曰：「射姑民衆不悅，不可使將。」於是廢將。射姑入。君謂射姑曰：「陽處父言曰：『射姑民衆不悅，不可使將。』」此不避重覆三也。及觀《檀弓》載子游曰：「昔者，夫子居於宋，見桓司馬自為石槨，三年不成，夫子曰：『若是其靡也，死不如速朽之愈也。』死之欲速朽，為桓司馬言之也云云。曾子以子游之言告於有子，然《檀弓》但云以子游之言，蓋避重複也。又《左氏傳》載「晉師歸，郤伯見，公曰：「子之力也夫」！范叔見，勞之如郤伯，欒伯見，公亦如之。」夫三述晉侯之語，固未為害，而《左氏》兩變其文，蓋避重複也。

他指出載言之文，有不避重複的，也有避重複的，並各舉了多個例證，可惜沒有說明其原因。其實，這都是爲了適情應景的需要。

《文則》也談論到文章的風格，已第四條云：

《考工記》之文，権而論之，蓋有三美：一曰雄健而雅，二曰宛曲而峻，三曰整齊而醇。略條於後：——

雄健而雅：「鄭之刀，宋之斤，魯之削，吳粵之劍，遷乎其地而弗能為良。」「凡為弓，方其峻而高其柎，長其畏而薄其敝。」（《左氏傳》曰：『恤其患而補其闕，正其違而治其煩。』亦此法也。）

宛曲而峻：「引而信之，欲其直也。信之而直，則取材正也；信之而枉，則是一方緩一方急也。若苟一方緩一方急，則及其用之也，必自其急者先裂。若苟自急者先裂，則是以博為帴也。」

整齊而醇：「爍金以為刃，凝土以為器。」「棧車欲弇，飾車欲侈。」鐘大而短，則其聲疾而短聞；鐘小而長，則其聲舒而遠聞。」

他從文章的風格，指出《考工記》之文有三美，並各舉例證。自來談風格的不多，陳騤的《文則》，談論到風格的，也只有這一則罷了。

自從陳騤的《文則》成書到了五四運動前的七百五十年間，問世的修辭學著作，只有元王構的《修辭鑑衡》和明謝榛的《四溟詩話》（是一部論詩的修辭法的專著。）所以陳騤的《文則》，在中國修辭學史上是有其不可磨滅的價值的。⑭

六、宋吳曾《能改齋漫錄》

宋吳曾《能改齋漫錄》，成書於高宗紹興二十七年（1157），早於陳騤的《文則》。計十八卷，內容涉及史事、詩文、名物制度諸方面；其中詩文方面，有證辨典故的，也有一些是討論修辭手法的。上海古籍出版社爲刊印此書而寫的《出版說明》說：

吳曾對於文藝的欣賞態度，有濃厚的形式主義的傾向，所作文藝評論，往往脫離了作品的精神實質來談作品的字句，因而他的論斷容易走向空虛的唯美主義的歧路上去。如下論一則：「白樂天以詩謁顧況，況喜其《咸陽原上草》詩云：「野火燒不盡，春風吹又生。」余以為不若劉長卿「春入燒痕青」之句，語簡而意盡。這種說法實際上是暴露了他論詩的淺薄和思想的落後，並無損於白居易在這兩句詩中所歌頌的卑微者的生命力量，也無損於顧況鑒賞力的高明。」

《能改齋漫錄》卷八另有一條云：

顧況喜白樂天《送友人原上草》詩：「野火燒不盡，春風吹又生。」乃是李太白《瀑布》詩：「

海風吹不斷，江月照還空。」

足證吳曾始終無視白詩的思想性，而且一而再的存心要貶低白詩的價值，連只有詩句的格調偶爾相近（文字和內容完全不同）便硬咬定白詩出自李詩。吳曾兩次引述白居易的同一首詩，題目一作《咸陽原上草》，一作《送友人原上草》，其實白詩原題是《賦得古原草送別》。至於顧況嘆賞白居易這一首詩，許多的詩話、筆記都有記載，現在舉唐張固《幽閒鼓吹》中有關的一則於下：

白尚書應舉，初至京，以詩謁顧著作況。顧覩姓名，熟視白公，曰：「米價方貴，居亦弗易」，乃披卷，首篇曰：「咸陽原上草，一歲一枯榮。野火燒不盡，春風吹又生。……」卽嗟賞曰：「道得個語，居卽易矣」。因為之延譽，聲名大振。

這裏可見顧況鑒賞力的高明。又從上引兩則吳曾的《能改齋漫錄》，我們可以這樣說：談論修辭手法，如果完全不顧作品的精神實質，純粹就作品的字句來下批評，有時是會得到錯誤的論斷的。吳曾拿白居易「野火燒不盡，春風吹又生」的詩句來和劉長卿的「春入燒痕青」相比，以爲白詩不若劉詩「語簡而意盡」。既然談論到「意」，便不應忽視白詩的思想性，更不應該信口雌黃，以爲白詩不如劉詩。所以應受「論詩淺薄」和「思想落後」的批評。

吳曾在評論詩文時，亦往往論及修辭。如《能改齋漫錄》卷十一記詩云：

曹衍，衡陽人。太平興國初，石熙載尚書出守長沙，以衍所著《野史》繳薦之，因得召對。袖詩三十章上進，首篇乃《鷺鷥》、《貧女》兩絕句，蓋托意也。……貧女云：「自恨無媒出嫁遲，老來方始遇佳期。滿頭白髮為新婦，笑殺豪家年少兒。」太宗大喜，召試學士院，除東宮洗馬、監泌陽酒稅。

所謂「蓋托意也」，是指用借喻的修辭法，借貧女「老來方始遇佳期」以喻貧士年老始得官。

《能改齋漫錄》卷八云：

陳輔之詩話，記荆公喜王建《宮詞》：「樹頭樹底覓殘紅，一片西飛一片東。自是桃花貪結子，錯教人恨五更風。」韓子蒼反其意，而作詩《送葛亞卿》曰：「劉郎底事去匆匆，花有深情只暫紅。弱質未應貪結子，細思須恨五更風。」

所謂反其意而作，仍不出於仿擬的一種修辭法。

同卷有「問花花不語」一則云：

東坡《吉祥寺賞花寄陳述》古詩云：「仙花不用剪刀裁，國色初酣卯酒來。太守問花花不語，為誰零落為誰開。」《南部新書》記嚴惲詩：「春光冉冉歸何處，更向花前把一杯。盡日問花花不語，為誰零落為誰開。」東坡全用此兩句也。惲字子重，能詩，與杜牧善。

其實，歐陽修的《蝶戀花》詞已先仿擬過了，詞云：

庭院深深深幾許？楊柳堆烟，帘幕無重數。玉勒雕鞍遊冶處，樓高不見章台路。雨橫風狂三月暮，門掩黃昏，無計留春住。淚眼問花花不語，亂紅飛過鞦韆去。

清張宗橚《詞林紀事》，也以爲歐陽修此闋結末二語似本嚴惲詩。歷來詞評家，競相稱頌歐陽修此詞的結末二語，以爲「詞至渾，功候十分」，甚至有以爲「非歐公不能爲」，殊不知歐陽修此詞，原來是有所本的。吳曾指出蘇東坡古詩仿自嚴惲，而對於當時已經膾炙人口的歐陽修《蝶戀花》詞，結句也仿擬嚴惲詩，却略而不表，當是另有原因的。

《能改齋漫錄》卷七「事實」有一則云：

> 《潘子真詩話》記張文潛詩云：「東邊日下終無雨，闕上封書合有碑。」「東邊日出西邊雨，道是無晴却有晴。」此劉禹錫《竹枝詞》也。「別後長相思，頓書千文闕，題碑無罷時。」此宋《華山畿》詞也，事見匠智《古今樂錄》。予又以為文潛兼取宋《讀曲歌詞》耳：「打壞木栖床，誰能坐相思？三更書石闕，憶子夜題碑。」

這裏談到雙關的修辭法，所舉的例句中，都有雙關辭——用一語同時關顧兩種不同的事物。例如張文潛詩中的「碑」字，一面關顧到上文「闕上」，照字面陳說，一面却又關顧到「封書」時傷愴的感情，暗指悲傷的「悲」。又劉禹錫《竹枝詞》中的「晴」字也是雙關辭，就表面上的意思說，它關顧到上文「東邊日出西邊雨」，但它同時却又暗作「情」字用，關顧到再上一句「聞郎江上唱歌聲」（此竹枝詞的前兩句是「楊柳青青江水平，聞郎江上唱歌聲」）。還有《華山畿》詞和《讀曲歌詞》，其中的「題碑」也都是雙關辭，同時暗用作「啼悲」。吳曾引《潘子眞詩話》，舉了一些雙關辭的例句之後，只作了一個小小的考證，並沒有提出他對雙關辭的意見和批評。

《能改齋漫錄》卷第八有「友于」一則云：

> 《洪駒父詩話》謂：「世以兄弟為友于，子孫為貽厥，歇後語也。杜子美詩云：「山鳥山花皆友于。」子美未能免俗，何耶？」予以為不然。按，《南史》：「劉湛友于素篤。」《北史》：「李謐事兄，盡友于之誠。」故陶淵明詩云：「一欣侍溫顏，再喜見友於。」子美蓋有所本耳。子

美《上太常張卿詩》亦云：「友于皆挺拔。」

洪駒父與吳曾二人，原本都鄙視在詩文中用歇後語的，認爲是一種不正經的修辭法。所不同的是：洪氏以爲杜甫詩也用歇後語，乃是「未能免俗」，覺得可惜之至；而吳氏却認爲南北史和陶潛詩都用歇後語，杜甫詩用歇後語是「有所本」的。歇後語本來是積極修辭的辭格之一，自有它的效用。吳曾雖沒有肯定歇後語的修辭價值，却不批評杜詩用歇後語，只是因爲「有所本」。吳曾的意思，以爲凡是經過古人用過的詞語，都是對的，都可以襲用，而「毋庸置議」，反映了他的盲目崇古的思想，眞是要不得的。

《能改齋漫錄》卷十「論馬牛稱匹」一則云：

《左氏傳》：「襄公二年，馬牛皆百匹。」或曰，「牛亦可以稱匹」，非也。《司馬兵法》：「邱出馬一匹，牛三頭。」則牛當稱頭，不當稱匹。今此稱匹者，並言之耳，經傳之文多類此。《易・繫辭》云：「潤之以風雨。」《論語》云：「沽酒市脯不食。」《玉藻》云：「大夫不得造車馬。」《曲禮》：「猩猩能言，不離禽獸。」皆從一而省文也。

這是論量詞的用法與偏義複詞的取義。量詞的用法，也是屬於修辭法的一種。吳曾所謂「並言之耳」，是一個量詞（匹）兼負兩個量詞（頭和匹）的責任；所謂「從一而省文」，是「偏義複詞」的應用（如「風雨」是複詞，偏取「雨」義；「車馬」是複詞，偏取「車」義；「禽獸」是複詞，偏取「獸」義。只有「沽酒市脯不食」的「食」，却兼司「飲」與「食」二義，應屬於吳曾所謂「並言之耳」的一類）。吳曾的這一段話，後來被淸代俞樾的《古書疑義舉例》所襲用。

七、宋曾季貍《艇齋詩話》、周紫芝《竹坡詩話》

《艇齋詩話》一卷，曾鞏的侄孫曾季貍所作，書中有數處談論到辭格。如論仿擬云：

> 山谷《咏明皇時事》云：「扶風喬木夏陰合，斜谷鈴聲秋夜深，人到愁來無處會，不關情處亦傷心」。（全用樂天詩意。樂天云：「峽猿亦無意，隴水復何情，為到愁人耳，皆為斷腸聲」。此所謂奪胎換骨者是也。

奪胎換骨之說，見於惠洪的《冷齋夜話》：「山谷云：『詩意無窮，而人之才有限，以有限之才，追無窮之意，雖淵明、少陵不得工也。然不易其意而造其語，謂之換骨法；窺入其意而形容之，謂之奪胎法。』」所謂奪胎法和換骨法，都是仿擬修辭法的再分類而已。黃庭堅（山谷）詩的結末二句，仿擬樂天詩的結末二句，正是不易其意而造其語，謂之換骨法；但是曾季貍却不加分別，一以概之，謂爲奪胎換骨法。陳善《捫虱新話》云：「文章雖不要蹈襲古人一言一句，然古人自有奪胎換骨等法，所謂靈丹一粒，點鐵成金也。」陳善稱「奪胎換骨等法」，好像他知道奪胎法和換骨法的不同，但接下去却說「所謂靈丹一粒，點鐵成金也。」可見他還沒有了解奪胎換骨法的意義，誤以爲是煉字，所以有「點鐵成金」的話。

《艇齋詩話》又論摹擬云：

> 東坡「婉娩幾時來入夢」，出退之詩，「旅宿夢婉娩」。

這和上一個例一樣，只談句法的仿擬，不涉及內容。如果單就句法的仿擬來說，東坡詩也出自白居易《

長恨歌》「悠悠生死別經年，魂魄不曾來入夢」。

《艇齋詩話》又論雙關云：

詩用人姓事，無如東湖《與張元幹詩》云：「詩如雲態度，人似柳風流」，皆張姓事，暗用之不覺，尤為佳也。

詩中的「雲」字「柳」字都是雙關辭，指物又指人（雲和柳都是姓氏）。曾季貍說「暗用之不覺」，是善於用雙關辭之意。

周紫芝的《竹坡詩話》，曾經被胡仔的《苕溪漁隱叢話》所引述，可知成書必在《苕溪漁隱叢話》之前。書中也談論到東坡詩仿擬白居易的《長恨歌》，云：

白樂天《長恨歌》云：「玉容寂寞淚闌杆，梨花一枝春帶雨」。人皆喜其工，而不知其氣韻之近俗也。東坡作《送人小詞》云：「故將別語調佳人，要看梨花枝上雨。」雖用樂天語，而別有一種風味，非點鐵成黃金手不能為此也。

其實，蘇東坡的《送人小詞》，氣韵比《長恨歌》更加近俗，近俗並非不好，只是東坡此句俗不可耐，竹坡老人竟贊爲「別有一種風味，非點鐵成金手不能爲」。這只能說是偏見罷了。

《竹坡詩話》又談論到梅花詩的仿擬。

林和靖賦梅花詩，有「疏影横斜水清淺，暗香浮動月黄昏」之語，膾炙天下殆二百年。東坡晚年在惠州，作《梅花詩》云：「紛紛初疑月掛樹，耿耿獨與參横昏。」此語一出，和靖之氣遂索然矣。張文潛云：「調鼎當年終有實，論花天下更無香。」此雖未及東坡高妙，然猶可使和靖作衙官。政和間，余見胡份司業《和曾公袞梅詩》云：「絶艷更無花得似，暗香唯有月相知」，亦自奇絶。使醉翁見之，未必專賞和靖也。

蘇東坡的《梅花詩》，修辭大有毛病，旣說梅花「紛紡」點綴樹上，而月亮只有一個，自不能「紛紛」，何以竟疑是「月掛樹」呢？但竹坡老人却說「此語一出，和靖之氣遂索然矣。」實在不可解。張文潛句也不見得十分高明，胡份詩更是擬於不倫，而竹坡老人却以爲「奇絕。」

《竹坡詩話》談論到煉字，云：

詩人造語用字，有着意道處，往往頗露風骨，如滕元發《月波樓詩》「野色更無山隔斷，天光直與水相連」是也。只一直字便是着力道處，不惟語稍崢嶸，兼亦近俗。何不云「野色更無山隔斷，天光自與水相連」為微有緼藉，然非知之者不可以語此。

「直」字用在這裏確是稍嫌突兀，不如「自」字「微有蘊藉」，竹坡所論是對的。

《竹坡詩話》又論煉字云：

今日校《譙國集》，適此兩卷，皆公在宣城時詩。某為兒時，先人以公真䕀指示，某是時已能成誦，今日讀之，如見數十年前故人，終是面熟；但句中時有與昔時所見不同者，必是痛遭俗人改易爾。如《病起》一詩云：「病來久不上層台，窗有蜘蛛徑有苔，多少山茶梅子樹，未開齊待主人來。」此篇最為奇絕。今乃改云：「為報園花莫惆悵，故教太守及春來。」非特意脈不倫，然亦是何等語！

原詩用擬人法，寓意主人愛花，多少的山茶花和梅子樹，都知道主人愛花，忍着不開，要等到主人來時才一齊開，好讓主人歡喜、驚奇一番。改作雖然也用擬人法，但因改作者自己是勢利鬼，以爲園花也和他一樣的勢利，所以安慰着園花說：不必惆悵吧，我將請太守趁着春天到園裏來。他（改作者）認爲園花一經太守品鑒，是至高無比的光榮，值得驕傲的；平常的人到園裏來賞花，是不值得一提的。這種思想是要不得的。竹坡老人說改作「非特意脈不倫，然亦是何等語！」這個評論是可取的。

《竹坡詩話》又有一則論消極修辭云：

有明上人者，作詩甚艱，求捷法於東坡。東坡作兩頌以與之，其一云：「字字覓奇險，節節累枝葉，咬嚼三十年，轉更無交涉。」其一云：「衡口出常言，法度法前軌，人言非妙處，妙處在於是」。乃知作詩到平淡處，要似非力所能。東坡嘗有書與其侄云：「大凡為文當使氣象崢嶸，五色絢爛，漸老漸熟，乃造平淡」。余以謂不但為文，作詩者尤當取法於此。

竹坡引東坡詩論消極修辭，應力避「奇險」，主張「口出常言」，才能到達平淡的境界。

八、宋洪邁《容齋隨筆》

《容齋隨筆》是宋洪邁（一一二三～一二〇二）所著，計五集，寫作前後幾達四十年，是有關文學、哲學、歷史的筆記。間有論及修辭的地方。如卷第十五云：「爲文論事，當反復致志，救首救尾，則事詞章著，覽者可以立決。」這是論消極修辭的要件之一，便是上下文須互相照應。又卷第十云：

「夜涼吹笛千山月，路暗迷人百種花。棋罷不知人換世，酒闌無奈客思家。」此歐陽公絕妙之語。然以四句各一事，似不相貫穿，故名之曰《夢中作》。永嘉士人薛韶喜論詩，嘗立一說云：

老杜近體律詩，精深妥帖，雖多至百韻，亦首尾相應，如常山之蛇，無間斷齟齬處。

他認爲杜甫的律詩，雖多至百韵，亦能首尾互相照應。

《容齋三筆》卷第八云：

四六駢儷，於文章家為至淺，然上自朝廷命令、詔冊，下而縉紳之間箋書、祝疏，無所不用。則屬辭比事，固宜警策精切，使人讀之激昂，諷味不厭，乃為得體。

他認爲駢儷文淺薄無聊，但官僚士大夫階層還是用它。他主張屬辭應當警策、激昂，才値得讀者諷咏。

容齋亦談論辭格。《容齋續筆》卷第七云：

薛道衡以「空梁落燕泥」之句，為隋煬帝所嫉⑮。考其詩名《昔昔鹽》，凡十韵：「垂柳覆金堤，蘼蕪葉復齊。水溢芙蓉沼，花飛桃李蹊。采桑秦氏女，織錦竇家妻。關山別蕩子，風月守空閨。常斂千金笑，長垂雙玉啼。盤龍隨鏡隱，彩鳳逐帷低。飛魂同夜鵲，倦寢憶晨雞。暗牖懸珠網，空梁落燕泥。前年過代北，今歲往遼西。一去無消息，那能惜馬蹄！」唐趙嘏廣之為二十章，其《燕泥》一章云：「春至今朝燕，花時伴獨啼。飛斜珠箔隔，語近畫梁低。帷卷閒窺戶，床空暗落泥。誰能長對此，雙去復雙栖。」《樂苑》以為羽調曲。

指出唐趙嘏的《燕泥》詩，仿擬薛道衡的《昔昔鹽》。

《容齋五筆》卷第七云：

白樂天《琵琶行》一篇，讀者但羡其風致，敬其詞章，至形於樂府。……樂天之意，直欲攄寫天涯淪落之恨爾。東坡謫黃州，賦《定惠院海棠》詩，有「陋邦何處得此花，無乃好事移西蜀」「

天涯流落俱可念，為飲一尊歌此曲」之句，其意亦爾也。或謂殊無一話一言與之相似，是不然，此真能用樂天之意者，何必效常人章摹句寫而後已哉？

按這裏所引東坡詩，原題「寓居定惠院之東，雜花滿山，有海棠一株，土人不知貴也」。東坡詩「天涯流落俱可念」，分明取自《琵琶行》的「同是天涯淪落人，相逢何必曾相識」；「爲飲一樽歌此曲」，分明出自「莫辭更坐彈一曲，爲君翻作《琵琶行》。」怎可說是「何必效常人章摹句寫」呢？同卷又云：

唐人作賦，多以造語為奇。杜牧《阿房宮賦》云：「明星熒熒，開妝鏡也。綠雲擾擾，梳曉鬟也。渭流漲膩，棄脂水也。煙斜霧橫，焚椒蘭也。雷霆乍驚，宮車過也。轆轆遠聽，杳不知其所之也。」其比與引喻，如是其侈。然楊敬之《華山賦》又在其前，敘述尤壯，曰：「見若咫尺，田千畝矣。見若環堵，城千雉矣。見若杯水，池百里矣。見若蟻垤，臺九層矣。醯雞往來，周東西矣。蠛蠓紛紛，秦速亡矣。蜂窠聯聯，起阿房矣。俄而復然，立建章矣。小星奕奕，焚咸陽矣。累累繭栗，祖龍藏矣。」後又有李庚者，賦西都云：「秦址薪矣，漢址蕪矣。西去一舍，鞠為墟矣。代遠時移，作新都矣。」其文與意皆不逮楊、杜遠甚。

楊敬之是唐元和進士；杜牧是唐太和進士，略後於楊，故《阿房宮賦》仿擬《華山賦》而作，自無疑義。

《容齋四筆》卷第十三云：

秦少游《八六子》詞云：「片片飛花弄晚，濛濛殘雨籠晴。正銷凝，黃鸝又啼數聲。」語句清峭，為名流推激。予家舊有建本《蘭畹曲集》，載杜牧之一詞，但記其末句云：「正銷魂，梧桐又移翠陰。」秦公蓋效之，似差不及也。

秦少游《八六子》詞結句仿杜牧《八六子》，洪邁以爲「似差不及」，但沒有說出不及的所在。從杜詞「驚斷紅窗好夢……何時彩仗重臨」和秦詞「恨如芳草，萋萋剗盡還生」看來，兩詞都似是寫離情別恨。杜詞結語說「梧桐又移翠陰」，描寫秋日已暮，秋陰淒然的景象，示現於眼前。秦詞結語「黃鸝又啼數聲」，雖足以勾起離人的離愁別恨，只是缺少「梧桐又移翠陰」那種情景交融的描寫，所以洪邁說「似差不及」。秦觀此詞，不但結尾仿自杜牧詞，其首句亦仿自李煜《清平樂》詞：「離恨恰如春草，漸行漸遠還生。」⑯陳霆《渚山堂詞語》竟謂秦詞首「二語甚妙，故非杜可及也。」

《容齋四筆》卷第九云：

作文旨意句法，固有規仿前人，而音節鏘亮不嫌於同者。如《前漢書贊》云：「豎牛奔仲叔孫卒，郈伯毀季昭公逐，費忌納女楚建走，宰嚭譖胥夫差喪，李園進妹春申斃，上官訴屈懷王執，趙高敗斯二世縊，伊戾坎盟宋痤死，江充造蠱太子殺，息夫作奸東平誅。」《新唐書》效之云：「三宰嘯凶牝奪辰，林甫將番黃屋奔，鬼質敗謀興元蹙，崔、柳倒持李宗覆。」劉夢得《因論儆舟》篇云：「越子膝行吳君忽，晉宣尸居魏臣怠，白公厲劍子西矖，李園養士春申易。」亦效班史語也。然其模範，本自《荀子．成相》篇。

這是仿調的修辭法。仿調，只是仿擬前人作品的格調和句法，至於文字和內容，却並不一樣。《荀子．成相》篇始作此種句法，如：「忠臣蔽塞主勢移」，「比干見刳箕子累」，「呂尚招麾殷氏懷」，「子胥見母百里徙」，「春中道綴基畢輸」，「國家既治四海平」，「干戈不用三苗服」，「厚薄有等明爵服」，等等。所不同的，《成相》篇這種句法並不連續，而仿作却是連續的。

《容齋三筆》卷第十五云：

> 孟子曰：「仁之勝不仁也，如水勝火，今之為仁者，猶以一杯水救一車薪之火也，不熄，則謂之水不勝火。」予讀《文子》，其書有云：「水之勢勝火，一勺不能救一車之薪；金之勢勝木，一刃不能殘一林；土之勢勝水，一塊不能塞一河。」文子周平王時人，孟氏之言蓋本於此。

洪邁所引孟子的話，見於《告子》篇，今所謂杯水車薪，無濟於事，實本自孟子。洪邁以爲孟子的話，模仿文子，因《文子》書中稱周平王問，故文子當爲周平王時人；《漢志》也以爲文子係老子弟子，與孔子同時。《史記》則說文子姓辛，名研，號計然，是范蠡的老師，恐怕也是誤傳的。柳宗元《辯文子》云：「考其書，蓋駁書也。其渾而類者少，竊取他書以合之者多，凡孟、管輩數家，皆見剽竊，嶢然而出其類。其意緒文辭叉牙相抵而不合，不知人之增益之歟？或者衆爲聚斂以成書者歟？」據此，則所謂文子者，很可能是後人的僞托，所以文子模仿孟子，反是比較可能的。

關於煉字（卽推敲），《容齋續筆》卷第八云：

> 王荊公絶句云：「京口、瓜洲一水間，鐘山只隔數重山。春風又綠江南岸，明月何時照我還。」吳中士人家藏其草，初云「又到江南岸」，圈去到字，注曰不好，改為過，復圈去而改為入，旋改為滿，凡如是十許字，始定為綠。」

洪邁只是敍述煉字的故事，不加評語。近人傅庚生氏替他解釋說：

「到、過、入」等字均簡率而無意緒，「滿」字稍佳，但只是徑直言春風之滿，不足表示時序之推移以感人者；著一「綠」字，則有以寄「又是一年春草綠」之概，且全詩句句在暗寫一「望」字，「綠」是目中之色，尤覺貼切也。（《文學欣賞舉隅》二十二《度字與煉句》）

《容齋五筆》卷第五云：

范文正公守桐盧，始於釣臺建嚴先生祠堂，自為記，……其歌詞云：「雲山蒼蒼，江水泱泱。先生之德，山高水長」。既成，以示南豐李泰伯。泰伯讀之，三嘆味不已，起而言曰：「公之文一出，必將名世，某妄意輒易一字，以成盛美。」公瞿然握手扣之，答曰：「雲山江水之語，於義甚大，於詞甚溥，而德字承之，乃似趢趚，擬換作風字，如何？」公凝坐頷首，殆欲下拜。

這裏所引的故事，已經說明了換「德」字作「風」字的道理。另外應該指出的，這與聲調也有關係，「德」字仄聲，讀起來不響，而「風」字平聲，與「蒼蒼」「泱泱」及「山高水長」的「長」才能互相合拍。同卷又云：

宋景文修《唐書》，《韓文公傳》全載其《進學解》、《諫佛骨表》、《潮州謝上表》、《祝鱷魚文》⑰，皆不甚潤色，而但換《進學解》數字，頗不如本意。原云「招諸生立館下」，改「招」字為「召」，既言先生入學，則諸生在前，招而誨之足矣，何召之為？「障百川而東之」改「障」字為「停」，本言川流橫潰，故障之使東，若以為停，於義甚淺。

洪邁以爲宋景文改韓愈《進學解》「招諸生立館下」句的「招」字爲「召」字，是不必要而且錯誤的。「招」「召」二字原可通用，有人以爲近曰招，遠曰召，其實未必然。《楚辭·招魂序》云：「以手曰招，以言曰召。」《進學解》起句云：「國子先生晨入太學，招諸生立館下，誨之曰：業精於勤，而荒於嬉……」看來「召」字更覺妥當。沈欽韓以爲「招」當作「詔」。「詔」亦通作「召」，《後漢書・馮衍傳》「詔伊尹於亳郊兮！」便是將「詔」作「召」用之一例。至改「障百川而東之」的「障」字爲「停」字，確是不妥，不但「於義甚淺」，且百川既已停住，又怎能流「而東之」呢？

避諱亦稱諱飾，《容齋續筆》卷第十一論唐人避諱云：

唐人避家諱甚嚴，固有出於禮律之外者。李賀應進士舉，忌之者斥其父名晉肅，以晉與進同音，賀遂不敢試。韓文公作《諱辯》論之至切，不能解衆惑也。《舊唐史》至謂韓公此文，為文章之紕繆者，則一時橫議可知矣。

這是屬於避家諱的一個例子。韓愈作《諱辯》，有《父名晉肅，子不得舉進士，若父名仁，子不得爲人乎？」之語。清陳鴻墀纂《全唐文紀事》引《考古質疑》，說它「反復抑揚，辯論甚力」。

《容齋三筆》卷第十一又云：

士大夫除官，於官稱及州府曹局名犯家諱者聽回避，此常行之法也。李燾仁甫之父名中，當贈中奉大夫，仁甫請於朝，謂當告家廟，與自身不同，乞用元豐以前官制，贈光祿卿。丞相頗欲許之。予在西垣聞其說，為諸公言，今一變成式，則他日贈中大夫，必為秘書監，贈太中大夫，必為諫議矣，決不可行。遂止。李愿為江東提刑，以父名中，所部遂呼為通議，蓋近世率妄稱太中也。李自稱只以本秩曰朝散。黃通老資政之子為臨安通判，府中亦稱為通議，而受之自如。

宋朝士大夫發明回避家諱的方法，是遇將得官銜或贈封之號，有觸家諱者，自請改用舊稱以避諱。洪邁對此極表反對，說當時竟亦有受之自如而不避的。

《容齋五筆》卷第三云：

國朝士大夫，除官避父祖名諱，蓋有不同。不諱嫌名，二名不偏諱，在禮固然，亦有出於一時恩旨免避，或旋為改更者。建隆創業之初，侍衛帥慕容彥釗、樞密使吳延祚皆拜使相，而彥釗父名章，延祚父名璋，制曆中為改同中書門下平章事為同二品。紹興中，沈守約、湯進之二丞相，父皆名舉，於是改提舉書局為提領。自餘未有不避者。呂希純除著作郎，以父名公著而辭。然富韓公之父單名言，而公以右正言知制誥，韓保樞之子忠憲公億，孫絳、縝，皆歷位樞密，未嘗避。豈別有說乎？

有的和前述的一樣，改贈封之號或官銜，有的因避父諱辭而不敢就，白白丟了官職。洪邁所述，都是當時的實情。

《容齋三筆》卷第十四云：

蔡京顓國，以學校科舉鉗制多士，而為之鷹犬者，又從而羽翼之。士子程文，一言一字稍涉疑忌，必暗黜之。有鮑輝卿者言：「今州縣學考試，未校文學精弱，先問時忌有無，苟語涉時忌，雖甚工不敢取」。……政和三年，臣僚又言：「比者試文，有以聖經之言輒為時忌而避之者，如曰：『大哉堯之為君』，『君哉舜也。』，與夫『制治於未亂，保邦於未危』，『吉凶悔吝生乎動』，『吉凶與民同患』。以為『哉』音與『災』同，而『危』『亂』『凶』『悔』非人樂聞，皆避。今當不諱之朝，豈宜有此？」詔禁之。以二者之言考之，知當時試文無辜而坐黜者多矣，其事載於《四朝志》。

這是談論當時科場試卷避諱的情形，連「哉」字與「災」字同音，及「危」「亂」「凶」「悔」非人所樂聞者，並在諱避之列。若以此類推，則字字都有觸諱的可能，眞教人不知如何下筆。

《容齋隨筆》也談論到避帝王諱，那是人們所熟知的，這裏不再引述了。

關於複疊的修辭法，《容齋隨筆》卷第七云：

太史公《陳涉世家》：「今亡亦死，舉大計亦死，等死，死國可乎？」又曰：「戍死者固什六七，且壯士不死卽已，死卽舉大名耳！」疊用七死字，《漢書》因之。

他指出《史記》出於寫實的需要，雖疊用七死字不嫌其多。《容齋四筆》卷八「《公羊》用疊語」云：

《公羊傳》書楚子圍宋，宋人及楚人平事，幾四百字。其稱「司馬子反」者八，又再曰：「將去而歸爾」，「然後而歸爾」，「然後歸爾」，「臣請歸爾」，「吾亦從子而歸爾」；又三書「軍有七日之糧爾」，凡九用「爾」字，亦不覺其煩。

指出《公羊》用複辭、疊字而不覺其煩。但最後三書的「爾」字，與前面的幾個「爾」字，音、形雖然相同，而字義和作用都不同，所以不能算是眞正的複疊。

《容齋續筆》卷第十四云：

作詩至百韵，詞意旣多，故有失於點檢者。如杜老《夔府咏懷》，前云，「滿坐涕潺湲」，後又云，「伏臘涕漣漣」。白公《寄元微之》，旣云，「無杯不共持」，又云，「笑勸迂辛酒」，「

華樽逐牲移」，「觥飛白玉卮」，「飲訶《卷波》遲」，「歸鞍酩酊馳，酡顏烏帽側，醉袖玉鞭垂」，「白醪充夜酌」，「嫌醒自啜醨」，「不飲長如醉」，一篇之中，說酒者十一句。東坡賦中隱堂五詩各四韵，亦有「坡垂似伏鼇」，「崩崖露伏龜」之語，近於意重。

這都是所謂意重，而又未必是出於情景的需要，所以應受指責。

《容齋五筆》卷第九云：

《前漢書》好用人人字，如《文帝紀》「人人自以為得之者以萬數」，又曰「人人自安難動搖」，《元帝紀》「人人自以得上意」，《食貨志》「人人自愛而重犯法」，《韓信傳》「人人自以為得大將」，《曹參傳》「齊故諸儒以百數，言人人殊」。……又「元元」二字，考之六經無所見，而兩《漢書》多用之。如《前漢·文帝紀》「全天下元元之民」，《武紀》「燭幽隱，勸元元」、「所以化元元」，《宣紀》「不忘元元」，《元紀》「元元失望」、「元元何辜」、「元元大困」、「元元之民，勞於耕耘」……，《皇甫規傳》「平志畢力，以慶元元」，是也。予謂元元者，民也。而上文又言元元之民，近於複重矣。故顏注：「或云，元元，善意也。」

「元元」雖不見於六經，但《戰國策·秦策》有「制海內，子元元，臣諸侯」之語。宋裴駰的《史記集解》，以爲「元元之民」的「元元」，是可憐愛之貌。其說比較可取。其實，「元元」只是複音詞，「人人」才是辭的複疊。

雙關辭，洪邁稱之爲「引喻」，《容齋三筆》卷第十六云：

自齊、梁以來，詩人作樂府《子夜四時歌》之類，每以前句比興引喻，而後句實言以證之。至唐張祜、李商隱、溫庭筠、陸龜蒙，亦多此體，或四句皆然。今略書十數聯於策。其四句者，如「高山種芙蓉，復經黃蘗塢。未得一蓮時，流離嬰辛苦。」「淮上能無雨，回頭總是晴。薄帆渾未織，爭得一歡成。」其兩句者，如「風吹荷葉動，無夜不搖蓮。」「空織無經緯，求匹理自難。」「圍棋燒敗襖，著子故依然。」「理絲入殘機，何悟不成匹。」「擿門不安橫，無復相關意。」「黃蘗向春生，苦心日日長。」「明燈照空局，悠然未有棊。」「玉作彈棋局，中心最不平。」「中劈庭前棗，教郎見赤心。」「愁見蜘蛛織，尋絲直到明。」「雙燈俱暗盡，奈許兩無油。」「三更書石闕，憶子夜題碑。」「芙蓉腹裏萎，憐汝從心起。」「朝看暮牛迹，知是宿蹄痕。」「梳頭入黃泉，分作兩死計。」「石闕生口中，銜碑不能語。」「桑蓬不作繭，晝夜長懸絲。」皆是也。……世傳東坡一絕句云：「蓮子擘開須見薏，楸枰著盡更無棋。破衫却有重縫處，一飯何曾忘却匙。」蓋是文與意並見一句中，又非前比也。集中不載。

洪邁所舉的詩句，用的都是雙關的修辭法，如「高山種芙蓉」（高山踵夫容）、「未得一蓮時」（未得一憐時）、「回頭總是晴」（回頭總是情）、「無夜不搖蓮」（無夜不遙憐）、「求匹理自難」（匹，表面的意思是布匹，其實暗指匹偶）、「何悟不成匹」（匹，雙關之意同上匹字）、「無復相關意」（關，表面上是指關門，其實暗指關心）、「苦心日月長」（苦心，表面上是指黃蘗的心味苦，其實暗指人的苦心）、「悠然未有棋」（棋，表面上是指棋局的棋，實暗指佳期）、「中心最不平」（表面上是指棋局的中心不平，實際上是說自己的心中起伏不平）、「尋絲直到明」（尋思直到明）、「奈何兩無油」（奈何兩無由）、「憶子夜題碑」（憶子夜啼悲）、「憐汝從心起」（心，表面上指芙蓉的心，實際上暗指自己的心)、「知是宿蹄痕」(知是宿啼痕)、「晝夜長懸絲」(晝夜長相思)。又東坡絕句「蓮子擘開須見薏(意)，楸枰著盡更無棋(期)。破衫却有重縫(逢)處，一飯何曾忘却匙(時)」都是用雙關的修辭法，那暗指的字和意才是作者所著重的。

《容齋隨筆》也談到對偶的修辭法。《容齋續筆》卷第三云：

> 唐人詩文，或於一句中自成對偶，謂之當句對。蓋起於《楚辭》「蕙蒸蘭藉」、「桂酒椒漿」、「桂棹蘭枻」、「斫冰積雪」。自齊、梁以來，江文通、庾子山諸人亦如此。如王勃《宴滕王閣序》一篇皆然。謂若襟三江帶五湖，控蠻荊引甌越，龍光牛斗，徐孺陳蕃，騰蛟起鳳，紫電青霜，鶴汀鳧渚，桂殿蘭宮，鐘鳴鼎食之家，青雀黃龍之軸，落霞孤鶩，秋水長天，天高地迥，興盡悲來，宇宙盈虛，丘墟已矣之辭是也。

所謂當句對，是在一句之中自成對偶，其說始於日僧遍照金剛的《文鏡秘府論》。《文鏡秘府論》東卷有《二十九種對》一篇，其第二十便是當句對，舉例云：「薰歇燼滅，光沉響絕。」「薰歇」與「燼滅」自成對，「光沉」與「響絕」亦自成對。洪邁所舉王勃《滕王閣序》的文句，「宇宙盈虛，丘墟已矣」其實不能算是當句對。

《容齋三筆》卷第六云：

> 韓、蘇兩公為文章，用譬喻處，重複聯貫，至有七八轉者。韓公《送石洪序》云：論人高下，事後當成敗，若河決下流東注，若駟馬駕輕車就熟路，而王良、造父為之先後也，若燭照數計而龜卜也。」[18]《盛山詩序》云：「儒者之於患難[19]，其拒而不受於懷也，若築河堤以障屋霤；其容

而消之也，若水之於海，冰之於夏日；其玩而忘之以文辭也，若奏金石以破蟋蟀之鳴、蟲飛之聲。」蘇公《百步洪》詩云「長洪斗落生跳波，輕舟南下如投梭。水師絶叫鳧雁起，亂石一線爭嗟磨。有如兔走鷹隼落，駿馬下注千丈坡。斷弦離柱箭脱手，飛電過隙珠翻荷」之類，是也。

韓愈《送石洪序》，原題《送石處士序》，在短短的四十幾個字裏，連用了三個譬喻辭「若」字。《盛山詩序》原題爲《書侍講盛山十二詩序》，也是在短短數十字之間，連用了三個譬喻辭「若」字，如果連「儒者」句之上的「夫得利則躍躍以喜，不利則戚戚以泣，若不可生者」句中的一個「若」字也算上去，則共用了四個「若」字。蘇軾《百步洪》詩原有二首，這是第一首，在短短的六句之中，一連用了兩個譬喻辭「如」字。洪邁形容韓、蘇二氏善用譬喻辭，「重複聯貫，至有七八轉者」，結果使文章顯得活潑生動。

九、宋胡仔《苕溪漁隱叢話》

胡仔的《苕溪漁隱叢話》，前集六十卷，後集四十卷，前集成書於紹興十八年（一一四八），後集成書於乾道三年（一一六七），亦較陳騤的《文則》略早。原來在宣和五年（一一二三），阮閱已編寫過《詩話總龜》，由於當時黨禁未開，所以元祐諸家的評論，都沒有收錄。胡仔「遂取元祐以來諸公詩話，及史傳小說所載事實，可以發明詩句，及增益見聞者，纂爲一集」（《前集自序》），「《叢話》對於所引詩文，除了辛勤地搜集前人從各種角度去分析研究某一作家或某一作品的成果外，有時還提出自己的看法，或表示自己的態度。」「從一字的推敲，到一篇的經營，都比較具體地指出是楷模，還是病果。」⑳

胡氏論修辭，力主創新，反對因襲。《苕溪漁隱叢話》前集卷四十九引宋子京《筆記》云：

> 文章必自名一家，然後可以傳不朽。若體規畫圓，準方作矩，終為人之臣僕。古人譏屋下架屋，信然。陸機曰：「謝朝花於已披，啓自秀於未振。」韓愈曰：「『惟陳言之務去。』此乃為文之要。」苕溪漁隱曰：學詩亦然。若循習陳言，規摹舊作，不能變化，自出新意，亦何以名家。魯直詩云：「隨人作計終後人。」又云：「文章最忌隨人後。」誠至論也。

後集卷十六又云：

> 苕溪漁隱曰：「天隨子有《自遣》云：「數尺游絲隨碧空，年年長自惹春風，爭知天上無人住，也有清愁鶴髮翁。」又《古意》云：「君心莫淡薄，妾意正栖托，願得雙車輪，一夜生四角。」皆思新語奇，不襲前人也。

他認爲天隨子詩，思新語奇，値得讚賞。但前集卷四十八引《隱居詩話》，却云：

> 黃庭堅喜作詩得名，好用南朝人語，專求古人未使之一二奇字，綴葺而成詩，自以為工，其實所見之僻也，故句雖新奇，而氣乏渾厚。吾嘗作詩題其編後，略曰：「端求古人遺，琢削手不停，方其得璣羽，往往失鵬鯨。」蓋謂是也。

所引《隱居詩話》有「句雖新奇，而氣乏渾厚」之語，分明是反奇巧的修辭論。意者胡仔前文贊許天隨子詩句，以爲「思新語奇」，應該是「思新語新」吧？因爲「新」與「奇」的意義有着很大的差別。

《苕溪漁隱叢話》前集卷十三引山谷云：

好作奇語，自是文章一病。但當以理為主，理得而辭順，文章自然出羣拔萃。觀子美到夔州後詩，退之自潮州還朝後文，皆不煩繩削而自合矣。

他主張作文應以理爲主，以好作奇語爲病。

又前集卷十三引《蔡寬夫詩話》云：「詩語大忌用工太過，蓋煉句勝則意必不足；語工而意不足，則格力必弱，此自然之理也。」忌用工太過則不主奇巧之意甚明了。

關於詩用俗語，《苕溪漁隱叢話》後集卷第八引《藝苑雌黃》云：

遮莫，俚語，猶言儘教也。自唐以來有之。故當時有「遮莫儞古時五帝，何如我今日三郎」之說。然詞人亦稍有用之者。杜詩云：「久拚野鶴同雙鬢，遮莫鄰雞唱五更。」李太白詩：「遮莫枝根長百丈，不如當代多還往。遮莫親姻連帝城，不如當身自簪纓。」元微之詩：「從茲罷馳鶩，遮莫寸陰斜。」東坡詩：「芒鞋竹杖布行纏，遮莫千山更萬山。」洪駒父詩：「圍棋爭道未得去，遮莫城頭日西沉。」皆用此語。

指出用俚語入詩，自唐以來有之。前集卷第二十六引《緗素雜記》云：

《西清詩話》言王君玉謂人曰：「詩家不妨間用俗語，尤見工夫。雪止未消者，俗謂之待伴，嘗有雪詩：『待伴不禁鴛瓦冷，羞明常怯玉鈎斜』。待伴羞明皆俗語，而採拾入句，了無痕纇，此點瓦礫為黃金手也。」余謂非特此為然，東坡亦有之，《避謗詩》：「尋醫畏病酒入務」，又云：「風來震澤帆初飽，雨入松江水漸肥。」風飽水肥，皆俗語也。又南人以飲酒為軟飽，北人以晝寢為黑甜，故東坡云：「三杯軟飽後，一枕黑甜餘。」此亦用俗語也。

這段引文，以爲用俚俗語入詩，是點瓦礫爲黃金。《苕溪漁隱叢話》加以稱引，也不表示異議，看來胡氏未必是輕視俚語的。

《苕溪漁隱叢話》前集卷第三十引唐子西《語錄》云：

凡為文，上句重，下句輕，則或為上句壓倒。《晝錦堂記》云：「仕宦而至將相，富貴而歸故鄉。」下云：「此人情之所榮，而今昔之所同也。」非此兩句，莫能承上句。《居士集序》云：「言有大而非夸。」此雖只一句，而體勢則甚重，下乃云：「學者信之，衆人疑焉。」非用兩句，亦輔上句不起。韓退之《與人書》云：「泥水馬弱，不敢出，不果鞠躬親問，而以書。」若無「而以書」三字，則上重甚矣。此為文之法也。

這是論消極修辭諸要件中的一個要件，便是上下文必須互相照應。這裏所擧《晝錦堂記》，有一段修辭故事：傳說歐陽修替韓琦寫這篇《晝錦堂記》起句原來是：「仕宦至將相，富貴歸故鄉」，文稿送出去了，後來覺得不很妥當，快馬加鞭的去追了回來，在「至將相」與「歸故鄉」之上，各加了一個「而」字，這才心安理得，躊躇滿志了。如果不加「而」字，會使人覺得「仕宦」「至」「將相」，「富貴」「歸」「故鄉」，都一氣直落，沒有什麼大不了的事；加上了「而」字，才能將下文的「此人情之所榮」的「榮」字充分地顯示出來，這是漢文修辭的巧妙處，值得我們玩味的。

《苕溪漁隱叢話》前集卷第三十又引《西清詩話》云：

歐公語人曰：「修在三峽賦詩云：春風疑不到天涯，二月山城未見花。若無下句，則上句不見佳處，並讀之，便覺精神頓出。」文意難評如此，要當着意詳味之耳。

歐陽修說得對，如果沒有「二月山城未見花」的一句，便不能將上一句（「春風疑不到天涯」）的本意烘托出來。這也是上下文能互相照應的又一例。

《苕溪漁隱叢話》後集卷第三十九引《藝苑雌黃》云：

> 世傳永嘗作《輪臺子蚤行詞》，頗自以為得意。其後張子野見之，云：「既言匆匆策馬登途，滿目淡煙衰草，則已辨色矣；而後又言楚天闊，望中未曉，何也？柳何語意顛倒如是？」

他指出柳永詞前後文失照應的地方。到這裏，《苕溪漁隱叢話》將上下文互相照應和失照應的例證都舉了出來。

談到作家的修辭技巧，《苕溪漁隱叢話》前集卷第六引秦少游云：

> 蘇武、李陵之詩長於高妙，曹植、劉公幹之詩長於豪逸，陶潛、阮籍之詩長於沖淡，謝靈運、鮑照之詩長於峻潔，徐陵、庾信之詩長於藻麗；子美者，窮高妙之格，極豪逸之氣，包沖淡之趣，兼峻潔之姿，備藻麗之態，而諸家之作所不及焉。

秦氏認為自蘇、李以下，諸家作品的風格，各有所長，獨老杜能兼備各家之所長，為諸家所不及。又前集卷第四十二引《後山詩話》云：

> 詩欲其好，則不能好矣。王介甫以工，蘇子瞻以新，黃魯直以奇，而子美之詩，奇、常、工、易、新、陳，莫不好也。

所論和秦觀差不多，無非是說杜詩的風格能兼備衆長；甚且有過之而無不及。同卷又引《呂氏蒙訓》云：

老杜歌行，最見次第出入本末；而東坡長句，波瀾浩大，變化不測，如作雜劇，打猛諢入却打猛諢出也。

這裏却是杜甫與蘇軾並論了。「《叢話》全書重點放在李杜蘇黃四家，……而尤着重於杜甫和蘇軾。」㉑前集卷十四云：「余纂集《叢話》，蓋以子美之詩爲宗，凡諸公之說，悉以采摭，仍存標目，各志所出。」由此可見他如何推崇杜甫了。

《苕溪漁隱叢話》所引諸書論修辭，以論辭格居多；所論辭格，又以仿擬最多。

《苕溪漁隱叢話》前集卷第二引《漫叟詩話》云：

曹子建七步詩，世傳「煮豆燃豆萁，豆在釜中泣」，一本云「萁向釜下燃，豆在釜中泣」，其工拙淺深，必有以辨之者。㉒

這裏僅提示兩種不同的句法，讓讀者自己去推敲，作者不表示意見。

前集卷第三引東坡云：

陶潛詩：「採菊東籬下，悠然見南山。」採菊之次，偶然見山，初不用意，而景與意會，故可喜也。今皆作「望南山」，……覺一篇神氣索然也。

爲什麼易「見南山」爲「望南山」，便覺神氣索然呢？同卷又引《雞肋集》云：

記在廣陵日，見東坡云：「陶淵明意不在詩，詩以寄其意耳。採菊東籬下，悠然望南山，則既採菊又望山，意盡於此，無餘蘊矣，非淵明意也。採菊東籬下，悠然見南山，則本自採菊，無意望山，適舉首而見之，故悠然忘情，趣閑而景遠，此未可於文字精粗間求之。」

這裏指出淵明意在採菊，偶「見」南山，故悠然忘情，若「望南山」則是有意而望，既採菊而又望南山，則意盡於此，便沒有所謂有餘不盡之致了。同卷又引《蔡寬夫詩話》云：

「採菊東籬下，悠然見南山。」此其閑遠自得之意，直若超然邈出宇宙之外。俗本多以見字為望字，若爾，便有褰裳濡足之態矣。乃知一字之誤，害理有如是者。《淵明集》世既多本，校之不勝其異，有一字而數十字不同者，不可概舉，若「隻雞招近局」，或以局為屬，雖於理似不通，然恐是當時語。「我土日以廣」，或以土為志，於義亦兩通，未甚相遠。若此等類，縱誤，不過一字之失；如見與望，則並其全篇佳意敗之，此校書者不可不謹也。

蔡氏認爲如易「見」爲「望」，便有褰裳濡足之態，且全篇的佳意也爲之敗盡了。王國維的《人間詞語》，以爲「採菊東籬下，悠然見南山」是「無我之境」，其說與《雞肋集》所謂「悠然忘情」之意略同。《苕溪漁隱叢話》後集卷第三引《復齋漫錄》云：

東坡以淵明「採菊東籬下，悠然見南山」，而無識者以「見」為「望」，不啻碔砆之與美玉。然予觀樂天《效淵明詩》有云：「時傾一樽酒，坐望東南山。」然則流俗之失久矣。惟韋蘇州《答長安丞裴稅詩》有云：「採菊露未晞，舉頭見秋山。」乃知真得淵明詩意，而東坡之說為可信。

《復齋》也以爲易「見」爲「望」，不啻碔砆之與美玉，而深讚韋應物「舉頭望秋山」爲眞得淵明詩意。

又前集卷八引《漫叟詩話》云：

桃花細逐楊花落，黃鳥時兼白鳥飛。」李商老云：「嘗見徐師川說一士大夫家，有老杜墨迹，其初云桃花欲共楊花語，自以淡墨改三字。」乃知古人字不厭改也。不然何以有日鍛月煉之語。

其實，改作未必比原作好。原作「欲共……語」是擬人法，改作「細逐……落」雖也是擬人法，但終不如原作之親切、活潑；且「桃花欲共楊花語」，桃花只怕楊花聽不到它的話，所以必極力想靠近它（楊花），含有追逐之意，似無需更易「欲共」爲「細逐」，而細逐之意自在其中。只是此詩寫暮春景象，「落」字可以點出桃花、楊花俱在凋謝之時，原作「語」字則無法點出而已。

又同卷引《詩眼》云：

世俗所謂樂天《金針集》，殊鄙淺，然其中有可取者，「煉句不如煉意」，非老於文學不能道此。又云：「煉字不如煉句」，則未安也，好句要須好字，如李太白詩：「吳姬壓酒喚客嘗。」見新酒初熟，江南風物之美，工在壓字。老杜《畫馬詩》：「戲拈秃筆掃驊騮。」初無意於畫，偶然天成，工在拈字。《柳詩》：「汲井漱寒齒。」工在汲字。工部又有所喜用字，如「修竹不受暑」，「野航恰受兩三人」，「吹面受和風」，「輕燕受風斜」，受字皆入妙。老坡尤愛「輕燕受風斜」，以謂燕迎風低飛，乍前乍却，非受字不能形容也。至於「能事不受相促迫」，「莫受二毛侵」，雖不及前句警策，要自穩愜爾。

《詩眼》强調煉字的重要性，並舉杜、柳之詩爲例，指出只要煉了句中的一個字可使全句俱工。杜甫《水檻遣心》二首之一云：「去郭軒楹敞，無村眺望賒。澄江平少岸，幽樹晚多花。細雨魚兒出，微風燕子斜。城中十萬戶，此地兩三家。」「輕燕受風斜」實不如「微風燕子斜」，着一「斜」字而境界已盡出；若加「受」字，反失其自然之致。

前集卷第十八引《漫叟詩話》云：

詩中有一字，人以私意竄易，遂失古人一篇之意，若「相公親破蔡州來」，今「親」字改作「新」字是也。苕溪漁隱曰：《酬王二十舍人雪中見寄》云：「三日柴門擁不開，堦庭平滿白皚皚，今朝蹋作瓊瑤迹，為有詩從鳳沼來。」今「從」字改作「仙」字，則失詩題見寄之意也。

下一例指出改易欠妥的所在，但上一例則未有說明。「親」改爲「新」，則失相公親自出馬之意，且凡破當系新破，不必再加「新」字。所舉例句，都出自韓吏部詩。

前集卷第二十六引《西清詩話》云：

嘗見景文寄公書曰：「莒公兄赴鎮圃田，同游西池，作詩云：長楊獵罷寒熊吼，太一波閑瑞鵠飛。語意警絕，因作一聯云：白雪久殘梁復道，黃頭閑守漢樓舡。乃注空字於閑之傍，批云二字未定，更望指示。」晏公書其尾曰：「空優於閑，且見雖有舡不御之意，又字好語健。」蓋前輩務求博約，情實純至，蓋如此也。㉓

指出「空守」優於「閑守」，因「空守」才可見有船不御之意，而「閑守」則未必能。言雖簡却能道出煉字之妙。

前集卷第三十六引《石林詩話》云：

王荆公從宋次道借本篇《百家詩選》，中間有「暝色赴春愁」，次道改「赴」字作「起」字，荆公復定為「赴」字，以語次道曰：「若是起字，誰不能之。」次道以為然。苕溪漁隱曰：『余觀

《鐘山語錄》云：「暝色赴春愁」下得赴字最好，若下起字，卽小兒言語也。』所云止此，不知《石林》之說何從得之？

所引《石林詩話》與《鐘山語錄》，都說用「赴」字比「起」字好，但究竟好在那裏，都說不出它所以然來。「暝色」之下，不論着「赴」字或「起」字，都是擬人法，若用「赴」字，則暝色只作爲春愁的一部分，可見春愁之廣而多；若用「起」字，則春愁全由暝色而起。如此比較，便不難見其優劣了。

前集卷第五十引《詩眼》云：

老杜《謝嚴武詩》云：「雨映行宮辱贈詩。」山谷云：「只此雨映兩字，寫出一時景物，此句便雅健。」余然後曉句中當無虛字。後誦淮海小詞云：「杜鵑聲裏斜陽暮。」公曰：「此詞高絕。但既云斜陽，又云暮，則重出也。欲改斜陽作簾櫳。」余曰：「旣言孤館閉春寒，似無簾櫳。」公曰：「亭傳雖未必有簾櫳，有亦無害。」余曰：「此詞本模寫牢落之狀，若曰簾櫳，恐損初意。」先生曰：「極難得好字，當徐思之。」然余因此曉句法不當重疊。

黃山谷以爲秦觀《踏莎行》一詞的「杜鵑聲裏斜陽暮」句，「斜陽」與「暮」意重出，欲改「斜陽」爲「簾櫳」，但簾櫳疏隙，不能「閉春寒」，且亦失此詞摹寫牢落之狀的本意。「斜陽」雖暮景，再加「暮」字，可加重暮意，而這暮意又正是在杜鵑聲裏呈現出來，自加深了離人的別恨。所以「斜陽」之下，重加「暮」字，正是切情應景的需要，不能以此而妄議其失。

前集卷第五十二引《西清詩話》論煉字，是最值得商榷的。《西清詩話》云：

王仲至召試館中，試罷，作一絕題於壁云：「古木森森白玉堂，長年來此試文章，日斜奏罷《長

> 楊賦》，閑拂塵埃看畫墻。」荆公見之，甚嘆愛，為改作「奏賦《長楊》罷」，且云：「詩家語，如此乃健。」

清袁枚《隨園詩話》（卷六），以爲原作「句最渾成」，而荆公妄改，殊爲可笑。却沒有指出原作好在那裏，荆公的改作，又失在那裏。甚至連荆公自己也沒有說出改詩的理由（據《西清詩話》所載）。要想知道原作好還是改作好，須先弄清楚原作和改作在意義上有什麼不同。原作「奏罷《長楊賦》」，是說作者王仲至在試館中只奏完了一首《長楊賦》，別無其他；荆公改作「奏賦《長楊》罷」，意謂王君奏賦多首，至《長楊賦》而止。從「日斜」二字看來，作者在試館中逗留的時間甚久，故奏賦當不只《長楊》一首；更從最後一句看來，可知作者在試館中逗留至於須靠「閑拂塵埃看畫牆」以打發時間，所以奏賦較可能是多首的。但作者自己用辭失愼，竟寫作「奏罷《長楊賦》」，荆公爲改作「奏賦《長楊》罷」，以存事理之眞。《長楊賦》爲漢揚雄所作。史稱成帝時，雄被召對，奏《甘泉》、《河東》、《長楊》等賦。王仲至效揚雄奏《甘泉》、《河東》、《長楊》等賦，至《長楊》而罷，是比較可能的。

後集卷第二十五云：

> 苕溪漁隱曰：「王駕《晴景》云：『雨前初見花間蕊，雨後兼無葉底花，蛺蝶飛來過墻去，應疑春色在鄰家。』此《唐百家詩選》中詩也。余因閱荆公《臨川集》，亦有此詩，云：『雨來未見花間蕊，雨後全無葉底花，蜂蝶紛紛過墻去，却疑春色在鄰家。』《百家詩選》是荆公所選，想愛此詩，因為改七字，使一篇語工而意足，了無鑱斧之迹，眞削鐻手也。」

傅庚生先生不以胡仔所論爲然，他說：

此詩本意著重在「春色在鄰家」，暗寓愁人傷春易逝之旨，云「雨前初見花間蕊」，則是花已開、春已到，荆公以為春到便不應更疑春色在鄰家也，故改作「未見」，是所謂「意足」也。云「蛺蝶飛來過墻去」，飛來與過去並用，則似無所偏重，且止云蛺蝶，不如兼言蜂蝶，益之以「紛紛」二字以狀其多，故改為「蜂蝶紛紛過墻去」，則與「却疑春色在鄰家」近逼緊襯，餘並改「雨前」為「雨來」，時間上乃見緊湊，改「應疑」為「却疑」，語意間乃見沉著；是所謂「語工」也。雖然，尤有說焉。王駕原詩，當時得情物之真，故自然而省力，荆公所改，因力求專注，乃有「刻畫」之嫌。花「初」開見蕊而雨至，風狂雨橫之後，非但葉外可見之花已落，並葉底未見之花亦殘。蛺蝶飛來，無花可駐，翩翩飛過墻去，此院之春已逝矣，春色倘仍在人間，其在鄰家乎？一種愴涼之意，盡在言外，本無瑕可抵也。荆公改作，則為用力逼出「却疑春色在鄰家」一句，寫得庭花未開便殘，轉失襯托淺深之美，容與含蓄之致，且花未吐蕾，雨後便落，亦失事理之真；分明是橫施斧鉞，元任乃云「了無鑱斧之迹」，蓋亦未暇細校矣。（《中國文學欣賞舉隅．鍊字與度句》）

細味二說，自以傅氏之說較長。

苕溪漁隱叢話》談論仿擬之處尤多。前集卷第三云：

《苕溪漁隱曰：「荆公詩云：『先生歲晚事田園，魯叟遺書廢討論。問訊桑麻憐己長，案行松菊喜猶存。農人調笑追尋壑，稚子歡呼出候門。遙謝載醪祛惑者，吾今欲辨已忘言。』所謂四韻全使淵明詩者，即此詩是也。」

「事田園」句取自陶詩《歸田園居》第一首「守拙歸田園」；「魯叟遺書」句取自《飲酒》詩第二十首「汲汲魯中叟，……六籍無一親」；「桑麻」句取自《歸田園居》第二首「相見無雜言，但道桑麻長」；「松菊」句取自《歸去來辭》「三徑就荒，松菊猶存」；「農人尋壑」句取自《歸去來辭》「農人告余以春及，將有事於西疇，……既窈窕以尋壑，亦崎嶇而經丘」；「稚子候門」句取自《歸去來辭》「僮僕歡迎，稚子候門」；「載醪祛惑」句取自《飲酒》第十八首「時賴好事人，載醪祛所惑」，又《丙辰歲八月中於下潠田舍獲》「遙謝荷蓧翁，聊得從君栖」；「欲辨已忘言」句取自《飲酒》第五首「此中有眞意，欲辨已忘言」。全詩都仿陶淵明的詩句和詩意而作，所以元任說「四韵全使淵明詩」。

《苕溪漁隱叢話》前集卷第七引《西清詩話》云：

> 詩之聲律成於唐，然亦多原六朝旨意。何遜《入西塞詩》云：「薄雲岩際出，初月波中上。」至少陵《江邊小閣詩》則云：「薄雲岩際宿，孤月浪中翻。」雖因舊而益妍，此類獺髓補痕也。《玉臺集序》云：「金星將發女爭華，麝月與常娥競爽。」《北齊碑》云：「浮雲共嶺松張蓋，秋月與岩桂分叢。」庾子山《射馬賦》云：「落花與芝蓋齊飛，楊柳共春旗一色。」王勃《滕王閣記》云：「落霞與孤鶩齊飛，秋水共長天一色。」薛逢云：「原花將晚照爭紅，怪石與寒流共碧。」又云：「銀章與朱紱相輝，熊軾共隼旗爭貴。」語意互相剽竊，所謂左右拔劍，彼此相笑，於少陵精粗有間矣。

他指出語意互相仿擬的情狀。可是在庾信的《射馬賦》之前，却漏去了梁武帝時人任昉（彥升）《齊竟陵文宣王行狀》的「清猿與壺人爭旦，緹幕與素瀨交輝。」㉔庾信係元帝時人，略後於任昉。

前集卷三十五引《冷齋夜話》云：

山谷言詩意無窮，而人才有限，以有限之才，追無窮之意，雖淵明、少陵不得工也。不易其意，而造其語，謂之換骨法。規摹其意形容之，謂之奪胎法。如鄭谷詩：「自緣今日人心別，未必秋香一夜衰。」……荆公《菊詩》曰：「千花百卉凋零後，始見閑人把一枝。」東坡曰：「萬事到頭都是夢，休休，明日黄花蝶也愁。」又李翰林曰：「鳥飛不盡暮天碧。」又曰：「青天盡處沒孤鴻。」……山谷《達觀臺詩》曰：「瘦藤拄到風煙上，乞與游人眼豁開，不知眼界闊多少，白鳥去盡青天回。」凡此之類，皆換骨法也。顧況詩曰：「一別二十年，人堪幾回別。」㉕其詩簡緩而意精確。荆公《與故人詩》曰：「一日君家把酒杯，六年波浪與塵埃，不知烏石江頭路，到老相尋得幾回。」樂天詩：「臨風杪秋樹，對酒長年身，醉貌如霜葉，雖紅不是春。」東坡詩：「兒童悞喜朱顏在，一笑那知是酒紅。」㉖凡此之類，皆奪胎法也。學者不可不知。

所謂奪胎法，是規摹其意而形容之；所謂換骨法，是不易其意，而造其語。其實都是仿擬的修辭法。陳望道氏的《修辭學發凡》，有仿擬辭格，沒有模仿辭格。據他爲仿擬辭格所下的定義說：「爲了滑稽嘲弄而故意仿擬特種既成形式的，名叫仿擬格。」同尋常所謂模擬不同。《苕溪漁隱叢話》所引述的大都是模擬而不是仿擬，我們不妨將仿擬的意義擴大，把模擬也包括在內。

前集卷第四十二又云：

苕溪漁隱曰：「《才調集》有無名氏絶句云：『春光冉冉歸何處，更向樽前把一杯，盡日問花花不語，爲誰零落爲誰開？』東坡《吉祥寺花詩》云：『太守問花花有語，爲君零落爲君開。』遂與前詩略同，豈偶然邪。《古今詩話》載，太上隱者，人莫知其本末，好事者從之問姓名，不答，留詩一絶云：『偶來松樹下，高枕石頭眠，山中無曆日，寒盡不知年。』東坡《贈梁道人詩》云：『寒盡山中無曆日。』用此事也」。

《才調集》是蜀韋穀所編，凡十卷，所錄都是晚唐人的詩，東坡詩模擬晚唐無名氏詩，自無疑義。

《苕溪漁隱叢話》前集卷第五十引《後山詩話》云：

王斿，平甫之子，嘗云：今語例襲陳言，但能轉移耳。世稱秦詞「愁如海」為新奇，不知李國主已云：「問君能有幾多愁，恰似一江春水向東流」，但以「江」為「海」耳。

陳無已說秦觀詞模擬李煜是對的，其《千秋歲》詞「春去也，飛紅萬點愁如海」固以江爲海，但他的《江城子》詞仍是以江爲江的，詞云：「便做春江都是淚，流不盡、許多愁。」此詞後來被李清照所模擬，她的《武陵春》詞云：「風住塵香花已盡，日晚倦梳頭。物是人非事事休，欲語淚先流。聞說雙溪春尚好，也擬泛輕舟。只恐雙溪舴艋舟，載不動、許多愁。」清照此詞結語云云，向爲詞評家所稱頌，而不知原來出自淮海長短句。

《苕溪漁隱叢話》後集卷第二引《復齋漫錄》云：

《峽州記》：「行者歌曰：巴東三峽猿鳴悲，猿啼三聲淚沾衣。」故《古樂府》有《巫峽長》「猿鳴三聲淚沾衣。」陳蕭詮《夜猿啼詩》：「別有三聲淚，沾裳竟不窮」。杜子美詩：「聽猿實下三聲淚。」苕溪漁隱曰：《古樂府》梁簡文《巴東三峽歌》云：「巴東三峽巫峽長，猿鳴三聲淚沾裳。」魯直《竹枝詞》注引此兩句為證，《復齋》所記峽州行者歌，乃異韵而同詞，必誤也。

《復齋漫錄》所引《峽州記》行者歌，又見於唐歐陽詢等所編《藝文類聚》卷九十五引《宜都山川記》；而元任所謂《古樂府》梁簡文《巴東三峽歌》，實出於北魏酈道元的《水經注》卷三十四《江水》：

自三峽七百里中，兩岸連山，略無闕處。重岩疊嶂，隱天蔽日。……有時朝發白帝，暮到江陵。其間千二百里，雖乘奔御風，不以疾也。……

每至晴初霜旦，林寒澗肅，常有高猿長嘯，屬引淒異，空谷傳響，哀轉久絕。故漁者歌曰：「巴東三峽巫峽長，猿鳴三聲淚沾裳」。

《太平御覽》及《世說新語》引此歌，都說出自《荊州記》。這是漁者之歌，《苕溪漁隱叢話》以爲是簡文帝所作，實誤。又上引《水經注》的兩段話，實爲李白《早發白帝城》詩所本。李白詩云：「朝辭白帝彩雲間，千里江陵一日還。兩岸猿聲啼不住，輕舟已過萬重山。」按梁簡文帝《折楊柳》云：「寒夜猿聲徹，遊子淚沾裳。」（玉台新咏》卷七）乃襲漁者之歌，所以《苕溪漁隱叢話》誤漁者之歌爲簡文所作。其實，《復齋漫錄》所指描寫猿悲鳴的詩，輾轉相襲，還可溯源至《詩經》和《楚辭》㉗。

《苕溪漁隱叢話》後集卷第三十三引《復齋漫錄》云：

少游別蘇子由於斗野亭，作詩云：「古埭天連雁，荒祠木蔽牛，不堪春解手，更為晚停舟。」子由和云：「飲食逢魚蟹，封疆入斗牛。」予觀其意，上句取杜詩「青青竹笋迎船出，白白江魚入饌來。」其下句，乃取庾闡成「路已分於湘漢，星猶看於斗牛」也。

說子由詩上句取自杜詩，下句取自庾詩，實嫌證據未足，不論就詩意說，就用字說，所擧子由詩句，和杜詩庾詩，都少有相似之處，故《復齋漫錄》之論，恐難使人信服。若以只有一「魚」字與杜詩相同，便硬指爲出自杜詩，則天下之詩出自杜詩又何能勝擧？若以只有「斗牛」二字與庾詩相同，便硬派其取自庾詩，則任何人所作之詩，句句字字都有來歷，眞是避不勝避了。

前集卷第一引宋子京《筆記》云：

古人語有椎拙不可掩者，《樂府》：「何以銷憂㉘，惟有杜康。」劉越石曰：「何其不夢周。」又曰：「夫子悲獲麟，西狩涕孔丘。」雖有意緒，詞亦鈍樸矣。

杜康是周時的善造酒者，曹操借杜康代酒，是用借代的修辭法，以事物的作者代事物。「何其不夢周」取自《論語・述而》篇：「甚矣吾衰也，久矣吾不復夢見周公。」這是引用成語故事，屬於引用的修辭法。《春秋》魯哀公十四年春，西狩獲麟。孔子曰：「吾道窮矣」，（《公羊傳》）「遂以絕筆焉。」（鍾文烝《穀梁補注》）宋子京以爲劉越石詩「辭意鈍樸」。

前集卷第十二引《呂氏童蒙訓》云：

「雕蟲蒙記憶，烹鯉問沉綿」，不說作賦，而說雕蟲，不說寄書，而說烹鯉，不說疾病，而云沉綿；「頌椒添諷味，禁火卜歡娛」，不說歲節，但云頌椒，不說寒食，但云禁火；亦文章之妙也。

雕蟲語出揚雄《法言・吾子》篇，已見於本書第三篇所引。又《北史・李渾傳》亦云：「嘗謂魏收曰：『雕蟲小技，我不如卿；國典朝章，卿不如我。』」烹鯉語出《飲馬長城窟》：「客從遠方來，遺我雙鯉魚。呼童烹鯉魚，中有尺素書。長跪讀素書，書中竟何如？上有加餐飯，下有長相思。」沉綿語出《雲笈七籤》：「假令疾而用藥乖誤，雖《難經》、《素問》，三世十全，欲去沉綿，其可得也？」頌椒的椒謂椒酒。《荆楚歲時記》引《四民月令》云：「過臘一日謂之小歲，拜賀君親，進椒酒。」禁火亦出《荆楚歲時記》：「冬至後一百五日，謂之寒食，禁火三日。」以上只有「沉綿」用借代的修辭法，是以事物的情狀（沉痼纏綿而不已）代事物（痼疾），其餘雕蟲、烹鯉、頌椒、禁火都是引用成語故事的引用修辭法。

前集卷第三十七引《遁齋閒覽》云：

張子野郎中，以樂章擅名一時。宋子京尚書奇其才，先往見之，遣將命者㉙謂曰：「尚書欲見雲破月來花弄影郎中乎？」子野屛後呼曰：「得非紅杏枝頭春意鬧尚書邪？」遂出，置酒盡歡。蓋二人所舉，皆其警策也。

「雲破月來花弄影」是張先《天仙子》詞的佳句，「紅杏枝頭春意鬧」是宋祁《玉樓春》詞的佳句，前者以代張先，後者以代宋祁，都是借代的修辭法，是借作家的警策句代作家。同卷又引《古今詩話》云：

有客謂子野曰：「人皆謂公張三中，卽心中事、眼中淚、意中人也。」公曰：「何不目之為張三影」。客不曉，公曰：「雲破月來花弄影；嬌柔懶起，簾壓捲花影；柳徑無人，墮風絮無影：此余平生所得意也。」

這仍是用借代的修辭法，是集作品中的同字同義辭代作家。以上所擧都只是敍述，沒有評論。

又前集卷第六十云：

> 苕溪漁隱曰：「近時婦人能文詞，如李易安，頗多佳句，小詞云：『昨夜雨疏風驟，濃睡不消殘酒。試問捲簾人，卻道海棠依舊。知否知否，應是綠肥紅瘦。』「綠肥紅瘦」，此語甚新。」

這也是用借代的修辭法，借綠代葉，借紅代花，是借事物的顏色代事物。元任說「此語甚新」，意謂這種借代的修辭法，當時很少人用它。其實，唐代的柳宗元已經用過了「紛紅駭綠，蓊勃香氣。」（見《袁家渴記》）

《苕溪漁隱叢話》後集卷第二十一引《復齊漫錄》云：

> 文之所以貴對偶者，謂出於自然，非假於牽強也。潘子真《詩話》記禹玉元豐間以錢二萬、酒十壺餉呂夢得，夢得作啓謝之，有「白水真人，青州從事。」禹玉嘆賞，為其切題。後毛達可有《謝人惠酒啓》云：「食窮三載，曾無白水之真人；出錢百壺，安得青州之從事。」此用夢得語，尤為無功，非惟出於剽竊，亦是白水真人為虛設也。至若東坡得章質夫書，遺酒六瓶，書至而酒亡，因作詩寄之云：「豈意青州六從事，化為烏有一先生。」二句渾然，絕無斧鑿痕，更覺真切。

這是用析字而兼諧音的修辭法。白水是泉的析字，泉又諧音為錢，因以指錢；青州從事，指好酒。《世說新語·術解》云：「桓溫有主簿，善別酒，有酒輒令先嘗，好者謂青州從事，惡者謂平原督郵；青州有齊郡，平原有鬲縣，從事言到臍（齊），督郵言在膈（鬲）上住。」好酒一飲到臍部，惡酒在膈（體腔中分胸腹兩腔之膜）上便停住了。這裏借青州從事代好酒，是用借代的修辭法。

前集卷第九引《學林新編》云：

《中秋月》詩曰：「滿目飛明鏡，歸心折大刀。」注詩者曰：「古詩：『藁砧今何在，山上復有山，何當大刀頭，破鏡飛上天。』謂殘月也。」按古詩乃《樂府》所載《藁砧詩》也。藁砧者，鈇也，「藁砧今何在」，問「夫」何在也。「山上復有山」，言夫出也。「大刀頭」者，環也，「何當大刀頭」者，何日當還也。「破鏡」者，月半也，「破鏡飛上天」者，言月半當還也。子美詩云「歸心折大刀」者，言雖有歸心，而刀折則未能還也。注詩者初不曉其意，乃訓為殘月，則誤矣。

「藁砧」先衍義爲「鈇」，再諧音作「夫」；「山上復有山」是「出」字的化形；「大刀頭」先衍義作「環」，再諧音作「還」；「破鏡」是半月的衍義㉚。王觀國擧杜甫《中秋月》詩注以論析字的修辭法，包括衍義、諧音和化形等三種基本的方法。

又前集卷第三十三引《遁齋閒覽》云：

或傳一詩謎云：「佳人佯醉索人扶，露出胸前白雪膚，走入繡幃尋不見，任他風雨滿江湖。」乃賈島、李白、羅隱、潘閬四詩人名也，云是荆公所作。

「佳人佯醉索人扶」衍義爲「假倒」，再諧音作「賈島」；「露出胸前白雪膚」衍義爲「肋白」，再諧音作「李白」；「走入繡幃尋不見」衍義爲「羅隱」；「任他風雨滿江湖」衍義爲「潘（水溢貌）浪」，再諧音作「潘閬」。這是衍義和諧音的析字修辭法。《遁齋閒覽》只是敍述，沒有評論。

前集卷第五十五引《漫叟詩話》云：

錢昭度詩：「二八飛泉繞齒鳴。」蓋用鮑照《井謎》也。《井謎》：「二形二體，四支八頭，四八一八，飛泉仰流」。五八是四十數，昭遂使作二八，識者笑其不能用事。

按鮑照《井字謎》謂「井」字可分爲二形二體，有四肢和八頭，四八加一八原五八，五個八是四十，「井」字可化形爲四個「十」字。錢昭度《咏井詩》作二八，實不可解，故《漫叟詩話》謂「識者笑其不能用事」。

後集卷第二十五也談到鮑照的《井字謎》，云：

苕溪漁隱曰：「謎字自鮑照始，以字體解釋為之，《井字謎》云：『二形一體，四支八頭，四八二八，飛泉仰流。』……故介甫《用字謎》云：『一月又一月，兩月共半邊，上有可耕之田，下有長流之川，一家有六口，兩口不團圓。』」

元任以爲字謎（卽析字的修辭法）之作，始於鮑照，而不知西漢董仲舒的《春秋繁露》已有「王」字謎之作，只是董氏將謎底和謎面一起道出罷了㉛。荆公《用字謎》極佳：「用」字乃由兩個「月」字合成，共用左右各半邊；「用」字的上面是個「田」字，下面是個「川」字；「用」字有六口，下面的兩口缺了，所以說「不團圓」。比鮑照的《井字謎》要巧妙得多。

前集卷第五十五又論析字云：

苕溪漁隱曰：「郭忠恕嘗玩聶崇義，戲嘲之云：『近貴全為瞶，攀龍卽是聾，雖然三個耳，其奈不成聰。』崇義應聲反以忠恕二字解嘲云：『勿笑有三耳，全勝畜二心。』陳亞、蔡襄互相嘲云：『陳亞有心終是惡，蔡襄無口便成衰。』近時呂擴、謝暉，亦以名相嘲云：『呂擴無才終入廣，謝暉不日便充軍。』是知戲謔不可不謹，至於為虐，可以為戒。」

文友拿對方的姓氏名字用析字法以相戲謔，這種風氣，大概起自宋代。元任主張戲謔應該謔而不虐，也有道理。

前集卷第九引《呂氏童蒙訓》云：

陸士衡《文賦》云：「立片言以居要，乃一篇之警策。」此要論也。文章無警策，則不足以傳世，蓋不能竦動世人。如老杜及唐人諸詩，無不如此。但晉、宋間人專致力於此，故失於綺靡，而無高古氣味。老杜詩云：『語不驚人死不休』，所謂驚人語，卽警策也。

這是論警策辭格比較得體的一段話，呂氏以為文章須有警策才能傳世；如專注於此，將失於綺靡，也不是修辭之道。又前集卷第二十引洪駒甫《詩話》云：

丹陽殷璠撰《河岳英靈集》，首列常建詩，愛其「山光悅鳥性，潭影空人心」之句，以為警策。歐公又愛建「竹徑通幽處，禪房花木深」，欲效建作數語，竟不能得，以為恨。予謂建此詩全篇皆工，不獨此兩聯而已，其詩曰：「清晨入古寺，初日照高林。竹徑通幽處，禪房花木深。山光悅鳥性，潭影空人心。萬籟此俱寂，但聞鐘磬音。」

洪氏認為警策卽語工，這未必合於陸機《文賦》之所謂警策。

前集卷第六引《迂叟詩話》云：

「牂羊墳首，三星在罶。」言不可久。古人為詩，貴於意在言外，使人思而得之。故言之者無罪，聞之者足以戒也。近世詩人，惟杜子美最得詩人之體，如「國破山河在，城春草木深，感時花濺淚，恨別鳥驚心。」「山河在」，明無餘物矣；「草木深」，明無人矣；花鳥，平時可娛之物，見之而泣，聞之而恐，則時可知矣。他皆類此，不可遍舉。

所謂「意在言外，使人思而得之」，用的便是婉曲（含蓄）的修辭法。下例引杜甫《春望》詩，指出其婉曲的含意。至於上例引《詩經・小雅・苕之華》的詩句之後，作者司馬光只說「言不可久」㉜，恐未必能使人明白。這是反映荒年饑饉與封建地主豪紳掠奪的一首詩，母綿羊的身體越是消瘦，它的頭就顯得如墳一般的大，魚笥裏沒有魚，只有三星之光在那兒。《迂叟詩話》暗示這兩句詩是用含蓄的手法寫下來的，意謂這種民不聊生的情狀，是不可讓它長久下去的。

又前集卷第十二引《冷齋夜話》云：

詩句有含蓄者㉝，如老杜「勛業頻看鏡，行藏獨倚樓」，鄭雲叟曰：「相看臨遠水，獨自上孤舟。」是也。有意含蓄者，如《宮詞》曰：「銀燭秋光冷畫屏，輕羅小扇撲流螢，天街夜色涼如水，臥看牽牛織女星。」又《嘲人詩》曰：「怪來妝閣閉，朝下不相迎，總向春園裏，花間語笑聲。」是也。有句意俱含蓄者，如《九日》詩曰：「明年此會知誰健，醉把茱萸仔細看。」《宮怨》詩曰：「玉容不及寒鴉色，猶帶朝陽日影來。」是也。

惠洪以為詩有「句」含蓄的，有「意」含蓄的，有「句」「意」都含蓄的，並各舉例證。含蓄，也就是《老杜補遺》所謂「含不盡之意」㉞的意思。沒有意不含蓄而句能含蓄的。

談到誇張辭，《苕溪漁隱叢話》前集卷第八引《緗素雜記》云：

沈存中《筆談》云：「《武侯廟柏詩》，霜皮溜雨四十圍，黛色參天二千尺。四十圍乃是徑七尺，無乃太細長乎？」予謂存中性機警，善《九章算術》，獨於此為誤，何也？古制以圍三徑一，四十圍即百二十尺，圍有百二十尺，即徑四十尺矣，安得云七尺也？若以人兩手大指相合為一圍，則是一小尺，即徑一丈三尺三寸，又安得云七尺也？武侯廟柏，當從古制為定，則徑四十尺，其長二千尺宜矣，豈得以太細長譏之乎？老杜號為詩史，何肯妄為云云也。

按杜甫此詩，原題《古柏行》，以起句爲「孔明廟前有老柏」，故沈括的《夢溪筆談》於引述此詩時題作《武侯廟柏詩》。杜甫此詩，是用誇張辭，沈存中却拿算盤來計算，以爲四十圍乃是徑七尺，而高却二千尺，「無乃太細長乎？」《緗素雜記》作者黃朝英却認爲武侯廟柏當從古制，四十圍實百二十尺，則徑當爲四十尺，其長二千尺並不算太細長哩。其實沈、黃兩人的計數比賽，都是無謂的。至於沈括的評語，載《夢溪筆談》卷二十三「譏謔」門，既云譏謔，本帶有滑稽和開玩笑之意，未必不知道杜甫詩句是用誇張的修辭法。黃朝英也拿起算盤，硬指杜詩所云尺寸應是以古制計算，認眞的要和沈氏作計算比賽，更覺可笑。前集卷第八引王直方《詩話》云：「范蜀公云：『武侯廟柏今十丈，而杜工部云黛色參天二千尺，古之詩人好大其事，大率如此。』」宋人也有知道杜詩是用誇張辭的，如《苕溪漁隱叢話》前集卷第八引《遁齋閒覽》云：

沈內翰譏「黛色參天二千尺」之句，以謂四十圍配二千尺為大細長。不知子美之言但意其色而已，猶言其翠色蒼然，仰視高遠，有至於二千尺而幾於參天也。若如此求疵，則二千尺固未足以參天，而詩人謂「峻極於天」者，更為妄語。

同卷又引《學林新編》云：

《古柏行》曰：「霜皮溜雨四十圍，黛色參天二千尺。」沈存中《筆談》云：「無乃大細長？」某案子美《潼關吏詩》曰：「大城鐵不如，小城萬丈餘。」豈有萬丈城邪？姑言其高。四十圍二千尺者，亦姑言其高且大也。詩人之言當如此。而存中乃拘以尺寸校之，則過矣。

同卷又引《眼》云：

古人形似之語，如鏡取形，燈取影也。故老杜所題詩，往往親到其處，益知其工。激昂之言，孟子所謂「不以文害辭，不以辭害志」，初不可形跡考，然如此乃見一時之意。余遊武侯廟，然後知《古柏詩》所謂「柯如青銅根如石」，信然，決不可改，此乃形似之語。「霜皮溜雨四十圍，黛色參天二千尺，雲來氣接巫峽長，月出寒通雪山白。」此激昂之語，不如此，則不見柏之大也。文章固多端，警策往往在此兩體耳。

他所謂形似之語，卽譬喻辭，所謂激昂之語，卽誇張辭；對於誇張辭，「初不可以形跡考」，也就應當如孟子所說，「以意逆志，是爲得之」。

關於歇後語，前集卷第十二引洪駒父《詩話》云：

世謂兄弟為友于，謂子孫為詒厥者，歇後語也。子美詩曰：「山鳥山花皆友于」，退之詩：「誰謂詒厥無基址」，韓、杜亦未能免俗，何也？苕溪漁隱曰：「老杜詩云：『六月曠摶扶』，案《莊子》：「摶扶搖而上者九萬里。」疏云：「摶，鬥；扶搖，旋風也。」今云摶扶，亦是歇後語耳。

前集卷第四十八又引《後山詩話》云：

黃詞云：「斷送一生惟有，破除萬事無過。」蓋韓詩有云：「斷送一生惟有酒」，「破除萬事無過酒」，才去一字，遂為切對，而語益峻。

又後集卷第七引《藝苑雌黃》云：

昔人文章中，多以兄弟為友于，以日月為居諸，以黎民為周餘，以子孫為厥詒，以新婚為燕爾：類皆不成文理。雖杜子美、韓退之亦有此病，豈非徇俗之過邪？子美云：「山鳥山花吾友于。」又云：「友于皆挺拔。」退之云：「豈謂詒厥無基址。」又云：「為爾惜居諸。」《後漢・史弼傳》云：「陛下隆於友于，不忍恩絕。」曹植《求通親表》云：「今之否隔，友于同憂。」《晉史》贊論中，此類尤多。洪駒父云：「此歇後語也。」……苕溪漁隱曰：「友于之語，自陶彭澤已自承襲用之。詩云：『一欣侍溫顏，再見喜友于。』然則少陵蓋承之也。且歇後語，蘇、黃亦有之。蘇云：『伯時有道真吏隱，飲啄不羨山梁雌。』黃云：『斷送一生惟有，破除萬事無過。』然黃集此句，對偶甚工，後山以為妍而反嗜之，不以為病也。

案「周餘」二字見於《詩・大雅・雲漢》篇：「周餘黎民，靡有孑遺」；後來把「黎民」二字藏起來，留下「周餘」二字以代替黎民。「燕爾」原作「宴爾」，見於《詩・谷風》：「宴爾新昏（婚）」，後來把「新昏（婚）」二字藏起來，留下「宴爾」以代替「新昏（婚）」，宴、燕古通用，故又作「燕爾」。「友于」二字見於《書經・君陳》篇：「友于兄弟」；後來把「兄弟」二字藏起來，留下「友于」二字以代替兄弟。「居諸」二字見於《詩・柏舟》篇：「日居月諸，胡迭而微，」「居」和「諸」本來都是語助詞；後來把「日」「月」藏了起來，留下這兩個字以代替日月。「貽厥」二字見於《書經

‧五子之歌》：「有典有則，貽厥子孫」，又《詩經‧文王有聲》篇也有「詒厥孫謀」的話，「貽」「詒」兩字原是通用的；後來把「孫」字藏起來，便以「貽厥」代「子孫」。又蘇軾詩「山梁雌」句，略去「雉」字，語出《論語‧鄉黨》篇。這些都是所謂藏詞格，有的是藏前半截的（如「日月」），叫做「藏頭語」；有的是藏後半截的（如「兄弟」「子孫」），叫做「歇後藏詞語」㉟。

洪駒父以爲用歇後語是不登大雅的，因而怪韓、杜何以竟亦未能免俗？《藝苑雌黃》更以爲用歇後語的詩文是不成文理的，雖杜、韓亦不免有此病。只有後山特別賞識山谷用歇後修辭法，以爲「語益峻」。《苕溪漁隱叢話》後集卷第七引《復齋漫錄》云：

唐宰相鄭綮為詩，好歇後句。行第五，時人呼為「歇後鄭五」……後之文士，不復作歇後體，以「其非雅正」。

可見當時文士對歇後語的鄙視，認爲不是雅正的言語。

前集卷第二十二引《石林詩話》云：

楊大年、劉子儀皆喜彥謙詩，以其用事精巧，對偶親切。黃魯直詩體雖不類，然不以楊、劉為過。如彥謙《題高廟》云：「耳聞明主提三尺，眼見愚民盜一抔」，每稱賞不已，多示學詩者以為模式。「三尺」「一抔」，雖是着題，然語皆歇後，一抔事無兩出，或可略土字，如三尺，則三尺律、三尺喙皆可，何獨劍乎？「耳聞明主」、「眼見愚民」，尤不成語。余數見交遊道魯直語，意不可解。蘇子瞻有「買牛但自捐三尺，射鼠何勞挽六鈞」，亦同此病，六鈞可去弓字，三尺不可去劍字，此理甚易知也。

葉夢得以爲黃山谷所稱賞的唐彥謙詩句，用歇後修辭法大有問題，一抔固可略去土字，因事無兩出，但三尺切不可略去劍字，因亦可作三尺律、三尺喙。案三尺略劍字，出於《漢書·高帝紀》：「吾以布衣提三尺取天下。」殊不知關鍵在於「提」字。三尺劍可提，三尺喙用提字便不適合，又三尺律，一般作三尺法，如《史記·杜周傳》云：「君爲天子決平，不循三尺法。」三尺法用提字也不很適當。葉氏沒有注意到三尺上文的動字，故以爲歇後不妥。宋陳嚴肖《庚溪詩話》卷下云：

余按《漢高帝紀》曰：「吾以布衣提三尺，取天下」。又《韓安國傳》，高帝曰：「提三尺，取天下者，朕也。」皆無劍字。唯注曰：「三尺，謂劍也。」出處旣如此，則詩家用其本語，又何不可？

至於「耳聞明主」、「眼見愚民」，確是不成話，夢得所指甚是。

前集卷第二十一云：

東坡云：「予年十二，先君自虔州為予言：『近城山中天竺寺有樂天親書詩云：一山門作兩山門，兩寺元從一寺分。東澗水流西澗水，南山雲起北山雲。前臺花發後臺見，上界鐘清下界聞。遙想吾師行道處，天香桂子落紛紛。筆勢奇逸，墨跡如新。』今四十七年矣，予來訪之，則詩已亡，有刻石存耳，故有詩云：『空咏連珠吟疊壁，已亡飛鳥失驚蛇』，蓋為是也。」

東坡所云白居易詩，原題《寄韜光禪師》，《白氏長慶集》「鐘清」作「鐘聲」，與「花發」不成對，當以東坡所云爲是。

前集卷第十六引《漫叟詩話》論映襯云：

江為有詩：「吟登蕭寺旃檀閣，醉倚王家玳瑁筵。」或謂作此詩者，決非貴族。或人評「軸裝曲譜金書字，樹記花名玉篆牌」，乃乞兒口中語。苕溪漁隱曰：「《青箱雜記》亦載此事，乃元獻云此詩乃乞兒相，未嘗識富貴者。故公每言富貴，不及金玉錦繡，惟說氣象，若「樓台側畔楊花過，帘幕中間燕子飛」，「梨花院落溶溶月，柳絮池塘淡淡風」之類是也。公自以此句語人曰：「窮人家有此景否？」《雲齋廣錄》載近時人詩一聯云：「珠帘繡戶遲遲日，柳絮梨花寂寂春」，雖用珠繡，其氣象豈不富貴，不害其為佳句也。《歸田錄》云：「晏元獻喜評詩，嘗曰：老覺腰金重，慵便玉枕涼，未是富貴語。不如笙歌歸院落，燈火下樓台，此善言富貴者也。人皆以為知言。」

魯迅先生也曾說過這樣的話：

唐朝人早就知道，窮措大想做富貴詩，多用些「金」「玉」「錦」「綺」字面，自以為豪華，而不知適見其寒蠢。真正寫富貴景象的，有道：「笙歌歸院落，燈火下樓台」，全不用那些字。

（《革命文學》）

魯迅所指唐人當是指漫叟吧。「笙歌」「燈火」兩句出自白居易《宴散》一律，詩云：「小宴追涼散，平橋步月回。笙歌歸院落，燈火下樓台。殘暑蟬催盡，新秋雁帶來，將何迎睡興，臨床學殘杯。」這是白樂天參加宴會歸來之作，「笙歌」二句，乃描寫所見富貴人家的景象，如果自己是富貴人家，便不是這樣的寫法了。故《後山詩話》云：「白樂天云：『笙歌歸院落，燈火下樓台』，又云：『歸來未放笙歌散，畫戟門前蠟燭紅』，非富貴語，看人富貴者也。黃魯直謂白樂天『笙歌歸院落，燈火下樓台』，不如杜子美『落花遊絲白日靜，鳴鳩乳燕青春深』也。」前集卷第二十七引《漫叟詩話》論雙關辭云：

> 嘗見近世作《藥名詩》，或未工，要當字則正用，意須假借㊱，若如「昃柏陰斜」是也。」「側身直上天門東」「風月前湖夜」，湖東二字卽非正用。孔毅夫有詩云：「鄙性常山野，尤甘草舍中。鉤帘陰卷柏，障壁坐防風。客上依雲實，流泉駕木通。行當歸老矣，已逼白頭翁。」

所謂「字則正用，意須假借」，指的便是雙關辭。雙關辭是以一個語辭同時兼顧兩種不同的事物。如「仄柏」，可從字面直解，但同時也關顧到「側柏」這一個藥名。如「天門東」可從字面直解，但同時也關顧到「天門冬」這一個藥名，「東」和「冬」是諧音；又如「前湖」可從字面直解，但同時也關顧到「前胡」這一個藥名，「湖」和「胡」是諧音。孔毅夫詩除了「常山野」字面的本義之外，也關顧到「常山」這一藥名；其餘「甘草」「卷柏」「防風」「雲實」「木通」「當歸」「白頭翁」等除了在詩句中所表示的字面意義外，同時也都是藥名。宋代還沒有雙關辭這一個名稱，只說是藥名詩。同卷又引《西清詩話》云：

> 《藥名詩》起自陳亞，非也，東漢已有離合體，至唐始著《藥名》之號，如張籍《答鄱陽客詩》云：「江皐歲暮相逢地，黃葉霜前半夏枝，子夜吟詩向松桂，心中萬事豈君知。」是也。

《西清詩話》將雙關辭的藥名詩與離合體混爲一談，不知離合體就是析字格，與雙關辭不同。至所擧張籍詩，除了字面的原意之外，詩中還可以找到地黃、半夏、梔子、桂心這些藥名，「地黃」是將第一句末字和第二句首字合成，除作爲雙關辭外，同時也是連珠體的一種，（《西淸詩話》誤爲離合體，即在於此吧？）梔子是枝子的諧音。苕溪漁隱曰：

《禽言詩》當如《藥名詩》，用其名字隱入詩句中，造語穩貼，無異尋常詩，乃爲造微入妙。如《藥名詩》云：「四海無遠志，一溪甘遂心。」遠志、甘遂，二藥名也。《禽言詩》云：「喚起窗全曙，催歸日未西。」㊲喚起、催歸，二禽名也。

用禽鳥的名字隱入詩中，和用藥名隱入詩中一樣，都是雙關辭。用雙關辭用到如元任所說，「造語穩貼，無異尋常詩」，這是技巧的高明處。「四海」「一溪」二句出自黃魯直《荊州即事藥名詩》，其後兩句「牽牛避洗耳，臥着桂枝陰。」牽牛花與桂枝也都是藥名㊳。

又前集卷第二十三引《禁臠》云：

「根非生下土，葉不墜秋風」，「五峰高不下，萬木幾經秋」，以「下」對「秋」，蓋「夏」字聲同也。「因尋樵子徑，偶到葛洪家」，「殘春紅葉在，終日子規啼」，以「子」對「洪」，以「紅」對「子」，皆假其色也。「閑聽一夜雨，更對柏巖僧」，「住山今十載，明日又遷居」，以「一」對「栢」，以「十」對「遷」，假其數也。

「子」諧音作「紫」，「洪」諧音作「紅」，所謂「假其色也」。「柏」諧音作「百」，「遷」諧音作「千」，所謂「假其數也」。以本字的意義和諧音辭同時關顧兩種不同的事物，都是雙關辭。宋時也把這種修辭法叫做借對。

關於集句，前集卷第三十五引王直方《詩話》云：

荊公始為集句，多者至數十韻，往往對偶親於本詩，蓋以誦古今人詩多，或坐中率然而成，始可以為貴也。其後多有效之者。孔毅甫嘗集句贈東坡，東坡戲次韻云：「羡君戲集他人詩，指呼市人如使兒。天邊鴻鵠不易得，便令作對隨家雞。退之驚笑子美泣，問君久假何時歸。世間好句世人共，明月自滿千家墀。」

王氏和一般人一樣，認爲集句始自荊公。而蔡寬夫《詩話》則云：「荊公晚多喜取前人詩句爲集句詩，世皆言此體自公始。予家有至和中成都人胡歸仁詩，已有此作，自號安定八體。」蔡氏認爲略早於荊公的胡歸仁，已做過了集句詩。他們都不知道晉代的傅咸，已有《集五經詩》之作了。從王氏所引東坡詩，可以看出東坡對集句詩的意見。《冷齋夜話》云：「集句詩其法貴速巧，如前輩曰：『晴湖勝鏡碧，衰柳似金黃。』人以爲巧，然疲費精力，積日月而後成，不足道也。山谷以集句詩名曰百家衣。百家衣，今小兒文褓也。」惠洪以爲集句貴在速巧，若積日月而成，便不足道。山谷更拿集句詩比百家衣，可見他對集句詩的輕視。《苕溪漁隱叢話》後集卷第十五云：

苕溪漁隱曰：「致堯《醉著絶句》云：『萬里清江萬里天，一村桑柘一村烟，漁翁醉着無人喚，過午醒來雪滿船。』葛亞卿《集句》云：『萬里清江萬里天，一村桑柘一村烟，漁翁醉睡醒又睡，高唱夕陽孤島邊。』前輩集句詩，每一句取一家詩，今亞卿全用致堯前兩句，極為無工，又後兩句不是好詩，不稱前兩句，豈若致堯之渾成也。」

誠如元任所說，集句詩例每一句取一家詩，若絶詩全用一家詩的前兩句，則是襲取而不是集句了。又後集第三十九卷云：

苕溪漁隱曰：「魯直書荆公集句《菩薩蠻詞》碑本云：『數間茅屋閑臨水，窄衫短帽垂楊里。花是去年紅，吹開一夜風。　娟娟新月偃，午醉醒來晚。　何許最關情，黃鸝三兩聲。』因閱《臨川集》，乃云：『今日是何朝，看余度石橋。』余謂不若『花是去年紅，吹開一夜風』爲勝也。」

案《王文公文集．菩薩蠻》集句詞，除中間兩句與魯直所書互異外，尙有「數間」作「數家」，「窄衫」作「輕衫」，「娟娟」作「梢梢」，「何許」作「何物」，「三兩」作「一兩」。一般以爲荆公最喜杜詩，其集句都是集杜句，其實他並唐及五代諸家的句子都「集」，初不限於杜甫一家而已。集句是引用修辭法發展到了臃腫的地步。《苕溪漁隱叢話》也談論到一般引用的修辭法，這裏不稱引了。

《苕溪漁隱叢話》後集二十五引《藝苑雌黃》云：

僧惠洪《冷齋夜話》載：介甫詩云「春殘葉密花枝少，睡起茶多酒盞疏」，「多」字當作「親」，世俗轉寫之誤。洪之意蓋欲以「少」對「密」，以「疏」對「親」。余作荆南教官，與江朝宗滙者同僚，偶論及此，江云：「惠洪多妄誕，殊不曉古人詩格。此一聯以「密」字對「疏」字，以「多」字對「少」字，正交股用之，所謂蹉對法也。

江朝宗所謂「交股用之」的蹉對法，便是錯綜的修辭法。

《苕溪漁隱叢話》雖不是談修辭法的專著，但論修辭的比重却是相當可觀的。

十、宋魏慶之《詩人玉屑》

魏慶之輯錄的《詩人玉屑》，編集了兩宋——特別是南宋各家的詩話和談詩的片段，是繼胡仔《苕溪漁隱叢話》之後，集宋人詩話的大成之作。《四庫全書總目提要》云：「宋人喜爲詩話，裒集成編者至多，傳於今者惟阮閱《詩話總龜》、蔡正孫《詩林廣記》、胡仔《苕溪漁隱叢話》及慶之是編，卷帙爲富。然《總龜》蕪雜，《廣記》挂漏，均不及胡、魏兩家之書。仔書作於高宗時，所錄北宋人語爲多；慶之書作于度宗時，所錄南宋人語較備。二書相輔，宋人論詩之概，亦略具矣。」本書置《詩話總龜》與《詩林廣記》而不論，其原因也正如《四庫全書總目提要》所說的。

《詩人玉屑》論修辭的成分，並不減於《苕溪漁隱叢話》，不過其中有一部分的資料，《苕溪漁隱叢話》已經引述過，《詩人玉屑》却重複了。

慶之認爲詩有「四煉」，那便是煉句、煉字、煉意、煉格。句、字、意、格要怎麼煉呢？他說：「句欲得健，字欲得清，意欲得圓，格欲得高。」又說：「聲律爲竅，物象爲骨，意格爲髓。」他主張修辭應該以意格爲主，《詩人玉屑》卷之四云：

諧會五音，清便宛轉，宮商迭奏，金石相宣：謂之聲律。摹寫景象，巧奪天真，探索幽微，妙與神會：謂之物象。苟無意與格以主之，才雖華藻，辭雖雄贍，皆無取也。要在意圓格高，纖穠俱備；句老而字不俗，理深而意不雜，才縱而氣不怒，言簡而事不晦。如此之作，方入《風》《騷》。

他闡釋諧會聲律、摹寫物象對修辭所起的作用，認爲捨意格而求華藻，是無足取的。最後，他定下了他的修辭準則，以爲能合於這個修辭準則的才可以入《風》《騷》。

他又以爲作詩須守十戒。所謂十戒是：一戒乎生硬，二戒乎爛熟，三戒乎差錯，四戒乎直置，五戒乎妄誕，六戒乎綺靡，七戒乎蹈襲，八戒乎濁穢，九戒乎砌合，十戒乎俳諧（《詩人玉屑》卷之五）。生硬、爛熟、差錯、妄誕，都可以望文而生義，他如戒直置，卽是須婉曲、含蓄；戒綺靡，卽是反對雕飾而主樸質了；戒蹈襲，卽是主張用語須創新；戒濁穢，卽是不要流於低級趣味和黃色；戒砌合，卽是不要層累排比過於板滯，而缺少生動活潑之致；戒俳諧，卽是不作遊戲的詩文，如杜甫有《戲作俳諧體解悶》詩二首。古人往往把用連珠（卽頂眞辭格）、集句、析字、歇後等修辭手法的詩都認爲是俳諧體，而在戒之之列。

對於消極修辭，他主張務去無謂之語。《詩人玉屑》卷之六引《詩眼》云：

> 有一士人攜詩相示，首篇第一句云「十月寒」者，余曰：君亦讀老杜詩，觀其用月字乎？其曰「二月已風濤」，則記風濤之蚤也；曰「因驚四月雨聲寒」，……蓋不當寒；「五月風寒冷佛骨」，「六月風日冷」，蓋不當冷。「今朝臘月春意動」，蓋未當有春意。雖不盡如此，如「三月桃花浪」，「八月秋高風怒濤」，……「十月江平穩」之類，皆不系月則不足以實錄一時之事。若十月之寒，既無所發明，又不足記錄。退之謂「惟陳言之務去」者，非必塵俗之言，止為無益之語耳。然吾輩文字，如「十月寒」者多矣，方當共以為戒。

「二月已風濤」，記風濤之早，關鍵在「已」字；「因驚四月雨聲寒」，蓋不當寒而寒，關鍵在「驚」

字；「五月寒風冷佛骨」「六月風日冷」，蓋不當冷而冷，關鍵在「五月」「六月」乃在夏季；「今朝臘月春意動」，蓋未當有春意而竟春意動，關鍵在臘月非春天。此外，如「八月秋高風怒濤」（應作「怒號」，語出杜甫《茅屋爲秋風所破歌》）等句，也非繫月不可。若「十月寒」乃是無益之語。《詩眼》認爲韓愈所謂「惟陳言之務去」的陳言，應包括像「十月寒」這一類既無所發明、又不生動的無益之語。

他又主張用辭須切當。《詩人玉屑》卷之八引《唐子西語錄》云：

詩在與人商論，求其疵而去之，等閑一字放過則不可，殆近法家，難以言恕矣。故謂之詩律。東坡云：「敢將詩律鬬深嚴」，予亦云：「詩律傷嚴近寡恩」。大凡立意之初，必有難易二塗，學者不能強所為，往往捨難而趨易，文章罕工，每坐此也。作詩自有穩當字，第思之未到耳。

所謂「作詩自有穩當字，第思之未到耳。」意思是說：要表現某一意境，只有某一個字或是某一個詞是最妥當的，捨此別無他字他詞可以替代，問題在於能不能找到最適當的字或詞來描寫罷了；所謂「等閑一字放過則不可」，是希望每一個字都能用最適當的字。以此爲鵠的，則詩的遣詞用字未有不佳的。

《詩人玉屑》卷之十七引《西清詩話》云：

歐公嘉祐中見王荊公詩「黃昏風雨暝園林，殘菊飄零滿地金。」笑曰：「百花盡落，獨菊枝上枯耳。因戲曰：「秋英不比春花落，為報詩人仔細看。」荊公聞之曰：是豈不知《楚詞》「夕餐秋菊之落英？」歐陽九不學之過也。

又引《高齋詩話》云：

荊公此詩，子瞻跋云：「秋英不比春英落，說與詩人仔細看。」蓋為菊無落英故也。荊公云：蘇子瞻讀《楚詞》不熟耳。予以謂屈平「餐秋菊之落英」，大概言花衰謝之意，若「飄零滿地金」，則過矣。東坡既以落英為非，則屈原豈亦謬誤乎！坡在海南，謝人寄酒詩有云：「謾繞東籬嗅落英」，又何也？苕溪漁隱曰：……余於六一居士全集及東坡前後集遍尋並無之。不知《西清》、《高齋》何從得此二句？詩互有譏議，亦疑其不審也。」

這也是論用辭的適當與否。所舉戲指荊公用辭失當的兩句詩，《西清》說是歐陽修所作，《高齋》說是蘇軾所作，但胡仔遍查二人的全集，都未載此詩，可見係好事者所僞托，這且不去管他。問題是菊乃是枝上枯，枯後即使落地亦不似金，荊公詩「殘菊飄零滿地金」是否失事理之眞呢？對此，梅墅認爲：

> 余按《楚詞》「夕餐秋菊之落英」，「落」之為義，始也，初也，如《禮記》所謂「落成」之「落」也，蓋菊已花，雖枯不落，惟初英乃可餐。荊公賦「黃菊飄零滿地金」，固失之不知菊矣。

案《爾雅・釋草》：「榮而不實者謂之英」，足以助證梅墅之說。

慶之以爲詩文之作，天成勝雕鏤，平夷勝險怪，《詩人玉屑》卷之十引《珊瑚鈎詩話》云：

> 篇章以含蓄天成為上，研碎雕鏤為下。如楊大年西崑體，非不佳也；而弄斤操斧太甚，所謂七日而混沌死也。以平夷恬淡為上，怪險蹶趨為下，如李長吉錦囊句，非不奇也；而牛鬼蛇神太甚，所謂施諸廊廟則駭矣。

楊億等的西崑體，雕琢太過，又喜歡用僻典，往往使人難得其解，元好問有「詩家總愛西崑好，獨恨無人作鄭箋」之咏，便是指西崑體不易索解。李賀的錦囊妙句，也嫌體勢如崇山峻嶺，牛鬼蛇神太甚。魏慶之對楊億和李賀詩的修辭手法是否定的。又卷之十一引歐公《詩話》云：

詩人貪求好句，而理有不通，亦語病也。如「袖中諫草朝天去，頭上宮花侍燕歸。」誠為佳句矣，但進諫必以章疏，無用稾之理。

同卷又引《王直方詩話》云：

潘大臨，字邠老，有《登漢陽高樓》詩曰：「雨屐上層樓，一目略千里。」說者以為著屐豈可登樓！

這些都是所謂「句好而理不通」，魏慶之特加引載，可見他是輕辭藻而重理意的。

關於作家的修辭技巧，《詩人玉屑》卷之十二引《西清詩話》云：

柳子厚詩雄深簡淡，迥拔流俗，至味自高，直揖陶謝，然似入武庫，但覺森嚴。王摩詰詩渾厚一段，覆蓋古今，但如久隱山林之人，徒成曠淡。杜少陵詩自與造化同流，孰可擬議，至若君子高處廊廟，動成法言，恨終欠風韻。黃太史詩妙脫蹊徑，言侔鬼神，唯胸中無一點塵，故能吐出世間語，所恨務高，一似參曹洞下禪，尚墮在玄妙窟裏。東坡公詩天才宏放，宜與日月爭光，凡古人所不到處，發明殆盡，萬斛泉源，未為過也；然頗恨方朔極諫，時雜滑稽，故罕逢蘊藉。韋蘇州詩如渾金璞玉，不假雕琢成妍，唐人有不能到；至其過處，大似村寺高僧，奈時有野態。劉夢得詩法則既高，滋味亦厚，但正若巧匠矜能，不見少拙。白樂天詩自擅天然，貴在近俗，恨如蘇小雖美，終帶風塵。李太白詩逸態凌雲，照映千載，然時作齊梁間人體段，略不近溫厚。韓退之詩山立霆碎，自成一法，然譬之樊侯冠佩，微露疎簏，與柳州詩若捕龍蛇，搏虎豹，急與之角，而力不敢暇，非輕蕩也。薛許昌詩天分有限，不逮諸公遠矣；至合人意處，正若芻豢，時復咀嚼自佳。王介甫詩雖乏風骨，一番去清新，似方學語小兒，酷令人愛。歐陽公詩溫麗深穩，自是學者所宗，然似三館畫手，未免多與古人傳神。杜牧之詩風調高華，片言不俗，有類新及第少年，略無少退藏處，固難成一唱而三嘆也。右此十四公，皆吾平生宗師，追仰所不能及者，留心旣久，故聞得以議之。至若古今詩人，自是珠聯玉映，則又有不得而知也已。

蔡伯衲一口氣評述十四位詩人的修辭技巧，都用譬喩的修辭法來下評語。

又評當朝諸人詩，同卷引《復齋漫錄》云：

芸叟嘗評詩云：永叔之詩如春服乍成，醞醅乍熟，登山臨水，竟日忘歸。王介甫之詩如空中之音，相中之色，人皆聞見，難可著摸。石延年之詩如饑鷹夜歸，岩木春拆。蘇東坡之詩如武庫初開，矛戟森然，一一求之，不無利鈍。梅舜俞之詩如深山道人，草衣木食，王公見之，不覺屈膝。郭功甫之詩如大排筵席，二十四味，終日揖遜，求其適口者少矣。芸叟之論公否未敢必。然觀東坡所記芸叟《西征途中》詩，止云：張舜民通練西事，稍能詩而已。則東坡蓋不以善詩待芸叟耶。

《復齋漫錄》所引張舜民評各家詩的修辭手法，也都用譬喩，因爲要正面描述各家詩的修辭技巧，確也不是容易的事，所以自來評詩者都喜歡用譬喩的手法，所謂「以其所知喩其所不知」，比較容易使人明白。又卷之十七引歐公《詩話》云：

聖俞、子美齊名於一時，而二家詩體特異。子美筆力豪俊，以超邁橫絶為奇；聖俞覃思精微，以深遠閒談為意。各極其長，雖善論者不能優劣。余《山谷夜行》詩，略道其一二云：「子美氣方雄，萬竅號一噫。有時肆顛狂，醉墨灑滂霈。譬如千里馬，已發不可殺。盈前盡珠璣，一一難揀汰。梅公事清淺，石齒漱寒瀨。作詩三十年，視猶後我輩。文詞愈清新，心意雖老大。有如妖饒女，老自有餘態。近詩尤苦硬，咀嚼苦難嘬。又如食橄欖，真味久愈在。蘇豪以氣轢，舉世徒驚駭。梅窮獨我知，古貨今難賣。」語雖非工，謂粗得髣髴，然不能優劣之。

《詩人玉屑》引歐公《山谷夜行》詩，以論子美、聖俞兩家詩的修辭技巧，以為「粗得髣髴」。以詩論詩，或以為始於唐代，其實魏、晉時人早已為之，我在本書第四篇已經說過了。

《詩人玉屑》引宋各家詩話、筆記，其中論辭格的地方也不少，以論仿擬、煉句、引用等尤多。關於仿擬，卷之六引《雪浪齋日記》

> 退之《征蜀聯句》云：「始去杏飛蜂，及歸柳嘶蛩。」語新意妙。詩曰：「昔我往矣，楊柳依依；今我來思，雨雪霏霏。」記時也。苕溪漁隱曰：山谷亦有「去時魚上冰，歸來燕哺兒」之句。

「及歸」一作「及來」。洪興祖《韓子年譜》說：「伐劉辟在今春，平蜀在今秋，故《征蜀聯句》曰：始去杏飛蜂，及來柳嘶蛩。」「昔我往矣……」語出《詩經·采薇》篇，與韓意《征蜀聯句》同是寫時移世變。山谷詩也是寫去時與歸時節候的變換。他們都仿擬《詩經》，不但仿句法，而且仿意。

又卷之八引《陵陽室中語》云：

> 一日，因坐客論魯直詩體致新巧，自作格轍，次客舉魯直《題子瞻伯時畫竹石牛圖》詩云：「石吾甚愛之，勿使牛礪角。牛礪角尚可，牛鬥殘我竹。」如此體制甚新。公徐云：「獨漉水中泥，

水濁不見月。不見月尚可，水深行人沒。」蓋是李白《獨漉》篇也。

所引山谷詩，原題《題竹石牧牛》，前有《小引》云：「子瞻畫叢竹怪石，伯時增前坡牧兒騎牛，甚有意態，戲咏。」故陵陽爲改題目如上。「勿使」原作「勿遣」。山谷詩仿李白《獨漉》篇，只是仿調而已。

同卷又引《誠齋詩話》云：

山谷集中有絶句云：「草色青青柳色黃，桃花零落杏花香。春風不解吹愁却，春日偏能惹恨長。」此唐人賈至詩也。特改五字耳。

山谷改賈至詩「歷亂」爲「零落」，「杏垂香」爲「杏花香」，「不爲」爲「不解」，「惹夢長」爲「惹恨長」，以爲己作，這實是襲用而非仿擬了。誠齋並未論其原作與襲作的優劣，也沒有下評語。

同卷又引《苕溪漁隱叢話》云：

永叔《送原甫出守永興》詩云：「酌君以荊州魚枕之蕉，贈君以宣城鼠須之管。酒如長虹飲滄海，筆若駿馬馳平坂。」黃魯直《送王郎》詩云：「酌君以蒲城桑落之酒，泛君以湘累秋菊之英。贈君以黟川點漆之墨，送君以陽關墮淚之聲。酒澆胸中之磊塊，菊制短世之頹齡。墨以傳千古文章之印，歌以寫從來兄弟之情。」近時學者以謂此格獨魯直為之，殊不知永叔已先有也。

山谷《送王郎》詩，「胸中」原作「胸次」，「千古」原作「萬古」，「從來」原作「一家」。他仿歐陽修詩，也只是仿調而已。又山谷「酌君」二句乃取自庾信詩：「蒲城桑落酒，灞岸菊花秋」，及《

楚辭》「夕餐秋菊之落英」；「送君以陽關墮淚之聲」句則又取自王維的《渭城曲》：「渭城朝雨浥輕塵，客舍青青柳色新，勸君更盡一杯酒，西出陽關無故人」；「酒澆胸中之磊塊」句乃取自《世說新語》王忱答王遜問：「阮籍胸中磊塊，故須以酒澆之」；至於「菊制短世之頹齡」句當出於班固的《通幽賦》：「道修長而世短。」可見山谷詩於仿調之外，又兼擬句和擬意，可以說是三重的模仿了。

同卷又引《復齋漫錄》謂《西清詩話》記其父蔡元長喜周邦彥祝壽詩：『化行《禹貢》山川外，人在周公禮樂中。』乃模寫東坡《藏春塢》詩：『年抛造物甄陶外，春在先生杖履中。』」同卷又引《王直方詩話》云：「少游作《俞充哀辭》云：『風生使者旌旄上，春在將軍俎豆中。』余以爲依仿太甚。」周、秦二子，都擬東坡句。東坡《藏春塢》詩，原題《寫題刁景純藏春塢》，「甄陶」原應作「陶甄」，《西清詩話》及《王直方詩話》引述時都誤作「甄陶」。東坡「陶甄」句取意自《文選》張華《女史箴》：「茫茫造化，兩儀既分，散氣流形，既陶既甄。」正是所謂上下相因，互相依仿的。

又卷之十七引《休齋》云：

予初喜杜紫微「南山與秋色，氣勢兩相高」語，已乃知出於老杜「千崖秋氣高」，蓋一語領略盡秋色也。然二家言岩崖間秋氣耳，猶未及江天水國氣象宏闊處。一日雨後，過太湖，泊舟洞庭山下，乃得句云：「木落洞庭秋。」或云：此蹈襲「楓落吳江冷」語，第變「冷」為「秋」則氣象自不同。彼記時耳，是安知秋色之高，盡在洞庭裏許乎？此淵源自《楚》《騷》中來，《九歌》云：「洞庭波兮木葉下。」其陶寫物象，宏放如此。詩可以易言哉！

這裏所學辭同意異的詩句，是用擬句的修辭手法寫下來的。正如《休齋》所說，「楓落吳江冷」只是記時，而「木落洞庭秋」雖屬蹈襲，但變「冷」爲「秋」，則江天水國氣象的宏闊以及秋色之高，都能示現於眼前。這是蹈襲勝於原作的一個例子。

卷之八又引《西淸詩話》云：

許昌西湖展江亭成，宋元憲留題云：「鑿開魚鳥忘情地，展盡江湖極目天」之句，皆以謂曠古未有此語。然本於五代馬殷據潭州時建明月圃，命幕客徐仲雅賦詩云：「鑿開青帝春風圃，移下姮娥夜月樓。」用古句摹擬，詞人類如此。但有勝與否耳。

「魚鳥」與「青帝」兩句句法未必盡同，只「鑿開」二字相同，不能說是摹擬，《西淸詩話》之論似太武斷。

同卷又引《陵陽室中語》云：

一日，有坐客問公曰：全用古人一句可乎？公曰：然，如杜少陵詩云：「使君自有婦」，「而無車馬喧」之類是也。

全用古人句有三種情形，其一是集句，如荆公集句詩，即每句集一家詩句；其一是引用，如郁達夫詩：『語不驚人死不休，杜陵詩只解悲秋』；其一是襲取，即是將古人的詩句，糝入於自己的詩中，作爲自己的詩的一部分，如杜甫「使君自有婦」襲用古辭《陌上桑》的詩句，「而無車馬喧」襲用陶潛《飲酒詩》第五首的詩句，便是屬於這一類。

同卷論「祖習不足道」云：

> 江淹擬湯惠休詩：「日暮碧雲合，佳人殊未來。」古今以為佳句，然謝靈運：「園景早已滿，佳人猶未適。」謝玄暉：「春草秋更綠，公子未西歸。」卽是此意。嘗怪兩漢間所作騷文，初未嘗有新語，直是句句規模屈宋，但換字不同耳。至晉宋以後，詩人之辭，其弊亦然。若是，雖工亦何足道！蓋當時祖習，共以為然，故未有識之者耳！

他認爲江淹模擬湯惠休詩，祖習二謝，而二謝却又規摹屈宋。意慶之所說，當是指《楚辭・九歌・湘夫人》：「沅有茝兮醴有蘭，思公子兮未敢言。」但江淹詩却又爲唐人所祖，如元稹《會眞記》：「隔牆花影動，疑是玉人來。」又如李白《春思》詩：「春風不相識，何事入羅幃？」則是「反其意而用之」，意在怨所思之不來，也是取義自江淹詩。所謂「輾轉祖習，共以爲然。」同卷又引《陵陽室中語》說：

> 目前景物，自古及今，不知凡經幾人道。今人下筆，要不蹈襲，故有終篇無一字可解者。蓋欲新而反不可曉耳。

《陵陽室中語》竟認爲欲不蹈襲，反使人不可曉，所以勢非蹈襲不可。

《詩人玉屑》卷之十九引《玉林》云：

> 天樂《送真玉堂》詩云：「每於言事際，便作去朝心。」用唐人林寬語也。（林寬《送惠補闕》云：「長因抗疏日，便作去朝心。」）《寄趙昌父》詩云：「憶就江樓別，雪晴江月圓。」用無可語也。（無可《同劉升宿》云：「憶就西池宿，月圓松竹深。」）《贈孔道士》詩云：「生來還姓孔，何不戴儒冠！」用姚合語也。（姚合《贈傅山人》云：「悲君還姓傅，獨不夢高宗。」）《寶冠寺》詩云：「流來橋下水，半是洞中雲。」用于武陵語也。（武陵《贈王隱人》云：「飛來南埔水，半是華山雲。」）《瓜盧》詩云：「野水多

於地，春山半是雲。」亦用姚合語也。（姚合《送宋愼言》云：「驛路多連水，州城半在雲。」）此類甚多，姑舉一二，蓋讀唐詩既多，下筆自然相似，非蹈襲也。其間又有青出於藍者，識者自能辨之。

所謂「讀唐詩既多，下筆自然相似，非（有意）蹈襲也。」這也是實情。

《詩人玉屑》卷之九引《誠齋詩話》論比擬云：

白樂天《女道士》詩云：「姑山半峰雪，瑤水一枝蓮。」此以花比美婦人也。東坡《海棠》云：「朱唇得酒暈生臉，翠袖捲紗紅映肉。」此以美婦人比花也。

前者將人擬作物，是擬物的比擬；後者將物擬作人，是擬人的比擬。楊萬里（誠齋）將比擬的兩種修辭手法都舉了例證了。比擬這一個辭格的名稱，被陳望道氏的《修辭學發凡》所採用。

《詩人玉屑》談到引用辭格的尤多，如卷之六引《緗素雜記》云：

李義山《錦瑟》詩云：「錦瑟無端五十弦，一弦一柱思華年。莊生曉夢迷蝴蝶，望帝春心托杜鵑。滄海月明珠有淚，藍田日暖玉生煙。比情可待成追憶，只是當時已惘然。」山谷道人讀此詩，殊不曉其意；後以問東坡，東坡云：此出《古今樂志》，云錦瑟之為器也，其弦五十，其柱如之，其聲也適、怨、清、和。案李詩「莊生曉夢迷蝴蝶」，適也；「望帝春心托杜鵑」，怨也；「滄海月明珠有淚」，清也；「藍田日暖玉生煙」，和也。一篇之中曲盡其意，史稱其瑰邁奇古，信然。

引用，王力先生稱為稽古。李義山《錦瑟詩》，意取《古今樂誌》，屬於引用的手法。「莊生」以下四句，《緗素雜記》以為這是具體的描寫錦瑟之聲適、怨、清、和的。莊生夢蝶語出《莊子・齊物論》：

「昔者莊周夢爲蝴蝶，栩栩然蝴蝶也；自喻適志與，不知周也；俄然覺，則蘧蘧然周也。」《緗素雜記》以「適志」喻聲音之適。《說文》云：「蜀王望帝淫其相妻，慚，亡去，爲子嶲鳥。」子嶲即子規，是怨鳥，其啼聲悲怨。《唐書・狄仁傑傳》：「仁傑擧明經，調汴州參軍，爲吏誣訴黜陟，使閻立本召訊，異其才，謝曰：『仲尼稱觀過知仁，君可謂滄海遺珠矣。』」由是才與不才得淸。《緗素雜記》則以喻聲音之淸。藍田產美玉，世謂名門出賢弟子曰藍田生玉，有相應的意思。《緗素雜記》則以喻聲之相應（和）。

《詩人玉屑》卷之六引《誠齋詩話》論造語法云：

初學詩者，須用古人好語，或兩字，或三字。如……「春風春雨花經眼，江北江南水拍天。」「春風春雨」，「江北江南」，詩家常用。杜云：「且看欲盡花經眼」，退之云：「海氣昏昏水拍天」，此以四字合三字，入口便成詩句，不至生硬。要誦詩之多，擇字之精，始乎摘用，久而自出肺腑，縱橫出沒，用亦可，不用亦可。

「春風春雨」句出黃山谷《次元明韵寄子由》。「且看」句出杜甫《曲江》二首的第一首，其下句是「莫厭傷多酒入唇。」「海氣」句出韓意《題臨瀧寺》詩。陸放翁《吳娃曲》「二月鏡湖水拍天」句，也是同一來歷。這與其說是引用的手法，無寧說是摹擬來得切當。

《詩人玉屑》卷之七引《珨溪詩話》云：

用自己詩為故事，須作詩多者乃有之。太白云：「滄浪吾有曲，相子棹歌聲。」樂天「須知菊酒登高會，從此多無二十場。」明年云：「去秋共數登高會，又被今年減一場。」《過栗里》云：

「昔嘗咏遺風，著為十六篇。」蓋居渭上，醞熱獨飲，曾效淵明體為十六篇。又《贈徵之》云：「昔我十年前，曾與君相識。曾將秋竹竿，比君孤且直。」蓋舊詩云「有節秋竹竿」也。坡赴黃州，過春風嶺有絕句，後詩云：「去年今日關山路，細雨梅花正斷魂。」至海外又云：「春風嶙下淮南村，昔年梅花曾斷魂。」又云：「柯丘海棠吾有詩，獨笑深林誰敢侮。」又有《竹詩》云：「吾詩固云爾，可使食無肉。」

這都是用自己的詩爲故事的修辭例。因爲自己不必模仿自己，如果說是模仿似不很妥當。

《詩人玉屑》卷之七引《類苑》云：

魯直善用事，若正爾填塞故實，舊謂之點鬼簿，今謂之堆砌死屍。如《咏猩猩毛筆》詩云：「平生幾兩屐，身後五車書。」又云：「管城子無食肉相，孔方兄有絕交書。」精妙穩密，不可加矣。當以此語反三隅也。

所謂善用事，事指典故，卽善用「引用」的修辭手法。黃山谷《咏猩猩毛筆》原題作《和答錢穆父咏猩猩毛筆》。「平生幾兩屐」語出《晉書・阮孚傳》：「未知一生能著幾兩屐？」「身後五車書」語出《莊子》：「惠施多才，其書五車。」管城子是筆，韓愈《毛穎傳》：「聚其族而加束縛焉，秦始皇使恬賜之湯沐，而封諸管城，號曰管城子。」孔方兄謂錢，古代的錢是方孔的。以管城子代筆，以孔方兄代錢，原是諧隱的修辭法。但這裏以管城子代文人，是借代的手法，是借事物代事物的使用者，意思是說，文人多窮，所以無食肉相；孔方兄有絕交書給我，要和我絕交，那麼錢與我是無緣了。所引山谷二詩，都引用成語故事，是用引用的修辭法。《類苑》說它「精妙穩密，不可加矣」，是切當的評語。

《詩人玉屑》卷之二十一引《藝苑雌黃》云：

歐陽永叔送劉貢父守維揚，作長短句云：「平山欄檻倚晴空，山色有無中㊴。」平山堂望江左諸山甚近，或以為永叔短視，故云。東坡笑之，因賦《快哉亭》道其事云：「長記平山堂上，攲枕江南煙雨，杳杳沒孤鴻。認得醉翁語：山色有無中。」蓋山色有無，非煙雨不能然也。

《藝苑雌黃》說得對，平山堂距江左諸山甚近，於「晴空」中望之，不應該有「山色有無中」的感覺。東坡戲賦，有「攲枕江南煙雨」之語，因爲山色有無，「非煙雨不能然。」東坡賦「認得醉翁語：山色有無中。」是引用的手法。而《藝苑雌黃》所論，則是指永叔用辭不切當的消極修辭論。

《詩人玉屑》卷之十引《冷齋夜話》云：

用事琢句，妙在言其用而不言其名。此法惟荆公、東坡、山谷三老知之。荆公曰：「含風鴨綠鱗鱗起，弄日鵝黃裊裊垂。」此言水、柳之名也。東坡答子由詩曰：「猶勝相逢不相識，形容變盡語音存。」此用事而不言其名。……苕溪漁隱曰：荆公詩云「繰成白雪桑重綠，割盡黃雲稻正青。」「白雪」卽絲，「黃雲」卽麥，亦不言其名也。余嘗效之云：「為官兩部喧朝夢，在野千機促織功。」蛙與促織，二蟲也。

惠洪所舉的荆公詩，是用借代的修辭法，借事物的特徵代事物；所舉東坡詩，是用引用的修辭法，其所引用的成語故事，出自唐賀知章《回鄉偶書》：「少小離家老大回，鄉音無改鬢毛摧㊵。兒童相見不相識，笑問客從何處來？」胡仔所舉荆公詩，是用借喻的修辭法，借白雪代絲，借黃雲代麥。惠洪所仿效的詩句，促織是雙關辭。所以《冷齋夜話》所謂「用事琢句，言其用而不言其名」，自其所舉例句看來，實在兼及借代、引用、譬喻（借喻）、雙關四辭格，不是只論引用而已。

談到煉字，《詩人玉屑》卷之二十一引《詞話》云：

> 東坡蝶戀花詞：「花襯殘紅青杏小，燕子來時，綠水人家繞。枝上柳綿吹又少，天涯何處無芳草。牆裏秋千牆外道，牆外行人，牆裏佳人笑。笑漸不聞聲漸杳，多情却被無情惱。」予得真本於友人處，「綠水人家繞」作「綠水人家曉」；「多情却被無情惱」，蓋行人多情，佳人無情耳。此二字極有理趣，而「繞」與「曉」自霄壤也。

《詞話》所引東坡《蝶戀花》詞，除了《詞話》作者所得「眞本」「綠水人家繞」作「綠水人家曉」之外，據《東坡詞》，還有「花襯殘紅」作「花褪殘紅」，「燕子來時」作「燕子飛時」，「聲漸杳」作「聲漸悄」。這詞原題作「春景」，寫傷春之情。「花襯殘紅」不可解，「花褪殘紅」，故傷春之情油然而生；天色白了，燕子起飛，綠水人家，正是曉來時候。「綠水人家繞」不如「曉」字生動。「聲漸杳」，笑聲未必靜下來，只是行人漸行漸遠，故笑聲覺得「杳」了；「聲漸悄」卽是笑聲漸漸靜了下來，才能更覺其無情。《詞話》論東坡《蝶戀花》詞的煉字，以爲「綠水人家繞」不如「綠水人家曉」生動，其所論是精當的。

《詩人玉屑》卷之六引《苕溪漁隱叢話》云：

> 詩句以一字為工，自然穎異不凡。如靈丹一粒，點鐵成金也。浩然雲：「微云淡河漢，疎雨滴梧桐。」上句之工，在一「淡」字，下句之工，在一「滴」字，若非此兩字，亦焉得為佳句也哉！如陳舍人從易偶得杜集舊本，文多脫誤；至《送蔡都尉》云「身輕一鳥」，其下脫一字。陳公因

與數客各用一字補之，或云「疾」，或云「落」，或云「起」，或云「下」，莫能定。其後得一善本，乃是「身輕一鳥過」，陳公嘆服。余謂陳公所補四字不工，而老杜一「過」字為工也。

胡仔說陳舍人所補四字都不工，而杜甫一「過」字爲工。但所補四字，何以不工，元任却沒有作進一步的說明。「落」「起」「下」三字與「身輕」無關，因鳥類不論身體的輕重，都可「落」可「起」可「下」，獨「疾」與「過」與「身輕」能相照應。「過」是橫過，不是身輕是辦不到的。若用「疾」字，只適於順風的時候，如遇逆風，則身體反易受阻，並不絕對。元任說老杜「過」字爲工是對的，因爲它還有音韵的因素在內。

《詩人玉屑》卷之十九引《玉林》云：

趙天樂《冷泉夜坐詩》云：「樓鐘晴更響，池水夜如深。」後改「更」為「聽」，改「如」為「觀」。《病起》詩云：「朝客偶知承送藥，野僧相保為持經。」後改「承」作「親」，改「為」作「密」。二聯改此四字，精神頓異，真如光弼入子儀軍矣。

《病起》詩後改的兩個字尚可，至《冷泉夜坐》詩所改的兩個字反不如原文：因陰天常帶着風雨，故晴時鐘聲顯得「更」加響亮，「更」字與「晴」相呼應，是句中最重要的一個字，絕不可以改掉的；後改「聽」字，只是一個冗字，因爲鐘聲響當從聽覺而得，不加「聽」字，自有「聽」字意，五言詩用字最須講求經濟，今竟棄去一不可缺少的「更」字，而易一可有可無的「聽」字，是失當的。下一句本意是說：池水在萬籟俱寂的夜裏，好像比平常更加深的樣子；改「如」爲「觀」，這個「觀」字也是冗字，因爲池水的深淺，當從觀察而得，故不必加「觀」字，也自有「觀」字意，所以不論站在哪一個角度看，都沒有易「如」爲「觀」的道理。《玉林》竟說經此一改，精神頓異，恐是未暇細察所致。

《詩人玉屑》卷之十五引《緗素雜記》云：

> 余按劉公《嘉話》云：島初赴舉京師，一日於驢上得句云：「鳥宿池邊樹，僧敲月下門。」始欲著「推」字，又欲著「敲」字，煉之未定，遂於驢上吟哦，時時引手作推敲之勢；時韓愈吏部權京兆，島不覺冲至第三節，左右擁至尹前，島具對所得詩句云云，韓立馬良久，謂島曰：作「敲」字佳矣，遂與並轡而歸，留連論詩，與為布衣之交。

這是論煉字（即推敲）最著名的故事，有數家的詩話、筆記都重複記載着，「推敲」一辭也就是出典於此。但據所記，韓愈並沒有說出「敲」字爲什麼會好過「推」字。第一，如用「推」字，即一推而進，用「敲」字，則敲了又敲，屬於連續進行式（雖是短時間的連續），可以和上一句「鳥宿池邊樹」（也是連續進行式）相照應；第二，從上一句的句意看來，鳥已歸宿，即是夜已深了，詩中的這一位老僧月夜訪友，屋裏的人都睡着了，門也已經關閉了，加橫了，爲了適情應景，也勢非用「敲」字不可。韓立馬良久，所想的當不外這些，故對賈島說：「作『敲』字佳矣。」

《詩人玉屑》卷之十引《歐公詩話》云：

> 《閑居》云：「妻喜栽花活，童誇鬬草贏。」得野人趣，非急務故也。又云：「燒葉爐中無宿火，讀書窗下有殘燈。」有嫌「燒葉」，貧寒太甚，改「葉」為「藥」，不唯壞此一句，並下句亦減氣味，所謂求益反損也。

原詩用「燒葉」「殘燈」兩個辭，俱見貧寒苦學，仍能怡然自得；若改「葉」爲「藥」，則是病裏苦學，不足爲訓，亦全無氣味了，故歐公說他求益反損，所論是對的。

關於省略辭格，《詩人玉屑》卷之三引《王直方詩話》云：

或有稱咏松句云：「影搖千尺龍蛇動，聲撼半天風雨寒」者，一僧在坐，曰：未若「雲影亂鋪地，濤聲寒在空。」或以語聖俞，聖俞曰：言簡而意不遺，當以僧語為優。

一僧所說的，雖言簡（五言）而意不遺七言咏松詩之意，但終不如七言之生動活潑，若不可捉捕者。《詩人玉屑》卷之六引《唐子西語錄》云：

唐人有詩云：「山僧不解數甲子，一葉落知天下秋。」及觀元亮詩云：「雖無紀歷志，四時自成歲。」便覺唐人費力。……蓋晉人工造語，而元亮其尤也。

其實，這裏所引陶潛的五言詩，顯得滯弱，不若唐人七言詩的雋永細膩，瀟洒自如。不是凡陶潛詩都可稱佳句，更不是凡是簡略的句子都見佳的。

《詩人玉屑》卷之十云：

柳子厚詩曰：「漁翁夜傍西岩宿，曉汲清湘燃楚竹。烟消日出不見人，欸乃一聲山水綠。回看天際下中流，岩上無心雲相逐。」東坡云：以奇趣為宗，反常合道為趣，熟味之，此詩有奇趣。其尾兩句，雖不必亦可。

東坡以爲最後兩句雖不必亦可，是有道理的，因其前既有「欸乃一聲山水綠」之句，自不必再「下中流」了；又前面既說「烟消日出」了，也不應再有「雲相逐」之語。

《詩人玉屑》卷之十五引《苕溪漁隱叢話》云：

> 盧同《山中絕句》云：「陽坡草軟厚如織，因與鹿麛相伴眠。」王介甫只用五字，道盡此兩句詩云：「眠分黃犢草」，豈不簡而妙乎！

其實，荆公的五言，並未道盡盧同這兩句的詩意，只有簡而已，也不見得妙。

《詩人玉屑》卷之十引《漫齋語錄》論含蓄云：

> 詩文要含蓄不露，便是好處。古人說雄深雅健，此便是含蓄不露也。用意十分，下語三分，可幾風雅；下語六分，可追李杜；下語十分，晚唐之作也。用意要精深，下語要平易，此詩人之難。

含蓄屬於婉曲辭格，是中國文學的一大特色。「用意要精深，下語要平易」，是含蓄手法的極致。

同卷引《苕溪漁隱叢話》云：

> 《戲作花卿歌》云：「成都猛將有花卿，學語小兒知姓名。……見賊惟多身始輕。……我卿掃除卽日平。……人道我卿絕世無，既稱絕世無，天子何不喚取守京都。」語句含蓄，蓋可知矣。

子美以花卿恃「功」驕恣，不便明說，故有「既稱絕世無，天子何不喚取守京都」之詠，辭既含蓄，且寓有諷刺之意。

《詩人玉屑》卷之十七引山谷論對偶云：

> 歐陽文忠公極賞林和靖「疏影橫斜水清淺，暗香浮動月黃昏」之句，而不知和靖別有《咏梅》一聯云：「雪後園林才半樹，水邊籬落忽橫枝。」似勝前句，不知文忠何緣棄此而賞彼。文章大概亦如女色，好惡只繫於人。

前一聯與後一聯俱是寫景，但前一聯却借景而生情，使人有身歷其境之感；後一聯只是純粹寫景，所以不及前一聯。山谷竟說：「似勝前句」，而又說不出理由來。同卷又引《蔡寬夫詩話》云：

> 林和靖《梅花》詩「疏影橫斜水清淺，暗香浮動月黃昏。」誠為警絕；然其下聯乃云：「霜禽欲下先偷眼，粉蝶如知合斷魂。」則與上聯氣格全不相類，若出兩人，乃知詩全篇佳者誠難得。

前一聯用情景互托法，後一聯用擬人法，修辭的手法雖不同，但上聯有「疏影橫斜」之語，所以下聯「霜禽……偷眼」正和它相照應；上聯有「暗香浮動」之語，下聯「粉蝶……斷魂」也正和它相照應。蔡寬夫竟以爲「若出兩人」，所論非是。

《詩人玉屑》卷之十一引《苕溪漁隱叢話》論倒裝云：

> 和東坡《金山》詩云：「雲峰一隔變炎涼，猶喜重來飯積香。」《維摩經》云：「維摩詰往上方，有國號香積，以衆香鉢盛滿香飯，悉飽衆會。故今僧舍厨名『香積』，二字不可顛倒也。」

元任所引《維摩詰經》，略有出入。《維摩詰經‧香積品》云：「有國名衆香，佛號香積，其國香氣，比於十方諸佛世界人天之香，最爲第一。……苑園皆香，其食香氣，周流十方無量世界。……須臾之間，至維摩詰舍，飯香普熏毗耶離城及三千大千世界。」沈約有《捨身願疏》云：「雖果謝庵園，飯非香國，而野粒山蔬，可同屬饜。」當是指此而說的。上面所舉的詩句，雖出典於《維摩詰經》，但「積香」既不是指佛國，也不是指僧厨，只是照字直解，說飯積了香而已，並不是「香積」的倒置，所以不能以倒裝的辭格看待它。

《詩人玉屑》卷之三引《冷齋夜話》論錯綜句法云：

> 老杜云：「紅稻㊶啄殘鸚鵡粒，碧梧棲老鳳凰枝。」舒王云：「繰成白雪桑重綠，割盡黃雲稻正

青。」鄭谷云：「林下聽經秋苑鹿，江邊掃葉夕陽僧。」以事不錯綜，則不成文章。若平直敍之，則曰：鸚鵡啄殘紅稻粒，鳳凰棲老碧梧枝。」以「紅稻」於上，以「鳳凰」於下者，錯綜之也。言「繰成」則知白雪為絲，言「割盡」則知黃雲為麥也。

惠洪所引杜甫《秋興》詩句，屬於倒裝（變言倒裝）的例；所引王安石《木末》詩句，屬於譬喻辭中的借喻，借白雪喻絲，借黃雲喻麥，前文已引述過了；所引鄭谷詩句的前一句，屬於比擬辭格中的擬人法，卽以鹿擬人。惠洪不加細別，一概說是錯綜。

《詩人玉屑》卷之三引《藝苑雌黃》云：

吟詩喜作豪句，須不畔於理方善。如東坡《觀崔白冬景圖》云：「扶桑大繭如甕盎，天女織綃雲漢上。往來不遺鳳銜梭，誰能鼓臂投三丈。」此語豪而甚工。石敏若《橘林》文中，咏雪有「燕南雪花大於掌，冰柱懸檐一千丈」之語，豪則豪矣，然安得爾高屋耶！余觀李太白《北風行》云：「燕山雪花大如席」，《秋浦歌》云：「白髮三千丈」，其句可謂豪矣，奈無此理何！如秦少游《秋日絕句》云：「連卷雌蜺掛西樓，逐雨追晴意未休。安得萬妝相向舞，酒酣聊把作纏頭。」此語亦豪而工矣。

《藝苑雌黃》不知修辭學上有所謂誇張辭，更不知誇張辭產生的原因以及在詩文裏所起的作用，以爲諸詩雖豪而工，但却背於理。同卷又引《誠齋詩話》論驚人句云：

詩有驚人句。杜《山水障》：「堂上不合生楓樹，怪底江山起烟霧。」又「斫却月中桂，清光應更多。」白樂天云：「遙憐天上桂華孤，為問姮娥更要無？月中幸有閑田地，何不中央種兩株？」

韓子蒼《衡岳圖》：「故人來自天柱峰，手提石廩與祝融。兩山坡陁幾百里，安得置之行李中。」此亦是用東坡云㊷：「我持此石歸，袖中有東海。」杜牧之云：「我欲東召龍伯公，上天揭取北斗柄，蓬萊頂上斡海水，水盡見底看海空。」李賀云：「女媧煉石補天處，石破天驚逗秋雨。」

楊萬里所謂驚人句，便是用誇張的手法寫下來的。所舉諸例句，除了用誇張的修辭法之外，同時兼用示現的修辭法，而且大多是屬於懸想的示現。

《詩人玉屑》卷之六引《金陵語錄》云：

聖俞嘗語余曰：詩家雖率意造語，亦難；若意新語工，得前人所未道者，斯為善也。必能狀難寫之景，如在目前；含不盡之意，見於言外，然後為至。……若嚴維「柳塘春水慢，花塢夕陽遲。」則天容時態，融和駘蕩，豈不在目前乎！又如溫庭筠「鷄聲茅店月，人跡板橋霜。」賈島「怪禽啼曠野，落日恐行人。」則道路辛苦，羈旅愁思，豈不見於言外乎！

所謂「狀難寫之景，如在目前」，可作爲示現修辭法的說明；所謂「含不盡之意，見於言外」，可作爲婉曲修辭法的說明。

《詩人玉屑》卷之三引《潘子眞詩話》云：

古人造語，俯仰紆餘各有態。「小麥青青大麥枯，誰當獲者婦與姑，丈夫何在西擊胡。」凡此句中，每涵問答之詞。「大麥乾枯小麥黃，問誰腰鐮胡與羌。」句法實有所自。

所謂句中涵問答之辭，是設問的修辭手法，屬於提問，爲提醒下文而設問的，答案就在問語的下面。如「誰當獲者？」答案是：「婦與姑」，「丈夫何在？」答案是「西擊胡」。

《詩人玉屑》卷之七引《石林詩話》：

蘇子瞻嘗兩用孔稚圭鳴蛙事。如「水底笙歌蛙兩部，山中奴隸橘千頭。」雖以「笙歌」易「鼓吹」，不碍其意同。至「已遣亂蛙成兩部，更邀明月作三人。」則「成兩部」不知謂何物，亦是歇後。蓋用事寧與出處語小異而意同，不可盡牽出處語而意不顯也。

葉夢得認爲引用成語故事（用事）寧可與出處語辭小有不同而意思則一樣，不可盡引出處的語辭而意義不顯，如「亂蛙成兩部」幾乎盡引出處語「笙歌蛙兩部」，但意不顯，因不知「成兩部」究何所指。「水底笙歌蛙兩部」是說水底的蛙兒，分成兩部，笙歌互答；至於「已遺亂蛙成兩部」，正如《石林》所說，是用歇後語，意謂由亂雜的笙歌而遣之使成爲兩部「曲」。

《詩人玉屑》卷之六引《冷齋夜話》云：

《贈同遊》詩：「喚起窗全曙，催歸日未西。無心花裏鳥，更與盡情啼。」山谷曰：吾兒時每哦此詩，而了不解其意。自謫峡川，吾年五十八矣，時春晚，憶此詩，方悟之。「喚起」，「催歸」，二鳥名若虛設，故人不覺耳。古人於小詩用意精深如此，況其大者乎？催歸，子規鳥也；喚起，聲如絡緯，圓轉清亮，偏於春曉鳴，亦謂之春喚。」昇按：「此詩『喚起』、『催歸』固是二鳥名，然題曰贈同遊者，實有微意。蓋窗已全曙，鳥方喚起，何其遲也；日猶未西，鳥已催歸，何其蚤也！豈二鳥無心，不知同遊者之意乎？更與我盡情而啼，早喚起而遲催歸可也。

山谷已指出「喚起」與「催歸」是二禽名；再看黃昇（爲《詩人玉屑》作序者）的按語，可知「喚起」、「催歸」都是雙關辭。與此相類，爲詩話、筆記所樂爲稱述的，傳說是山谷所作而爲東坡所改的兩句詩，原來是：「明月松間叫，黃犬臥花心」，東坡以爲明月怎會叫呢，黃犬體大，怎能臥於花心呢？爲改「叫」爲「照」，改「心」爲「陰」，自以爲心安理得，而不知明月原來是鳥名，黃犬原來是蟲名。

《詩人玉屑》卷之十七引《陵陽室中語》論譬喩云：

子瞻作詩，長於譬喩。如《和子由》詩云：「人生到處知何似，應似飛鴻踏雪泥。泥上偶然留指爪，鴻飛那復計東西。」《守歲》詩云：「欲知垂盡歲，有似赴壑蛇。修鱗半已沒，去意誰能遮。況欲繫其尾，雖勤知奈何！」《畫水官》詩云：「高人豈學畫，用筆乃其天。譬如善遊人，一一能操船。」《龍眼》詩云：「龍眼與荔枝，異出同父祖。端如柑與橘，未易相可不。」皆累數句也。如一聯，卽「少年辛苦真食蓼，老境清閑如啖蔗。」如一句，卽「雪裏波菱如鐵甲」之類，不可勝紀。

蘇軾的詩文，善用譬喩，《容齋三筆》卷第六曾加以論述，並舉《百步洪》詩以爲例證。但這裏所舉各詩用譬喩，都不能算是子瞻用譬喩之最佳者。《蘇軾詩集》中有一詩兩用譬喩的，如「江南春盡水如天，……霜髯三老如霜檜」（寄《蔡子華》），「腰鼓百面如春雷，……夜來雨雹如李梅」（《惜花》），「新詩如洗出，……出語如松風」（《僧惠勤初罷僧職》），「況我官居似蓬島，……門外白袍如立鵠」（《催試官考較戲作》），「細筋入骨如秋鷹，……過眼百年如風燈」（《孫莘老求墨妙亭詩》）；有一詩三用譬喩的，如「人生如寄何不樂，……高城如鐵洪口快，……秋谷布野如雲屯」（《答呂梁仲屯田》），「堅瘦紋如綺，……芽蘖已如臂，……棄去如脫屣」（《巫山》），「船上看山如起馬，……後嶺雜沓如驚奔，……孤航南去如飛鳥」（《江上看山》），有一詩四用譬喩的，如「宛丘先生長如丘，宛丘學舍小如舟，……勸農冠蓋鬧如云，送老虀鹽甘似蜜」（《戲子由》）；有一詩六用譬喻的，如「安州老人心似鐵，……小兒得詩如得蜜，……幾人相歡幾人嫌，恰似飲茶甘苦雜，不如食蜜中邊甜，……三吳六月水如湯，老人心似雙龍井」（《安州老人食蜜歌》）；有二句連用譬喻的，如「瘦竹如幽人，幽花如處女」（《書鄢陵王所繪折枝》），「地碓舂粳光似玉，沙瓶煮豆軟如酥」（《豆粥》），「人似秋鴻來有信，事如春夢了無痕」（《與潘郭二生出郊尋春》），「自言官長如靈運，能使江山似永嘉」（《寄題興州晁太守新開古東池》）；甚至有一句之中兩用譬喻的，如「筍如玉筯椹如簪」（《越州張中舍壽樂堂》）。以上所舉的，都是明喻的修辭法，暗喻和借喻尚不在舉例之列。

十一、宋俞文豹《吹劍錄》

宋俞文豹《吹劍錄》，刪定於淳祐三年（一二四三），書中有數則談論辭格。如論重複云：

> 《蘭亭記》不入選者，以「天朗氣清」，春言秋景。又「絲竹管弦」語重。

晉代王羲之的《蘭亭集序》，前文明說是「暮春之初，會於會稽山陰之蘭亭」，下文却又說「是日也，天朗氣清」，確是「春言秋景」，用辭失當。又「絲竹」原是借代辭，借事物的原料代事物，本來可借以代替「管弦」，王羲之竟「絲竹」與「管弦」並用，這是不必要的重複，前文已引述過了。

《吹劍錄》又有一則論重複云：

> 「大江東去」詞，三江、三人、二國、二生、二故、二如、二千字，以東坡則可，他人固不可。然語意到處，他字不可代，雖重無害也。今人看人文字，未論其大體如何，先且指點重字。

蘇東坡的《念奴嬌》詞，確有三江（大江東去，江山如畫，一尊還酹江月），三人（浪淘盡、千古風流人物，人道是、三國周郎赤壁，人生如夢），二國（人道是、三國周郎赤壁，故國神遊），二生（多情應笑我，早生華髮，人生如夢），二故（故壘西邊，故國神遊），二如（江山如畫，人生如夢），二千（浪淘盡、千古風流人物，卷起千堆雪）字。俞文豹以爲文章裏用字重複，應看情景的需要，遇「語意到處，他字不可代」的時候，用重覆字不僅無害，而且是非用不可的。常人批評別人的文字，不看文勢大體，先指點重複字，這是不對的。俞文豹論重複辭，大體上是可取的。

《吹劍錄》又有一則論辭格云：

詩人之意，多在言外。《猗嗟》詩本刺魯莊公不能防閑其母，而乃美其威儀伎藝；《君子偕老》詩本刺衛夫人淫亂，而乃稱其姿容服飾；《芄蘭》詩本刺宋惠公驕而無禮，而乃咏其觿韘容遂：皆謂其德之不稱也。《凱風》詩不言其母之淫，但稱其性之善，所以感動之也。《四牡》詩不言行役之勞，但言其不遑將父母；《東山》詩不言征伐之勞，但言其不暇顧室家：所以深閔念之也。

這裏所論的是婉曲修辭法的一種，那就是：不說本事，只說餘事，然後將本事烘托了出來。文中「本刺」之下是本事，「而乃」之下是餘事，又「不言」之下是本事，「但稱」「但言」之下是餘事。俞氏所論也大體正確，雖然《吹劍錄》談論修辭的地方並不多。

十二、宋嚴羽《滄浪詩話》

嚴羽的《滄浪詩話》，是一部以禪喻詩，詳論詩的形體的著作。卷前有黃公紹的序文，作于度宗咸淳四年（一二六八）。嚴羽論詩，列舉五法（體制、格力、氣象、興趣、音節），九品（高、古、深、遠、長、雄渾、飄逸、悲壯、淒婉），和三工（起結、字句、字眼）。書中也論到盤中、回文、反複諸體，認爲雖不關詩的輕重，但體制却是很古老的。他主張詩要有含蓄，要婉曲，他說：「語忌直，意忌淺，脈忌露，味忌短。」談到詩的辭、理與意興的關係，他說：

詩有辭理意興，南朝人善辭，而病於理；本朝人善理，而病於意興；唐人尚意興，而理在其中；漢魏之詩，辭、理、意興，無跡可求。（《滄浪詩話》卷四）

他以爲宋詩尚理，而病在意興，所以不及唐詩。他論詩的修辭，主氣韻，所謂氣韻，是「無跡可求」，是「言有盡而意無窮」的，說得太飄渺了㊸。

《滄浪詩話》也談論到辭格。如論對偶，有扇對、隔句對、借對等等，並列舉例句。這些，大多是《文鏡秘府論》已經論述過了，可能是出自同一來歷（指所據以引述的是同一的資料）。論詩的句法，「有後章接前章者」，原注謂「曹子建贈白馬王彪之詩是也。」這是屬於連珠（即頂眞）的修辭法。

關於回文，《滄浪詩話》以爲有：一、盤中詩，二、回文，三、反複。所論極簡，而且前人都談過了。

《滄浪詩話》卷四論集句云：

集句惟荊公最長，《胡笳十八拍》，混然天成，絶無痕跡，如蔡文姬肺腑間流出。

自來論集句者，都以爲王安石最長，嚴羽也不例外。王安石集中有集句詩四十三首，集句歌曲三十五首，嚴羽獨賞識他的《胡笳十八拍》，認爲絕無集句的痕跡，「如蔡文姬肺腑中流出」者。注謂「蔡琰，字文姬，邕之女也，博學有才辨，又妙解音律，初適河東衞伯道，夫亡無子，歸寧於家。興平間，天下喪亂，文姬爲胡騎所獲，沒於匈奴十二年，生二子。曹操素與邕善，痛其無嗣，乃遣使者以金璧贖之，重嫁董祀。」荆公集句作《胡笳十八拍》，最後一首提到文姬和她的兒子相別，說：「春風似舊花仍笑，人生豈得長年少。我與兒兮各一方，憔悴看成兩鬢霜。」蔡琰原作第十八拍云：「天與地隔兮子西母東，苦我怨氣兮浩於長空。」這兒荆公的集句，還可以說是「如蔡文姬肺腑間流出」者。可是，自蔡文姬原作看來，她本不喜歡胡地，嫁給單于，也不是出於她的本願，如云：「對殊俗兮非我宜，遭惡辱兮當告誰？」「戎羯迫我兮爲室家，……雲山萬重兮歸路遐！」「越漢國兮入胡城，亡家失身兮不如無生！」「銜悲蓄恨兮何時平？無日無夜兮不思我鄉土。」而荆公的集句詩却說：「胡塵暗天道路長，遂令再往之計墮渺茫。胡笳本出自胡中，此曲哀怨何時終？笳一會兮琴一拍，此心炯炯君應識。」一似文姬思念單于，再往無計，而作哀怨之曲，則又未必「如蔡文姬肺腑間流出」者。再說，《胡笳十八拍》是否眞爲蔡琰所作，也是頗有疑問的。明王世貞《藝苑巵言》卷二云：「《胡笳十八拍》，軟語似出閨襜，而中雜唐調，非文姬筆也。」

《滄浪詩話》卷四論仿擬云：

> 擬古情江文通最長，擬淵明似淵明，擬康樂似康樂，擬左思似左思，擬郭璞似郭璞，獨擬李都尉一首，不似西漢耳。

江淹《擬李都尉從軍詩》云：「樽酒送征人，踟躕在親宴。日暮浮雲滋，握手淚如霰。悠悠清川水，嘉魴得所薦。而我在萬里，結髮不相見。袖中有短書，願寄雙飛燕。」江淹雖極力仿擬漢詩，如「結髮」句出自「結髮爲夫妻，恩愛兩不疑」，「萬里」句出自《古詩十九首》《行行重行行》「相去萬餘里，各在天一涯」及《客從遠方來》「相去萬餘里，故人心尚爾」，「袖中有短書」句出自《孟冬寒氣至》「置書懷袖中」，「願寄雙飛燕」句出自《東城高且長》「思爲雙飛燕」。但漢詩的特色有如劉勰所說：「結體散文，直而不野，婉轉附物，怊悵切情」（《文心雕龍・明詩》篇），又如鍾嶸所說：「文溫以麗，意悲而遠，驚心動魄，可謂幾乎一字千金。」（《詩品》）而江淹《擬李都尉從軍詩》，卻缺乏了這些，所以嚴羽說它「不似西漢」。又「謝康樂擬鄴中諸子之詩」，《滄浪詩話》以爲「亦氣象不類」；「至於劉元休擬《行行重行行》等篇，鮑明遠代『君子有所思』之作」，《滄浪詩話》評爲「仍是其自體耳」，意思說仿擬還沒有到家。

《滄浪詩話》卷四論複疊辭格云：

> 《十九首》「青青河畔草，鬱鬱園中柳，盈盈樓上女，皎皎當窗牖，娥娥紅粉妝，纖纖出素手。」一連六句皆用疊字，今人必以為句法重複之甚，古詩正不當以此論也。

前已說過，用複疊辭，須視情景的需要，如果覺得需要，雖連用幾個複疊辭也不嫌其多，這在當時，「必以爲句法重複之甚」，而嚴羽則以爲「古詩正不當以此論也。」

同卷又論疊韻云：

> 任昉《哭范僕射詩》，一首中凡兩用「生」字韻，三用「情」字韻：「夫子值狂生」，「千齡萬

> 悵生」，猶是兩義；「猶我故人情」，「生死一交情」，「欲以遣離情」，三「情」皆用一意。《天廚禁臠》謂平韻可重押，若或平或仄則不可，彼但以《八仙歌》言之耳。何見之陋耶？詩話謂東坡兩「耳」韻，兩「耳」義不同，故可重押，要之亦非也。

嚴羽指出宋任昉《哭范僕射詩》兩用「生」字韻，三用「情」字韻，有的是同字異義，有的却是同字同意。又《天廚禁臠》以爲平聲韻可重押，若或平或仄則不可，嚴羽以爲是指杜甫的《飲中八仙歌》而說的，詩中有「皎如玉樹臨風前，蘇晉長齋繡佛前」和「脫帽露頂王公前」三用「前」字韻。嚴羽以爲詩不可重押同字韻（古詩則例外），押平或押仄都不可，沒有押平便可、或平或仄便不可的道理。蘇軾《送江公著知吉州詩》，疊用兩「耳」韻：「忽憶釣臺歸洗耳」「亦念人生行樂耳」，自注謂「兩『耳』義不同，故得重用」，嚴羽不贊同東坡的說法，認爲凡重押都是瑕疵，不論義同與不同，只有「古詩不當以此論之也」。這是崇古的偏見。

《滄浪詩話》雖負盛名，但論修辭的地方或過於簡略，（如《詩體》篇說以詩而論，有建安體、黃初體；以人而論，有蘇李體、曹劉體……這只是提供讀者一些詩的常識，根本沒有論到詩。）或所論不得其當，（馮班的《嚴氏糾繆》，指其所論多失當。）所以它的修辭學價值其實是戔小的。

十三、宋李耆卿《文章精義》

李塗（耆卿）是朱熹的再傳弟子，《文章精義》是他的一個叫于欽的學生所筆錄，至元至順三年（一三三二）才付梓。李氏論文，每有虛泛之筆，如論蘇軾《喜雨亭記》結句化無爲有，《凌虛臺記》化有爲無。論韓、柳、蘇文的修辭技巧云：

文有圓有方。韓文多圓，柳文多方。蘇文方者亦少，惟《上神宗萬言書》、《代張方平諫用兵書》數篇方；圓者多。（《文章精義》五十七）

又論古書的修辭技巧云：

《論語》氣平，《孟子》氣激，《莊子》氣樂，《楚辭》氣悲，《史記》氣勇，《漢書》氣怯。文字順易而逆難：《六經》都順，惟《莊子》《戰國策》逆；韓、柳、歐都順（《封建論》一篇逆），惟蘇明允逆；子瞻或順或逆，然不及允處多。（《文章精義》七十三）

又云：

退之雖時有譏諷，然大體醇正。子厚發之以憤激，永叔發之以感慨。子瞻兼憤激感慨而發之以諧謔。讀柳、歐、蘇文，方知韓文不可及。（《文章精義》二十）

這一則談韓、柳、歐、蘇的修辭技巧，才稍比較具體一些。《文章精義》論仿擬，文字過於簡略，而且多不舉例證。如「韓退之文學《孟子》」，「柳子厚文學《國語》」，「歐陽永叔文學韓退之」，「子瞻文學《莊子》、《戰國策》、《史記》、《楞嚴經》」，「曾子固文學劉向」等，都只是一句話了之；又「褚少孫學太史公，句句相似，只是成段不相似。柳子厚學《國語》，段段都似，只是成篇不似。」（《文章精義》七十一）指出仿擬文字句、段、篇的似與不似，算是比較具體了。只有第二十六的一則論仿擬能舉出例證來：

永叔《醉翁亭記》結云：「太守謂誰？廬陵歐陽修也。」是學《詩・采蘋》篇：「誰其尸之？有齊季女」二句。

但只有一個「誰」字相同，句法並未盡似，便硬指歐陽學《詩》，是不公允的。

《文章精義》四十五云：

退之志樊宗師墓，其不蹈襲前人一言一句，蓋與「鑿鑿乎陳言之務去，戛戛乎其難哉」意適相似，深喜之。

這可以看出李塗本人，也是不主張摹擬的。又云：

學文切不可學人言語，《文中子》所以不及諸子，為要學夫子言語故也。（《文章精義》七十二）

《文章精義》二十八云：

《孟子·公孫丑下》首章起句，謂「天時不如地利，地利不如人和」，下面分三段，第一段說天時不如地利，第二段說地利不如人和，第三段却專說人和，而歸之「得道者多助」，一節高一節，此是作文中大法度也。

所謂一節高一節，是將語言排成從低到高，層層遞進的順序的修辭法，我們現在叫做「層遞」。李耆卿所舉《孟子·公孫丑下》「天時不如地利，地利不如人和」句，現代各家修辭學（包括陳望道先生的《修辭學發凡》）論層遞時多舉以為例證。還有「知止而後有定，定而後能靜，靜而後能安，安而後能慮，慮而後能得」（《禮記·大學》），也被多家修辭學舉作例句。

李耆卿論修辭比較可取的地方，是他主張文章以樸質無華為上。《文章精義》二十一云：

文章不難於巧而難於拙，不難於曲而難於直，不難於細而難於粗，不難於華而難於質：可與智者道，難與俗人言也。

這論點雖取自漢代王充的《論衡》：「夫筆著者，欲其易曉而難爲，不貴難知而易造；口論務解分而可聽，不務深迂而難睹。」（《自紀》篇）却可以看得出李耆卿是站在反雕飾這一邊的。《文章精義》九十三又云：

《選》詩惟陶淵明，唐文惟韓退之，自理趣中流出，故渾然天成，無斧鑿痕；餘子止㊹是字煉句煅，鏤刻工巧而已。今人言詩動曰《選》，言文動曰唐，何泛然無別之甚！

他是反對「鏤刻工巧」的修辭手法的。《文章精義》一百又云：

學文切不可學怪句，且先明白正大，務要十句百句只如一句，貫穿意脈。說得通處，儘管說去，說得反復，竭處自然住㊺，所謂行乎其所當行，止乎其所不得不止，真作文之大法也。

他反對「務要崎嶇隱奧辭不足達意者」。這在修辭的理論上是起過一定的好作用的。

十四、《宋詩話輯佚》及其他

郭紹虞先生所輯的《宋詩話輯佚》及散見於各家宋人詩話筆記中談論辭格的資料還有不少，現在選擇一些論列於後：

《王直方詩話》論「荊公改王仲至詩」，已見於《苕溪漁隱叢話》所引述；又有論「荊公改貢父詩」云：

詩云：「壁門金闕倚天開，五見宮花落石槐，明日扁舟滄海去，却將雲氣望蓬萊」，此劉貢父詩也。自館中出知曹州時作。舊云：「雲表」，荊公改作「雲氣」。

傳說中的蓬萊島是虛無飄渺的仙島，須是雲氣才能切情應景。所以郭紹虞先生說：「《王直方詩話》所述……荊公改劉貢文、王仲至詩，……有金針度人之功。」（《宋詩話輯佚・序》）

《王直方詩話》又有「戲用語訛爲詩」一則云：

京師人呼「大夫」為「大斧」，呼「承制」為「承池」，蓋語訛也。有人戲為句云：「大夫何嘗斧，承制豈當池。」

所謂「戲用語訛爲詩」，是故意用白字，是明知其誤却故意仿效的，我們叫做「飛白」辭格。案飛白原是書法的一體，相傳是東漢蔡邕所作。《書苑菁華》引宋黃伯思云：「取其若絲髮處謂之白，其勢飛舉謂之飛。」今用作辭格的名稱。

《古今詩話》有「蝴蝶詩」一則云：

謝學士吟《蝴蝶詩》三百首，人呼為謝蝴蝶，其間絕有佳句，如「狂隨柳絮有時見，舞入梨花何處尋。」

這裏談到了借代的修辭法，卽是借作品的題目代作家。又有借作品中的一個辭兒代作家的，如《古今詩話》「趙倚樓」一則云：

杜紫微覽趙渭南《早秋詩》云：「殘星幾點雁橫塞，長笛一聲人倚樓」。因目之為趙倚樓。

《古今詩話》有「影略句法」一則云：

鄭谷有《咏落葉詩》云：「返蟻難尋穴，歸禽易見窠。滿廓僧不厭，一個俗嫌多。」未嘗及雕零飄墜之意，人一見之，自然知為落葉，亦影略句法也。

指出鄭谷《咏落葉詩》，全不提落葉凋零飄墜的字眼，讀者自知道是咏落葉：由於落葉之多，把地上的蟻穴都掩蓋了，所以「返蟻難尋穴」；由於落葉之多，使樹上的鳥窠畢露，所以「歸禽易見窠」；山僧多喜歡落葉，以爲別有風味，雖滿廓亦不厭，如「滿山楓葉一僧歸」，正寫出僧人在歸途中欣賞滿山楓葉的情景；但俗人却不懂得欣賞落葉，雖只有一個（應作一片）也嫌太多了。所謂「影略句法」，就是婉曲的修辭法。

沈義父的《樂府指迷》，主張用詞須委曲，務避說出本意，以免淪於他的所謂「鄙俗」。朱東潤先生指其如此拘執，難免轉成塗飾（《中國文學批評史大綱》第三十八沈義父、張炎）。如《指迷》云：

煉句下語，最是緊要，如說桃不可直說破桃，須用「紅雨」「劉郎」等字。如咏柳不可直說破柳，須用「章臺」「灞岸」等字。又用事如曰「銀鉤空滿」，便是書字了，不必更說書字；「玉筯雙垂」，便是淚了，不必說淚。如「綠雲繚繞」，隱然髻髮，「困便湘竹」，分明是簟，正不必分曉，如教初學小兒，說破這是甚物事，方是妙處。往往淺學俗流，多不曉此妙用，指為不分曉，乃欲直拔說破，却是賺人與耍曲矣。

沈義父謂「說桃不可直說破桃，須用『紅雨』『劉郎』等字。」其實，「紅雨」指桃花，「劉郎」才是說桃。李長吉詩云：「桃花亂落紅如雨」，劉禹錫詩云：「搖落繁英墜紅雨」，都是指桃花而說，只是前者明言而後者不明言而已。《紹興縣志》云：「劉晨、阮肇，剡人，永平中，入天臺山採藥，經十三日不得返，採山上桃食之；下山以杯取水，見蕪菁葉流下甚鮮，復有胡麻飯一杯流下，二人相謂曰：『

去人不遠矣』，乃渡水又過一山，見二女，容顏妙絕，呼晨、肇姓名，問郎來何晚也，因相款待，行酒作樂。被留半年，求歸，至家，子孫已七世矣。太康八年，又失二人所在。」意者劉、阮二人再赴天臺山尋二女，所以有「前度劉郎今復來」的話。沈義父誤劉郎爲崔郎㊻，所以以爲「劉郎」也是指桃花而說。章臺，原是戰國時秦宮內的一個臺的名稱，故址在今陝西省長安縣西南。唐韓翃製詞，以首句「章臺柳」作爲詞牌名，據《太平廣記》所記，章臺柳的「柳」字是雙關辭，一指韓翃妻柳氏，一指長安章臺的柳樹。柳氏也好，植物也好，都不出「柳」字。灞橋，在陝西長安縣東，橋橫跨灞水上，古人多在這裏折柳送別，所以一提起灞岸，也立刻使人想到柳字。銀鈎是指書法蒼勁有力，《書苑》云：「晉索靖草書絕代，名曰銀鈎蠆尾。」李白詩：「玉箸日夜流，雙雙落朱顏」，不用說玉箸是指淚了。唐杜牧《阿房宮賦》：「綠雲擾擾，梳曉鬟也。」鬟，即是髻髮。湘竹即斑竹，可以製簟，今借湘竹代簟，是借事物的原料代事物的借代修辭法。沈義父所舉的這些辭例，都是用婉曲的修辭手法寫下來的，即是不說本事，只說餘事，結果將本事烘托了出來的一種修辭法。婉曲修辭法原是應該在情景需要時才用，看沈義父的口氣，是不論在怎樣的情形之下，都要用婉曲辭，以爲一說破本意，便是鄙俗。

《老學庵筆記》卷四有論摹擬的一則云：

> 劉長卿詩云：「千峰共夕陽。」佳句也。近時僧癩可用之云：「亂山爭落日。」雖工而窘，不迨本句。

劉長卿詩，意謂夕陽在千峰之間，也就是說千峰共有一夕陽。僧癩可詩用「爭」字實在不可解，詩用擬人法，原是比擬修辭格的一種，無可非議，但亂山又何所爭於夕陽呢？陸游說癩可詩「雖工而窘」，確有道理。

《野客叢書》卷二十亦有論仿擬一則云：

晏叔原：「今宵剩把銀釭照，猶恐相逢是夢中。」蓋出於老杜「夜闌更秉燭，相對如夢寐」……之意。

王楙所舉晏幾道的詞句，出於《鷓鴣天》詞五首的第一首。《侯鯖錄》卷七引晁無咎言：「叔原不蹈襲人語，而風調閑雅，自是一家。」而不知叔原此詞原是祖述杜甫《羌村》三首中第一首的詩意，如王楙所指的。

《野客叢書》卷二十七有「《醉翁亭記》」一則論仿擬云：

歐陽公作《滁州醉翁亭記》，自首至尾，多用「也」字；人謂此體創見歐公，前此未聞。僕謂前輩為文，必有所祖。又觀錢公輔作《越州井儀堂記》，亦是此體，如其末云：「問其辦之歲月，則嘉祐五年二月十七日也；問其作之主人，則太守刁公景純也；問其常所往來而共樂者，通判沈君興宗也。誰其文之？晉陵錢公輔也。」其機杼甚與歐記同。此體蓋出於周易《雜卦》一篇。

王楙說錢公輔作《越州井儀堂記》，「其機杼甚與歐記同，」似乎說錢公輔摹擬歐陽修文；繼又指出歐陽修祖襲《周易・雜卦》。歐陽修在慶歷年間（一〇四一—一〇四八）因爲言事獲罪，被貶知滁州，放情於山水之間，自號醉翁，《醉翁亭記》當是作於此時；錢公輔的《越州井儀堂記》則作於嘉祐五年（一〇六〇），所以被指爲「亦是此體」。又《周易》雖多用「也」字，但《醉翁亭記》句法和《雜卦》不同，未必是祖襲《雜卦》。又有人認爲《醉翁亭記》祖襲《莊子・大宗師》。《醉翁亭記》用了二十一個「也」字，《大宗師》用了六十六個「也」字，但《大宗師》文長，《醉翁亭記》文短，若就比例來說，則《醉翁亭記》用「也」字比《大宗師》還要多；但《醉翁亭記》也只有「人知從太守游而樂，而不知太守之樂其樂也」一句的句法與《大宗師》的「是役人之役，適人之適，而不自適其適者也」一句句法比較相近而已，這也許是出於偶合。「也」字是語末助詞，人人都可用，不能因爲文中多用「也」字便硬指爲祖襲古人。不過錢公輔的《越州井儀堂記》句法確是和歐陽修的《醉翁亭記》相同的，這就不能不說是摹擬了。但是應該指出的，歐陽修的《醉翁亭記》確比錢公輔的仿作高明得多。

《雲谷雜記》有「開口笑」一則云：

杜牧之《九日登齊山詩》云：「塵世難逢開口笑，菊花須插滿頭歸。」「開口笑」字似若俗語，然却有所據，《莊子》：「人上壽百歲，中壽八十，下壽六十，除病瘦死喪憂患，其中開口而笑者，一月之中，不過四五日而已矣。」於此益見牧之於詩不苟如此。

張淏指出杜牧詩用「開口笑」，看來好似俗語，其實出自《莊子》。這是論引用成語故事的「引用」修辭法。張淏認爲只要「有所據」，便是「不苟」，若無所據而用俗語，便是鄙俗。這種一味崇古的觀念是要不得的。

引用修辭法發展到了如陳望道先生所說的臃腫的地步，便是集句。僧惠洪《冷齋夜話》論修辭的部分已擇要引述在本篇前面的各節中，現在再引他的「集句貴拙速不貴巧遲」一則：

集句詩山谷謂之百家衣體，其法貴拙速而不貴巧遲。如前輩曰：「晴湖勝鏡碧，拧柳似金黃」，又曰：「事治閑景象，摩挲白髭鬚，」又曰：「古瓦磨為硯，閑砧坐當床」，人以為巧，然皆疲費精力，積日月而後成，不足貴也。

張氏認爲集句寧拙而速，不貴巧而遲，若疲費精力，積日累月而後成，是不足爲貴的。這意見是可取的。

《漢皋詩話》亦有「字顛倒可用」的一則云：

字有顛倒可用者，如「羅綺綺羅，圖畫畫圖，毛羽羽毛，白黑黑白」之類，方可縱橫。惟韓愈孟郊輩才豪，故有「湖江」「白紅」「慨慷」之句，後人亦難效之。若不學矩步而學奔逸，誠恐「麟麒」「凰鳳」「木草」「川山」之句紛然矣。

這是論倒裝的修辭法。倒裝修辭法的形成，在於習慣上大家都這麼用，所謂「約定俗成」，沒有什麼特別的原因或理由可說。斷沒有大才豪如韓愈、孟郊則可用常人則不可用的道理。

《楓窗小牘》㊼有論反語一則云：

宣和中有反語云：寇萊公之知人則哲，王子明之將順其美，包孝肅之飲人以和，王介甫之不言所利，此皆賢者之過，人皆得而見之者也。

這裏所謂反語，其實仍是倒裝，而不是我們現在所說的反語。反語是說話的人口頭上的意思和心裏的意思完全相反的辭格，如「好容易」其實是不容易。這裏所舉的例句，「知人則哲」是「哲則知人」的倒裝，「將順其美」是「美其將順」的倒裝，「飲人以和」是「和以飲人」的倒裝，「不言所利」是「利所不言」的倒裝。

《苕溪漁隱叢話後集》卷二十五引《藝苑雌黃》云：

僧惠洪《冷齋夜話》載介甫詩云「春殘葉密花枝少，睡起茶多酒盞疏」，「多」字當作「親」，世俗傳寫之誤。洪之意蓋欲以「少」對「密」，以「疏」對「親」。予作荆南教官，與江朝宗滙者同僚，偶論及此；江云，惠洪多妄誕，殊不曉古人詩格，此一聯以「密」字對「疏」字，以「多」字對「少」字，正交股用之，所謂蹉對法也。

江朝宗以爲介甫詩用蹉對法，即前句第四字對後句第七字，前句第七字對後句第四字，也就是所謂「交股用之」。這我們現在叫做錯綜的修辭法。惠洪則認爲「多」字當作「親」，「多」乃傳寫之誤。《學林》卷八《改字》亦云：

王介甫之「春殘葉密花枝少，睡起茶親酒盞疏。」而或改「親」字為「多」，一字之誤，清濁遼隔。前賢詩文，為人所改，如此類多矣。

王觀國也以爲原作「茶親」，被改爲「茶多」，「一字之誤，清濁遼隔。」近人張文治氏云：

按睡起多口渴思茶，故云茶親。若云茶多，殊無意味。固當以親字為妥，江說非。（《古書修辭例》第二編《改易之例》四）

以上諸說，或論錯綜，或論煉字，看來當以張說最爲可取。

《苕溪漁隱叢話》評五代孫魴《題金山寺》詩㊽，「如『驚濤濺佛身』之句，則金山寺何其低而且小哉？」胡仔不知孫魴用誇張辭，此句不過極言驚濤濺起之高而已。

《誠齋詩話》有論省略一則云：

四六有初語平平，而去其一字，精神百倍，妙語超絶者，介甫《賀韓魏公致仕啓》云：「言天下之所未嘗，任天下之所不敢；」其初句尾有「言」「任」二字而去之也。

這裏所舉荆公的兩句話，句尾的「言」字「任」字去而不用（也可以說是「歇後」），楊萬里很賞識，以爲「去其一字，精神百倍，妙語超絕。」但查《王文公文集》卷第三十二《賀韓魏公啓》，此兩句却是「言衆人之所未嘗，任大臣之所不敢。」也許《誠齋詩話》另有所依據。

孫奕《履齋示兒編》有「文重複」云：

漢人文章最為近古。然文之重複，亦自漢儒倡之。賈生《過秦論》曰：「席卷天下，包舉宇內，囊括四海之意，並吞八荒之心」，四句而一意也。至於陸士衡《文賦序》曰：「研蚩好惡」，四字而二意也。張景陽之《七命》既曰：「茕嫠為之擗摽」，又曰：「孀老為之嗚咽」，豈「茕嫠」、「孀老」果二義乎？既曰：「按以商王之箸」，又曰：「承以帝辛之杯」，豈「商王」、「帝辛」果二人乎？既曰：「䖏封豨」，又曰：「僨馮豕」，豈「封豨」、「馮豕」果二物乎？

孫奕所舉的幾個例子，是不該重複而重複，不必重複而重複，所以只覺其煩累，而不能無疊床架屋之譏了。

《臨漢隱居詩話》云：

詩惡蹈襲古人之意，亦有襲而愈工、若出於己者，蓋思之愈精，則造語愈深也。魏人章疏云：「福不盈眦，禍將溢世。」韓愈則曰：「歡華不滿眼，咎責塞兩儀。」李華《弔古戰場文》曰：「其存其沒，家莫聞知，人或有言，將信將疑，悁悁心目，夢寐見之。」陳陶則云：「可憐無定河邊骨，猶是春閨夢裏人。」蓋愈工於前也。

魏泰舉韓愈及陳陶詩，以爲都襲古人意而愈工，這是黃魯直所謂換骨法。陳景雲的《點勘》，指出「福不盈眦，禍將溢世」，出於班固《賓戲》之文，是魏人章疏所本。又所引韓愈詩句見於《寄崔二十六立之》一詩，所引陳陶詩句見於《隴西行》，可能只是詩意與前人文意偶合；即使是出於蹈複，也如魏泰所說，是襲而愈工的。

《韻語陽秋》卷第二亦有論化骨法一則云：

詩家有換骨法，謂用古人意而點化之，使加工也。李白詩云：「白髮三千丈，緣愁似個長。」荆公點化之，則云：「繰成白髮三千丈。」劉禹錫云：「遙望洞庭湖水面，白銀盤裏一青螺。」山谷點化之，則云：「可惜不當湖水面，銀山堆裏看青山。」孔稚圭《白苧歌》云：「山虛聲徹。」山谷點化之，則云：「山空響管弦。」盧仝詩云：「草石是親情。」山谷點化之，則云：「小山作朋友，香草當姬妾。」學詩者不可不知此。

又云：

魯直謂陳後山學詩如學道，此豈尋常雕章繪句者之可擬哉？客有為余言：後山詩其要在於點化杜甫語爾。杜云：「昨夜月同行」，後山則云：「勤勤有月與同歸。」……如此類甚多，豈非點化老杜之語而成者？余謂不然，後山詩格律高古，真所謂「碌碌盆盎中，見此古罍洗」者，用語相同，乃是讀少陵詩熟，不覺在其筆下，又何足以病公。

所謂「用古人意而點化之」，或是「點化某某之語而成者」，都是換骨法，是仿擬修辭法的一種（擬意）。至說「讀某某詩既熟，不覺在其筆下」，那是用語偶然相同，未必是有意蹈襲的。

《韻語陽秋》卷第十六有論誇張辭一則云：

杜子美《古柏行》云：「霜皮溜雨四十圍，黛色參天二千尺。」沈存中《筆談》云：「無乃太細長乎？」余謂詩意止言高大，不必以尺寸計也。《詩評》載王郊大夫《竹》詩示東坡，其一聯云：「葉排千口劍，幹聳萬條槍。」坡曰：「十條竹，一千葉也。」若郊者，又何足以語詩乎？

葛立方說杜甫詩意只言古柏高大，不必斤斤以尺寸計，看來他是懂得誇張辭的意義的；但是他却又譏笑王郊的詩用誇張辭，缺乏意境，造語刻板，說他「何足以語詩」。

《珊瑚鈎詩話》卷一云：

杜甫云：「軒墀曾寵鶴」，杜牧云：「欲把一麾江海去」，皆用事之誤。蓋衛懿公好鶴，鶴有乘軒者，則軒車之軒耳，非軒墀也。顏延年詩云：「屢薦不入官，一麾乃出守」，則麾、麾去耳，非麾旄也。然子美讀萬卷書，不應如是，殆傳寫之繆？若云軒車，則善矣。牧之豪放一時，引用之誤，或有之邪。

「軒墀曾寵鶴」，是杜甫《投贈哥舒開府翰二十韵》的詩句。天寶十一年（七五二），翰自隴右節度副使，加開府儀同三司。第二年，杜甫作此詩投贈。杜甫《苦竹》一詩也下「軒墀」二字：「軒墀曾不重，剪伐欲無辭。」「軒墀」意謂軒堂砌（玉砌）階，指權貴之所居，並不如張表臣所說的，只是軒車的傳寫之誤，從下兩句「幸近幽人屋，霜根結在茲」看來，更加肯定了我的臆說。至「軒墀曾寵鶴」句，淸人浦起龍《讀杜心解》引錢《箋》，謂以衞懿公諷玄宗，說安祿山、安思順，只是軒墀（權貴者）的寵鶴罷了㊾。

杜牧「欲把一麾江海去」，爲《將赴吳興登樂游原》一絕的詩句，作於宣宗大中四年（八五〇）的秋天，是杜牧將離開長安赴湖州任刺史時所作。「一麾」語出劉宋詩人顏延年《五君咏》詩中的一首，是咏阮始平（咸）的。但顏氏「一麾乃出守」的「麾」原是動詞，杜牧却用作名詞，所以張表臣指其引用成語錯誤。沈存中《夢溪筆談》卷四辯證二亦云：

今人守郡謂之「建麾」，蓋用顏延年詩「一麾乃出守」，此誤也。延年謂「一麾」者，乃指麾之麾，如武王「右秉白旄以麾」之麾，非「旌麾」之麾也。延年《阮始平詩》云，「屢薦不入官，一麾乃出守」者，謂山濤薦咸為吏部郎，三上，武帝不用，後為荀（勗）一擠，遂出始平，故有此句。延年被擯，以此自托耳。自杜牧為《登樂游原詩》，云：「擬把一麾江海去，樂游原上望昭陵」，始謬用一麾，自此遂為故事。

《四庫全書總目提要》評論《珊瑚鉤詩話》說：

又如論杜牧「擬把一麾江海去」句，以為誤用延年語，以麾斥之麾為麾旌。然考崔豹《古今注》曰：「麾者，所以指麾也。武王執白旌以麾是也。乘輿以黃，諸公以朱，刺史二千石以纁。」據其所說，則刺史二千石乃得建麾。牧將乞郡，故有「擬把一麾」之語，未可云誤，表臣所論亦非也。

清人薛雪《一瓢詩話》三〇也說：

張表臣駁老杜「軒墀曾寵鶴」、小杜「欲把一麾江海去」，以為誤用懿公好鶴與顏延年詩意。殊不知二公非死煞用事者，其好處正是此種。

大小杜二詩，都非死煞用事者，我們不應該沒有細察，便妄指爲引用成語失當（引用是積極修辭的辭格之一）。

吳聿《觀林詩話》云：

古人五字，往往句有相犯者，如潘安仁王仲宣皆云：「但愬杯行遲」，曹子建應德璉皆云：「公子敬愛客」；李少卿云：「行人懷往路」，蘇子卿云：「征夫懷往路」；左太沖云：「綠葉日夜黃」，張景陽云：「密葉日夜疏」；古詩「秋草萋以綠」，又「秋草萋更碧」，謝玄暉又云「春草秋更綠」。如此者衆，不可悉擧。

所謂句相犯，是摹擬，或是偶同。「綠葉日夜黃」，寫葉兒不斷地枯萎；「密葉日夜疏」，則是寫落葉漸多，蕭颯更甚。可以說是異曲同工。

楊萬里《誠齋詩話》云：

句有偶似古人者，亦有述之者。……杜云：「薄雲岩際宿，孤月浪中翻」，此庾信「白雲岩際出，清月波中上」也。出上二字勝矣。……庾信云：「永韜三尺劍，長卷一戎衣」，杜云：「風塵三尺劍，社稷一戎衣」，亦勝庾矣。南朝蘇子卿《梅詩》云：「只言花是雪，不悟有香來」，介甫云：「遙知不是雪，爲有暗香來」，述者不及作者。

所謂述之者，是摹擬。《誠齋詩話》只是比較摹擬與原詩的優劣，而未說明其優劣之所在。「出」所以勝宿，因出是動態，宿是靜態。上所以勝翻，因上係徐徐而上，寫的是實際的情景，而翻字則太着力了。又「風塵三尺劍，社稷一戎衣」，雖然都無動字，但挾三尺劍奔馳於風塵之中，與着一戎衣爲社稷效命，隱然可見；而劍永韜與戎衣長卷，則了無門志。又因花白似雪，使人全神貫注於其顏色，所以不覺其有香味；荊公摹擬的句子，實在大煞風景了。

《誠齋詩話》又云：

庾信《月詩》云：「渡河光不濕」，杜云：「入河蟾不沒。」唐人云：「因過竹院逢僧話，又得浮生半日閑，」坡云：「殷勤昨夜三更雨，又得浮生盡日涼。」山谷《簟詩》云：「落日映江波，依稀比顏色。」杜《夢李白》云：「落月滿屋梁，猶疑照顏色。」退之云：「如何連曉語，只是說家鄉」，呂居仁云：「如何今夜雨，只是滴芭蕉。」此皆用古人句律，而不用其句意，以故為新，奪胎換骨。

所謂用古人句律，只是仿擬古人的句法格調，而不仿擬其句意。

《誠齋詩話》又有論轉品云：

詩有實字而善用之者，以實為虛。杜云：「弟子貧原憲，諸生老伏虔。」老字蓋用趙充國請行，上老之。

所謂以實爲虛，是指詞的變性，老字原是形容詞（《誠齋詩話》所謂實字），這裏却作動詞（《誠齋詩話》所謂「虛字」）來使用，也就是陳望道先生所謂「轉品」辭格。

《誠齋詩話》又論對偶云：

唐律七言八句，一篇之中，句句皆奇，一句之中，字字皆奇，古今作者皆難之。予嘗與林謙之論此事，謙之慨然曰：但吾輩詩集中，不可不作數篇耳。如老杜《九日詩》云：「老去悲秋強自寬，興來今日盡君歡」，不徒入句，便字字對屬。又第一句頃刻變化，才說悲秋，忽又自寬，以自對君甚切，君者君也，自者我也。

其實，杜詩「悲秋」與「今日」並不成對，《誠齋詩話》竟說是字字對屬。

陳嚴肖《庚溪詩話》論比擬云：

古今以體物語，形於詩句，或以人事喻物，或以物喻人事。如唐許渾《題崔處士幽居》云：「荊樹有花兄弟樂，橘林無實子孫忙」，語亦工矣。及觀柳子厚《過盧少府郊居》云：「蒔藥閑庭延國老，開樽虛室值賢人」，則語尤自在而意勝。

許渾《題崔處士幽居》詩，是用以物擬人的擬人法寫的。柳宗元《從崔中丞過盧少府郊居》詩，國老指甘草，賢人指濁酒。

黃徹《䂬溪詩話》云：

《南史》：「到藎從武帝登北顧樓賦詩，藎受詔便就，上以示其祖溉云：『藎定是才子，番恐卿從來文章假手於藎。』後每和御詩，上輒手詔戲溉曰：『得無貽厥之力乎？』退之《玉川詩》云：『誰謂貽厥無基阯？』二事政可對也。

《詩經·大雅·文王有聲》：「詒厥孫謀，以燕翼子。」以貽厥代孫，是歇後藏詞法。

許顗《彥周詩話》云：「詩話者，辨句法，備古今，紀盛德，錄異字，正訛誤也。」其中「辨句法」與「正訛誤」，所論常常是與修辭有關的。

十五、金王若虛《滹南遺老集》

金代王若虛著《滹南遺老集》，李治的序文稱其「品藻是非，覼縷得失，使惑者有所釋，鬱者有所伸，學者有所適從。」評價是很高的。

集中有《送呂鵬學赴試序》一文，作者在這篇序文中說：

夫經義雖科擧之文，然不盡其心，不足以造其妙。辭欲其精，意欲其明，勢欲其若傾，故必探《語》、《孟》之淵源，擷歐、蘇之菁英，削以斤斧，約諸準繩，斂而節之，無乏作者之氣象；肆而稱之，無失有司之度程。勿怪勿僻，勿猥而並，若是也，所向如志，敵攻無勍，可以高視橫行矣。（《滹南遺老集》卷四十四）

他論經義科學之文的修辭法，不忘「探《語》、《孟》之淵源」；他的思想雖受宋代道學家的影響，但集中論到修辭的地方，却能就修辭而論修辭，不爲「道」所左右，這是應該指出的。

一、《史記》辨惑

《滹南遺老集》論修辭最重要的部分是《史記》辨惑。《史記》一書，修辭欠妥的地方可不少，但却一向受推崇。唐劉知幾的《史通》，第一次指出它的煩累的例證，並不是眞正的煩累。《滹南遺老集》卷三十四《文辨》云：「司馬遷之法最疏，開卷令人不樂，然千古推崇，莫有攻其短者。」所謂法最疏，是說他的修辭手法多有疏略的地方。同卷又云：

唐子西云：「六經已後，便有司馬遷，三百篇已後，便有杜子美；故作文當學司馬遷，作詩當學杜子美。」其論杜子美，吾不敢知；至謂六經已後便有司馬遷，談何容易哉？自古文士過於遷者何限，而獨及此人乎？遷雖氣質近古，以準繩律之，殆百孔千瘡，而謂學者專當取法，過矣！

他說司馬遷的《史記》，「以準繩律之，殆百孔千瘡。」所謂準繩，當是指修辭的準則。

《史通・雜說上》云：

孟堅又云：劉向、揚雄博極羣書，皆服其（指司馬遷）善敘事。豈時無英秀，易為雄霸者乎？不然，何虛譽之甚也！《史記・鄧通傳》云：「文帝崩，景帝立。」向若但云「景帝立」，不言「文帝崩」，斯亦可知矣，何用兼書其事乎？（中華書局影印明張之象刻本《史通》卷十六，參以梁溪浦氏求放心齋本《史通通釋》。）

《滹南遺老集》卷十五《史記》辨惑云：

《鄧通傳》云：文帝崩，景帝立。劉子玄謂不必言帝崩固當矣，然遷《史》類此者甚多，夫文景相繼，猶或可也；至《賈生傳》云：孝文崩，孝武皇帝立。旣隔景帝而亦書之，豈不愈無謂也？袁盎稱文帝西向讓天子位者再，南向讓天子位者三。何必重言天子位？

王氏先附和劉子玄「謂不必言帝崩固當矣」，繼又說「文景相繼，猶或可也」，態度模棱兩可。拙作《〈史記〉辨惑》七云：

《鄧通傳》云：「文帝崩，景帝立」。劉子玄謂不必言帝崩，王氏似亦從其說。愚意劉子玄之見甚誤。蓋文景相繼，一崩一立，何不當之有？《史記》固多病辭，然此處非病也。（《中國修辭學的

變遷》附錄《古書辨惑》三）

《滹南遺老集》卷十二《史記》辨惑「議論不當辨」云：

《貨殖傳》云：「無岩處奇士之行而長貧賤，好語仁義，亦足羞也。」貧賤而羞，固已甚謬，而好語仁義者，又可羞乎？遷之罪不容誅矣！

司馬遷不鄙封建官僚地主的豪奪，反以貧窮爲可耻，《貨殖列傳》前文有云：「若至家貧親老，妻子軟弱，歲時無以祭祀、進醵，飲食、被服不足以自適，如此不慚耻，則無所比矣。」他更以爲貧賤無財力的人，却喜歡談仁義，是可羞的。而不知行仁義有時未必需要財力，如《貨殖列傳》上文所云：「無財，作力；少有，鬥智；既饒，爭時：此其大經也。」司馬遷所論，前後矛盾，自論理學說，是不合邏輯；自修辭學說，是用辭失當。

《滹南遺老集》卷十三《史記》辨惑《文勢不相承接辨》云：

《淮陰侯傳》云：「其勢非置之死地，使人人自為戰。今予之生地皆走，寧尚可得而用之乎？」不相承接甚矣。

案《淮陰侯傳》用「其勢」之例至多，如「其勢糧食必在其後」，「其勢無所得食」，「其勢不定」，「其勢莫敢先動」，「其勢非天下之賢聖，固不能息天下之禍」，皆無不當；獨此處先後文意不相連接，且「其勢」云云，亦不成文理。

《滹南遺老集》卷十四《史記》辨惑「姓名冗複辨」云：

《夏本紀》云：「禹之父曰鯀，鯀之父曰帝顓頊，顓頊之父曰昌意，昌意之父曰黃帝。禹者，黃帝之玄孫，而顓頊之孫也。禹之曾大父昌意及父鯀皆不得在帝位，為人臣。」劉子玄《史通・點煩》云：「《顓頊記》中具言黃帝是顓頊祖矣，此篇云禹是顓頊孫，則其上不得更言黃帝之玄孫，既云昌意及鯀不得在帝位，則下文不當復云為人臣也」。遂除五十七字。誠大中其病。

《滹南遺老集》卷十五《史記》辨惑「字語冗複辨」云：

《周本紀》《齊世家》稱：「武王觀兵，諸侯不期而會盟津者八百諸侯，諸侯皆曰：紂可休矣！」無乃剩諸侯、諸侯字乎？

對此，拙著《〈史記〉辨惑》云：「多下兩諸侯，與《三國誌》『操嘗造花園一所，成，操往觀之』同病。」

同卷又云：

《越世家》云：「莊生謂陶朱公長男曰：『若自入室取金。』長男卽自入室取金」。但云「男卽取之」可也。

對此，拙著《〈史記〉辨惑》云：「愚意不若改爲『男從其言』之爲愈。」

同卷又云：

《魯仲連傳》云：「……仲連謂新垣衍曰：『吾將使秦烹醢梁王。』新垣衍曰：『噫嘻！亦太甚矣，先生之言也！』」多「先生言」字，必欲存之，當在「太甚」字上。

這裏王若虛所論的兩點，完全是錯誤的。第一，如果將「先生之言」刪掉了，則「亦太甚矣」指的是「吾將使秦王烹醢梁王」之「事」而不是之「言」；但新垣衍本意指的是「之言」，所以「先生之言」字不可少。第二，《史記》用倒裝的修辭法，王氏沒有看到這一點，却說「先生言」應移置於「太甚」字上。（此處《史記》文字原本自《戰國策・趙策三》）

同卷又云：

《范雎傳》云：「須賈謂范雎曰：『非大車駟馬，吾固不出。』范雎曰：『願爲君借大車駟馬於主人翁。』范雎歸，取大車駟馬。」此當云：「願爲君借於主人翁，卽歸取車馬。」

對此，拙著《〈史記〉辨惑》云：「愚意改爲『願爲君借於主人翁，卽歸取之』，尤佳。」

同卷又云：

《鄭當時傳》云：「存諸故人，請謝賓客，夜以繼日，至其明旦，常恐不遍。」剩「至其明旦」字。

王氏所論極是。既然「夜以繼日」，不用說是「至其明旦」了。

《滹南遺老集》卷十九《史記》辨惑「雜辨」云：

《留侯世家》云：「留侯性多病。」多病何關性事？

「性」可作「生性」解，其實是說得通的。

同卷又云：

「相如請王齋五日乃上璧。秦王度之，終不可強奪，遂許齋五日。」多却「之」字。

對此，拙著《〈史記〉辨惑》云：「愚意將『之』字移置於『遂許』之下，而刪去『齋五日』，尤善。」

同卷又云：

趙堯薦周昌曰：「其人有堅忍質直。」何用有字！

如必欲存「有」字，則「質直」之下，應加「之性」二字，於義乃安。這眞是錯得可以，難怪王氏說《史記》「百孔千瘡」（多病辭）了。

同卷又云：

武涉說韓信：「足下雖自以與漢王為厚交，為之盡力用兵，終為之所禽矣。」「之所」二字，當去其一。又云：「足下所以得須臾至今者，以項王尚存也。」「須臾」字亦道不過。

武涉說韓信，語出《淮陰侯列傳》。「爲之盡力用兵」是「替他盡力用兵」，「爲之所禽」是「被他所擒」。「之所」二字都用得着。如必欲「去其一」，只能將代詞之（他）字省略；若果去掉「所」字，成爲「終爲之禽」，則不成話了。又「須臾」的原意是少愒。《儀禮・燕禮》：「請吾子之與寡君須臾焉。」徐灝《說文解字注箋》云：「少愒謂之須臾。」愒，據《說文通訓定聲》：「字亦作憩。」少愒，卽少憩，引伸有苟安之意。意謂韓信所以能夠苟安至今，不爲漢王所殺害，是由於「項王尚存也」。後來的人說「須臾」意思是爲時不久，實本於此。王氏不知「須臾」的原意是少憩（卽稍息），所以認爲「亦道不過」。

同卷又云：

《荊軻傳》：「田光謂燕太子曰：太子聞光盛壯之時，不知臣精已消亡矣。雖然，光不敢以圖國事，所善荊卿，可使也。」「雖然」字悖。

「雖然」是轉換語氣時用的，一點也不「悖」。後來，王若虛自己也用此「雖然」二字，而其用法和《

史記》荆軻傳是完全一樣的。《滹南遺老集》卷四十《詩話下》云：

魯直論詩有奪胎換骨、點鐵成金之喻，世以為名言。以予觀之，特剽竊之黠者耳。魯直好勝而恥其出於前人，故為此強辭，而私立名字。夫既已出於前人，縱復加工，要不足貴。雖然，物有同然之理，人有同然之見，語意之間，豈容全不見犯哉？蓋昔之作者，初不校此，同者不以為嫌，異者不以為誇，隨其所自得，而盡其所當然而已。至於妙處，不專在於是也，故皆不害為名家而各傳後世。何必如魯直之措意邪！

這裏的「雖然」，和《荆軻傳》的「雖然」，其意義和作用並沒有不同之處，王氏自己用之便不悖，《史記》用之便「悖」，這怎麼能夠說服人呢？

卷十九又云：

《屈原傳》：「秦昭王欲與懷王會。懷王稚子子蘭勸王行：奈何絕秦歡！」少「曰」字。

古時無標點，所以看來在「勸王行」之下，似乎少一「曰」字；現在加冒號（：）於「行」字之下，便可以不必再加「曰」字了。其實王氏是懂得這個道理的，所以他在「《屈原傳》」之下，也略去了「云」字。《史記·留侯世家》云：「左右大臣多勸上都雒陽：雒陽東有成皐，西有殽澠。」第一個「雒陽」之下，也省略了「曰」字。

《滹南遺老集》卷十八《史記》辨惑「《史記》用『而』字多不安今略舉甚者」云：

《齊世家》云：「郤克使于齊，齊使夫人帷中而觀之。」《趙世家》云：「襄公之六年而趙衰卒」，「景公時而趙盾卒」，「平公十二年而趙武為正卿」。……《魯仲連傳》云：「趙孝成王時而秦王使白起破長平之軍。」……（不克盡錄）。

然而，《滹南遺老集》（卷第十八）對《史記》用虛字適當與否也有錯誤的指責。拙著《〈史記〉辨惑》云：

王若虛謂司馬遷用「乃」字冗而不當者十有七八，惟其所舉不當之例，亦有原非不當者。如《趙世家》記程嬰、杵臼事云：「……乃二人謀取他人嬰兒負之。」王氏謂「乃」字當易「於是」始安，而不知「乃」字正可訓作「於是」，如「中原大亂，乃南渡江，」是其例也。又「高帝斬白蛇，有老嫗夜哭，人問何哭，嫗曰……人乃以嫗為不誠，欲笞之。」王氏以為「乃」字當去，而不知此「乃」字亦可訓作「於是」（或訓作『竟』），無須去之。

又云：

《叔孫通傳》云：「惠帝卽位，乃謂叔孫通曰……」王氏謂「乃」字贅；而不知此「乃」字可作「方才」或「然後」解，非贅也。

又云：

《伏生傳》云：「石建為中郎令，事有可言，屏人恣言極切；至延見，如不能言者，是以上乃親尊禮之。」王氏以為「乃」字不安，而不知此「乃」字亦可作「方才」解也。

又云：

《刺客列傳》云：「燕太子請荊軻曰：『日已盡矣，荊卿豈有意哉？』」《范睢傳》云：「須賈問范睢曰：『今吾事之去留，在張君，孺子豈有客習於相君者哉？』」王氏以為「哉」字皆不安，作「乎」字可也。」而不知「哉」字可表反詰，「豈可人而不如鳥哉？」「秦以不聞其過亡天下，又何足法哉？」皆其例也。（見拙著《中國修辭學的變遷》附錄《古書辨惑》三）

二、《新唐書》辨

《滹南遺老集》卷二十二《新唐書》辨上云：

作史與他文不同，寧失之質，不可至於華靡而無實；寧失之繁，不可至於疏略而不盡。宋子京不識文章正理，而惟異之求，肆意雕鐫，無所顧忌，所至字語詭僻，殆不可讀，其事實則往往不明，或乖本意，自古史書之弊，未有如是之甚者。

他以爲質勝於華，繁勝於略，宋祁肆意雕琢，事實不明（不當簡而簡），是史書的大弊。

對於流俗語，他主張「寧存而不去」，而宋子京恰恰相反。他說：

古人文字中時有涉俗語者，正以文㊿之則失真，是以寧存而不去。而宋子京直要句句變常，此其所以多戾也。（《滹南遺老集》卷二十四《新唐書》辨下）

同卷又云：

《魏氏春秋》好用《左傳》語以易舊文，裴松之譏彈甚當。凡人文體，固不必拘，至於記錄他人之言，豈可過加潤色而失其本真？子京《唐書》雖詔、敕、章、疏類皆變亂以從己意；至於詩句諺語，古今成言，亦或芟改，不已甚乎！

他認爲諺語是古今的「成言」，不可妄加刪改；至於記錄他人的話，應該保留原意，不應該潤色而失其本眞；對於流俗語，也不應該文飾而使之變常。他的意見是正確的。

他指出宋子京的《新唐書》有妄改成語之處，並擧例說：

疾雷不及掩耳，此兵家成言，初非偶語，古今文人未有改之者。宋子京於《李靖傳》乃易疾雷為震霆，易掩為塞，不惟失真，且其理亦不安矣。雷以其疾，故不及掩耳，而何取於震？掩且不及，復何暇塞哉？此所謂欲益反弊者也。（《滹南遺老集》卷二十二《新唐書》辨上）

宋子京改「疾雷不及掩耳」爲「震霆不及塞耳」，因爲不能適合於情景的需要，所以「欲益反弊」。

《滹南遺老集卷二十四《新唐書》辨下云：

《王琚傳》云：「自傭於楊州富商家，識非庸人，以女嫁之。」「識」字上當有「其家」「其主」等字。

王氏的指責很對，如果「識」字上不加「其主」字，則誰識其非庸人，而以女嫁之，便不清楚了。

同卷又云：

《張九齡傳》云：「德宗賢其風烈。」賢字不安。

其實，「賢」字是將形容詞轉作動詞用，是詞的變性，意義和「嘉」字差不多，並沒有「不安」。

同卷又云：

《劉子玄傳》云：「年十二，父授古文《尚書》，業不進，父怒，楚督之。及聞為諸兄講《春秋左氏》，冒往聽之，退輒辨析所疑，嘆曰：『書如是，兒何怠！』」予始讀之不能曉。及見《史通・自敘》，則云：「初奉庭訓，早遊文學，年在紈綺，便愛古文《尚書》，每苦其辭艱瑣，難為諷讀，雖屢逢捶撻，而其業不成。（瑜案：業不之間，應有仍字。）嘗聞家君為諸兄講《春秋左氏傳》，每廢書而聽，逮講畢，卽為諸兄說之。因嘆曰：『若使書皆如此，吾不復怠。』」然後了然。而覺子京疏略之病為可惡也。

《新唐書》節略得太過離譜，使人不知所云。王氏的指責是很對的。又劉知幾《自敍》謂「年在紈綺」，實在是不知道「紈綺」的本意，所以誤用了（誤以爲是少年之意）。《滹南遺老集》卷三十三謬誤雜辨云：

「班伯與王、許子弟為羣，在綺襦紈袴之間，而非其好。」紈綺，貴戚子弟之服耳。劉子玄自述其兒童時事云：「年在紈綺。」此何謂哉？

所引班伯事，見於《漢書》《敍傳》。紈綺，是富貴子弟的服飾，也是富貴子弟的標記，常用以鄙稱富貴子弟的不學者，是借代辭。

三、文　辨

《滹南遺老集》卷三十四文辨一云：

庾信《哀江南賦》，堆垛故實以寓時事，雖記聞為富，筆力亦壯，而荒蕪不雅，了無足觀。如「崩於巨鹿之沙，碎於長平之瓦」，此何等語！至云「申包胥之頓地，碎之以首」，尤不成文也。杜詩云：「庾信文章老更成，凌云健筆意縱橫，今人嗤點流傳賦，未覺前賢畏後生。」嘗讀庾氏諸賦，類不足觀，而《愁賦》尤狂易可怪，然子美推稱如此，且譏誚嗤點者。予恐少陵之語未公，而嗤點者未為過也。

「崩於巨鹿之沙，碎於長平之瓦」，多兩「於」字，便不成話了。至「申包胥之頓地，碎之以首」，是《哀江南賦序》文中的句子。《左傳》定公四年載：吳伐楚，楚大夫申包胥至秦請兵，「立依於庭牆而哭，日夜不絕聲，勺飲不入口。七日，秦哀公爲之賦《無衣》。九頓首而坐。秦師乃出。」頓首是叩頭下拜，表示至禮，並不是碰破了頭；庾信爲了要和下句「蔡威公之淚盡，加之以血」相對，不惜因辭害意，竟杜撰了「碎之以首」四個字，所以王氏說它尤不成文。

《滹南遺老集》卷三十六文辨三云：

《桑榆雜錄》云：「或言《醉翁亭記》用『也』字太多，荊公曰：『以某觀之，尚欠一也字。』坐有范司戶者曰：『禽鳥知山林之樂，而不知人之樂，此處欠之。』荊公大喜。」予謂不然；若如所說，不惟意斷，文亦不健矣。恐荊公無此言，誠使有之，亦戲云爾。

王氏以爲「禽鳥知山林之樂」句下不得加「也」字是對的，因此句與下句「人知從太守游而樂，而不知太守之樂其樂也」句意相連，若照荊公所說，加一「也」字，不但意斷，而且失其用層遞的修辭技巧之本意。同卷文辨三又云：

陸機曰：「怵他人之我先。」退之曰：「惟陳言之務去。」假令述笑哂之狀，曰莞爾，則《論語》言之矣；曰啞啞，則《易》言之矣；曰粲然，則《穀梁子》言之矣；曰逌爾，則班固言之矣；曰囅然，則左思言之矣。吾復言之，與前文何以異？予謂文貴不襲陳言，亦其大體耳，何至字字求異？如翺之說，且天下安得許多新語邪？

王氏指出文貴不襲陳言，只是說其大體，偶然有一個詞兒是古人所用過的，也就聽其自然，不必字字求異，因爲實際上不可能創造那麼許多的新語。所謂襲取或模仿，是襲取整句或模仿全篇，若古人用過之詞，都不得再用，則幾乎無從下筆；且人之精力有限，又怎能遍讀所有的古書，所以也無法擔保自己所創的新語，確是古人所未曾用過的。

同卷文辨三又云：

歐公《秋聲賦》云：「如赴敵之兵，銜枚疾走，不聞號令，但聞人馬之行聲。」多却「聲」字。又云：「豐草綠縟而爭茂，佳木蔥蘢而可悅，草拂之而色變，木遭之而葉脫。」多却上二句。或云「草正茂而色變，木方榮而葉脫」亦可也。

其實，這裏「行聲」的「行」字是動詞用作形容詞，「聲」字是少不得的。而且「聲」字還負有點題的作用。

《滹南遺老集》卷三十五文辨二云：

退之《盤谷序》云：「友人李愿居之」，稱友人則便知為己之友，其後但當云「予聞而壯之」，何必用「昌黎韓愈」字！柳子厚《凌準墓誌》旣稱孤某以其先人善予，以志為請，而終云「河東柳宗元……哭以為志。」山谷《劉明仲墨竹賦》旣稱「故以歸我」，而斷以「黃庭堅曰」，其病亦同。蓋予我者自述，而姓名則從旁言之耳。劉伶《酒德頌》始稱大人先生，而後稱吾；東坡《黠鼠賦》始稱蘇子而後稱予，蘇過《思子臺賦》始稱客而後稱吾，皆是類也。前輩多不計此，以理觀之，其實害事，謹於為文者當試思焉。

陳望道先生認爲這是有益的忠告[51]。其實完全是多餘的話。「予」「我」固然是自述之詞，但姓名也盡可以自說；自說姓名，往往顯得活潑而有精神、有韻味，使讀者比較有明確、深刻的印象，且有親切之感，所以「歐陽子方夜讀書」（歐陽修《秋聲賦》）勝於「予方夜讀書」，像這樣的例子眞是舉不勝舉。又前稱姓名，後用代詞（予），有錯綜變化之妙，不能因此便妄議其失。

同卷文辨二又云：

退之《行難篇》云：「先生矜語其客曰：某，胥也；某，商也；其生，某任之；其死，某誄之。」予謂上二某字，胥商之名也；下二某字，先生自稱也。一而用之，何以別乎？

這裏所舉韓愈的《行難篇》，由於用同一代詞過多，用到叫人不容易猜得透所代的是什麼名詞，所以王氏說「一而用之，何以別乎？」但是自從代詞（第三稱代詞）分化之後，情形便不同了；劉復先生創造了「她」字和「它」字，眞是功德無量。

同卷文辨二又云：

（韓愈）《師說》云：「萇弘、師襄，老聃、郯子之徒，其賢不及孔子。孔子曰：『三人行，必有我師。』」此兩節文理不相承。

對此，拙著《古書雜辨》云：「愚意『其賢不及孔子』以下，當作『孔子皆嘗從而師之』，其理乃安。」（《中國修辭學的變遷》附錄《古書辨惑》四）

《滹南遺老集》卷三十六文辨三云：

東坡《超然臺記》云：「美惡之辨戰乎中，去取之擇交乎前。」不若云「美惡之辨交於前，去取之擇戰乎中」也。「子由聞而賦之，且名其臺曰超然。」不須「其台」字，但作「名之」可也。

這裏，「其臺」兩字其實是不可少的；如果照王氏所說，但作「名之」，可能使讀者發生歧解，以爲「超然」是指賦的名稱，而不是指臺名。

同卷文辨三又云：

東坡之文，具萬變而一以貫之者也，為四六而無俳諧偶儷之弊；為小詞而無脂粉纖艷之失；楚辭則略依仿其步驟，而不以奪機杼為工；禪語則姑為談笑之資，而不以窮葛藤為勝：此其所以獨兼衆作，莫可端倪。而世或謂四六不精於汪藻，小詞不工於少游，禪語、楚詞，不深於魯直。豈知東坡也哉！

王氏極力推崇蘇軾的修辭技巧，說他「爲小詞而無脂粉纖艷之失」，這是事實，因爲蘇軾的詞，一向被看作是豪放而不是婉約的一派；但說他「爲四六而無俳諧偶儷之弊」，却是說不過去的，因爲既作四六文，自難免於「俳諧偶儷」，否則便不是四六文了。

《滹南遺老集》卷三十七文辨四云：

蘇東坡《颶風賦》云：「此颶之漸也。」少個「風」字。又云：「此颶之先驅爾。」却多「颶」字，但云「此其先驅」足矣。風息之後，父老來唁，酒漿羅列；至於理草木，葺軒檻，補茅茨，塞牆垣，則時已久矣。而云「已而山林寂然，海波不興，動者自止，鳴者自停。」豈可與上文相應哉？

上一句「颶」字之下，「風」字可以加可以不加，因「颶」亦卽是颶風。下一句作「此先驅」便可，「

颸之」二字都是多餘的。下半段所論，關鍵在於「已而」二字，「已而」的意義是不久之後，但從文意看來，似為時已久，故與上文不相應。

同卷文辨四又云：

四六，文章之病也，而近世以來，制誥表章，率皆用之。君臣上下之相告語，欲其誠意交孚，而駢儷浮辭，不啻如俳優之鄙，無乃失體邪！有明王、賢大臣一禁絶之，亦千古之快也。

從這一段話看來，可見到了金代，民間作品，雖少有駢儷浮辭，但制誥表章，還是「率皆用之」。王若虛對駢儷浮辭是鄙視的，以為失體，希望「有明王、賢大臣一禁絕之。」他又說：「凡文章須是典實過於浮華，平易多於奇險，始為知本。世之作者，往往致力於其末，而終身不返，其顛倒亦甚矣！」（同卷文辨四）他主張以典實平易為本，而世之作者，却捨本而逐末（浮華和奇險）。王氏的觀點是正確的。他又認為「揚雄之經，宋祁之史，江西諸子之詩，皆斯文之蠹也。散文至宋人始是眞文字，詩則反是矣。」（同卷文辨四）王氏說得對，散文到了宋代，才能眞正擺脫四六的枷鎖；宋人頗有以散文入詩的，只是江西諸子則反是，附和的人為數不少，蔚為風氣，所以王氏有如上的評語。

四、詩話

卷四十詩話下云：

蕭閑《樂善堂賞荷》詞云：「胭脂膚瘦薰沈水，翡翠盤高走夜光」，世多稱之。此句誠佳，然蓮體實肥，不宜言「瘦」。予友彭子升嘗易「膩」字，此似差勝。

這也是論用辭失當的一個例。王氏指出，蓮體實肥，不宜言瘦，言瘦便有失事理之眞了。

同卷詩話下又云：

秦繆公謂蹇叔曰：「中壽，爾墓之木拱矣，」蓋墓木也。山谷云：「待而成人吾木拱」，此何木耶？

秦繆公對蹇叔說的話，見於《左傳》僖公三十二年，明說是「墓之木」。山谷的詩句，意謂：等到你成人之後，我早已不在人世了，但却省去了「墓」字，只說是「吾木拱」，遂使意義不明。

《滹南遺老集》卷三十八詩話上云：

吾舅嘗論詩云：文章以意為之主，字語為之役，主強役弱，則無使不從。

王若虛的舅子名周德卿，論詩主張意重於辭，與王氏同調。

同卷詩話上又云：

退之詩云：「泥盆淺詎誆成池，夜半青蛙聖得知」；言初不成池而蛙已知之，速如聖耳！

韓愈的詩句，將實際上後起的現象說成在先呈顯的事象之前出現，正如王氏所說，「言初不成池而蛙已知之，速如聖耳」，是屬於超前的誇張修辭法。

《滹南遺老集》卷四十詩話下云：

荆公有「兩山排闥送青來」之句，雖用「排闥」字，讀之不覺其詭異。山谷云：「青州從事斬關來，」又云：「殘暑已促裝。」此與「排闥」等耳，便令人駭愕。

這是論用辭能否適情應景，並舉例證。荆公詩於「排闥」之後，送進來的是蒼蘢的山色，所以不會「令人駭愕」。

同卷詩話下又云：

山谷《閔雨》詩云：「東海得無冤死婦，南陽應有臥雲龍。」「得無」猶言無乃耳，猶欠「有」字之義；「臥雲龍」，真龍耶？則豈必南陽！指孔明耶？則何關雨事？若曰遺賢所以致旱，則迂闊甚矣。

這是論文意不完足和用辭不適當，並舉了例證。

王若虛的《滹南遺老集》，對於修辭的研究雖然比較能注重實例，但並不是專爲探討修辭而寫的一部論著。李治的序文，稱許「滹南先生學博而要，才大而雅，識明而遠」。但滹南論修辭的部分，卻是得失參半。郭紹虞先生說「《滹南遺老集》中……這些零星札記雖不能在積極方面建設有系統的文法學、修辭學與文章學，然就以前詩論文論言之，求其比較能在這方面注意的，恐怕不得不推滹南爲濫觴了。」㊷這論斷是公允的。

十六、元王應麟《困學紀聞》

《困學紀聞》二十卷，爲王應麟所撰。應麟原系宋人，但此書成於入元之後，所以列爲元代的著作。《四庫全書總目・子部・雜家類》云：「應麟博洽多聞，在宋代罕其倫比。雖淵源亦出朱子，然……考證是非，不相阿附，……所考率切實可據。」如《困學紀聞》卷一《易》云：

修辭立其誠，修其內則為誠，修其外則為巧言。《易》以辭為重，上繫終於默而成之，養其誠也；下繫終於六辭，驗其誠不誠也。辭非止言語，今之文，古所謂辭也。

《易經》雖最早將「修辭」二字連用，但據漢儒的注釋，意謂修理文教，指進德修業而言，和我們現在所說的修辭無關；王氏謂「修其外則爲巧言」，則是有關了。王氏說：「辭非止言語，今之文，古之所謂辭也。」這是合於語言進化的規律的。

翁注引朱子《答鞏豐》云：

修辭豈作文之謂哉？設若盡如《文言》之本旨，則猶恐此事在忠信進德之後，而未可以遽及；若如或者詩賦之所咏嘆，則恐其於乾乾夕惕之意，又益遠而不相似也。

誠如翁元圻所說：『厚齋（王應麟）今文古辭之語，似與朱子意未合。』這是王氏雖淵源於朱子但論修辭却不阿附朱子的主張的例證。

《困學紀聞》卷三《詩》云：

「巧言如簧，顏之厚矣！」羞惡之心未亡也。

王氏所引的《詩》，作者是恥巧言的。王氏以爲這是「羞惡之心未亡」，可見他也和詩人一樣，以巧言爲可恥的。

《困學紀聞》卷十七評文云：

邱宗卿謂場屋之文，如校人之魚，與壕上之得意異矣。慈湖謂文士之文，止可謂之巧言。

慈湖是楊簡的別號。翁注引《慈湖遺書·家記》九云：

孔子謂巧言鮮仁，又謂辭達而已矣。而後世文士之為辭也異哉！琢切雕鏤，無所不用其巧。夫言惟其當，謬用其心，陷溺至此，欲其近道，豈不大難？雖曰無斧鑿痕，如太羹元酒，乃巧之極功，心外起意，益深益苦，去道愈遠。是安知孔子曰天下何思何慮？是安知文王不識不知順帝之則？如堯之文章，孔子之文章，由道心而達，始可以言文章；若文士之言，止可謂之巧言，非文章。

慈湖承象山之學，論修辭主由道心而達，是迂闊而不達時務的。但他引孔子「辭達而已矣」的話，抨擊後世文士爲辭琢切雕鏤，無所不用其巧，是爲陷溺；而文士之文，只可謂之巧言。這些，都是正確的。

《困學紀聞》卷十七評文又云：

山谷《與王觀復書》曰：「劉勰嘗論文章之難云，「意翻空而易奇，文征實而難工。」此語亦是沈謝輩為儒林宗主時，好作奇語，故後生立論如此。」好作奇語，自是文章病。但當以理為主，理得而辭順，文章自然出羣拔萃。張文潛《答李推官書》，可以參觀。

所謂奇語，卽巧言。王氏認爲巧言是「文病」，應以理爲主。

《困學紀聞》卷六《左氏》云：

周人以諱事神，名終將諱之。《曲禮》注云：「生者不相避名。衛侯名惡，大夫有石惡。君臣同名，《春秋》不非」。《理道要訣》云：「自古至商，子孫不諱祖父之名，周制方諱。」

他引《曲禮》注謂《春秋》不非君臣同名，又引《理道要訣》，謂家諱自周始。這是對諱飾辭格的考證。《四庫全書總目》稱其「所考率切實可據。」確是不錯。

《困學紀聞》卷十「諸子」云：

《楚辭・漁父》：「吾聞之，新沐者必彈冠，新浴者必振衣，安能以身之察察，受物之汶汶者乎？」荀子曰：「新浴者振其衣，新沐者彈其冠，人之情也，其誰能以己之僬僬，受人之掝掝者哉？」荀卿適楚在屈原後，豈用《楚辭》語歟？抑二子皆述古語也。

這是論仿擬的修辭法，屬於擬句的一類。我們不知有什麼古語類此句法，足爲屈平、荀子所本，看來當是荀子仿擬《楚辭》。

《困學紀聞》卷十八評詩云：

王無功《三月三日賦》：「聚三都之麗人。」「長安水邊多麗人」，語本此。

隋王無功著《東臯子集》三卷，其《三月三日賦》有「年去年來已復春，三月三日倚河滣，……傾兩京之貴族，聚三都之麗人」的句子。「長安水邊多麗人」語出杜甫《麗人行》，若照《困學紀聞》所引述，句中只有「麗人」二字與王無功賦相同，便指爲仿自王無功《三月三日賦》，這是很難使人信服的。杜詩「長安水邊多麗人」的上一句，是：「三月三日天氣新」，如一並引述，則杜詩襲用王無功賦，便確鑿有據，不容否定的了。

同卷又云：

唐子西：「佳月明作哲，好風聖之清。」本於李誠之「山如仁者靜，風似聖之清。」朱新仲：「無人馬為二，對飲月成三。」本於秦少遊「身與杖藜為二，影將明月成三。」陸務觀：「誰其云者兩黃鵠，何以報之雙玉盤。」本於新仲：「何以報之青玉案，我姑酌彼黃金罍。」

朱翌詩載於《湘江集》，「無人馬爲二，對飲月成三」句，王氏以爲本於秦少遊的「身與杖藜爲二，影將明月成三。」案《淮海集》作「對月和影成三」，而無此二句。翁注以爲《淮海集》「誤也，當據此正之。」而何（義門）注却又認爲『馬爲二，月成三』作對，仍不類唐人，必無是也，秦句勝。」說秦句勝於朱句是對的，但何氏指朱詩「不類唐人，決無是也」，實不可解，難道朱翌（宋人）的詩，一定非類唐人不可？其實，朱、秦二詩，都本自李白《月下獨酌》；「舉杯邀明月，對影成三人。」王氏又謂陸務觀「何以報之雙玉盤」句本於新仲「何以報之青玉案」，而不知陸、朱二詩，都本自後漢張衡的《四愁詩》：「美人贈我金錯刀，何以報之英瓊瑤。」

《困學紀聞》卷十九評文云：

「驢非驢，馬非馬⑬；烏不烏，鵲不鵲。」⑭可以爲對。

這不但可以爲對，而且是回文對，只是王氏沒有注意到罷了。

十七、元王構《修辭鑑衡》

元代王構編選的《修辭鑑衡》，是中國歷史上第一本以「修辭」題書名的著作。《修辭鑑衡》又名《詩文發源》，分上下兩卷，上卷論詩，下卷論文，是採集宋人的詩話、筆記和雜文而成的。郭紹虞先生的《宋詩話考》說：

王構《修辭鑑衡》亦稱《詩文發源》。凡此比較特殊之稱，均不知其何據。今考《修辭鑑衡》所引各條，每多純粹論文之語，豈此書原稱詩話，其後增益論文之語，遂改稱《詩文發源》歟？

編前有王理的序文，中云：

尚辭者義虧，植意者事逸。義虧竭塞，事逸耗枯，皆不足以達辭輔理，於道則眊矣。文以載物適事，詩以言情道和；事適則行，情感則通，於政有稽焉。文至於華習，詩至於不近情，則幾乎息矣。《修辭鑑衡》之編，所以教為文與詩之術也。

王理除了評論尚辭與植意都不足取法之外，還提到了《修辭鑑衡》編纂的目的，是在於教人「爲文與詩之術」。王構在元代，雖被稱爲「學問該博，文章典雅」，但他所編選的《修辭鑑衡》，却未必很精當。拙著《中國修辭學的變遷》對此書曾有這樣的評語：

雖然名稱是修辭的專書，但實際上對於修辭的研究並沒有什麼貢獻。如論集句，王構引《古今詩話》，以為起自「國初」，而不知晉代的傅咸已有集《論語》、《毛詩》、《周易》、《左傳》語句之作了。

關於辭與意何者爲重，王氏引《珊瑚鈎詩話》云：

詩以意為主，又須篇中煉句，句中煉字，乃得工耳。以氣韻清高深妙者絕，以格力雅健雄豪者勝。元輕白俗，郊寒島瘦，皆其病也。（《修辭鑑衡》卷一）

他又曾經引述《古今詩話》，認爲「詩以意爲主，文辭次之；或意深義高，雖文辭平易，自是奇作」。可見王氏也是主張意重於辭的。又引《童蒙訓》云：

西漢自王褒以下，文字專事詞藻，不復簡古，而谷永等書，雜引經傳，無復己見，而古學遠矣。此學者所宜深戒。（《修辭鑑衡》卷二）

呂氏反對專事辭藻，又以為谷子雲的《筆記》，於經書泛為疏達，但知襲用古語，「雜引經傳，無復己見。」王氏又引《韻語陽秋》云：

作詩貴雕琢，又畏有斧鑿痕；貴破的，又畏粘皮骨，此所以為難。李商隱《柳詩》云：「動春何限葉，撼曉幾多枝。」恨其有斧鑿痕也。石曼卿《紅梅》詩云：「認桃無綠葉，辯杏有青枝。」恨其粘皮骨也。能曉此等病，始可以工詩矣。（《修辭鑑衡》卷二）

王氏所引《韻語陽秋》的話，主張「作詩貴雕琢，只要能無「斧鑿痕」和不「粘皮骨」便好了。這和他所引《童蒙訓》的話，互異其說。他又引蒲氏《漫齋語錄》云：

凡為文須有主客，先識主客，然後成文字。如今作文，須是先立己意，然後以己說佐之，此是不知主客也。須是先立己意，然後以故事佐吾說方可。」（《修辭鑑衡》卷二）

所謂「識主客」，是分清賓主。分清賓主，是消極修辭所應注意的要件。

《修辭鑑衡》引《珊瑚鉤詩話》云：

余近作《 示客 》云：「刺美風化，緩而不迫，謂之風。采摭事物，摛華布體，謂之賦。推明政治，正言得失，謂之雅。形容盛德，揚厲休功，謂之頌。幽憂憤悱，寓之比興，謂之騷。感觸事物，托於文章，謂之辭。程事較功，考實定名，謂之銘。援古刺今，箴戒得失，謂之箴。猗迂抑揚永言謂之歌。非鼓非鐘徒歌謂之謠。步驟馳騁，斐然成章，謂之行。品秩先後，序而推之，謂之引。聲音雜比，高下長短，謂之曲。吁嗟慨歌，悲憂深思，謂之吟。吟咏情性，合而言志，謂之詩。蘇李而上，高簡古澹，謂之古。沈宋而下，法律精切，謂之律：此詩之衆體也。帝王之言，出法度以制人者，謂之制。絲綸之語，若日月之垂照者，謂之詔。制與詔同，詔亦制也。道其常而作彝憲者，謂之典。陳其謀而成嘉猷者，謂之謨。順其理而廸之者，謂之訓。屬其人而告之者，謂之誥。卽師衆而申之者，謂之誓。因官使而命之，謂之命。出於上者謂之敎。行而下者謂之令。持而戒之者，敕也。言而喩之者，宣也。洛而揚之者，贊也。登而崇之者，冊也。言其論而析之者，論也。度其宜而揆之者，議也。別嫌疑而明之者，辨也。正是非而著之者，說也。記者，記其事也。紀者，紀其實也。書者，纘而述焉者也。策者，條而對焉者也。傳者，傳而信者也。序者，緖而陳者也。碑者，披列事功，而載之金石也。碣者，揭示操行，而立之墓隧也。誄者，累其素履，而質之鬼神也。志者，識其行藏，而謹其終始也。檄者，激發人心，而喩之禍福也。移者，自近移遠，使之周知也。表者，布人子之心，致君父之前也。箋者，修儲後之問，伸宮闈之儀也。簡者，質言之而略也。啓者，文言之而詳也。狀者，言之公上也。牒者，用之官府也。捷書不緘，插羽而傳之者，露布也。尺牘無對，指事而陳之者，札子也。青黃黼黻，經緯以相成者，總謂之文也。此文之異名。客有問古今體制之不一者，勞於應答，乃著之篇以示焉。

（《修辭鑑衡》卷二）

論述詩文的體制計數十種，或說明其定義，或指出其寫作的動機和目的，或指示修辭的技巧和準則，這比最早的一篇論文體與修辭的關係的論文（曹丕的《典論・論文》），要詳盡、明白。

關於《春秋》、《左傳》的修辭技巧，王氏引呂氏《童蒙訓》論「《春秋》之文」云：

為文必學《春秋》，然後言語有法。近世學者，多以《春秋》為深隱不可學，蓋不知《春秋》者也。且聖人之言，曷嘗務為奇險，求後世之不可曉。趙咲曰：《春秋》明白如日月，簡易如天。

又論《左氏》之文」云：

文章不分明指切，而從容委曲，辭不迫切，而意已獨至，惟《左傳》為然。如當時諸國往來之辭，與當時君臣相告相誚之語，蓋可見矣。亦是當時聖人餘澤未遠，涵養自別，致詞氣不迫如此，非後世專學言語者也。（《修辭鑒衡》卷二）

呂氏指出《春秋》的文字簡易明白，未嘗「務爲奇險」，也不是「深隱不可學」。所謂「春秋」深隱不可學，只是「近世學者」的錯覺。又指出《左傳》文字從容委婉，紓緩自如，「而意已獨至」的優點。我們知道，積極修辭除了辭格之外，還有辭趣。所謂「言盡而意有餘」，也是一種辭趣。王構引《古今詩話》論「詩才有高下」云：

王荊公云：「梨花一枝春帶雨」，「桃花亂落如紅雨」，「珠帘暮卷西山雨」，皆警句也，終不若「院落深沉杏花雨」為優，言盡而意有餘也。（《修辭鑑衡》卷一）

其實，這裏所舉的四句詩，除却「桃花亂落紅如雨」外，其餘三句，都是言盡而意有餘的，並不如荊公所說，只有「院落深沉杏花雨」一句而已。

王氏又引呂氏《童蒙訓》論「《毛詩》之文」云：

張文潛云：「《詩》三百篇，雖云婦人女子小夫賤隸所為，要之非深於文章者不能作。如「七月在野」至「入我床下」，於七月以下，皆不道破，直至十月方言蟋蟀。非深於文章者能為之耶？

（《修辭鑒衡》卷二）

《詩·豳風·七月》云：「七月在野，八月在宇，九月在戶，十月蟋蟀入我床下。」這四句話的主語都是蟋蟀，前三句却省略了。意思是說蟋蟀的鳴聲，由遠而近：七月裏尚在田野間，八月已到了屋檐了，九月則由檐而入戶，十月則由戶而入於床下。褰意也由此而生。詩人到了最後一句才將蟋蟀說出來。張文潛很贊賞這種省略的修辭法，說是非深於文者不能爲。

又引《沈存中筆錄》論「錯綜成文」云：

> 韓退之《羅池廟碑銘》有「春與猿吟兮秋鶴與飛」，如《楚詞》「吉日兮辰良」。……蓋欲相錯成文，則語勢矯健耳。

「春與猿吟兮秋與鶴飛」或「春猿與吟兮秋鶴與飛」是錯綜的修辭法，是由「春與猿吟兮秋與鶴飛」或「春猿與吟兮秋鶴與飛」錯綜而成的⑤⑤。「吉日兮辰良」語出《楚辭·九歌·東皇太一》，是倒裝的修辭法，原應作「吉日兮良辰」。又引《步里客談》云：「下字有倒用語格力勝者，如……『必我也爲漢患者。』」本應作「爲漢患者必我也。」所謂「下字倒用」，就是倒裝的修辭。

陳望道氏對《修辭鑑衡》作過評價：

> 修辭學原是「勒托列克」（rhetoric）的對譯語，是從「五四」以後才從西方東方盛行傳入的⑤⑥。但最初用修辭這個熟語正名本學的，却是元代的王構（肯堂）。他曾著有《修辭鑑衡》一書，雖不甚精，似乎還是可以算是修辭專書的濫觴。不過那是屬於萌芽時期的著作，自然同我們所謂運用歸納的、比較的、歷史的研究法的修辭學沒有直接的關係。（《修辭學發凡》第一篇第六節）

陳氏對《修辭鑑衡》的批評是公允的。但《修辭鑑衡》不能算是第一本的修辭專書，第一本的修辭專書應該是《文則》。

十八、元楊載《詩法家數》、范德機《木天禁語》、《詩學禁臠》

元楊載著《詩法家數》，其論詩的修辭法，有云：

> 詩之為體有六：曰雄渾，曰悲壯，曰平淡，曰蒼古，曰沉著痛快，曰優遊不迫。詩之忌有四：曰俗意，曰俗字，曰俗語，曰俗韻。詩之戒有十：曰不可硬碍人口，曰陳爛不新，曰差錯不貫串，曰直置不宛轉，曰妄誕事不實，曰綺靡不典重，曰蹈襲不識使，曰穢濁不清新，曰砌合不純粹，曰徘徊而劣弱。詩之為難有十：曰造理，曰精神，曰高古，曰風流，曰典麗，曰質幹，曰體裁，曰勁健，曰耿介，曰淒切。大抵詩之作法有八：曰起句要高遠，曰結句要不著跡，曰承句要穩健，曰下字要有金石聲，曰上下相生，曰首尾相應，曰轉折要不著力，曰占地步，蓋首兩句先須闊占地步，然後六句若有本之泉，源源而來矣。地步一狹，譬猶無根之潦，可立而竭也。（何文煥《歷代詩話》本）

楊氏論詩體、詩忌、詩戒、詩難及詩的作法，都與修辭有關。他的所謂「詩體」，其實就是詩思。至論詩的修辭法，有論五言古詩云：

> 五言古詩，或興起，或比起，或賦起，須要寓意深遠，托詞溫厚，反復優游，雍容不迫，或感古懷今，或懷人傷己，或瀟灑閑適。寫景要雅淡，推人心之至情，寫感慨之微意，悲歡含蓄而不

傷，美刺婉曲而不露，要有三百篇之遺意方是。觀漢魏古詩，藹然有感動人處，如古詩十九首，皆當熟讀玩味，自見其趣。（同上）

又論絕句的修辭法云：

絕句之法，要婉曲回環，刪蕪就簡，句絕而意不絕，多以第三句為主，而第四句發之。有實接，有虛接，承接之間，開與合相關，反與正相依，順與逆相應，一呼一吸，宮商自諧。大抵起承二句固難，然不過平直敍起為佳，從容承之為是。至如宛轉變化工夫，全在第三句，若於此轉變得好，則第四句如順流之舟矣。（同上）

他論五言古詩和絕句的修辭法，都强調以含蓄婉曲爲主。至論各種題旨的修辭法，分諷諫、登臨、征行、贈別、咏物、贊美、賡和、哭挽、總論等。其論諷諫云：

諷諫之詩，要感事陳辭，忠厚懇惻，諷諭甚切，而不失情性之正；觸物感傷，而無怨懟之詞，雖美實刺，此方為有益之言也。古人凡欲諷諫，多借此以喻彼：臣不得於君，多借妻以思其夫；或托物陳喻，以通其意。但觀漢魏古詩及前輩所作，可見未嘗有無為而作者。（同上）

所謂借此喻彼，托物陳喻，是諷喩的修辭法。

元范德機著《木天禁語》，其論「五言短古篇法」云：

辭簡意味長，言語不可明白說盡，含糊則有餘味。如「步出城東門，悵望江南路，前日風雪中，故人從此去。」（何文煥《歷代詩話》本）

范氏主張用辭省略，詩意含蓄。所擧詩例，確是「辭簡而意味深長」之作。

范氏又著《詩學禁臠》，論詩的修辭法，分為十五格：頌中有諷格，美中有刺格，先問後答格，感今懷古格，一句造意格，兩句立意格，物外寄意格，雅意咏物格，一字貫篇格，起聯應照格，一意格，雄偉不常格，想像高唐格，撫景寓嘆格，專敍己情格。其先問後答格，舉《三月三日泛舟》一詩（作者未詳）以為例證。詩云：

江南煙景復如何？聞道新亭更可過。處處執蘭春浦綠，萋萋芳草遠山多。壺觴須就陶彭澤，風俗猶傳晉永和。更使輕橈徐轉去，微風落日水增波。（何文煥《歷代詩話》本）

接着，他闡釋這詩的修辭法說：

初聯上句言江南之煙景，是一篇之主意。「復如何」問之之詞，「聞道」乃答之之詞。次聯應第一句煙景之態，三聯應第二句，末聯結上，歡樂無窮，煙景已晚，有俯仰興懷之寓。（同上）

所謂先問後答，是「設問」的辭格。

十九、元陳繹曾《文說》和《文筌》

元陳繹曾的《文說》，論作文修辭，分養氣、抱題、明體、分間、立意、用事、造語、下字諸法。其論造語法，又分為正語、拗語、反語、累語、聯語、歇後語、答問語、變語、助語、實語、省語、對語、隱語、婉語等十四類，是根據各種修辭現象而定下來的，或只舉例，或併作簡單的說明。現在舉例於後：

拗語：《楚辭》：「吉日兮辰良」不言「吉日兮良辰」，「蕙肴蒸兮蘭藉」不曰「蒸蕙肴兮蘭藉」，句法便健倍。——這其實是倒裝的修辭法。

聯語：《大學》：「知止而後有定，定而後能靜。」——這其實是層遞的修辭法。

隱語：《論語》：「割鷄焉用牛刀？」——這其實是借喻的修辭法。

婉語：《春秋》：「天王狩於河陽。」此語婉而意直。——這記載見於《春秋》僖公二十八年。《左傳》說：「仲尼曰：『以臣召君，不可以訓。』故書曰：『天王狩於河陽。』」——這其實是諱飾的修辭法，屬於獨用的諱飾。

其論用事（卽引用），有正用、反用、借用、暗用、對用、扳用、比用、倒用、泛用等九法，陳望道氏的《修辭學發凡》，將它們歸納爲明引與暗用二種。《文說》對暗用的說明是：「（只用）故事之語意，而不顯其名跡。」陳望道氏的說明是：「並不說明，單將成語故事，編入自己的文中。」大意是一樣的。

又《文說》論下字法，分諧音、審音、襲古、取新四法。其論取新云：「凡下字於出奇處，宜用新字面，須尋不經人道語，亦須的當，新奇，不怪僻，令讀之若出於自然乃善。」這眞是中肯而有益的忠告。

陳繹曾又有《文筌》之作。全書分古文體、四六附說、楚漢唐賦譜、古文矜式、詩譜等，論列詩文的法、式、制、體、格；此外，還論及結尾、起首、敘事、議論、用事、養氣諸法，都相當精到。

兩書都兼論作文與修辭，不是純粹的修辭著作；所論也有一些重複的地方。

二十、小　結

在本篇的《楔子》裏，曾引《能改齋漫錄》，謂「本朝承五季之陋，文尚儷偶自柳開首變其風。」稍後歐陽修繼續努力，提倡變革文風，並自己拿出貨色來，於是一變五代文體卑弱的陋習。范仲淹《尹師魯集序》也說五代文體卑弱，自宋朝柳仲塗起而麾之；洎楊大年專事藻飾，謂古道不適於用，廢而弗學者久之。師魯與穆伯長力爲古文，歐陽永叔從而振之，由是天下之文一變而古。所謂一變而「古」，也就是一變而「散」，意卽五代以前的散文復行其道了。

還有一位反對唯心的道學的大詞家陳亮，也是改革文體的健將。改革文體，陳亮稱之爲「變文法」，其《變文法》一文有云：

> 夫文弊之極，自古豈有逾於五代之際哉！卑陋萎弱，其可厭甚矣。藝祖一興，而恢廓磊落，不事文墨，以振起天下之士氣。而科舉之文，一切聽其所自為，有司以一時尺度律而取之，未嘗變其格也。其後柳仲塗以當世大儒從事古學，卒不能麾天下以從己。及楊大年劉子儀因其格而加以瑰奇精巧，則天下靡然從之，謂之崑體。穆修張景專以古文相高，而不為騈儷之語，則亦不過與蘇子美兄弟唱和於寂寞之濱而已。故天聖間，朝廷蓋知厭之，而天下之士亦終未能從也。其後歐陽公與尹師魯之徒，古學旣盛，祖宗之涵養天下，至是蓋七八十年矣。故慶歷間，天子慨然下詔書，風厲學者以近古，天下之士亦翕然丕變以稱上意。（《陳亮集》）

封建時代的帝王，也確有其號召力，如史稱楚靈王好細腰，天下之人，都以一飯爲節。陳亮將「變文法」(即變駢儷文風爲古文——散文)之功，完全歸於「天子」，也和歐陽修的《答荆南秀才書》所說的，犯了同樣的錯誤。

這一個時期的修辭學，值得驕傲的，是中國歷史上第一部修辭學專著——《文則》——的誕生，此外如一些詩話和筆記小說，也多有論及修辭的地方。歐陽修的《六一詩話》(一稱《歐公詩話》)，一般以爲是最早的詩話著作，但分量不多，關於修辭的部分更屬有限，其中數則已爲《詩人玉屑》所引述(見本篇第十節)，所以本篇沒有另闢一節專談此詩話㊼。其實，最早的詩話著作應該是南宋朝劉義慶《世說新語》的《文學》篇，它和稍後顏之推的《顏氏家訓》的《文章》篇，都可以說是詩話的濫觴。

宋代各家詩話，討論到辭格的地方不少，而所討論的辭格，又以仿擬所佔的成分最多。呂紫微《夏均父集序》云：「吾友夏均父，賢而有文章，其於詩，蓋得所謂規矩備具，而出於規矩之外，所謂無意於文之文而非有言意於文之文也。」所謂「出於規矩之外」，用修辭學的術語說，便是「破格」，例如辭格中的析字、藏詞(歇後)、錯綜、倒裝……等都是破格。詩話除談論仿擬外，也兼論其他各種的辭格。

郭紹虞先生說宋人談詩，「均強調藝術技巧，罕有重在思想內容者」。(《宋詩話考・詩病五事》)所以宋人詩話，談論辭格，也大都只是就修辭論修辭，只有極少數的詩話，才兼論及詩的思想內容。宋詞盛行，宋人詩話筆記談論五代、宋詞的地方却不多，談詞的只有《詞話》一書，此外，像《能改齋漫錄》那樣有一部分專論長短句的修辭法的也很少見。眞不知是什麼道理？

金代王若虛的《滹南遺老集》，雖然不是修辭學的專著，但對修辭學的貢獻反在以修辭名書的《修辭鑑衡》（勉強可以說是修辭學的專著）之上。至於元人的筆記，如白珽的《湛淵靜語》，昔溍的《日損齋筆記》，論辭格多襲自宋人詩話，更無足觀，所以本篇不爲另闢專節，加以論列。

注釋

① 葉夢得《石林詩話》云：「至和、嘉祐間，場屋擧子，爲文尚奇澀，讀或不成句。歐公欲革其弊，既知貢擧，凡文涉雕刻者皆黜之。」

② 依文意，害字應作減。

③ 應作「亦皆作艷麗之詞」，於理乃安。

④ 《宋史・文苑傳》云：「自五代文敝，國初柳開始爲古文，其後楊億、劉筠尚聲偶之辭，天下學者靡然從之。修於是時獨以古文稱。」李㤅伯《孟學齋日記》乙集亦云：「參軍（穆修）……生崑體極盛之世，獨矯割裂排比之習，以文從字順爲文，而說理明確。」

⑤ 邵博續其父邵伯溫所作《聞見前錄》而作，故名《聞見後錄》。

⑥ 晉王羲之《蘭亭修禊集序》云：「雖無絲竹管弦之盛，而一觴一咏，亦足以暢敍幽情。」

⑦ 見朱東潤《中國文學批評史大綱》第二十六。

⑧ 「居士詞」三字贅，宜刪去。

⑨⑩ 均見陳望道氏《修辭學發凡》第四篇消極修辭三。

⑪ 見陳望道氏《修辭學發凡》第九篇積極修辭五。

⑫ 參較《公羊傳》、《谷梁傳》同載此事之文，《公羊傳》較簡略，《谷梁傳》較詳盡。《文則》所指意隨語竭的，當是《谷梁傳》而非《公羊傳》。

⑬ 按上古雲夢本爲二澤，後世淤成陸地，逐合稱雲夢。

⑭ 譚全基著有《文則研究》一書，可供研究《文則》者的參考。

⑮《苕溪漁隱叢話》卷二十二引《資治通鑑》云：「隋煬帝善屬文，不欲人出其右，薛道衡死，帝曰：『更能作空梁落燕泥否？』王胄死，帝誦其佳句曰：『庭草無人隨意綠，復能作此語邪？』」苕溪漁隱曰：「人君不當與臣下爭能，故煬帝忮心一起，二臣皆不得其死，哀哉！然爲人臣者，亦當悟其微旨，如晉武帝欲擅書名，王僧虔遂不敢顯跡，常以拙筆書。宋文帝好文章，自謂莫能及，鮑照於所爲文章，遂多鄙言俚句。故二君者亦無得以嫉之，終見容於二世，豈非明哲保身之要術乎？」《叢話》作者胡元任不但沒有指出煬帝的殘暴無道，反責薛、王二人不知明哲保身，所以不得其死。可見元任的思想是大有問題的。

⑯一作「更行更遠還生。」

⑰一作《祭鱷魚文》。

⑱「東」上或有「而」字，或併「下流東注」四字俱無。「熟」或作「夷」，「卜」或作「兆」。

⑲此句之上原有「夫」字，此句之下原有「苟非其自取之」六字，《容齋隨筆》引述時却漏掉了。

⑳見廖德明氏《苕溪漁隱叢話校點後記》。

㉑見廖德明氏《苕溪漁隱叢話校點後記》。

㉒傅庚生氏《文學欣賞舉隅・剪裁與含蓄》篇云：

「《世說新語》載：『文帝嘗令東阿王七步中作詩，不成者行大法，王應聲便爲詩曰：「煮豆持作羹，漉豉以爲汁。萁在釜底燃，豆在釜中泣；本是同根生，相煎何太急？」帝深有慚色。』或本只有四句云：『煮豆燃豆萁，豆在釜中泣；本是同根生，相煎何太急？』四句過於穎露而峻急，不若六句之緩緩由作羹漉豉敍起，蓄蘊便厚；當是後人刪繁就簡，以謂七步成詩之不可以見長也；不知既失其含蓄，乃亦無當於剪裁矣。」可供參考。

㉓原書「蓋」字重複，宜去上一「蓋」字。

㉔王楙《野客叢談》卷十三云：

「王勃云：『落霞與孤鶩齊飛，秋水共長天一色』，當時以爲工。僕觀駱賓王集，亦曰：『斷雲將野鶴俱飛，竹響共雨聲相亂。』曰：『金飇將玉露俱凊，柳黛與荷緗漸歇。』曰：『緇衣將素履同歸，廊廟與江湖齊致。』此類不一，則知當時文人皆爲此等語。且勃此語不獨見於《滕王閣序》，如《山亭記》亦曰：『長江與斜漢爭流，白雲將紅塵併落。』歐公《集古錄》載《德州長壽寺碑》與《西凊詩話》如此等語不一。僕因觀《文選》及晉宋間集，如劉孝標、王仲寶、陸士衡、任彥升、沈休文、江文通之流，往往多有此語，信知唐人句格皆有自也。李商隱曰：『青天與白水環流，紅日共長安俱遠。』陳子昂曰：『殘霞將落日交暉，遠樹與孤煙共色』，曰：『新交與舊識俱歡，林壑共煙霞對賞。』」

㉕ 韋應物《寄李儋元錫》詩云：「聞道欲來相問訊，西樓望月幾回圓。」已先用奪胎法仿顧況詩而作了。

㉖ 《苕溪漁隱叢話》前集卷第五十一去引王直方《詩話》云：
「樂天有詩云：『醉貌如霜葉，雖紅不是春。』東坡有詩云：『兒童誤喜朱顏在，一笑那知是酒紅。』鄭谷有詩云：『衰鬢霜供白，愁顏酒借紅。』老杜有詩云：『髮少何勞白，顏衰豈更紅。』無己詩云：『髮短愁催白，顏衰酒借紅。』皆相類也。然無己初出此一聯，大爲當時諸公所稱賞。」（按：東坡詩「兒童」原作「小兒」，指蘇軾的第三子蘇過，於元苻二年的冬天，隨蘇軾到嶺南。」）

㉗ 見早田稻大學中國古典文學研究會出版之《中國古典文學研究》第二十二號松浦友久氏《猿聲峨眉斷腸考》一文。

㉘ 曹操《短歌行》原文作「何以解憂」。

㉙ 將命者，賓主之命以傳語之人也。

㉚ 陳望道氏《修辭文學發凡》第七篇積極修辭三。

㉛ 見本書第三篇第二節。

㉜ 廖德明氏校點本誤以「言不可久」爲《詩經・苕之華》中的詩句，這裏引證時已改正了。

㉝ 依下文文意，應作「詩有句含蓄者」。魏慶之《詩人玉屑》引述時已爲改正了。

㉞ 見《苕溪漁隱叢話》卷第九所引。

㉟ 藏頭、歇後之稱，見於宋嚴羽的《滄浪詩話》。陳望道氏《修辭學發凡》從之。

㊱ 原書標點作「要當字則正，用意須假借。」誤。

㊲ 《復齋漫錄》云：《冷齋夜話》謂：山谷言退之詩：『喚起窗全全曙，催歸日未西。無心花裏鳥，更與盡情啼。』兒時不能解其意。後年五十八，出峽時春曉，方悟『喚起』『催歸』，二禽名也。喚起聲如絡緯，圓轉清亮，偏於春曉鳴，江南謂之春喚。凡此，皆《夜話》所載山谷語也。予嘗讀唐《顧渚茶山記》曰：『顧渚山中，有鳥如鸜鵒而色蒼，每至正月二月，作聲曰春起也。至三月四月，曰春去也。採茶人呼爲喚春鳥。』然則『喚起』之名，唐人已說矣；豫章不舉以爲證，何邪？」

㊳ 黃庭堅《荊州即事藥名詩》計二首，另一首云：「幽澗泉石綠，閉門聞啄木。運柴胡奴歸，車前掛生鹿。」石綠、啄木、柴胡、車前也都是藥名。

㊴ 歐陽修「山色有無中」一語蹈襲王維《漢江臨泛》詩，全詩如下：「楚塞三湘接，荊門九派通。江流天地外，山色有無中。郡邑浮前浦，波瀾動遠空。襄陽好風日，留醉與山翁。」陸游《老學庵筆記》：「權德與《映渡揚子江》詩云：『遠岫有無中，片帆煙水上。』已是用維語。歐公長短句云（詞略），詩人至是蓋三用矣。」

㊵ 摧，一作「衰」，沈德潛《唐詩別裁》云：「原本鬢毛衰，衰入四支，音司，十灰中衰音縗，恐是摧字之誤，因改正。」

㊶ 「紅稻」一作「紅豆」。

㊷ 此處「云」字及以下兩「云」字俱贅。

㊸ 《滄浪詩話》論詩境云：「盛唐諸人，惟在興趣，羚羊掛角，無跡可求，故其妙處，透徹玲瓏，不可湊泊，如空中之音，相中之色，水中之月，鏡中之象，言有盡而意無窮。」

㊹ 一作「正」，據文津本改爲「止」。

㊺ 文津本「住」作「佳」，但從下文「止乎其所不得不止」看來，應作「住」爲是。

㊻孟棨《本事詩》云：「唐崔護淸明日獨遊城南，見莊居桃花繞宅，乃叩門求飲，有女子啓關，問姓名，以杯水至。其人姿色濃艷，情意甚殷。來歲淸明，復往尋之，則門已扃鎖，因題詩左扉曰：『去年今日此門中，人面桃花相映紅；人面只今何處去，桃花依舊笑春風。』」

㊼《楓窗小牘》二卷，舊題「宋百歲寓翁」作，不知其姓名。《四庫全書總目提要》以書中有《袁良碑》一條，因知其作者姓袁。查愼行注蘇軾詩，引《楓窗小牘》，明言作者係袁褧，不知何所依據？其人歷徽宗崇寧，至於寧宗嘉泰，壽命至長，故自號曰「百歲寓翁」。

㊽孫魴《題金山寺詩》云：「山載江心寺，魚龍是四鄰。樓臺懸倒影，鐘磬隔囂塵。過櫓妨僧定，驚濤濺佛身。誰言題咏處，流響更無人？」

㊾杜甫詩意，只說玄宗寵愛臣子，如懿公好鶴，並未引「鶴有乘軒者」的事。軒墀與軒車無關。

㊿文，此處用作動詞，意謂文飾。

51見《修辭學發凡》第四篇消極修辭。

52《中國文學批評史》四近古期四十八：王若虛與金代文論。

53原注：語出《漢書·西域傳》。

54原注：語出《戰國策》。

55《夢溪筆談》卷十四藝文一云：「韓退之集中《羅池神碑銘》有『春與猿吟兮秋與鶴飛』，今驗石刻，乃『春與猿吟兮秋鶴與飛』。古人多用此格，如《楚詞》『吉日兮辰良』，又『蕙肴蒸兮蘭（籍）』，奠桂酒兮椒漿』。蓋欲相錯成文，則語勢矯健耳。」

56陳氏說修辭學是「五四」以後才從西方東方傳入，頗引起一些人的誤解，以爲陳氏否定了中國原有的修辭學，甚至有人指說陳氏以爲中國沒有自己的修辭學。其實，陳氏所說的修辭學，是指運用歸納的、比較的、歷史的種種研究法，有系統地研究修辭現象的修辭學，也就是拙著《中國修辭學的變遷》所說的用科學的方法研究修辭現象的修辭學，這確是「五四」以後才從西方東方傳入中國的。陳氏更不會以爲中國沒有自己的修辭學，這有他的《修辭學發凡》可以爲證——這一點，留待本書總結時再來討論。

57 清何文煥集《歷代詩話》，其第五册卽爲《六一詩話》。我以爲《六一詩話》中很有語句複遝和欠通之處，當是傳抄翻刻之誤。如云：「王建《宮詞》一百首，多言唐宮禁中事，皆史傳小說所不載者，往往見於其詩。」最後一句是多餘的。又云：「楊大年與錢、劉數公唱和，自《西崑集》出，時人爭效之，詩體一變。而先生老輩患其多用故事，至於語僻難曉，殊不知自是學者之弊。」「患其」與「殊不知……之弊」前後文意也不能相照應。如將「弊」字改爲「通病」便妥。

第八篇 中國修辭學的崇古期(上)——明代

一、楔子

明代是封建制度的第四個延續期，也是中國修辭學的崇古期(上)，換句話說，卽是中國修辭學的學古期。這個時期的中央集權，比較前一個時期更加鞏固。弘治間，李夢陽、何景明等，卓然以復古自命，倡言「文必秦漢，詩必盛唐」，形成了一股强大的勢力。在修辭學方面，也早有學古的趨向。明初詩壇，重於擬古，宋濂、方孝孺之流，倡爲師古之說，流風所及，成爲一時習尚。方孝孺《劉氏詩序》云：

> 近世之詩，大異於古，工興趣者超乎形器之外，其弊至於華而不實；務奇者窘乎聲律之中，其弊至於拘而無味。或以簡淡爲高，或以繁艷爲美，要之皆非也。(《遜志齋集》)

又《答張廷璧書》云：

> 後世之作者，較奇麗之辭於毫末，自謂超乎形器之表矣，而淺陋浮薄，非果能爲奇也。(同上)

他評論華而不實與較奇麗之辭於毫末的，原是正確的修辭理論，但方氏如此云云，其目的却在於勸人學古。《張彥輝文集序》云：

> 不師古，非文也，而師其辭又非也。可以爲文者，其惟學古之道乎。

宋濂的《劉兵部詩集序》也說：

才稱矣，非加稽古之功，審諸家之音節體制，不能有以究其施。（《宋學士全集》）

除了稽古與審音節體制之外，他還强調孔丘所說的「辭達」，而辭達，目的在欲以明道，他說：

大抵爲文者，欲其辭達而道明耳，吾道既明，何問其餘哉！雖然，道未易明也，必能知言養氣，始爲得之。予復悲世之爲文者，不知其故，頗能操觚遣辭，毅然以文章家自居，所以益推落而不自振也。（《宋學士文集·文原》）

這是唐散文家「文以載道」說的繼承、發展。方、宋二氏的見解，對學古的修辭論是起着帶頭的作用的。但宋氏的見解，有時比較超脫，如他的《答章秀才論詩書》云：

詩之格力崇卑，固若隨世而變遷；然謂其皆不相師，可乎？第所謂相師者，或有異焉。其上焉者，師其意，辭固不似，而氣象無不同。其下焉者，師其辭，辭則似矣，求其精神之所寓，固未嘗近也。然唯深於比興者，乃能察知之爾！雖然，爲詩當自名家，然後可傳於不朽。若體規畫圓，準方作矩，終爲人之臣僕，尚烏得謂之詩哉！何者？詩乃吟咏性情之具，而所謂風雅頌者，皆出於吾之一心，特因事感觸而成，非智力之所能增損也。古之人，其初雖有所沿襲，末復自成一家言，又豈規規然必於相師者哉？（《宋學士全集》）

他認爲古代的文人，其初雖有所沿襲，末復自成一家之言，這又似乎主張創新，不必規規然於師古了。

這個時期有關修辭學的理論，多散見於詩話、筆記之中。由於受學古之說的影響，間有蹈襲宋人詩話以爲己有的，如顏元慶《夷白齋詩話》引古樂府「擿門不安鎖①，無復相關意」，「石闕生口中，含碑不得語」論雙關②，便是一個例子。由於受道學家的影響，論修辭往往是迂闊之見，如《夷白齋詩話》論煉字云：

南濠都先生穆少嘗學詩沈石田先生之門，石田問：近有何得意作？南濠以《節婦詩》首聯為對。其詩云：「白髮貞心在，青燈淚眼枯。」石田曰：「詩則佳矣，有一字未穩。」南濠茫然避席請教，石田曰：「爾不讀《禮經》，經云：『寡婦不夜哭。』何不以燈字為春字？」南濠不覺悅服。

作詩亦須守《禮經》「寡婦不夜哭」之說，眞是可笑！

明人論修辭，也有創新的地方，如焦竑《筆膹續集》卷三云：

《語》云：「其未得之，患得之；旣得之，患失之。」子瞻解云：「患得之，當作患不得之。」及觀退之《王承福傳》云：「其賢於世之患不得之而患失之以濟其生之欲者」，乃知古本如此，今本偶脫一字耳。

這是有益的考證。成語「患得患失」竟一直錯誤至今而不知改正。焦氏所論，可以說是「增益」的修辭。

宋人論煉字，大多只能比較其工劣，很少指出其工劣的理由；明人論煉字，大多能說出其工之處何在，其劣之處又何在，這不能不說是明人論修辭比較進步的一面了。

二、學古、反學古與修正的學古修辭論

唐宋人所謂古文，一般指反駢儷的散文，是有其一定的進步意義的；明人所謂學古，有的主張在思想方面以經書爲師，有的主張在文字方面摹擬古人。這是應該要先弄清楚的。

明初論修辭，主張學古的，除宋、方之外，還有王褘和朱夏兩位。王褘《文訓》云：

> 文之古者，登諸金石。……然皆一筆之力，九鼎可扛；一字之價，千金是直。爾其宏奧之思，雅健之姿，瑰瑋之辭。撟摭馬班，凌厲蔡陳，蹂躪韓柳。玉采金聲，焜焜煌煌，鍧鍧鏘鏘。褒章綉紋，炳炳焞焞，繽繽紜紜。詭然而蛟龍翔，蔚然而虎鳳昂，翕然而律呂張。正音諧韺譻，變態類雲霆，勁氣排甲兵。沈冥以之而開塞，幽閟以之而著宣，遜遠以之而綿延。……此其為文也，不幾於古乎？（《四部叢刊．皇明文衡》）

王褘認爲能摹仿古人的修辭手法，才能「媲美古昔」，才能「幾於古」。朱夏的《答程伯大論文》也說：

> 僕聞古之為文者，必本於經，而根於道。其紀、志、表、傳、記、序、銘、贊，則各有其體，而不可以淆焉而莫之辨也。至其發言遣辭，又奚以剽賊為工哉？今不本於經，不根於道，而雜出於百家傳記之說；則其立論，不自其大，而自其細，固已自小矣，尚何能與古人齊驅並駕哉？（《四部叢刊．皇明文衡》）

同是蹈襲，本於經，便好；「雜出於百家之說」，便是剽賊。這是朱夏的邏輯。他批評程伯大的文章說：

> 先生之文，始欲其奇也，而卒以拙；始欲其麗也，而卒以惡；始欲其雄也，而卒以弱。其風格言論莫不叛於古矣，則亦難乎摭而言之矣！……僕欲挽先生於迷途，則願悉吐出其中之蘊。取韓、

孟文，日夜誦之，覺己之見，與向者異焉，然後一吐其辭，庶有合乎？（同上）

他認爲程氏的風格言論莫不叛於古，他勸程氏先取韓、孟之文，日夜誦讀，然後才「一吐其辭」，庶幾可以合古。這是十足的學古派修辭論。

至於弘治七子中的何（景明）李（夢陽），他們在文學方面，素以復古自命，其論修辭，亦主張學古。何氏《與李空同論詩書》云：「僕嘗謂詩文有不可易之法者：辭斷而意屬，聯類而比物也。上考古聖立言，中徵秦漢緒論，下采魏晉聲詩，莫之有易也。」（《四部稿》六五）辭斷而意屬，聯類而比物，說的是詩文的修辭法；但說「莫之有易」，却是不許有人懷疑的。李氏《駁何氏論文書》云：

古之工，如倕如班，堂非不殊，戶非同也，至其為方也，圓也，弗能舍規矩。何也？規矩者，法也。僕之尺尺而寸寸之者，固法也。假令僕竊古之意，盜古之形，剪截古辭以為文，謂之影子誠可；若以我之情，述今之事，尺寸古法，罔襲其辭，猶班圓倕之圓，倕方班之方，而倕之木，非班之木也。（《空同集》）

他以爲不學便罷，要學古，便須要學到家。與何、李同時的，還有一位徐禎卿，其《談藝錄》云：

夫詞士輕偷，詩人忠厚，上仿漢魏，古意猶存。故蘇子之戒愛景光，少卿之屬崇明德，規善之辭也。魏武之悲東山，王粲之感鳴鸛，子恤之辭也。甄后致頌於延年，劉妻取譬於唾井，繾綣之辭也。子建言恩何必衾枕，文君怨嫁願得白頭，勸諷之辭也。究其微旨，何殊經術？作者蹈古轍之嘉粹，刊佻靡之非輕，豈直精詩，亦可以養德也。

這同樣是主張仿古的論調。歸有光的《項思堯文集序》云：

韓文公云：「李、杜文章在，光焰萬丈長。不知羣兒愚，那用故謗傷。蚍蜉撼大樹，可笑不自量。」文章至於宋元諸名家，其力足以追數千載之上，而與之頡頏，而世直以蚍蜉撼之，可悲也。（《四部叢刊·震川先生集》）

歸氏認爲宋元諸名家的文章，「其力足以追數千年之上」，是無可批評的。這也是崇古的觀念在作祟。

艾南英《答夏彝仲論文書》云：

使來接兄教，三復思之，首尾結意，**皆在**修辭二字，……而末後言辭之究竟，則曰句崇字飾而已矣。嗟乎！吾兄何其視古人太輕，視今人太重耶？……且又取《易》、《詩》、《書》、《春秋》三傳，而亦曰是皆古人飾字而為之，則視古聖人又太輕也。因而及於浮華補綴，塗東抹西，左剽右竊，取《史》、《漢》字句割裂而餖飣之，如今之王、李者，皆得附於聖人修辭之旨，是又視今人太重也。

兄以句字崇飾盡修辭之意，則請為兄先言辭之原；而又以刻畫辭華歸之平淡者為非，則又請與兄言文之辨，可乎？子曰：「修辭立其誠。」未聞以敷華為誠也。又曰：「辭達而已矣」。未聞以臃腫駢儷為達也。《書》之言曰：「辭尚體要。」有體有要，則今曰章旨結撰之謂，而非以餖飣剽竊句字為體要也。蓋古人之所謂辭命辭章者，指其通篇首尾開闔而言，非以一黃一白、一朱一黑，儷字駢音而謂之辭。（味芹堂《明文授讀》卷二十二）

艾南英反對輕古重今，是因爲古人不以「崇飾」「敷華」是尚，不以臃腫駢儷爲達，有體有要，而今人則反是。他說：「每見六朝及近代王、李崇飾句字者，輒覺其俚。讀《史記》及昌黎、永叔古質典重之文，則輒覺其雅。然後知浮華與古質則俚雅之辨也。」（同上）他認爲華麗者俚，樸質者雅，一反常人的看法。

陸深也有今不如古的思想意識。他說：

> 故後之為文，法在文成之前，以理從辭，以辭從文，以文從法，資於人而無我，是以愈工而愈不工，愈有法而愈無法，只為近世之文弗逮於古矣。（《叢書集成初編》本《金臺紀聞》）

他以爲後人之文，「以理從辭」，所以「弗逮於古」。相反的，古人之文，「辭由理出，文自辭生。」（歐陽修《與友人論文法書》）如公穀二氏，「其文約，其辭切，其辨精」（元郝經《三傳折衷序》），所以覺得可貴。

王世貞也主張法古。他說：「盛唐之於詩也，其氣完，其聲鏗以平，其色麗以雅，其力沈而雄，其意融而無跡。故曰：盛唐其則也。」他先將盛唐詩的修辭技巧，稱贊一番，然後說須以盛唐爲則。

曹學佺《吳湯日詩序》云：

> 予友吳君湯日，具有詩才，而其體周備，能極其意之所出，而不拘拘乎古法，若曰：「我今人也，豈為古人詩者哉！」愚嘗謂作詩如製器，苟欲合時，必須近古。（江蘇書局刻本《明文徵》）

吳湯日以爲今人不必作古人詩。曹學佺却以爲作詩如製器，必須摹仿古人，足見其迂闊了。

馮琦和于愼行，生當隆慶、萬曆之際，學古之說正囂極一時，他們都能擺脫腐朽之見，指出襲古擬古的流弊。馮琦的《于宗伯集序》云：

> 故知詩以抒情，情達而詩工；文以貌事，事悉而文暢。古人之言，盡於此矣。而後之作者，高唱

矜步以為雄，多言繁稱以為博，取古人之陳言，比而櫛之，以為古調古法。調不合則強情以就之，法不合則飾事以符之。夫句比字櫛，終不可為調為法，即調與法亦終不可為古人；然則徒失今人情與事耳。……古人所由傳，正以獨詣為宗，自然為致，無復有古人於前耳。今奈何襲古人以為古人乎？（《宗伯集》）

他認為古人既不模仿古人，今人為什麼要襲取古人的陳言，以為古調古法呢？結果不但古人做不成了，反失今人為情與事之旨。于愼行亦云：

近代一二名家嗜古好奇，往往采綴古詞，曲加模擬，詞旨典奧，豈不彬彬！第其律呂音節已不可考，又不辨其聲詞之謬，而橫以為奇僻，如胡人學漢語，可詑胡，不可欺漢。令古人有知，當為絕倒耳。（《谷山筆麈》）

他譏誚當代一二古樂府的作家，模擬古辭，失其音節，而不知其誤，反自以為奇僻。屠隆《與董宗伯》云：

為文不欲字摹句剿，優孟古人，好臨境寫態，隨物布形，脫落皮毛，煉養神骨。（味芹堂《明文授讀》卷二十二）

也表示不願模仿古人。

李維楨的《綠雨亭詩集序》也說：

今詩之弊約有二端：師古者排而獻笑，涕而無從，甚則學步效顰矣；師心者冶金自躍，塈駕自騁，甚則驅市人野戰，必敗矣。（《大泌山房集》）

他認爲師古和師心是「今詩」的兩大流弊，但並沒有指出作詩者應該何去何從。他又說：

今學詩者工摹擬而非情實，善雕鏤而傷天趣，增蛇足，續鳧頸，失之彌遠。抑或取里巷語，不加修飾潤色，曰此古人之風，可以被弦管金石也。敝帚自享，均以供識者嘔噱而已。《大泌山房集》）

他反對摹擬和雕飾，更排斥假古董式的詩歌。

還有袁宏道兄弟，强調性靈，提倡閑適的文學，從文學的觀點來說，他們是應該受到批評的。但在遣辭用字方面，他們並不盲從學古之說，這是有其一定的進步意義的。宗道的《白蘇齋類集》說：

古文貴達，學達卽所以學古也，學其意不必泥其字句也。……大抵古人之文專期於達，而今人之文，專期於不達。以不達學達，是可謂學古者乎？

他認爲學古只須學其意，不必拘泥於字句之間；又認爲古人之文專期於達，今人之文專期於不達，可見他崇古的觀念還未能盡去。乃弟宏道《與友人論時文書》亦云：

夫以後視今，今猶古也，……顧奚必古文詞而後不朽哉！且公所謂古文者，至今日而敝極矣！何也？優於漢，謂之文，不文矣；奴於唐，謂之詩，不詩矣；取宋元諸公之餘沫，而潤色之，謂之詞曲諸家，不詞曲諸家矣。大約愈古愈近，愈近愈贋，天地間真文澌滅殆盡。獨博士家言，猶有可取，其體無沿襲，其詞必極才之所至，其調年變而月不同，手眼各出，機軸亦異。二百年來，上之所以取士，與士子之伸其獨往者，僅有此文，而卑今之士，反以為文不類古，至擯斥之，不見齒於詞林。嗟夫！彼不知有時也，安知有文？（《袁中郎全集》）

他說得更爲透徹，甚至否定了古文辭的不朽之說，認爲摹擬愈似則愈贋；他特別稱賞博士家言，以其體無沿襲，可是崇古之士反斥其文不類古，這是可堪悲嘆的事！其《雪濤閣集序》又云：

近代文人，始為復古之說以勝之。夫復古是已！然至以剿襲為復古，句比字擬，務為牽合，棄目前之景，摭腐濫之辭，有才者詘於法而不敢自伸其才，無之者拾一二浮泛之語，幫湊成詩。智者牽於習，而愚者樂其易。一唱一和，優人騶從，共談雅道。吁！詩至此，抑可羞哉！

其實，他並不反對復古，他所反對的只是一味在文字上模擬古人——也就是「以剿襲爲復古」。他主張發揮個人的天才，獨造機杼，文章格調，則「年變而月不同」。他是反對專「摭腐濫之辭」，拾人之牙慧的。

前已說過的屠隆，是學古派中的修正論者。他的《文論》云：

愚意作者必取材於經史，而熔意於心神；借聲於周漢，而命辭於今日。不必字字而琢之，句句而擬之，而浩博雄渾，識者自知其為周漢之文，不作昌黎以下語，斯其至乎？今文章家獨有周漢之句法耳，而其渾博之體未備也，變化之機未熟也，超妙之理未臻也，故吾願與海內諸君子勉之矣。夫文不程古則不登於上品，見非超妙，則傍古人之藩籬而已。……二三君子，苟非得之超妙，無輕議古；苟非深於古，無輕訾韓歐也。夫挾天子以令諸侯，諸侯將奔走焉；麋而虎皮，人得而寢處之矣。深於古以訾韓歐，是挾天子以令諸侯也。影響古人而求勝之，則麋而虎皮矣。諸君子其無為韓歐寢處哉！

說文不法古則不足登於上品，這和當時的學古派是同調的。但認爲學古須能得之超妙，若一味模擬古人，亦步亦趨，那只是「傍古人之藩籬而已」。他主張學古「不必字字而琢之，句句而擬之」，要「取材於經史，而熔意於心神；借聲於周漢，而命辭於今日。」這確是修正的學古修辭論。

三、論文、質與辭達

學古之說既興，重文（文飾）之論自隨之而起。如徐一夔《陶尚書文集序》云：

國家之興，必有魁人碩士，乘維新之運，以雄辭巨筆，出而敷張神藻，潤飾洪業，鏗乎有聲，炳乎有光。……然後見文章之用，為非末技也。（《四部叢刊本・皇明文衡》）

他認爲「敷張神藻，潤飾洪業」，才是文章的「上技」，才能「效用於國家，不使淪爲虛器」。換句話說，他主張文章合爲歌功頌德而作，而歌功頌德是需要極力鋪飾辭藻的。

劉繪《答祠郎熊南沙論文書》云：

今有謂達者，但曰直陳去雕飾，甚非旨也。夫文章雕飾，自不可少，深厚爾雅，乃其要焉。《詩》曰：「追琢其章，金玉其相。」言文質也。（咮芹堂《明文授讀》卷二十一）

劉氏雖力主雕飾，但對於那些「艱深詰澀不可句讀」的作品，却又以爲是「文之僻也」。

王驥德《曲律》「論句法第十七」云：

句法宜婉曲，不宜直致；宜藻艷，不宜枯瘁；宜溜亮，不宜艱澀；宜輕俊，不宜重滯；宜新采，不宜陳腐；宜擺脫，不宜堆垛；宜溫雅，不宜激烈；宜細膩，不宜粗率；宜芳潤，不宜噍殺。又總之，宜自然，不宜生造。（誦芬室《讀曲叢刊》本《曲律》）

王氏力主藻艷，認爲藻艷應出於自然，不宜於生造。但這是不容易做到的，因爲藻艷難免流於雕飾。

屠隆《文論》云：

文體靡於六朝，而唐昌黎氏反之，然而文至昌黎氏大壞焉。……昌黎氏蓋所謂文起八代之衰者，今讀其文，僅能摧駢儷為散文耳。妍華雖去，而淡乎無采也；醲腴雖除，而索乎無味也；繁音雖削，而瘖乎無聲也。其氣弱，其格卑，其情緩，其法疏，求之六經諸子，是遵何以哉？世人厭六朝之駢儷，而樂昌黎之疏散，翕然相與宗師之。是以韓氏之文，遂為後世之楷模，建標藝壇之上，而羣趨旌竿之下，一夫奮臂，六合同聲，斯不亦任耳而不任目之過乎？

韓愈提倡散文，一反六朝駢儷靡弱的文風，蘇軾爲撰廟碑，稱其「文起八代之衰」，這一美譽，一直流傳下來，待到屠隆氏出，却認爲「文至昌黎氏而大壞焉。」他以爲韓愈所提倡的散文，「淡乎無采」，「索乎無味」，「瘖乎無聲」，反不如駢儷的妍華醲腴，氣格自高。他說韓愈的散文，「卑者單弱而不振，高者詰屈而聱牙，多者裝綴而繁蕪，寡者率略而簡易，雖有他美，吾不得而知之矣。尚焉取風骨格力於其間哉！」（《文論》）雖然何景明也曾說過「古文之法亡於韓」的話，不過沒有屠隆說得那樣淋漓盡致。屠隆雖不願摹古，却以駢儷的妍華爲修辭的極致。

錢溥《省庵集序》云：「夫言之精者爲文，而成音者詩也。」王文祿的《詩的》也說：「言之精者爲文，文之精者爲詩。」對此，李東陽的《春雨堂稿序》，更加以闡發，他說：

夫文者言之成章，而詩又其成聲者也。章之為用，貴乎紀述鋪敘，發揮而藻飾，操縱開闔，惟所欲為，而必有一定之準。

這些都是主張藻飾的修辭論。《詩的》又云：

杜詩意在前，詩在後，故能感動人。今人詩在前，意在後，故不能感動人。蓋杜遭亂，以詩遣興，不專在詩，所以敍事、點景、論心，各各皆真，誦之如見當時氣象，故稱詩史。今人專意作詩，則惟求工於言，非真詩也。

他認為「惟求工於言」，不是眞詩，則又似乎是反對文飾了。《詩的》又說：「作文不在辭句之工，而在性情之正。」這是主張意重於辭的論調。

王達以「昔柳儀曹嘗製《乞巧文》……感而作《却巧文》。」他的《却巧文序》說：

良玉渾然，烏事刻琢？馬安善宦，倪寬博學，寧為拙傷，毋為巧訹。（《四部叢刊・皇明文衡》）

「寧拙毋巧」，雖是重複前人的話，但在「敷張神藻，潤飾洪業」的怪論囂張之際，王氏的「却巧」，是有其重大意義的。

徐禎卿《談藝錄》云：

情者心之精也。情無定位，觸感而興，既動於中，必形於聲，故喜則為笑啞，憂則為吁戲，怒則為叱咤。然引而成音，氣實為佐。引音成詞，文實與功，蓋因情以發氣，因氣以成聲，因聲而繪詞，因詞而定韻：此詩之源也。然情實眑眇，必因思以窮其奧；氣有粗弱，必因力以奪其偏；詞難妥帖，必因才以致其極；才易飄揚，必因質以御其侈：此詩之流也。

又云：

嗟夫！文勝質衰，本同末異，此聖哲所以感嘆，翟朱所以興哀者也。夫欲拯質必務削文，欲反本必資去末，是固曰然，然非通論也。玉韞於石，豈曰無文，淵珠露采，亦匪無質，由質開文，古詩所以擅巧；由文求質，晉格所以為衰。若乃文質雜興，本末並用，此魏之失也。

他主張「因質以御其侈」，「欲拯質必務削文」，接着他說「由質開文」，勝於「由文求質」，他是反對「文質雜興」的。

湯賓尹《半山藏稿序》云：

博物多才，美辭華，剽剝古今，又文章之忌也，作者之所不出也。（江蘇書局刻本《明文徵》）

他反對「美辭華」的態度是明顯的。

俞弁《逸老堂詩話》云：

《竹坡詩話》云：「作詩止欲寫所見為妙，不以過求奇險。」葉文莊公與中云：「近之作者，嫫母麼西施之頦，童稚攘馮婦之臂，句雕字鏤，叫噪聱牙，神頭鬼面，以為新奇，良可嘆也。」予嘗見元人房白雲顥詩云：「後學為詩務鬥奇，詩家奇病最難醫，欲知子美高人處，只把尋常話做詩。」邱文莊濬《答友人論詩》云：「吐語操辭不用奇，風行水上繭抽絲，眼前景物口頭語，便是詩家絕妙辭。」（丁福保《歷代詩話續編》本《逸老堂詩話》卷下）

所引竹坡老人詩話、葉與中論文與房顥、邱濬論詩絕句，大都反對奇險和雕飾，甚或主張以口頭語入詩。

彭時的《蒲山牧唱集序》云：

予聞人生感於物而後有言，言之成文而有音節者為詩，詩足以宣人情之欣戚，體物理之隱微，極古今事變之得失。而格有高下，詞有清新、古雅、富麗、平淡之殊，皆繫乎其人之所養與所學何

> 如也！（《四部叢刊．皇明文衡》）

他認爲辭之富麗與平淡，「繫乎其人之所養與所學」，用現在的話說，乃是社會環境和學識所決定的。王守仁所謂「凡作文字，要隨我分限所及，若說得太過了，亦非修辭立誠矣。」（《王陽明全書傳習錄》）論點和彭氏是相近的。

不說得太過，便是「辭達而已矣」，這是孔子所說的話。現在我們再來看一看明代學者怎樣論「辭達」。蘇伯衡《空同子瞽說》云：

> 「宜繁宜簡？」曰：「不在繁，不在簡，狀情寫物在辭達，辭達則一二言而非不足，辭未達則千百言而非有餘。」

這只是重複前人說過的話，沒有什麼創見。

焦竑《蘇長公外集序》云：

> 孔子曰：「辭達而已矣」。世有心知之而不能傳之以言，口言之而不能應之以手；心能知之，口能傳之，而手又能應之，夫是之謂辭達。（《澹園續集》）

他所謂「辭達」，不但能心知口傳，而且要能應手。這眞是言人之所未言。他以爲「得心應手，落筆千言，全然溢出，若有所相」，才是上乘之作。

方以智《文章薪火》引楊慎《譚苑醍醐》云：

> 辭達而已矣，恐人溺於辭而忘躬行也，淺陋者借之。《易傳》、《春秋》，孔子之特筆，其言玩之若近，尋之益遠；陳之若肆，研之益深；天下之至文也，豈止達而已哉？夫意有淺言之而不

達，深言之而乃達者；詳言之而不達，略言之而乃達者；正言之而不達，旁言之而乃達者；俚言之而不達，雅言之而乃達者。故東周西漢之文最古，而其能道人意中事最徹。今以淺陋為達，是烏知達哉？夫脫於口謂之言，爻於文謂之辭。《書》曰：「政貴有恒，辭尚體要」，以言乎政令之辭也。《儀禮・聘記》曰：「辭多則史，少則不達，辭苟足以達，義之至也」，以言乎禮聘之辭也。《左傳》曰，「辭之不可以已也如是，非文辭不為功，愼辭哉！」以言乎使命之辭也。……又曰：「情欲信，辭欲巧」，以言乎相接相示之文辭也。凡謂之辭，未有不貴達者，亦未有達而猶貴枝葉者也。

總之，修辭手法的選擇，是作家寫作時根據需要而定的。

消極修辭須注意前後文的照應和用辭的適當。朱承爵《存餘堂詩話》云：

作詩凡一篇之中，亦忌用自相矛盾語。東坡有「日日出東門，尋步東城遊，城門抱關卒，怪我此何求，我亦無所求，駕言寫我憂。」章子厚評之云：「前步而后駕，何其上下紛紛也？」東坡聞之曰：「吾以尻為輪，以神為馬，何曾上下乎！」

他的所謂自相矛盾，其實是指前後文失照應。東坡的「駕言寫我憂」是由《詩經》「駕言出游，以寫我憂」而來，意思和《古詩十九首》「回車駕言邁」的「駕言」相同，駕是駕車，言是助詞，和前文的「尋步東城游」的「步」是有矛盾的。

朱國禎《湧幢小品》卷十八有「文照顧」一則云：

敘事文雖細碎，極要照顧。如賊得主人，脇之曰：「必曰事我，富貴可得。」而《唐書・張興傳》作史思明語曰：「將軍壯士，能屈節，當受高爵。」「屈節」二字，豈像思明口中語耶？景文之病，大都如此。

這其實是指用辭失當，因爲「屈節」不像是一個驍勇的大將所說的。

四、論各家修辭技巧

1. 方孝孺《張彥輝文集序》

方孝孺的《張彥輝文集序》，原是爲潛溪的文集而寫的一篇序文，但借題發揮，多評論戰國至元代各家詩文的修辭技巧，現在著錄於後：

昔稱文章與政相通，舉其概而言耳。要而求之，實與其人類。戰國以下，自其著者言之：莊周為人，有壺視天地、囊括萬物之態，故其文宏博而放肆，飄飄然若雲遊龍騫不可守。荀卿恭敬好《禮》，故其文敦厚而嚴正，如大儒老師，衣冠偉然，揖讓進退，具有法度。韓非、李斯，峭刻酷虐，故其文繳繞深切，排搏糾纏，比辭聯類，如法吏議獄，務盡其意，使人無所措手。司馬遷豪邁不羈，寬大易直，故其文崒乎如恒華，浩乎如江河，曲盡周密，如家人父子，語不尚藻飾而終不可學。司馬相如有俠客美丈夫之容，故其文綺曼姱都，如清歌繞梁，中節可聽。賈誼少年意氣慷慨，思建事功而不得遂，故其文深篤有謀，悲壯矯訐。揚雄齪齪自信，木訥少風節，故其文拘束懃願，模擬窺竊，蹇澀不暢，用心雖勞，而去道實遠。下此魏、晉至隋，流麗淫靡，浮急促數，殆欲無文。惟陶元亮以衝曠天然之質，發自肺腑，不為雕刻，其道意也達，其狀物也核，稍為近古。韓退之起中唐，始大振之。退之俊杰善辯說，故其文開陽闔陰，奇絶變化，震動如雷霆，淡泊如韶濩，卓矣為一家言。其同時則有柳子厚、李元賓、李習之之流。子厚為人精緻警敏，習之志大識遠，元賓激烈善持論，故其文皆類之。五代之弊，甚於魏、隋之間。宋興，至歐陽永叔、蘇子瞻、王介甫、曾子固而文始備。永叔厚重淵潔，故其文委曲平和，不為斬絶詭怪之狀，而穆穆有餘韵。子瞻魁悟宏博，氣高力雄，故其文常驚絶一世，不為婉昵細語。介甫狹中少容，簡默有裁制，故其文能以約勝。子固儼爾儒者，故其文粹白純正，出入《禮》《樂》法度中。南渡以後，真希元、魏華甫以典章文物為文，陳同甫以縱橫之學為文，其他各以其文顯者甚衆，至於末流而文又弊矣。元興，以文自名者，相望於百年之間。為世所稱者，曰姚寬甫、虞伯生、黃晉卿、歐陽原功。寬甫敦龐有威儀，左右佩玉，故其文沉郁而隆厚。伯生頎嶷巨人，談故事遺法，竟日不竭，故其文數贍無涯，不可準則。晉卿謹慎有禮，故其文守局遵度，考據切當，不放而密。厚功博學多識，故其文繫多而不迫。至於今則潛溪先生出焉。先生以誠篤和毅之質，宏宏玄深之識，發而為文，原功稱其如淮陰將兵百萬，百戰百勝，志不少懾；如列子御風，翩然褰舉，不沾塵土。用鳴一代之盛，追古作者與之齊，近代不足儗也。由此觀之，自古至今，文之不同，類乎人者，豈不然乎？

他評述各時代作家的修辭現象和修辭技巧，自己的立場却未能一致。如他稱賞司馬遷「語不尚藻飾而終不可學」，陶淵明「不爲雕刻，其道意也達」，王安石「簡默有裁制，故其文能以約勝」；但又贊譽司馬相如「其文綺曼姱都，如淸歌繞樑，中節可聽。」卽是說，簡樸無華者好，綺麗藻飾者也好。關於學古師古，他稱許荀卿「恭敬好《禮》，……具有法度」，陶元亮「其狀物也核，稍爲近古」，曾子固「其文粹白純正，出入《禮》《樂》法度中」，黃晉卿「其文守局遵度，……不放而密」，張潛溪「追古作者與之齊，近代不足擬也」；但又鄙視揚雄「模擬窺竊，蹇澀不暢」，眞希元、魏華甫「以典章文物爲文」，陳同甫「以縱橫之學爲文」，以及其他各家「以其文顯者甚衆，至於末流而文又弊矣」，虞伯生「談故事遺法，……不可準則」，而盛贊韓退之「卓矣爲一家言」。他又說：

譬之金石絲竹不同也，有聲則同；江河淮海不同也，蓄水則同；日月星火不同也，能明則同。人之文不同者猶其形也，……人之為文，豈故為爾不同哉！其形人人殊，聲音笑貌人人殊，其言固不得而強同也，而亦不必一拘乎同也。

既然人之文不能求其強同，所以樸質也好，華麗也好；學古和不學古也是一樣。這是不能自圓其說的。

2.王世貞《國朝詩評》

王世貞的《國朝詩評》，評論當代一百零八家的詩文的風格，其中多有涉及修辭現象和修辭技巧，文長二千零五十一字，是涉及的人數最多文字最長的一篇作家論。全文如下：

高季迪如射雕胡兒，伉健急利，往往命中；又如燕姬靚妝，巧笑便辟。劉伯溫如劉宋好武諸王，事力既稱，服藝華整，見王謝衣冠子弟，不免低眉。袁可潛如師手鳴琴，流利有情，高山尚遠。劉子高如雨中素馨，雖復嫣然，不作寄梅老樹風骨。楊孟載如西湖柳枝，綽約近人，情至之語，風雅掃地。汪朝宗如胡琴羌管，雖非太常樂，琅琅有致。徐幼文張來儀如鄉士女，有質有情，而之體度。孫伯融如新就銜馬，步驟未熟，時見輕快。孫仲愆如豪富兒入少年場，輕脫自好。浦長源林子羽如小乘法中作論師，生天則可，成佛甚遲。解大紳如河朔大俠，鬚髯戟張，與之周旋，酒肉傖父。楊東里如流水平橋，粗成小致。曾子啓如封節度，募兵東征，解華雜沓，精騎殊少。湯公讓劉原濟如淮陰少年，鬥健作噉人狀。劉欽謨如村女簪花，穠艷羞澀，正得各半。夏正夫如卿啬夫衣繡見達官，雖復整飭，時露本態。李西涯如陂塘秋潦，汪洋淡沲，而易見底裏。謝方石如鄉里社塾師，日作小兒號嗄。吳匏庵如學究出身，雖復閒雅，不脫酸習。沈啓南如老農老圃，非無實際，但多俚辭。陳公甫如學禪家，偶得一自然語，謂為遊戲三昧。莊孔陽佳處不必言，惡處如村巫降神，里老罵座。陸鼎儀如吃人作雅語，多在咽喉間。張亨父如作勞人唱歌，滔滔中俗子耳。張靜之如小棹急流，一瞬而過，無復雅觀。楊文襄如老戈陽伎，發喉甚便，而多鼻音，不復見調。桑民懌如洛陽博徒，家無擔石，一擲百千金。林待用如太湖中頑石，非不具微致，無奈癡童何。喬希大如漢官出臨遠郡，亦自粗具威儀。祝希哲如盲賈人張肆，頗有珍玩，位置總雜不堪。蔡九逵如灌莽中薔薇，汀際小鳥，時復娟然，一覽而已。王敬夫如漢武求仙，欲根正染，時復遇之，終非實境。石少保如披沙揀金，時時見瑶。文徵仲如仕女淡妝，維摩坐語；又如小閣疎窗，位置都雅，而眼境易窮。康德涵如靖康中宰相，非不處貴，恇擾粗率，無大處分。蔣子雲如白臘糖，看似甘美，不堪咀嚼。王欽佩如小女兒帶花，學作軟麗。唐虞佐如苦行頭佗，終少玄解。王子衡如外國人投唐，武將坐禪，威儀解悟中，不免露抗浪本色。熊士選如寒蟬乍鳴，疏林早秋，非不清楚，恨乏他致。張琦如夜蛙鳴露，自極聲致，然不脫淤泥中。唐伯虎如乞兒唱蓮花樂，其少時亦復玉樓金埒。邊庭實如洛陽名園，處處綺草，不必盡稱。姚魏文如五陵裘馬，千金少年。顧玉華如春原畫花，芭蘺不少。劉元瑞如閩人強作齊語，多不辨。朱升之如桓宣武，似劉司空，無所不恨。殷近夫如越兵縱横江淮間，終不成霸。王新建如長瓜梵志，彼法中錚錚動人。陸子玄如入貲官作文語，雅步雖自有餘，未脫本來面目。鄭繼之如冰凌石骨，質勁不華；又如天寶父老談亂，事皆實際，時時感慨。孟望之如貧措大置酒，寄酸澹泊，然不至腥羶。黄勉之如假山池，雖爾華整，大費人力。高子業如高山鼓琴，沉思忽往，木葉盡脱，石氣自清；又如衛洗馬言愁，憔悴婉篤，令人心折。薛君采如宋人葉玉，幾奪天巧；又如倩女臨池，疎花獨笑。胡孝思如驕兒郎愛吳音，興到即謳，不必合板。馬仲房如程衛尉屯西宮，斥堠精嚴，甲仗雄整，而士乏樂用之氣。豐道生如涉苑馬，駑駿相半，恣情馳騁，中多敗蹶。王舜夫如敗鐵網取珊瑚，用力堅深，得寶自少。孫太初如雪夜偏師，間道入蔡；又如鳴蜩伏蚓，聲振月露，體滯泥壤。施子羽如寒鴉數點，流水孤村，惜其景物蕭條，迫晚意盡。王履吉如鄉少年久游都會，風流詳雅，而不盡脫本來面目；又似揚州大宴，雖鮭珍水陸，而時有宿味。常明卿如沙苑兒駒，驕嘶自賞，未諧步驟。張文隱如藥禱鼎，燦爛驚人，終乏古雅。王稚欽如良馬走坂，美女舞竿，五言尤自長城。陳約之如青樓小女，月下箜篌，初取閒適，終成凄楚；又如過雨殘荷，雖爾衰落，嫣然有態。楊用修如暴富兒郎，銅山金埒，不曉吃飯着衣。李子中如刁家奴，煇赫車馬，施散金帛，原非己物。廖鳴吾如新決渠浮楚濁泥，一瞬皆下。皇甫子安如玉盤露屑，清雅絶人，惜輕縑短幅，不堪裁剪。袁永之如王謝門中遺子弟，動止可觀。黄才伯如紫瑛石，大似靺鞨，晚年不無可恨。周以言如中智芘芻，雖乏根具，不至出小乘語。施平叔如小邑民築室，器物俱完。張以言如甘州石斗，邑澤似玉，膚理粗漫。胡承之如窮措大習白猿公術，操舞如度，擊刺未堪。華子潛如盤石疎林，清溪短棹，雖在秋冬之際，不廢楓橘。張孟獨如罵陳兵，嗔目喧袖，果勢壯往。張愈光如拙匠琢山骨，斧鑿宛然；又如束銅錮腹，滿中外道。湯子重如鄉三老入城，威儀舉舉，終少華冶態。傅汝舟如言《法華》作風話，凡多聖少。喬景叔如清泉放溜，新月掛樹，然此景殊少，不奈縱觀。蔡子木如驕女織流黃，不知絲理，強自斐然。王道思如鷙弋縮鳥，撲刺遒迅，殊愧幽閒之狀。許伯誠如賈胡子作獨游，隨事揮散，無論中節。陳羽伯如東市倡，慕青樓價，微傅粉澤，強工顰笑。王允寧如馬服子陳師，自作奇正，不得兵法；又如項王嘔嘔未了，忽發暗鳴。徐昌谷如白雲自流，山泉泠然，殘雪在地，掩映新月；又如飛天仙人，偶遊下界，不染塵俗。何仲默如朝霞點水，芙蕖試風；又如西施毛嬙，無論才藝，却扇一顧，粉黛無色。李獻吉如金鳷擘天，神龍戲海；又如韓信用兵，衆寡如意，排蕩莫測。李于鱗如峨嵋積雪，閬風蒸霞，高華氣色，罕見其比；又如大商舶明珠異寶，貴堪敵國，下者亦是木難火齊。宗子相如渥洼神駒，日可千里，未免嚙決之累；又如華山道士，語語烟霧，非人間事。梁公實如綠野山池，繁雅勻適；又如漢司隸衣冠，令人驚美，但非全威儀物。吳峻伯如子陽在蜀，亦具威儀；又如初地人見聲聞則入，大乘則遠。馮汝行如幽州馬行客，雖見伉俍，殊乏都雅。馮汝言如晉人評會稽王，有遠體而無遠神。張茂參如荒傖度江，揖讓簡略，故是中原門第。盧少楩如翩翩濁世佳公子，輕俊自肆。朱子价如高坐道人，衩衣躡屐，忽發胡語。陳鳴埜如子玉兵過，三百乘則敗。彭孔嘉如光祿宴使臣，餖飣詳整，而中多宿物。徐汝思如初調鷹見擊鷙，故難獲鮮。黃淳父如北里名姬作酒糺，才色旣自可觀，時出俊語，為客所賞。謝茂秦如大官舊庖，為小邑設宴，雖事饌非奇，而餖飣不苟。魏順甫如黃梅坐人，談上乘縱未透汗，不失門宗。

他開門見山，不用過門，指名道姓，一口氣評騭了自明初至嘉靖年間一百零八位作者的詩文的修辭技巧。方孝孺的《張彥輝文集序》，評述各時代作家的修辭技巧，有一部分是用譬喻的修辭法來形容；而王世貞的《國朝詩評》，是全部用譬喻的修辭法寫成的——有時對同一個作家，叠用兩個譬喻來形容。而且評論了一百零八位作者，極力避免重複，這可看出他的用功。王氏對各位作者所下的評語，有的言簡意賅，清晰明白，如「沈啓南如老農老圃，非無實際，但多俚辭」（王氏不贊成詩中多用俚辭）；有的不着邊際，使人摸不着頭腦，如「桑民懌如洛陽博徒，家無擔石，一擲千金」，這用來形容人性，還可以，用來喻詩，却不甚了了；有的未免刻薄，如「陳羽伯如東市倡，慕青樓價，微傅粉澤，强工顰笑」；有的表現自己思想的腐朽，如「湯子重如鄉三老入城，威儀擧擧，終少華冶態」。雖然如此，它比起曹丕的《典論・論文》，評論同時代幾位作家的修辭技巧，只有寥寥數語，確有過之。王世貞的《國朝詩評》，確是用過一番的功力寫成的，無可否認它是中國修辭學史上一篇重要的論文。但因受歷史條件的限制，他的評論有許多地方是不夠正確和應該受批評的。（按《國朝詩評》摘自《藝苑巵言》。《巵言》容再論述。）

五、《文章辨體》與《文體明辨》

明代論文體的集大成之作，有吳訥的《文章辨體》和徐師曾的《文體明辨》二書。前者論文體計五十七類，後者計一百二十七類。兩書所錄例文，大都是習見的作品。書前的「序說」，涉及修辭理論者頗多。

《文章辨體》有天順八年刋本及嘉靖三十四年刋本兩種，玆所據以引論的《序說》，係從人民文學出版社的翻印本。該本是以嘉靖刋本爲底本，同時取天順本校定的。《序說》曾引《金石例》云：

前輩作文，各有入門處。退之本《孟子》，永叔亦祖《孟子》，故其議論，純正少疵。子厚、明允，皆自言其所得處，明允多自《戰國策》中來，視子厚為不純。子瞻亦祖其家學，氣焰赫奕，人多慕之，然少純正。要之，自《六經》來，則源深而流長，人但見其正大溫粹，不知其所養者有本也。此最當謹，所習之始若不謹，則末可知。本既立，必學問充就而後識見超詣。凡見之議論言語者，皆正大純粹，如冠冕佩玉，入宗廟之中，人自起敬。學力既到，體制亦不可不知，如記、贊、銘、頌、序、跋，各有其體。不知其體，則喻人無容儀，雖有實行，識者幾人哉？體制既熟，一篇之中，起頭結尾，繳換曲折，反復難應，關鎖血脈，其妙不可以言盡，要須自得於古人。

他認爲前輩作文，各有所本，能自得於古人。能自得於古人，就是懂得怎樣學古；懂得學古，則學力到，體制孰，得心應手，揮灑自如。這是主張作文以學古爲本的修辭論。又引《捫蝨新語》云：

文章不使事最難，使事多亦最難。不使事難於立意，使事多難於遣辭。能立意者未必能造語，能遣辭者未必能免俗。大抵為文者多，知難者少。

所謂「使事」指引用成語、典故，「不使事難於立意」，則是說要立意非引用成語、典故不可。這一論點，也不離於學古。

《序說》又有「兩漢」一則云：

祝氏曰：「揚子雲：『詩人之賦麗以則，詞人之賦麗以淫。』夫騷人之賦與詩人之賦雖異，然猶有古詩之義，辭雖麗而義可則；至詞人之賦，則辭極麗而過於淫蕩矣。蓋詩人之賦，以其吟咏情性也；騷人所賦，有古詩之義者，亦以其發於情也。其情不自知而合於理。情形於辭，故麗而可觀；辭合於理，故則而可法。如或失於情，尚辭而不尚意，則無興起之妙，而於則也何有？又或失於辭，尚理而不尚辭，則無咏歌之遺，而於麗也何有？二十五篇之《騷》，無非發於情者，故其辭也麗，其理也則，而有賦、比、興、風、雅、頌諸義。漢興，賦家專取《詩》中賦之一義以為賦，又取《騷》中贍麗之辭以為辭；若情若理，有不暇及。故其為麗也，異乎《風》《騷》之麗，而則之與淫遂判矣。古今言賦，自《騷》之外，咸以兩漢為古，蓋非魏晉已還所及。心乎古賦者，誠當祖《騷》而宗漢，去其所以淫而取其所以則，庶不失古賦之本義云。」

吳訥生於洪武末季，英宗天順四年（一四六〇年）三月以老致仕（《明史・吳訥傳》），不久便去世了，享年八十六。而吳中四才子之一的祝允明（其餘三人是唐寅、徐禎卿、文徵明），是在弘治中才以舉人授與寧令。所以《文章辨體・序說》所說的祝氏不是祝允明，乃指明初洪武年間學文學、爲邑庠教諭的祝宗善。他勸有心於古賦的人，應當祖《騷》而宗漢，才不失古賦的本義。這仍舊是學古的修辭論。

《序說》又有「三國六朝」一則云：

祝氏曰：「嘗觀古之詩人，其賦古也，則於古有懷；其賦今也，則於今有感；其賦事也，則於事有觸；其賦物也，則於物有況。情之所在，索之而愈深，窮之而愈妙。彼其於辭，直寄焉而已矣。後之辭人，刊陳落腐，惟恐一話未新；搜奇摘艷，惟恐一字未巧；抽黃對白，惟恐一聯未偶；回聲揣病，惟恐一韻未協。辭之所為，罄矣而愈求，妍矣而愈飾。彼其於情，直外焉而已矣。蓋西漢之賦，其辭工於楚《騷》；東漢之賦，其辭又工於西漢；以至三國六朝之賦，一代工於一代。辭愈工，則情愈短而味愈淺；味愈淺則體愈下。建安七子，獨王仲宣辭賦有古風。至晉陸士衡輩《文賦》等作，已用俳體。流至潘岳，首尾絕俳。迨沈休文等出，四聲八病起，而俳體又入於律矣。徐庾繼出，又復隔句對聯，以為駢四儷六；簇事對偶，以為博物洽聞；有辭無情，義亡體失：此六朝之賦所以益遠於古。然其中有安仁《秋興》、明遠《舞鶴》等篇，雖曰其辭不過後代之辭；乃若其情，則猶得古詩之餘情矣。於此益嘆古今人情如此其不相遠；古詩賦義，其終不泯也。」

祝氏認為古代的詩人，賦古則有懷於古。而六朝的辭賦，去古已遠，獨王仲宣的辭賦有古風，還有潘安仁的《秋興》等篇也能得古詩的餘情。「古詩賦義，其終不泯也」，實有賴於此。

《序說》又有《唐》一則云：

祝氏曰：「唐人之賦，大抵律多而古少。夫雕蟲道喪，頹波橫流，風騷不古，聲律大盛。句中拘對偶以趨時好，字中揣聲病以避時忌，孰有學古！或就有為古賦者，率以徐庾為宗，亦不過少異於律爾。甚而或以五七言之詩、四六句之聯以為古賦者。中唐李太白天才英卓，所作古賦，差強人意；但俳之蔓雖除，而律之根故在。雖下筆有光焰，時作奇語，然只是六朝賦爾。惟韓柳諸古賦一以《騷》為宗，而超出俳律之外，唐賦之古，莫古於此。至杜牧之《阿房宮賦》，古今膾炙；但太半是論體，不復可專目為賦矣，毋亦惡俳律之過而特尚理以矯之乎？」吁！先正有云：「文章先體制而後文辭」，學賦者其致思焉！

祝氏指出唐人之賦，律多而古少，少有學古的，只有韓愈、柳宗元的古賦，一以《騷》爲宗，算是唐賦之最古的了。

《序說》又有「連珠」一則云：

按晉傅玄曰：「連珠興於漢章帝之世。班固賈逵，亦嘗受詔作之。蔡邕張華，又嘗廣焉。」考之《文選》，止載陸士衡五十首，而曰《演連珠》，言演舊義以廣之也。大抵連珠之文，穿貫事理，如珠在貫。其辭麗，其言約，不直指事情，必假物陳義以達其旨，有合古詩風興之義。其體則四六對偶而有韵。自士衡後，作者蓋鮮。

這裏除了闡釋連珠（卽頂眞）這一個辭格的意義之外，還認爲連珠「有合古詩風興之義」。他論修辭，是始終不離於學古師古的。

《文體明辨》是根據《文章辨體》再加修訂補充的，據萬曆元年（一五七三）刋本中的作者（徐師曾）自序說：「撰述始於嘉靖三十三年（一五五四）甲寅春，迄隆慶四年（一五七〇）庚午秋，凡十有七年而後成書」。日本有《文體明辨粹抄》③，出版於寬正六年（一四六五），其《論文》云：

王鏊曰：「為文必師古，使人讀之不知所師，善師古者也。韓師孟，今讀韓文不見其為孟也；歐陽學韓，不覺其為韓也。若拘拘規仿，如邯鄲之學步，里人之言䰍，則陋矣。所謂『師其意，不師其辭』，此最為文之妙訣。」

他引王鏊的話，並提出「師其意，不師其辭」的主張。

《序說》論賦，以爲「爲文必師古」，分爲四體：「一曰古賦，二曰俳賦，三曰文賦，四曰律賦；各取數首，以列於篇。將使文士學其如古者，戒其不如古者，而後古賦可以復見於今也。」又說：

然則學古者奈何？曰：發乎情，止乎禮義。其賦古也，則於古有懷；其賦今也，則於今有感；其賦事也，則於事有觸；其賦物也，則於物有況。以樂而賦，則讀者躍然而喜；以怨而賦，則讀者愀然以吁；以怒而賦，則令人欲按劍而起；以哀而賦，則令人欲掩袂而泣。動蕩乎天機，感發乎人心，而兼出於六義，然後得賦之正體，合賦之本義，苟為不然，則雖能脫乎俳律，而不知其又入於文矣，學者宜細求之。

所謂「賦古則於古有懷……」是蹈襲吳訥的《文章辨體序說》所引祝氏的話；他勸文士「學其如古者，戒其不如古者」，也出於學古的一派修辭論。

《序說・論文》又引王世貞的話說：

文至於隋唐而靡極矣，韓柳振之，曰斂華而實也；至於五代而冗極矣，歐蘇振之，曰化腐而新也。然歐蘇則有間焉，其流也使人畏難而好易。

王世貞雖知道「文至隋唐而靡極」，但却又以爲提倡散文的結果，其流弊在於使人畏難而好易，語意之間，似乎還留戀着六朝侈靡的駢儷文。徐師曾引述其說，當然也有同感。其論近體律詩云：

> 梁陳諸家，漸多儷句，雖名古詩，實墮律體。唐興，沈（佺期）宋（之問）之流，研練精切，穩順聲勢，號為律詩，其後寖盛。雖不及古詩之高遠，然對偶音律，亦文章之不可缺者。

徐氏雖認爲近體律詩不如古詩的高遠，但却很重視律詩的對偶音律，看來他是主張雕飾的。可是他又說：

> 至論其體，則一篇之中，抒情寫景，或因情以寓景，或因景以見情。大抵以格調為主，意興經之，詞句緯之；以渾厚為上，雅淡次之，穠艷又次之。

他論律詩的修辭技巧，却主張情景互托，以渾厚爲上，穠艷爲末。其論排律云：「大抵排律之體，不以鍛鍊爲工，而以布置有序、首尾通貫爲尚。」

隱語也稱讔語，屬於析字辭格的一類。徐師曾對隱語是鄙視的。其論賦云：

> 趙人荀況，遊宦於楚，考其時在屈原之前⑤。所作五賦，工巧深刻，純用隱語，若今人之揣謎，於《詩》六義，不啻天壤，君子蓋無取焉。

徐氏論雜體詩時也提到了離合詩。離合詩現在屬於析字格。他將「藏頭」和「歇後」也歸於離合詩下（藏頭和歇後現在屬於藏詞格）。他論歇後《拙字詩》云：「當初只爲將勤補，到底翻爲弄巧成。」以爲「滑稽之極，一至於此」。

《雜體詩》篇又有論集句云：

> 按集句詩者，雜集古句以成詩也。自晉以來有之，至宋王安石尤長於此。蓋必博學強識，融會貫

通，如出一手，然後為工。若牽合傅會，意不相貫，則不足以語此矣。

這則評論是精當的。又有論連珠（卽頂眞辭格）云：

按連珠者，假物陳義以通諷諭之詞也。連之為言貫也，貫穿情理，如珠之在貫也。蓋自揚雄綜述碎文，肇為連珠，而班固、賈逵、傅毅之流，受詔繼作，傅玄乃云興於漢章之世，誤矣。然其云：「辭麗言約，合於古詩諷興之義，」則不易之論也。其體展轉，或二，或三，皆駢偶而有韻，故工於此者，必使義明而詞淨，事圓而音澤，磊磊自轉，乃可稱珠。否則欲穿明珠，多貫魚目，惡能免於劉勰之誚邪？

這多是襲取前人和《文章辨體序說》的話，沒有什麼創見。又有論回文體云：

按回文詩始於符秦竇滔妻蘇氏，反覆成章，而陸龜蒙則曰：「悠悠遠道煢煢，由是反覆興焉。」及考《詩苑》云：「回文、反覆，舊本二體，止兩讀者謂之回文，舉一字皆成讀者謂之反覆。」則蘇氏詩正反覆體也。後人所作，直可謂之回文耳。以今合而為一，故並列之。

徐師曾指出回文和反覆本來是二體，後人却合而爲一了。至於《文體明辨序說》論各種文體的修辭準則，雖尚詳盡，但大都是前人已經說過的——摘取《文章辨體》的論點尤多，這裏不加詳述了。

六、王世貞《藝苑巵言》

王世貞還有《藝苑巵言》的著作，其中論詩約占十分之七，論文約占十分之三，自稱「欲爲一家之言」（自序）。但也有蹈襲前人的地方。如論八病取自《文鏡秘府論》，論點金成鐵舉陳無己仿杜少陵句，取自《韵語陽秋》等。他的《答周俎書》，自謂學古未能盡如李于鱗：「僕所不自得者，或求工於字而少下其句，或求工其句而少下其篇，未能盡程古如于鱗耳。」（《四部稿》一二八）他作詩重在求工，所以《藝苑巵言》卷四引李于鱗論修辭說「憚於修辭，理勝相掩」之後，王氏的按語說：「誠然哉！」

由於他主張辭先於理，所以重視司馬相如作品華麗的修辭技巧，他說：「《子虛》、《上林》，材極富，辭極麗，而運筆極古雅，精神極流動，意極高，所以不可及也。」（《藝苑巵言》卷二）又說：

> 擬古樂府，如《郊祀》《房中》，須極古雅，發以峭峻；《鐃歌》諸曲，勿便可解，勿遂不可解，須斟酌淺深質文之間。漢魏之辭，務尋古色相，和瑟曲諸小調，系北朝者，勿使勝質。齊梁以後，勿使勝文。近事毋俗，近情毋纖，拙不露態，巧不露痕，寧近無遠，寧樸無虛，有分格，有來委，有實境；一涉議論，便是鬼道。（《藝苑巵言》卷一）

他主張擬古樂府須斟酌於淺深質文之間，但又因時代的不同，修辭的準則也互異：漢魏之辭，勿使勝質；齊梁以後，勿使勝文。「寧近無遠，寧樸無虛」。又引徐禎卿的話說：「或因拙以得工，或發奇而似易，……混純貞粹，質之檢也；明雋清圓，辭之藻也。」（《藝苑巵言》卷一）他似乎贊同徐氏的折中修辭論。

關於「辭達」，他說：

> 孔子曰：「辭達而已矣。」又曰：「修辭立其誠。」蓋辭無所不修，而意則主於達。今《易·繫》《禮經》《家語》《魯論》《春秋》之篇存者，抑何嘗不工也。（《藝苑巵言》卷一）

他認為《易·文言》所說的「修辭」和後人所說的「修辭」意義是一樣的⑥；又以為「辭達而已矣」並不是指修辭可以不必求工。宋人也有類似的說法，但沒有像王氏說得那麼果斷。

又引謝榛論詩的修辭技巧說：

> 四溟詩話曰：近體，誦之行雲流水，聽之金聲玉振，觀之明霞散綺，講之獨繭抽絲。詩有造物，一句不工，則一篇不純，是造物不完也。又曰：七言絕句，盛唐諸公，用韻最嚴。盛唐突然而起，以韻為主，意到辭工，不暇雕飾，或命意得句，以韻發端，深成無跡。宋人專重轉合，刻意精煉，或難於起句，借用旁韻，牽強成章。又曰：作詩繁簡，各有其宜，譬諸衆星麗天，孤霞捧日，無不可觀。（《藝苑巵言》卷一）

謝榛論近體詩的修辭，主張句法須求工巧；繼指出唐宋詩人修辭技巧的不同；最後指出詩文繁簡，各有其宜的現象。所謂「各有其宜」，須視情景與寫作需要而定。

《藝苑巵言》卷三論煉字云：

> 王籍：「鳥鳴山更幽」，雖遜古質，亦是雋語。第合上句「蟬噪林逾靜」讀之，遂不成章耳。又有可笑者，「鳥鳴山更幽」，本是反「不鳴山幽」之意。王介甫何緣復取其本意而反之，且「一鳥不鳴山更幽，」有何趣味？宋人可笑，大概如此。

這裏所引的詩句，宋人已經談過了，看來並不新鮮，但王氏所論，確有比宋人精到的地方，「王介甫何緣復取其本意而反之」，指點得尤為中肯。（宋人詩話如《苕溪漁隱叢話》引《蔡寬夫詩話》論到這兩句詩時只說「上下句多出一意」，確不及《藝苑巵言》深刻。）這也是明人詩話比宋人進步的一個例子。又云：

謝山人謂「澄江淨如練」，「澄」「淨」二字意重，欲改「秋江淨如練」。余不敢以爲然，蓋江澄乃淨耳。

王世貞指出江澄而後能淨，眞是一語道破⑦。

《藝苑卮言》論辭格，特別偏重於仿擬。如卷一引顏之推云：

文章者，原出《五經》，詔命策檄，生於《書》者也；序述論議，生於《易》者也；歌咏賦頌，生於《詩》者也；祭祀哀誄，生於《禮》者也；書奏箴銘，生於《春秋》者也。

厚來各體的文章，都有所本，而不出於《五經》。顏氏所論，合於王世貞學古崇古之見，所以樂爲引述。他指出「陳思王《贈白馬王彪詩》，全法《大雅》《文王》之什體，以故首二章不相承耳。」（《藝苑卮言》卷三）《藝苑卮言》又有一則論仿擬云：

「寒鴉千萬點，流水繞孤村」，隋煬帝詩也。「寒鴉數點，流水繞孤村」，少遊詞也。語雖蹈襲，然入詞尤是當家。

秦少遊《滿庭芳》詞前半闋結句云：「斜陽外，寒雅數點，流水繞孤村。」王世貞認爲「語雖蹈襲，然入詞尤是當家」，像這樣的意境，用長短句來形容，更能令讀者感受。更重要的，是少遊將「寒鴉數點，流水繞孤村」引置於「斜陽外」之下；「數點」也勝過「千萬點」。《避暑錄話》和《藝苑雌黃》也曾評述少遊蹈襲的這兩句詩，他們和王世貞一樣，沒有把最重要的兩點指出來。《苕溪漁隱叢話》引《復齋漫錄》時提到了它，曾將「斜陽外」一齊引入，可見他知道「斜陽外」一語對下兩句詩所起的作用是重大的。

《藝苑巵言》卷二又有一則論仿擬云：

> 「相去日以遠，衣帶日以緩。」緩字妙極。又古歌云：「離家日趨遠，衣帶日趨緩。」豈古人亦相蹈襲耶？抑偶合也？以字雅，趨字峭，俱大有味。

近人張文治《古書修辭例》仿擬之例(三)云：

> 按古詩十九首：「相去日以遠，衣帶日以緩。」兩「以」字一本作「已」。古書「已」「以」二字本通用，惟細思其意亦稍別。「已」者，溯既往之辭；「以」者，窮未來之辭。此詩當以用「以」字為佳。李善注引古樂府歌曰：「離家日趨遠，衣帶日趨緩。」「趨」之意正與「以」近。歐陽修《踏沙行》詞曰：「離愁漸遠漸無窮」，亦脫胎於此。

歐陽修《玉樓春》詞「漸行漸遠漸無書，水闊魚沉何處問」，也是「脫胎於此」。其實，李煜《清平樂》「離恨恰如春草，更行更遠還生」，已先於歐陽修仿擬此古詩了。

又卷四云：

> 剽竊模擬，詩之大病；亦有神與境觸，師心獨造，偶合古語者，如「客從遠方來」，「白楊多悲風」，「春水船如天上坐」，不妨俱美，定非竊也。其次裒覽既富，機鋒亦圓，古語口吻間，若不自覺，如鮑明遠「客行有苦樂，但問客何行」之於王仲宣「從軍有苦樂，但問所從誰」，陶淵明「雞鳴桑樹顛，狗吠深巷中」之於古樂府「雞鳴高樹顛，狗吠深宮中」，王摩詰「白鷺」「黃鸝」，近世獻吉用修亦時失之，然尚可言。又有全取古文，小加裁剪，如黃魯直宜州用白樂天諸絕句，王半山「山中十日雨，雨晴門始開，坐看蒼苔色，欲上人衣來。」後二語全用輞川，已是

下乘，然猶彼我趣合，未足致厭。乃至割綴古語，用文已陋，痕跡宛然，如「河分岡勢」「春入燒痕」之類，斯醜方極。模擬之妙者，分歧逞力，窮勢盡態，不唯放手，兼之無跡，方為得耳。若陸機《辨亡》，傅玄《秋胡》，近日獻吉「打鼓鳴鑼何處船」語，令人一見匿笑，再見嘔噦，皆不免為盜跖優孟所訾。

古樂府《飲馬長城窟行》云：「客從遠方來，遺我雙鯉魚」，《古詩十九首》亦云：「客從遠方來，遺我一端綺。」首句常爲後人所襲用。古樂府漢《雜曲歌辭・驅車上東門行》云：「白楊何蕭蕭」，曹植《野田黃雀行》起句云：「高樹多悲風」，鮑照擬傅休奕《樂府・龜鶴》篇作《松柏篇》云：「高松結悲風」⑧。後人襲用作「白楊多悲風」。杜甫《小寒食中作》云：「春水船如天上坐，老年花似霧中看」，與沈佺期詩句相類，宋明詩話，指摘討論，最爲熱烈。淸人浦起龍以爲杜詩「與沈雲卿詩偶相類，固非蹈襲，亦非有意損益也。」王世貞認爲上擧諸仿擬的詩句，乃是作者「神與境觸，師心獨造，偶合古語者」。

鮑照《從臨海王荆上初發新渚》詩起句云：「客行有苦樂，但問客何行」，語本王粲《從軍詩》。陶元亮《歸去來辭》「鷄鳴桑樹顚，狗吠深巷中」，語本古樂府魏《相和曲・鷄鳴》篇。王維《積雨輞川莊作》⑨云：「漠漠水田飛白鷺，陰陰夏木囀黃鸝」。唐李肇《國史補》云：「王維有詩名，然好竊取人（之）文章佳句，『漠漠水田飛白鷺，陰陰夏木囀黃鸝』，李嘉祐詩也。」宋葉夢得《石林詩話》云：「唐人記『水田飛白鷺，夏木囀黃鸝』爲李嘉祐詩，王摩詰竊之，非也。此兩句好處，正是添『漠漠陰陰』四字，此乃摩詰爲嘉祐點化，以自見其妙，如李光弼將郭子儀軍，一號令之，精采數倍；不然，嘉祐此句是咏景耳，人皆可到。」但王應麟的《詩藪》却指出王維竊取李嘉祐詩的說法不可信，因爲王維的年輩實高於李嘉祐。

至如王安石「坐看蒼苔色，欲上人衣來」，全襲用王維《書事》詩句，王世貞評它是模擬的下乘。劉長卿的「春入燒痕新」句，宋吳曾以爲語簡而意盡，比那爲人傳誦的白居易《賦得古原草送別》詩「野火燒不盡，春風吹又生」好得多。王世貞評劉長卿的「春入燒痕」乃是「割綴古語，用文已陋，痕跡宛然，……斯愧方極。」其實，劉長卿是開元進士，白居易是元和進士，劉作此詩當早於白數十年，說他「割綴古語，痕跡宛然」，那是寃枉的。

王世貞認爲「模擬之妙者，分歧逞力，窮勢盡態，不唯放手，兼之無跡」。可惜沒有擧出例證來。

七、謝榛《四溟詩話》——第一本論詩的修辭法的專著

謝榛的《四溟詩話》是中國修辭學史上繼宋陳騤的《文則》與元王構的《修辭鑑衡》之後第三本論修辭的專著。若將詩與文分別來講，則陳騤的《文則》是中國修辭學史上第一本偏於論文的修辭法的專著，而《四溟詩話》却是第一本偏於論詩的修辭法的專著。自此以後，歷經三百餘年，直到「五四」時代，才再有修辭學的專著出現。

謝榛生於弘治八年，死於萬歷三年，他論詩的修辭，讚美古人，主張取法盛唐，他說：

> 七言絶句，盛唐諸公用韻最嚴；大歷以下，稍有旁出者。作者當以盛唐爲法。盛唐人突然而起，以韻爲主，意到辭工，不假雕飾；或命意得句，以韻發端，渾成無跡：此所以盛唐也。宋人專重

轉合，刻意精煉；或難於起句，借用傍韻，牽強成章：此所以為宋也。

他崇唐而抑宋，也和明初的文人一樣，出於「學古」之一途。所不同的，明初作者論學古，多主張師其意而不師其辭，而謝榛却更偏重於形式上的學古，同時注意到改詩和煉字（卽推敲）。他認爲興是詩的四格（興、趣、意、理）之首。他說：「詩有天機，待時而發，觸物而成；雖幽尋苦索，不易得也。」《四溟詩話》卷一云：

> 四言古詩，當法《三百篇》，不可作秦漢以下之語。顏延年《宴曲水詩》曰：「航深越水，輦賁逾嶂。」《郊祀歌》曰：「月御案節，星驅扶輪。」譬如清廟鼓瑟箏以和之，審音者自不亂其聽也。

他主張學古當學《詩經》，連秦漢以下的詩（唐人詩不包括在內）都不可學。這眞是最徹底的學古論。他又說：

> 都下一詩友過余言詩，了不服善。余曰：雖古人詩，亦有可議者。蓋擅名一時，寧肯帖然受人詆訶。又自謂大家氣格，務在渾雄，不屑屑於字句之間；殊不知美玉微瑕，未為全寶也。或睥睨當代，以為世無勍敵，吐英華而媚千林，瀉河漢而澤四野。只字求精工，花鳥催之不厭；片言失輕重，鬼神忌之有因。大哉志也！嗟哉人也！（《四溟詩話》卷三）

謝氏認爲古人詩，或「不屑屑於句字之間」，或者「只字求精工」，都是「有可議」的。這似乎是反學古的修辭論了，但也未必是，因爲他認爲値得一學的只有《三百篇》而已。同卷又云：

> 凡襲古人句，不能翻意新奇，造語簡妙，乃有愧古人矣。謝莊《月賦》：「洞庭始波，木葉微

脫。」蓋出自屈平「洞庭波兮木葉下」。譬以石家鐵如意，改制細巧之狀，此非古良冶手也。王勃《七夕賦》：「洞庭波兮秋水急。」意重氣迫，而短於點化，此非偷狐白裘手也。許渾《送韋明府南游》詩：「木葉洞庭波。」然措詞雖簡，而少損氣魄，此非縮銀法手也。

這裏評論仿擬的修辭，主張以翻意新奇，造語簡妙爲主。但又給他自己的話所打消了：「自我作古，不求根據，過於生澀，則爲杜撰矣。」他論修辭，往往前後意見不能一致。

《四溟詩話》卷一又云：

長篇之法，如波濤初作，一層緊於一層。拙句不失大體，巧句最害正氣。

他主張長篇敍事詩的修辭法，應用「一層緊於一層」的層遞格。認爲遣辭造句，寧拙毋巧。他說：

作詩有相因之法，出於偶然。因所見而得句，轉其思而為文。先作而後命題，乃筆下之權衡也。……《漫書野語》云：「太古之氣渾而厚，中古之風純而樸。」夫因樸生文，因拙生巧，相因相生，以至今日，其大也無垠，其深也叵測，孰能返樸復拙，以全其真，而老於一邱也邪？（《四溟詩話》卷四）

他的所謂「相因之法」，是「因樸而生文」「因拙而生巧」，而其總歸則是「返樸復拙，以全其眞」。他是反對巧飾的。同卷又云：

自然妙者為上，精工者次之，此着力不着力之分，學者不必專一而逼真也。

他認爲自然勝雕飾。又引《輟耕錄》云：「樊宗師《絳守居園池記》，艱深奇澀，人莫能誦。宋王晟、劉忱爲之注釋，趙仁舉爲之句讀，誠可怪也。韓退之作宗師墓志銘曰：『文從字順各識職。』蓋譏之也。」（《四溟詩話》卷一）謝榛指出韓愈但知譏笑樊宗師的《絳守居園池記》文字艱深奇澀，而不知自己的《城南聯句》，「意深語晦，相去幾何？」在謝氏看來，他們只是「五十步笑百步」而已。

同代陶爽齡《小柴桑諵諵錄》（上）也有一則論爲文好用奇字云：

元末閩人林釴爲文好用奇字，然非素習，但臨文檢書換易，使人不能曉。稍久，人或問之，並釴亦自不識也。

好用奇字，用到不但使人看不懂，連自己也看不懂，這是違背了消極修辭的要件之一：文字要力求通俗易懂。

《四溟詩話》卷四有一則論辭與意云：

有客問曰：「夫作詩者，立意易，措辭難，然辭意相屬而不離，若專乎意，或涉議論而失於宋體；工乎辭，或傷氣格而流於晚唐。竊嘗病之，盍以教我？」四溟子曰：「今人作詩，忽立許大意思，束之以句則窘，辭不能達，意不能悉。此乃內出者有限，所謂「辭前意」也。譬如鑿池貯青天，則所得不多；舉杯收甘露，則被澤不廣。或造句弗就，勿令疲其神思，且閱書醒心，忽然有得，意隨筆生，而興不可遏，入乎神化，殊非思慮所及。或因字得句，句由韻成，出乎天然，句意雙美，若接竹引泉而潺湲之聲在耳，登城望海而浩蕩之色盈目。此乃外來者無窮，所謂『辭後意』也。

他以爲詩的修辭法有「辭前意」和「辭後意」二種，前者「辭不能達，意不能盡」，後者則「因字得句，句由韻成，出乎天然，句意盡善。」他拈得一「天」字，寫成「兵氣截胡天」等三十個句子，作爲

「句由韻成」的例子；又寫成「天馬行無跡」等三十九個句子，作爲「因字得句」的例子。他說：「凡立意措辭，欲其兩工，殊不易得。辭有短長，意有大小，須構而堅，束而勁，勿令辭拙意妨。意來如山，巍然置之河上，則斷其源流而不能就辭；辭來如松，挺然植之盤中，窘其造物而不能發意。夫辭短意多，或失之深晦；意少辭長，或失之敷演。名家無此二病。」（《四溟詩話》卷三）他認爲「辭短意多」或「意少辭長」，都是辭家之所忌。

《四溟詩話》卷一論情與景云：

景多則堆垛，情多則闇弱：大家無此失矣。八句皆景者，子美「棟樹寒雲色」是也；八句皆情者，子美「死去憑誰報」是也。

前已說過，情不能離景而獨立，所以寫情往往兼寫景，寫景也往往兼寫情，使情與景互托或互生。或寫情以喻景，或寫景而達情。謝榛所舉「八句皆景」的杜詩，出自《陪鄭廣文游何將軍山林》十首之一，詩云：「棟樹寒雲色，茵蔯春藕香。脆添生菜美，陰益食單凉。野鶴清晨出，山精白日藏。石林蟠水府，百里獨蒼蒼。」其中「脆添生菜美，陰益食單凉」與「石林蟠水府，百里獨蒼蒼」句都是情景互生的。又所舉「八句皆情」的杜詩，出自《喜逢行在所》三首之一，詩云：「死去憑誰報？歸來始自憐。猶瞻太白雪，喜遇武功天。影靜千官裏，心蘇七校前。今朝漢社稷，新數中興年。」其中「影靜千官裏」又何嘗不是寫景的呢？謝榛也說：「夫情景相觸而成，此作家之常也。」（《四溟詩話》卷四）他對情景交融的好詩，是有深刻體會的。

謝榛論實字與虛字，有類於語法修辭結合論。他說：

七言近體，起自初唐應制，句法嚴整。或實字叠用，虛字單使，自無敷演之病。如沈雲卿《興慶池侍宴》：「漢家城闕疑天上，秦地山州似鏡中。」杜必簡《守歲侍宴》：「彈弦奏節梅風入，對局探鉤柏酒傳。」宋延清《奉和幸太平公主南莊》：「文移北斗成天象，酒近南山獻壽杯。」觀此三聯，底蘊自見。暨少陵《懷古》：「一去紫臺連朔漠，獨留青塚向黃昏。」此上二字雖虛，而措辭穩帖。《九日藍田崔氏莊》：「藍水遠從千澗落，玉山高倂兩峰寒。」此中二字亦虛，工而有力。（《四溟詩話》卷四）

他認爲「漢家城闕」，「秦地山川」，「彈弦奏節」，「對局探鉤」，「北斗天象」等都以實字叠用，其中包括了「彈」「奏」「對」「探」四個動詞。「一去」的「一」，「獨留」的「獨」，雖是虛字，而在句中則措辭穩帖；「遠從」的「遠」，「高倂」的「高」，雖亦是虛字，而在句中却顯得工而有力。他指出「中唐詩虛字愈多，則異乎少陵氣象」。他說：「實字多，則意簡而句健；虛字多，則意繁而句弱。趙子昂所謂兩聯宜實是也。」（《四溟詩話》卷一）又引李西涯云：「詩用實字易，用虛字難。盛唐人善用虛字，開合呼應，悠揚委曲，皆在於此。用之不善，則柔弱緩散，不可復振。」（同上）他指出西涯論虛實，是「以字言之」，子昂論虛實，是「以句言之」。這是二人論虛實的不同之處。又指出「子美多用實字」，但接下去却說：「子美《和裴迪早梅相憶》之作，兩聯用二十二個虛字，句法老健，意味深長，非巨筆不能到。」則是子美用虛字破了記錄了。查子美《和裴迪登蜀州東亭送客逢早梅相憶見寄》一律的兩聯云：「此時對雪遙相憶，送客逢春可自由。幸不折來傷歲暮，若爲看去亂鄉愁。」這二十八字之中，料想除了「時」「雪」「客」「春」「歲」「鄉」等六個字，其他包括動詞，副詞和抽象名詞在內的各個詞品，謝榛都看作是虛字，所以才說他「兩聯用二十二虛字」。

《四溟詩話》卷四又論情景云：

> 凡作詩要情景俱工，雖名家亦不易得。聯必相配，健弱不單力，燥潤無兩色。能用此法，則不墮歧路矣。少陵狀景極妙，巨細入玄，無可指摘者。寫情失之疏漏，若「讀書難字過，對酒滿壺頻」，上句真率自然，下句為韻所拘爾。昌黎寫情亦有佳句，若「飲中相顧色，別後獨歸情」，辭澹意濃，讀者靡不慨然。每拙於寫景，若「露排四岸草，風約半池萍」，下句清新有格，上句聲調齟齬，使無完篇，則血脈不周，病在一譬故爾。

他主張作詩須「情景俱工」，但不易做到。並指出杜甫詩善於狀景而疏於寫情，韓愈詩優於寫情而拙於寫景，且各舉例證。

謝榛又論文情互生云：

> 詩有辭前意、辭後意。唐人兼之，婉而有味，渾而無跡。宋人必先命意，涉於理路，殊無思致。及讀《世說》：「文生於情，情生於文。」王武子先得之矣。（《四溟詩話》卷一）

《世說新語・文學》第四云：「孫子荆除婦服，作詩以示王武子⑩。王曰：『未知文生於情，情生於文。覽之凄然，增伉儷之重。』」謝榛引王武子的話，認爲意隨文而生，不必預爲佈置。他說：「宋人謂作詩貴先立意。李白斗酒百篇，豈先立許多意思而後措辭哉？」（《四溟詩話》卷一）又說：「詩以一句爲主。落於某韻，意隨字生，豈必先立意哉？楊仲宏所謂『得句意在其中』是也。」（《四溟詩話》卷二）

又論詩的奇正云：

李靖曰：「正而無奇，則守將也；奇而無正，則鬥將也；奇正皆得，國之輔也。」譬諸詩：發言平易而循乎繩墨，法之正也；發言雋偉而不拘乎繩墨，法之奇也；平易而不執泥，雋偉而不險怪，此奇正參伍之法也。白樂天正而不奇；李長吉奇而不正；奇正參伍，李杜是也。（《四溟詩話》卷二）

自宋以來，言詩必稱李杜，謝榛也不能例外，他指出李杜詩的修辭技巧，是奇正參伍而皆得的。《四溟詩話》卷四又云：

比喻多而失於難解，嗟怨頻而流於不平；過稱譽豈其中心，專模擬非其本色；愁苦甚則有感，歡喜多則無味；熟字千用自弗覺，難字幾出人易見；邈然想頭，工乎作手，詩造極處，悟而且精，李杜不可及也。

他論詩的修辭法，從消極方面來說：不要多用比喻和感嘆詞，不要「過稱譽」（王充《論衡》所謂「稱美過其實」，也就是用誇張辭），不要專事模擬，不要熟字多用、難字重出。《四溟詩話》論煉字、煉句的地方也不少，。如卷一云：

僧處默《勝果寺》詩：「到江吳地盡，隔岸越山多。」陳後山煉成一句：「吳越到江分。」或謂簡妙勝默作。此「到」字未穩，若更為「吳越一江分」，天然之句也。

他指出陳師道「吳越到江分」的「到」字未穩，不如「吳越一江分」。說得很對，只是宋人詩話已經談論過了。

《四溟詩話》卷四又論煉字云：

> 凡煉句妙在渾然。一字不工，乃造物之不完，愚論已詳首卷。許渾《原上居》詩：「獨愁秦樹老，孤夢楚山遙。」此上一字欠工，因易為「羇愁秦樹老，歸夢楚山遙」。釋無可《送裴明府》詩：「山春南去櫂，楚夜北歸鴻。」此亦上一字欠工，因易為「江春南去櫂，關夜北歸鴻」。劉長卿《別張南史》詩：「流水朝還暮，行人東復西。」此上二字欠工，因易為「旅思朝還暮，生涯東復西」。周樸《塞上行》詩：「巷有千家月，人無萬里心。」此中二字欠工，因易為「巷冷幾家月，人孤千里心」。諸作完其造物，以俟後之賞鑑者。

他爲了煉字，喜歡替人改詩，但往往改得比原作還要不好。如「獨愁」原可以不必改爲「羇愁」，因爲「楚山遙」已點出羇旅之情了。「楚夜」一作「楚野」，「楚野」始見其凄涼蕭索之狀，「關夜」則不同；「江春」也不如「山春」，因爲去櫂必在水中，可以不必明「江」字，而「山春」則多却一意。又因流水而興旅思，所以不必再說「旅思」；「生涯東復西」也不如「行人東復西」自然有致。「巷冷千家月，人無萬里心」，也是渾成，改爲「巷冷幾家月」，更是拙劣。謝榛改詩，實欠高明。《四庫全書總目提要》批評他說：「如謂杜牧《開元寺水閣詩》『深秋帘幙千家雨，落日樓臺一笛風』句不工，改爲『深秋帘幙千家月，靜夜樓臺一笛風』。不知前四句爲：『六朝文物草連空，天澹雲閑今古同。鳥去鳥來山色裏，人歌人哭水聲中。』末二句爲：『惆悵無因見范蠡，參差煙樹五湖東。』皆登高晚眺之景。如改『雨』爲『月』，改『落日』爲『靜夜』，則『鳥去鳥來山色裏』非夜中之景，『參差煙樹五湖東』亦非月下所能見。而就句改句，不顧全詩，古來有是詩法乎？」可謂一針見血。

《四溟詩話》論仿擬的地方也不少。如卷一云：

傅玄《艷歌行》，全襲《陌上桑》，但曰：「天地正厥位，願君改其圖。」蓋欲辭嚴義正，以裨風教。殊不知「使君自有婦，羅敷自有夫」，已含此意。

說傅玄的《艷歌行》全襲《陌上桑》是對的。但「天地」二句之上，傅玄已將「使君自有婦，羅敷自有夫」襲改爲「使君自有婦，賤妾有鄙夫」了；傅玄以爲意猶未足，所以加上「天地」二句。謝榛「殊不知……」云云，似未細讀《艷歌行》全詩，故有此誤。同卷又論仿擬云：

漢武帝「秋風起兮白雲飛」，出自「大風起兮雲飛揚」；「蘭有秀兮菊有芳，懷佳人兮不能忘」，出自「沅有芷兮澧有蘭，思公子兮未敢言」。漢武讀書，故有沿襲；漢高不讀書，多出己意。

這似乎是說沿襲只爲讀書所害，不讀書的人，無所依據，才能自造新語，謝榛也太幽默了。《四溟詩話》卷二又有論仿擬云：

詩中淚字若沾衣沾裳，通用不為剽竊，多有出奇者。潘岳曰：「涕淚應情隕。」子美曰：「近淚無乾土。」太白曰：「淚盡日南珠。」劉禹錫曰：「巴人淚應猿聲落。」賈島曰：「淚落故山遠。」孟雲卿曰：「至哀反無淚。」何仲默曰：「笛裏三年淚。」李獻吉曰：「萬古關山淚。」盧仝曰：「黃金礦裏鑄出相思淚。」此太涉險怪矣。

謝氏認爲詩中用淚字，如以「沾衣」「沾裳」來形容，是詩人通用的字，不算剽竊。他歷學潘岳以下諸家寫淚的詩句，評爲「語多出奇」，或「太涉險怪」。其實他們只是在賣弄辭巧罷了。同卷又云：

嚴滄浪《從軍行》曰：「翩翩雙白馬，結束向幽燕。借問誰家子，邯鄲俠少年。彎弓隨漢月，拂劍倚胡天。說與單于道，今秋莫近邊。」此作不減盛唐，但起承全襲子建《白馬篇》。

曹植《白馬篇》的起句是：「白馬飾金羈，連翩西北馳」，而以「借問誰家子，幽并游俠兒」承之。嚴羽《從軍行》的起承確是襲自《白馬篇》。

《四溟詩話》卷四云：

《世說新語》徐孺子九歲時，嘗月下戲。或云：「若令月中無物，當極明邪！」子美詩：「斫却月中桂，清光應更多。」意祖於此，造句奇拔，觀者不覺用事。所謂「讀書破萬卷，下筆如有神。」杜老不欺人也。

又云：

子美《秋野》詩：「水深魚極樂，林茂鳥知歸。」此適會物情，殊有天趣。然本於子建《離思賦》：「水重深而魚悅，林修茂而鳥喜。」二家辭同工異，則老杜之苦心可見矣。

明明是蹈襲，但因蹈襲者是杜甫，謝榛不但不敢指責他，反而稱贊他「不欺人」和「苦心可見」。可見謝氏崇古崇唐到了怎樣的地步啊。

《四溟詩話》卷一又云：

蘇子卿曰：「明月照高樓，想見餘光輝。」子美曰：「落月滿屋梁，猶疑照顏色。」庾信曰：「落花與芝蓋齊飛，楊柳共春旗一色。」王勃曰：「落霞與孤鶩齊飛，秋水共長天一色。」梁簡文曰：「濕花枝覺重，宿鳥羽飛遲。」韋蘇州曰：「漠漠帆來重，冥冥鳥去遲。」三者雖有所祖，然青愈於藍矣。

說杜甫、王勃、韋應物三家的詩句「有所祖」，其實也就是蹈襲；但因蹈襲者都是他所崇拜的唐代詩家，所以只好說他們「青愈於藍矣。」楊愼《丹鉛總錄》十九詩話類亦云：「《文選・褚淵碑》：『風儀與秋月齊明，音徽與春雲等潤。』庾信《馬射賦》：『落花與芝蓋齊飛，楊柳共春旗一色。』《隋長壽寺舍利碑》：『浮雲共嶺松張蓋，明月與巖桂分叢。』王勃《滕王閣記》語本此。然王勃之語，何啻青出於藍！雖曰前無古人可也。」楊愼稱頌王勃，尤其過火，不但在「青出於藍」之上，加了「何啻」二字，而且說他「前無古人。」摹擬蹈襲，竟能至於「前無古人」，楊愼也太滑稽了。

《四溟詩話》卷二論複疊云：

> 劉禹錫贈白樂天兩聯用兩「高」字：「雪裏高山頭白早」，「于公必有高門慶」。自注曰：「高山本高，高門使之高，二義不同。」自恕如此。兩聯最忌重字，或犯首尾可矣。

其實，高山的高，和高門的高，同是形容詞，詞性並沒有兩樣。劉氏的意思是說：高山是本來高的，高門是須經過一番的奮鬪才能使之高的，二高字字義不同，所以不妨重複。作詩如果不必避重複字，雖是同形同義的字，也可以重用；如果要避重覆字，則高門的高，和高山的高，又有什麼可以不必避的理由可說呢？劉氏的說法也太天眞了。莫怪謝榛評其「自恕如此。」

《四溟詩話》卷三還有一則論重複云：

> 凡作詩文，或有兩句一意，此文勢相貫，宜乎雙用。如李斯《上秦始皇書》：「不問可否，不論曲直，非秦者去，為客者逐。」王褒《聖主得賢臣頌》：「生於窮巷之中，長於蓬茨之下，無有游觀廣覽之知，顧有至愚極陋之累。」秦漢以來，文法類此者多矣，自不為病。王勃《尋道觀》

詩：「玉笈三山記，金箱五岳圖。」駱賓王《題玄上人林泉》詩：「『芳杜』湘君曲，『幽蘭』楚客詞。」皆句意雖重，於理無害；若別更一句，便非一聯造物矣。至於太白《贈浩然》詩，前云「紅顏棄軒冕」，後云「迷花不事君」，兩聯意頗相似。劉文房《靈祐上人故居》詩，既云「幾日浮生哭故人」，又云「雨花垂淚共沾巾」，此與太白同病。興到而成，失於檢點。意重一聯，其勢使然；兩聯意重，法不可從。

所謂雙用，即是重複。但同是重複，爲什麼李斯、王褒的文章，駱賓王、王勃的詩便「不爲病」，而李白、劉文房的詩却是病呢？前者爲了情景的需要，爲了要强調，勢非重複不可（謝榛說是「其勢使然」），如李斯《諫逐客書》，因秦始皇主張非秦人必逐，所以他在「不問可否」之下，重以「不問是非」，「非秦者去」之下，重以「爲客者逐。」像這樣的措辭法，「句意雖重」，於理却是無害的。至如李白、劉文房的詩，情景上並沒有重複的需要，也不是有意重複，只是「興到而成，失於檢點」，「意頗相似」，所以是「法不可從」的。謝榛所論原無誤，只是他不能把本意說淸而已。

又論省略云：

《木蘭詞》云：「問女何所思，問女何所憶。女亦無所思，女亦無所憶。」「東市買駿馬，西市買鞍韉，南市買轡頭，北市買長鞭。」此乃信口道出，似不經意者，其古樸自然，繁而不亂。若一言了問答，一市買鞍馬，則簡而無味，殆非樂府家數。（《四溟詩話》卷三）

這告訴我們省略與否，也應視情景而定。有時是省略不得的。

又論對偶云：

《詩》曰：「覯閔既多，受侮不少。」初無意於對也。《十九首》云：「胡馬依北風，越鳥巢南枝。」屬對雖切，亦自古老。六朝惟淵明得之，若「芳草何茫茫，白楊亦蕭蕭」是也。（《四溟詩話》卷一）

所學諸詩，作者初無意於對偶，好像寫散文一樣，但結果却自然而成對。這種對，有的叫做自然對，有的叫做偶對。宋人認爲這是對偶的上品，謝榛贊爲「亦自古老」。

又論雙關云：

古詞曰，「黃蘗向春生，苦心隨日長」。又曰，「霧露隱芙蓉，見蓮不分明」。又曰，「石闕生口中，銜碑不得語」。又曰，「桑蠶不作繭，晝夜長懸絲」。又曰，「理絲入殘機，何悟不成匹」。又曰，「桐枝不結花，何由得梧子」。又曰，「殺荷不斷藕，蓮心已復生」。此皆吳格，指物借意。（《四溟詩話》卷二）

陳望道氏認爲「指物借意」四字，是這類辭法的正確說明。指物借意的雙關辭，並不是吳地所獨有，不過在《樂府詩集》的吳聲歌曲中用這類修辭法特多罷了。⑪

又論集句云：

唐人集句謂之「四體」，宋王介甫、石曼卿喜爲之，大率逞其博記云爾。不更一字，以取其便；務搜一句，以補其闕。一篇之作，十倍之工。久則動襲古人，殆無新語。黃山谷所謂「正堪一笑」也。（《四溟詩話》卷一）

又說：「晉傅咸集七經語爲詩；北齊劉晝緝綴一賦，名爲《六合》。魏收曰：『賦名《六合》，其愚已甚；及觀其賦，又愚於名。』後之集句肇於此。」（《四溟詩話》卷一）集句始作於晉傅咸是對的，但前人已經說過了。至於北齊劉晝所綴的《六合》賦，從魏收的話看來，是極其不高明的，所以也就少有人提起了。

又論倒裝云：

凡「山河」、「廊廟」之類，顛倒通用；若「天地」不可倒用，倒則爲泰卦。曹子建《桂之樹行》曰：「下下乃窮極地天。」豈別有見耶？又如「詩酒」、「兒女」，皆兩物也，倒則爲一矣。（《四溟詩話》卷四）

「廊廟」現在已沒有人說成「廟廊」了，這可見語言是隨着時代而變化的。又謝榛所擧原爲兩物、倒裝之後却變成一物的辭例，如「兒女」等，這類例證，古人很少指出，也很有趣，値得我們硏賞和多找些辭例。

又論歇後云：

吳筠曰：「才勝商山四，文高竹林七。」駱賓王曰：「冰泮有銜蘆。」盧照鄰曰：「幽谷有綿蠻。」陳子昂曰：「銜杯且對劉。」高適曰：「歸來洛陽無負郭。」李頎曰：「由來輕七尺。」唐彥謙曰：「耳聞明主提三尺，眼見愚民盜一抔。」此皆歇後，何鄭五之多邪？（《四溟詩話》卷一）

這是論歇後辭格，所擧例證特多，但議論只有「何鄭五之多邪」這一句。「商山四」藏「皓」字⑫，「竹林七」藏「賢」字⑬。「銜蘆」藏「候雁」二字⑭，「綿蠻」藏「黃鳥」二字⑮，「劉」卽「劉三」，藏「三」字⑯，「負郭」藏「窮巷」二字⑰，「七尺」藏「之軀」二字⑱，「三尺」藏「劍」字⑲，「一抔」藏「土」字⑳。都是歇後藏詞格。鄭五即唐詩人鄭綮，所作詩多歇後體，時人稱爲歇後鄭五。這類的詩，大多帶有滑稽和開玩笑的意味。

又論抑揚云：

> 予一夕過林太史貞恒館留酌，因談詩法：「妙在平仄四聲而有清濁抑揚之分。試以東、董、棟、篤四聲調之，東字平平直起，氣舒且長，其聲揚也；董字上轉，氣咽促然易盡，其聲抑也；棟字去而悠遠，氣振愈高，其聲揚也；篤字下入而疾，氣收斬然，其聲抑也。夫四聲抑揚，不失疾徐之節，惟歌詩者能之，而未知所以妙也。非悟何以造其極，非喻無以得其狀。譬如一鳥，徐徐飛起，直而不迫，甫臨半空，翻若少旋，振翮復向一方，力竭始下，塌然投於中林矣。沈休文固已訂正，特言其大概。若夫句分平仄，字關抑揚，近體之法備矣。凡七言八句，起承轉合，亦具四聲，歌則揚之抑之，靡不盡妙。如子美《送韓十四江東省親》詩云：『兵戈不見老萊衣，嘆息人間萬事非。』此如平聲揚之也。『我已無家尋弟妹，君今何處訪庭闈。』此如上聲抑之也。『黃牛峽靜灘聲轉，白馬江寒樹影稀。』如此去聲揚之也。『此別應須各努力，故鄉猶恐未同歸。』此如入聲抑之也。（《四溟詩話》卷三）

這是論四聲的抑揚，並舉杜甫《送韓十四江東省親》詩作例證。抑揚的意義有二種：一是聲調的抑揚，一是辭義的抑揚，統稱爲抑揚辭格，這是陳望道氏所舉的三十八種辭格中所遺漏的，應該另立一個辭格。

八、郎瑛《七修類稿》

郎瑛的《七修類稿》及《續稿》，計五十八卷，刋於嘉靖年間。郎瑛生於憲宗成化之世，歷弘治、正德、嘉靖三朝，這書出版的時候，郎瑛已入耄年。陳仕賢的序文，說他「測天地之高深，明國家之典故。研窮義理，辯證古今。掇詩文而拾其遺，捃事物而章其賾。……且考據詳明，蘊蓄該博，議論亹亹有度。」但書中所論，往往紕繆錯誤，年代顛倒，而采掇龐雜，「踳謬者不一而足」，王士禎的《香祖筆記》、《漁洋書跋》以及《四庫全書提要》都曾加以指斥。

不過，《七修類稿》論修辭，却也有自出機杼的地方。如卷十八義理類「文盛乃衰」一則云：

古人云：詩盛於唐，乃衰於唐也；字盛於晉，乃衰於晉也。蓋以詩雖至唐而警拔，閭里之人不知矣；字雖至晉而神變，巧媚之態極矣。其於明白古拙何有哉！今杭之舉業之文，可謂盛矣，然究其實，則皆錄諸書藻麗之語，貨近時泛巧之文。讀不過二三册，遂高舉而奪魁矣。嗚呼！此豈非其衰耶？而於古人讀經讀史之學何如哉！

他雖尚經史之學，但不像謝榛輩那樣，一意崇唐。他指斥當時的「舉業」，只知「錄諸書藻麗之語，貨近時泛巧之文」，是以文道日衰。這是比較進步的修辭理論。

《七修類稿》卷二十一辯證類有「諺語出詩」一則云：

世傳「日出事還生」、「難將一人手，掩得天下目」、「但存方寸地，留與子孫耕。」往往形諸言語，莫知所來。殊不知第一句蓋武元衡被刺時前夜之詩，以為讖也。其詩云：「坐久喧暫息，樓臺惟月明，無因住清景，日出事還生。」第二三句是曹鄴咏李斯者也。詩云：「一車致三轂，本圖行地速，不知駕御難，舉足成顛覆。欺暗尚不能，欺明當自戮。難將一人手，掩得天下目。不見三尺墳，雲陽草中綠。」第四五句乃宋賀仙翁詩也。詩曰：「有客來相訪，如何是治生。但存方寸地，留與子孫耕。」……特揭之於稿。

當時諺語入詩，是詩家之所忌。郎瑛考出流傳的一些諺語，赫然出自古詩，便是「有所本」。既然有所本，便用之無妨。似乎諺語一經古人用過，便身價十倍，應當另眼相看了。從前的人論俚俗語，與郎瑛持相同觀點的，正大有人在，這可見他們崇古之心是一致的。

《七修類稿》卷三十三詩文類有「詩字不穩」一則云：

鄭谷《咏鷓鴣》曰：「雨昏青草湖邊過。」嘗讀《埤雅》㉑，鷓鴣最惡濕，天陰卽以木葉被身。安有雨昏時而尚於青草湖邊飛耶？又如林逋之「草泥行郭索，雲木叫鉤輈」，對則佳矣，不知鷓鴣未嘗木栖也。雍陶《咏鷺鷥》曰：「立當青草人先見，行傍白蓮魚未知。」在當時，馮明道輩舉此為陶警句。予以易過「行」「立」二字，盡有理趣，蓋行於青草，必是鷺矣；立傍白蓮，魚安知是鷺耶？否則人遠視亦未知為鷺鷥，而行動魚不知耶？又如張仲達之「滄海最深處，鱸魚銜得歸」，嘴脚何長也？李商隱《錦瑟詩》云：「錦瑟無端五十弦。」五十弦自有故也，豈謂無端？辯證類已言矣㉒。此皆顯名之詩，碍理有如此，詩豈易作耶！

他從自然界等實際的情形，舉出一些例句，暢論名家詩文的「碍理」之處。所謂碍理，也就是用辭失當。

《七修類稿》卷十八義理類有「攻乎異端」一則云：

《荷亭辯論》，侍御盧格著也。解「攻乎異端」，言攻字有二義：治辭，則庶民攻之是也；擊辭，則鳴鼓而攻之是也。謂擊去異端，斯害也已。昨見宋儒孫奕《示兒編》內有此說，其解尤明白，謂攻如攻人之惡之攻，已如末由也已之已。已，止也。可謂簡而明也。

這是談論辭義的歧解。文章要寫得使人讀之不致發生歧解，也是消極修辭的要件（所應注意的事項）之一。然而，自從上古以來，使人容易發生歧解的詩文有的是。如著名的《詩經・魏風・伐檀》篇中的「彼君子兮，不素餐兮！」有的注解家說「不素餐」是不要白吃，就是不要不勞而獲，但他們（「彼君子兮」）到底是不勞而獲的，所以說，這是一句反語。有的注解家却說「不素餐」意思是那些所謂「君子」者（指統治階級），食的都是山珍海味，而非素餐。但這兩說其實是殊途同歸的。而「攻乎異端，斯害也已」（《論語》）的歧解却是兩種絕然不相同的意義。淸人錢大昕的《十駕齋養新錄》三也曾論到這一個辭語的歧解，但多襲《七修類稿》，所以不必多談了。

《七修類稿》論辭格，也是以仿擬爲多。如卷二十辯證類「詩非蹈襲」一則云：

子美詩有「夜足沾沙雨，春多逆水風。」樂天詩云，「巫山暮足沾花雨，隴水春多逆浪風。」陶淵明詩云，「采菊東籬下，悠然見南山。」韋應物亦有「采菊露未晞，舉頭見南山。」又東坡《續麗人行》首四句，「深宮無人春晝長，沉香亭北百花香，美人睡起薄梳洗，燕舞鶯啼空斷腸。」薩天錫《題楊妃病齒詩》則云，「沉香亭北春晝長，海棠睡起扶殘妝，清歌妙舞一時靜，燕語鶯啼空斷腸。」但略少變其文，如此等詩，不可盡述。每見錄於詩話，美則以為點鐵化金，刺則以為蹈襲古詩，附會議誚，殊為可厭。……故老杜嘗戲為詩曰，「咏及前賢更勿疑，遞相祖述復先誰？」大抵誦人詩多，往往為己得也。若夫黃魯直《黔南十絶》，則又不在此例。故欲逐首取裁白詩。《詩選》所謂「樂天多於敷衍，山谷巧於剪裁」是也。又范廖嘗在宜州問魯直曰，「君何累用白句？」魯直曰，「庭堅少時誦熟，久而忘其為何人詩。」

事實也確如郎瑛所說，宋以來的詩話，對於這一類的仿擬詩，「美則以爲點鐵成金，刺則以爲蹈襲古詩。」郎瑛以爲「大抵誦人詩多，往往爲己得也」，也是眞實的。近人林紓也說：「凡學古而能變化者，非剽與襲也。」(《春覺齋論文》)

《七修類稿》卷二十二辯證類又有「詩句偶同」一則云：

《琵琶記》內，白樂天詩句已有「兒家門戶重重閉，春色緣何得入來？」唐薛惟翰詩《春女怨》云：「白玉堂前一樹梅，今朝忽見數花開，兒家門戶尋常閉，春色因何得入來？」金石抹世勣《紙鳶詩》有「果物戲人人戲物，為風乘我我乘風。」同時黃渢《題齊物堂》亦云：「果蝶夢周周夢蝶，為風乘我我乘風。」是皆可謂閉門造車，出門合轍者也。

按白居易《琵琶行》詩中無此二句，「兒家」「春色」恐另有所出。薛惟翰與黃渢的仿擬詩，郎瑛以爲是「詩句偶同」，所謂「閉門造車，出而合轍」，也就是偶同的意思。卷三十八詩文類另有「祖述工拙」一則云：

東坡《洗兒詩》云：「人皆養子望聰明，我被聰明誤一生。但願生兒愚且魯，無災無難至公卿。」吾杭先輩瞿存齋宗吉一詩云：「自古文章厄命窮，聰明未必勝愚蒙。筆端花與胸中錦，賺得相如四壁空。」其意本東坡《洗兒詩》來，然自慨不露圭角，似過東坡。又東坡《白髮詩》云：「人見白髮憂，我見白髮喜。多少少年人，不見白髮死。」昨見《說郛》載一詩，亦似過之：「勸君休鑷鬢毛斑，鬢到斑時亦自難。多少朱門少年子，西風吹送北邙山。」又宋淮南閫帥夏貴降元后四年卒，有人贈詩云：「自古誰無死，惜公遲四年。問公今日死，何似四年前。」又有《弔墓者》云：「享年八十三，而不七十九。嗚呼夏相公，萬代名不朽。」此二詩亦雖本同一意，而辭意婉轉深懇，又有各妙也。

所舉諸詩，前後字句不同，只是仿意而已。這也就是所謂「師其意而不師其文」，正合於明初學古派文人的主張。

《七修類稿》卷三十二詩文類「意殊句同」云：

唐崔道融《題班婕妤》曰：「寵極辭同輦，恩深棄後宮。自題秋扇後，不敢怨春風㉓。」曹鄴《題庭草》曰：「庭草根自淺，造化無遺功。低回一寸心，不敢怨春風。」元陳自堂《題春風》曰：「着柳成新綠，吹桃作故紅。衰顏與華髮，不敢怨春風。」三詩句意相似，而工拙自異。首詩婉轉含蘊，着題說到不怨處。第二詩婉轉亦工，似無蘊藉矣。第三詩直致，全無唐人氣味。若曰元詩巧而成唐晚風，信乎哉！

諸詩遞相蹈襲，却是句同而意不同。郎瑛能比較其工拙，並指出其工拙的所在。這一點，確是比宋人的詩話進步了。

《七修類稿》卷三十二詩文類論「集句」云：

> 集句起於宋荊公、曼卿，可謂絕唱。予幼時嘗見襄府紀善、長樂戴天錫維壽所著《羣珠摘粹》、《板縷浙藩》，皆集唐、宋、元人之詩為律，對偶親切，渾然天成，亦可影響王、石，今板毀矣，不知海內尚存否？又吾杭沈履德行，有集古宮詞《梅花》等詩，今行於世，似不及於戴，然讀之亦有宛然天成、全無斧齒痕者。後聞沈有集古稿式，分門摘句，先已排定起聯結句，但臨時咏何事，卽贊成之耳。但不知戴亦如此否耶？今特錄戴二律，用書於左，以見其工致。《題諸葛孔明像》云：「鐵馬雲雕久絕塵（溫飛卿），稱吳稱魏已紛紛（曾南豐），平生艱苦思興漢（元吳漳），一段清真盡屬君（陸龜蒙），自願勤勞甘百戰（楊巨源），莫將成敗論三分（元吳漳），晴窗寫罷《出師表》（陳衆仲），目斷西南日暮雲（元吳惟善）。」《秋閨》云：「久病情懷偶自如（元王中），挑燈細讀寄來書（元范德機），蒼茫嶺海三年別（朱元晦），彷彿塵埃數字餘（蘇東坡），月墮檐牙人睡了（周美成），風生荷葉酒醒初（林霽山），分明更想殘宵夢（吳商浩），夢裏頻頻却見渠（王十朋）。」「碧落香銷蘭露秋（溫庭筠），銀河依舊隔牽牛（元郝伯常），清風未許同携手（譚用之），好月那堪獨上樓（同上），歸信幾番勞遠夢（高鼎王），愁心一倍長離憂（李從一），玉顏自古為身累（歐陽永叔），畫向丹青也合羞（花蕊夫人）。」觀此，真可謂化腐成奇，豈直雕蟲小技而已耶！

他和古代一些文人一樣，認為集句起於王安石、石曼卿，不知在他們以前的晉傅咸已有集五經詩。他論集句，說什麼「對偶親切，渾然天成，……全無斧齒痕，」「化腐成奇，豈特雕蟲小技已哉」等等，都是濫調。只有說「聞沈（履）有集古稿式，分門摘句，先已排定起聯結句，但臨時咏何事，卽贊成之耳。」却是道出了集句家的秘密。

《七修類稿》卷三十詩文類有「月中桂」一則論重覆云：

浙江管訥，字時敏，永樂中官楚府長史，《咏月中桂》詩云：「上界誰將此樹栽，廣寒高處古香來。根從天地分時種，花在山河影裏開。玉兎守株依舊闕，青鸞銜子下瑤臺。不知斫盡吳剛斧，天上浮雲變幾回？」菊莊以為此詩雖若可觀，不免犯重。起旣云栽，又云「更從天地分時種」，當改根為枝，種為長。易此二字，殊覺辭理妥協。予又以為上界與天上，亦覺重複也。

有的詩文爲了要强調，爲了要引起讀者的注意，而故作重複的。如果沒有重複的必要，却偶犯重複，便是修辭失當了。菊莊與郎瑛指沈時敏《咏月中桂詩》犯重，便是爲此。

《七修類稿》卷二十二辯證類有「避諱」一則云：

避諱之說有幾：臣下避君上之諱，理也。如漢祖諱邦，舊史以邦為國。魏文帝諱昭，以昭君為明君。唐祖諱虎，以武為虎已矣；又凡言虎，率改為猛獸可乎。或去一字，如齊太祖諱道成，師道淵止稱師淵。或因一字而全文易之，如唐代宗諱豫，以豫章為鍾陵，署蕷為山藥已矣。或拆其一字，如晉高祖諱敬瑭，拆敬字為文氏、茍氏可乎。或避字之外又避其音，如宋高宗諱構，勾、鈎、茍皆避之。仁宗諱禎，真、貞、徵俱避之。隨筆中載有五十字之避之說，是何理耶？子孫避祖考之諱，理也。如淮南王父諱長，《淮南子》凡言長處悉曰修。蘇子瞻祖諱序，故以敍為序可也。而范曄以父名泰，而不拜太子詹事。呂希純以父名公著而辭著作郎。以至劉溫叟父名樂，而終身不聽絲竹，不游嵩岱㉔。徐積父名石，而平生不用石器，遇石不敢踐之。此可謂不近人情。

不知韓文諱、勢、秉、機之誚矣㉕。後人避前賢之諱，亦理也。如元稹改陽城驛為避賢驛可矣㉖。鄭誠改浩然亭為孟亭，已覺有碍。以至皇后家諱，僭王父之諱，亦欲避之。如則天后父名華，改華州為泰州。章憲太后父名通，改通判為同判。朱温父名誠，以其類戊，改戊己為武己。楊行密父名怤，與夫同音，而於御史大夫、光祿大夫直去夫字。此皆真可笑而可尤者也。況古人避諱改字，又有義焉。如司馬遷父名談，改談為同。漢帝名莊，改莊為嚴。殊不知談、莊古與同、嚴一音，所以取也，豈後之謬哉。

所舉避諱之說很是詳盡。郎瑛因受時代的限制，認爲「臣下避君上之諱」「子孫避祖考之諱」「後人避前賢之諱」，都是「理也」。但如「范曄以父名泰，而不拜太子詹事」，「徐積父名石，而平生不用石器，遇石不敢踐之」，「可謂不近人情」。鄭誠爲避唐詩人孟浩然諱，改浩然亭爲孟亭，郎瑛認爲「已覺有碍」，因爲既避其名，却又犯其姓。他如皇后家諱，僭王父諱，郎瑛認爲「此皆眞可笑而又可尤者也」，因爲他們不是正統的。

《七修類稿》卷二十一辯證類又有論諱飾一則云：

阿堵，當時方言，若今之這里也。王衍口不言錢，家人特試之，以錢繞床，使不能行。因曰，「去阿堵物」㉗。顧愷之每畫人成，多不點睛，謂曰，「傳神寫照，正在阿堵間。」後人遂以錢為阿堵，眼為阿堵。每以語人，人尚疑之。昨見《雲谷雜記》，又引殷浩見《佛經》曰，「理亦應阿堵上。」桓温同謝安、王坦之登新亭，大陳兵衛，欲於座上害安。安擧目遍歷曰，「諸侯有道，守在四鄰，明公何須壁間着阿堵輩！」援此為證。

王衍口不言錢，而說阿堵物（意思是這個東西），可以說是諱飾。至如顧愷之、謝安之說阿堵，却是用代詞。這是應該分清楚的。

《七修類稿》卷三十九詩文類「蘇若蘭織錦璇圖詩」云：

幼聞秦竇滔之妻蘇若蘭有《織錦璇圖詩》，言止八百，而詩可讀數百首。予以此特假文逞技，殆玉連環、錦纏枝之類歟。又聞成化間，北海仇東之色界句分其圖，成詩二百六十篇，心雖異而猶未信也。乃見衍聖公藏本載唐則天氏記云，「可讀二百餘篇。」遂按圖求之，止可初讀數首而已。後見宋刻黃山谷序者，云楊文公讀至五百餘篇，題曰「千詩織就回文錦，如此陽臺暮雨何。亦有英靈蘇蕙子，只無悔過竇連波。」據是，可讀千首矣。予驚且嘆曰：是何女子之慧哉，殆鬼工耶，抑仙才耶，古今才子亦有是思也耶，不可得而知也。又二十年，復得一本，乃皇朝起宗和尚經禪之暇，紬繹是篇，分為七圖，一百四十七段，得三四五六七言之詩至三千七百首，星羅棋布，爍然明白。某王府從而刻之，並具讀法。然其文之故典、人名、古詩、程語、絲紛綱結，雖錯雜聯絡，而音律暢協，反復成章也已。七言雖似牽強，而三四六言宛若天成者多矣。嗚呼！蔡琰、崔鶯，不過一文婦耳，世傳慕之，非以其行也。若蘭史載《烈女》，文無可匹，真天壤間之異人耳。每詢士夫，圖亦罕見，況知其事者乎。特序而志之於稿，略少抑揚，使他日讀者亦默而識之也。

這似乎是一篇序文，文中歷述蘇若蘭《織錦回文詩》可以讀成的首數，由於得到各家文字的指示，竟由數百首至於數千首，「而音律暢協，反復成章。」郎瑛力贊若蘭，「文無可匹，眞天壤間之異人耳。」

關於回文，我還是贊同陳望道先生的意見：雖是難能，但並不可貴。

九、何孟春《餘冬詩話》

何孟春的《餘冬詩話》，全書只有一萬四千餘字，分上下二卷。卷上云：

《青箱雜記》：「文章有兩等：山林草野之文，其氣枯槁，著書立言者之所尚也；朝廷臺閣之文，其氣溫潤，演綸視草者之所尚也。」王安國曰：「文章格調，須是官樣，今樂藝亦有兩般：教坊則婉媚風流，外道則《鹿鳴》嘲哳，村歌社舞，抑又甚焉。亦與文章相類。」《麓堂詩話》：「朝廷典則之詩，謂之臺閣氣；隱逸恬澹之詩，謂之山林氣。此二氣者，須有其一。」又曰：「作山林詩易，作臺閣詩難，山林詩或失之野，臺閣詩或失之俗，野可犯，俗不可犯也。」

這裏談論到詩文的風格。風格和辭格同屬於積極修辭，但古來談修辭，談辭格的多，談風格的少。陳望道先生也說他的《修辭學發凡》，談論風格的太少了。（見《復旦學報》社會科學版一九七九年第一號陳望道先生遺作《關於修辭學的一篇講辭》）何孟春所謂山林野草之文與朝廷台閣之文，也就是現在所謂山林文學和廊廟文學。何氏又說：「古雅樂既不傳，俗樂又不足聽，今所聞者，惟一派中和樂耳。詩家聲韵，縱不能彷彿賡歌之美，亦安得庶幾一代之樂也哉！」他談到聲韵，仍舊存在着崇古的偏見。

何孟春又著有《餘冬敍錄》一書㉘，卷之閏三詩文云：

文章敍事為難，敍事須文簡意足，語快而事詳，所以難也。宋人記三人論史法，會馬走過踐死一犬，云當作如何書？……

這是宋人沈存中的《夢溪筆談》等已經談論過的，何氏不過加以復述而已。

《餘冬詩話》卷上又云：

> 漢《柏梁臺詩》：「柤梨橘栗桃李梅。」韓退之《陸山渾火詩》：「鴉鴟鵰鷹雉鵠鵾。」陳后山《二蘇公詩》：「桂椒枏櫨楓柞樟。」七物為句，亦偶用耳。或謂詩多用實字為美，誤矣。宋人詩話有極可笑者，引柳子厚《別弟宗》一詩，「欲知此後相思夢，長在荊門郢樹煙」，謂夢中安得見郢樹煙，此真癡人說夢耳。夢非實事，煙正其夢境模糊，欲見不可，以寓其相思之恨。

這裏所談論的有二點：一是詩句裏七個字全是名詞，何孟春所謂「七物爲句。」名詞，從前的人叫做實字，有人以爲「詩多用實字爲美」，何氏認爲「誤矣。」像上舉諸詩句，只是堆砌植物和動物（禽類）的名詞，「何美之有」呢？但如馬致遠的《天淨沙》：「枯藤老樹昏鴉，小橋流水人家，古道西風瘦馬，夕陽西下，斷腸人在天涯。」雖多用「實字，」却是好詞。至於第二點，指出宋人詩話謂夢中不得見郢樹煙的可笑，孟春的評論是對的。

《餘冬詩話》談論仿擬的地方特別多。如卷上云：

> 征戰之苦，漢文帝所謂「多殺士卒，傷良將吏，寡人之妻，孤人之子，獨人父母，得一亡十」者，盡之矣。李華《弔古戰場文》：「其存其歿，家莫聞之，人亦有言，將信將疑，睊睊心目，寢寐見之。」曲盡人生悲慘之意。陳陶詩：「可憐無定河㉙邊骨，猶是春閨夢裏人」，句意有得於此。

何孟春以陳陶《隴西行》一絕的後兩句，句意取自李華的《弔古戰場文》。確是不錯。但寫成詩句，也就更能感動人——不但感動人，而且成爲千古傳誦的名句了。

《餘多詩話》卷下云：

《侯鯖錄》載東禪院林酒仙詩：「聊與東風論个事，十分春色屬誰家？」其旨可味。晏叔原《與鄭俠詩》：「春風自是人間客，張主繁花得幾時！」殆可答林問矣。《全唐詩話》載牛僧孺和白樂天詩：「莫愁花笑老，花自幾多時！㉚」晏詩意殆出此。嚴憚與杜牧友善，其篇中有曰；「春花冉冉歸何處？更向花前把一杯。盡日問花花不語，為誰零落為誰開。」君子於世，何物作芥蒂耶！

何孟春於引述宋趙令疇的《侯鯖錄》等之後，都加上他自己的意見，並指出諸詩的互爲問答和祖述。唐王駕《晴景》詩：「蛺蝶飛來過牆去，却疑春色在鄰家，」當是林詩所本。又歐陽修《蝶戀花》詞：「淚眼問花花不語，亂紅飛過千秋去，」却是祖述嚴詩。

《餘多詩話》卷下又云：

陶淵明《歸田園詩》，有「歡來苦夕短，已復至天旭」之句。其《怨詩》又云：「造夕思鷄鳴，及晨願烏遷」，情事不同如此。張茂先「居歡惜夜促，在慼怨宵長」，有是哉？

何孟春所擧諸家的詩句，是値得比較和欣賞的。《歸田園詩》兩句只是一意，下一句的句意連接上一句。《怨詩》下一句轉入另一境界，句意婉曲，寫出了矛盾的心情。茂先詩寫夜促和宵長，只是相對的感覺，卽心理學所謂錯覺。何氏但說「情事不同如此」、「有是哉」，是不夠明白的。

同書卷下又云：

閭巷小兒傳唱：「花開花謝年年有，人老何曾再少年！」語意極鄙俚，然亦自有動人者。劉希夷代悲白頭翁詩：「……年年歲歲花相似，歲歲年年景不同。……。」情寄與前俚曲何異？……李太白《問月》詩，「今人不見古時月，今月曾經照古人，古人今人若流水，借看明月皆如此。」亦是此意，而文之聲律且無冗贅之失。李劉高下其不有間乎！

他認爲俚歌雖覺鄙俚，却也能感動人；不但能感動人，而且竟被名家所「取意」了，因此人們對俚歌也就不能不刮目相看了。

《餘冬詩話》卷下也談到沈佺期詩「船如天上坐，人向鏡中行」之句被李、杜所蹈襲，這是宋人詩話已經說過的。又有一則論仿擬云：

李太白詩，「孤帆遠影碧空盡，惟見長江天際流」，謝元暉「天際識歸舟」句也。崔灝詩，「晴川歷歷漢陽樹，芳草萋萋鸚鵡洲」，元暉「雲中辨江樹」句也。謝句，崔李於黃鶴樓上正自有所見耶？

何孟春這一問眞是問得好，到底李白和崔灝，是蓄意祖述謝句呢？還是眞的在黃鶴樓上自己有所見而寫的呢？這只有他們自己才能知道。

十、楊愼《升庵詩話》與《詞品》

楊愼號稱明代第一才子，著有詩文雜著百餘種，《升庵集》八十一卷。據《明史》載：「明世記誦之博，著作之富，推愼第一。」其《升庵詩話》和《詞品》二書，都有論及修辭的地方。

《升庵詩話》卷一「月黃昏」云：

> 林和靖《梅詩》：「疏影橫斜水清淺，暗香浮動月黃昏。」《葦航紀談》云：黃昏以對清淺，乃兩字非一字也。月黃昏，謂夜深香動，月為之黃而昏，非謂人定時也。蓋晝午後，陰氣用事，花房斂藏；夜半後，陽氣用事，而花敷蕊散香，凡花皆然，不獨梅也。

楊氏引《葦航紀談》，以爲「黃昏」對「清淺」，乃各是兩個辭而不是一個辭。同代俞弁的《逸老堂詩話》卷二，也談論到這兩句詩，却持着相反的意見。他說：「林和靖梅詩：『疏影橫斜水清淺，暗香浮動月黃昏。』議者以黃昏難對清淺。楊升庵《丹鉛續錄》云：『黃昏謂夜深香動月爲之黃而昏，非謂人定時也。』余意二說皆非，豈詩人之固哉！梅花詩往往多用月落參橫字，但冬半黃昏時參橫已見，至丁夜則西沒矣，和靖得此意乎！」關於咏梅詩，俞弁又有所論云：「梅花格高韵勝，見稱於詩人吟咏多矣，自和靖香影一聯爲古今絕唱，近見王涵峰履約詩云：『傍水濃開落影斜，依稀遙認雪中花。何如西子春江上，淡掃峨眉自浣紗。』《許理齋詩話》謂其咏梅當以神仙比之，可以自況，比之婦人，則非也。余閱《木天禁語》有借喻格，如咏婦人，必借花爲喻；咏花者，必借婦人爲比。如王荊公《咏梅》詩云：『額黃映日明飛燕，肌粉含風冷太眞。』東坡云：『春入西湖到處花，裙腰芳草傍山斜，盈盈解佩臨湘浦，脈脈當壚賣酒家。』蕭東之云：『湘妃危立凍蛟背，海月冷掛珊瑚枝。』皆借喻也，許子失於考耳。余友江陰曹毅之弘，號方湖，《咏梅》一絕，殊有風致：『清香疏影獨踟躕，脈脈黃昏思有餘，恰似文君新寡後，不施脂粉嫁相如。』亦借喻格也。」（《逸老堂詩話》卷二）許理齋以爲咏梅當以自況，不應「比之婦人。」俞弁引《木天禁語》中的借喻格，以辨其失：「如咏婦人，必借花爲喻；咏花者，必借婦人爲比。」這就是我們所謂比擬辭格中的擬物法和擬人法。

《升庵詩話》卷十二論集句云：

亡友安公石，嘉州人，妙於集句，以「鱸魚正美不歸去」對「瘦馬獨吟真可哀」，又「請君酌我一斗酒」，「與爾共消萬古愁，」（李義山句）「樓上花枝笑獨眠。」「梁間燕子聞長嘆，」又（劉長卿）「水國蓮花府，」（韓翃）「雲帆楓樹林。」（杜工部）又集杜句弔葉叔晦，讀者為之泣下。其詩云：「臨江把臂難再得，便與先生成永訣。文章曹植波浪闊，死為星辰亦不滅。老去新詩誰與傳？男兒性命絕可憐！出門轉盼已陳跡，妻子山中哭向天，中夜起坐萬感集，人生有情淚沾臆！鳳凰麒麟安在哉？石田茅屋荒蒼苔。君不見空牆日色晚，悲風為我從天來。」

楊愼說他的亡友安公石妙於集句，但所舉前二對却是不工整的。「歸去」是同義複辭，而「可哀」則不是。且「歸」，古人所謂實字，而「可」却是虛字，也不成對。還有「酌我」與「同消」尤其不成對。又集杜句弔葉叔晦，讀者也不見得便會「爲之泣下」。楊氏所論，未免言過其實了。

《升庵詩話》卷五「唐詩絕句誤字」云：

唐詩絕句，今本多誤字，試舉一二。如杜牧之《江南春》云：「十里鶯啼綠映紅」。今本誤作「千里」。若依俗本，千里鶯啼，誰人聽得；千里綠映紅，誰人見得。若作十里，則鶯啼綠紅之景，村郭樓臺，僧寺酒旗，皆在其中矣。又《寄揚州韓綽判官》云：「秋盡江南草未凋」。俗本作「草木凋」。秋盡而草木凋，自是常事，不必說也；況江南地暖，草木不凋乎？此詩杜牧在淮南而寄揚州人者，蓋厭淮南之搖落，而羨江南之繁華。若作「草木凋」，則與青山明月，玉人吹簫，不是一套事矣。余戲謂「此二詩絕妙。十里鶯啼，俗人添一撇壞了；草未凋，俗人減一劃壞了。甚矣，士俗不可醫也。」又如陸龜蒙《宮人斜詩》云：「草着愁煙似不春。」只一句，便見墳墓淒惻之意。今本作「草樹如煙似不春。」草樹如煙，正是春景，如何下得「不春」字？讀者往往忽之，亦食不知味者也。

他的本意雖然是指斥誤字的不可解，但其實是在論煉字、作推敲了。宋人詩話能像這樣說明原委的就比較少見了。

同卷又有「唐詩不厭同」一則論仿擬云：

唐人詩句，不厭雷同，絶句尤多。試舉其略，如「忽見陌頭楊柳色，悔教夫婿覓封侯。」王昌齡《春閨怨》也。而李頎《 春閨怨 》亦云：「紅粉女兒窗下羞，畫眉夫婿隴西頭，自怨愁容長照鏡，悔教征戍覓封侯。」

王昌齡《春閨怨》的前兩句是：「閨中少婦不知愁，春日凝妝上翠樓。」全詩寫春歸人未歸，所以「悔教」云云。李頎《春歸怨》寫那少婦對鏡自憐，所以也「悔教」云云。「愁容」一作「冶容」，是。容貌雖冶艷，却無人爲畫眉，所以「自怨」。若果是「愁容」，則何以「自怨」？且愁與怨也犯意義相重。李頎是唐開元年間進士，王昌齡有聲於開元、天寶間，兩人差不多是同時，不知是誰蹈襲誰的詩句？

升庵又著《詞品》六卷。卷之四有「李知幾」一則云：

李石，字知幾，號方舟，蜀之井研人。文章威備，有《續博物誌》。詞亦風致。《草堂》選「烟柳疏疏人悄悄」，其《夏夜》詞也。《贈官妓》詞有「暖玉倚香愁黛翠，勸人須要人先醉，問道明朝行也未？猶自記燈前背立偷垂淚。」好事者或改「偷」為「佯」。

這一則也可以說是論煉字，但楊愼沒有提出他對好事者改「偸」爲「佯」的意見。既說是「背立」，便應當用「偸」字；因爲偸垂淚是怕人看見的，所以須背立。若是佯垂淚，正欲人知，只怕人不看見，又何必背立呢？這是極易理解的。

《詞品》卷之一又有「關山一點」論煉字云：

杜詩：「關山同一點」，「點」字絕妙。東坡亦極愛之，作《洞仙歌》云：「一點明月窺人」，用其語也。《赤壁賦》云：「山高月小」，用其意也。今書坊本改「點」作「照」，語意索然。且「關山同一照」，小兒亦能之，何必杜公也。幸《草堂詩餘》注可證。

升庵認爲一點勝於一照。一點指月之形，一照指月之光。「關山同一點」，謂關山遼闊，共此嬋娟，意境可以想像而得。若作一照，便「語意索然」，確如升庵所說。

《詞品》和一般的詩話筆記一樣，論仿擬的辭格特別多。如卷之一「歐、蘇詞用選語」云：

歐陽公詞：「草薰風暖搖征轡」，乃用江淹《別賦》「閨中風暖，陌上草薰」之語也。蘇公詞：「照野瀰瀰淺浪，橫空曖曖微霄」，乃用陶淵明「山滌餘靄，宇曖微霄」之語也。填詞雖於文為末，而非自選詩、樂府來，亦不能入妙。李易安詞：「清露晨梳，新桐初引。」乃全用《世說》語。

「草薰」句語出歐陽修《踏莎行》。《詞品》卷之一又有論「草薰」云：「佛經云：『奇草芳花，能逆風聞薰。』江淹《別賦》：『閨中風暖，陌上草薰。』正用佛經語。《六一詞》云：『草薰風暖搖征轡』，又用江淹語。今《草堂》詞改「薰」作「芳」，蓋未見《文選》者也。」「照野」「橫空」二句，語出蘇軾《西江月》，所據「山滌」「宇曖」二句，語出陶潛《時運》篇。李清照《念奴嬌》詞「清露晨梳（一作流），新桐初引」二句，楊愼指其「全用《世說》語」。

同卷又有「歐詞、石詩」云：

> 歐陽公詞：「平蕪盡處是春山，行人更在春山外。」㉛石曼卿詩：「水盡天不盡，人在天盡頭。」歐與石同時，且為文字友。其偶同乎？仰相取乎？」

陳霆《渚山堂詞話》卷一云：「歐公有句云：『平蕪盡處是春山，行人更在春山外。』陳大聲體之，作《蝶戀花》，落句云：『千里青山勞望眼，行人更比青山遠。』雖面目稍更，而意句仍昔。然則偷句之鈍，何可避也。予向作《踏莎行》，末云：『欲將歸信問行人，青山盡處行人少。』或者謂其襲歐公。要之字語雖近，而用意則別。此與大聲之鈍，自謂不侔。」又明楊眉庵《落花》詞云：「綠陰深樹覓啼鶯，鶯聲更在深深處，」意雖不同，但同一句法。陳霆對於那些喜歡學古與強和古人的詞作，都表示不滿。《渚山堂詞話》卷之一又云：「《秋晚曲》寄《謁金門》，劉伯溫作也。首云：『風嫋嫋，吹綠一庭秋草。』為語亦佳。然則『風乍起，吹皺一池春水』格耳。以二言細較，劉公當退避一舍。」他指出劉伯溫的《謁金門》祖述馮延己的《謁金門》，但仿作不如原作。這是指仿句而說，至於仿意，則是出自王安石的「春風又綠江南岸」。陳霆對秦少遊的仿作，特別賞識，他說：「少遊《八六子》尾闋云：『正銷凝，黃鸝又啼數聲。』唐杜牧之一詞，其末云：『正銷魂，梧桐又移翠陰。』秦詞全用杜格。然秦首句云：『倚危亭。恨如芳草萋萋，剗盡還生。』二語妙甚，故非杜可及也」。(《渚山堂詞話》卷一)殊不知他所賞識的秦詞二語，原出自李煜的《清平樂》：「離恨恰如春草，更行更遠還生。」

《詞品》卷之一有「齊己詩」一則云：

僧齊己詩：「重城不鎖夢，每夜自歸山。」宋人小詞：「金門不鎖夢，隨意繞天涯。」

趙令時《烏夜啼》(一作《錦堂春》)云：「重門不鎖相思夢，隨意繞天涯。」齊己、唐人，趙、宋人，當是趙詞蹈襲齊己詩無疑。淸王士禎則又以爲「『重門不鎖相思夢，隨意遶天涯，』與『枕上片時春夢中，行盡江南數千里』同一機杼，然趙詞較勝岑(參)詩。」准此，則趙令時所蹈襲的有二家，一蹈襲其辭，一蹈襲其意。

同卷「秋盡江南葉未凋」云：

賀方回作《太平時》一詞，衍杜牧之詩也。其詞云：「秋盡江南葉未凋，晚雲高。青山隱隱水迢迢，接亭皋。二十四橋明月夜，弭蘭橈。玉人何處教吹簫？可憐宵。」按此，則牧之本作「葉未凋」。今妄改作「草木凋」，與上下意不相接矣。幸有此可正其誤。

杜牧《寄揚州韓綽判官》詩云：「青山隱隱水遙遙，秋盡江南草木凋。二十四橋明月夜，玉人何處教吹簫？」賀方回作《太平時》詞，竟把這四句都塡了進去，據爲已有。楊愼以明本《樊川文集》作「草木凋」，乃是時人妄改的，因據賀詞以正其誤。殊不知宋本《樊川文集》也作「草木凋」；且賀詞既可改「水遙遙」爲「水迢迢」，又怎知其不改「草木凋」爲「葉未凋」呢？楊愼未免倒果爲因了。《樊川集》中有作「草木凋」的，却未見有作「葉未凋」的，足證「葉未凋」乃是賀方回所改。段玉裁《與阮芸臺書》云：「杜牧之『秋盡江南草木凋』，本作『草未凋』，坊本尚有不誤者；作「草木凋」尚何意味哉？」（《經韵樓集》卷八）繆鉞先生則以爲「專就一句論，固然是『草未凋』意味較好，但是從全首意思來看，杜牧這首詩是『厭江南之寂寞，思揚州之歡娛，情雖切而辭不露』（謝枋得注釋《選唐詩》卷三），而『秋盡江南草木凋』，正是說明寂寞，似不必改爲『草未凋』。」（人民文學出版社出版《杜牧詩選》注解）又周密《瑶華》詞：「杜郎老矣，想舊事花須能說。記少年一夢揚州，二十四橋明月。」這是引用而非蹈襲。

《詞品》卷之三「張仲宗詞用唐詩語」云：

張仲宗，號蘆川，填詞最工，其《踏莎行》云：「芳草平沙，斜陽遠樹。無情桃葉江頭渡。醉來扶上木蘭舟，將愁不去將人去。薄劣東風，夭斜落絮，明朝重覓吹笙路。碧雲香雨小樓空，春光已到銷魂處。」唐李端詩：「江上晴樓翠靄間，滿闌春水滿牕山。青楓綠草將愁去，遠入吳雲暝不還。」此詞「將愁不去將人去」一句反用之。

其實，辛棄疾《祝英臺近》一詞，已反用過唐人詩意了。詞云：「是他春帶愁來，春歸何處？却不解帶將愁去。」宋陳鵠《耆舊續聞》云：「辛幼安詞：『是他春帶愁來，春歸何處？又不解帶將愁去。』人皆以爲佳，不知趙德莊《鵲橋仙》詞云：『春愁元自逐春來，却不肯隨春歸去。』蓋德莊又本李漢老《楊花》詞：『驀地便和春帶將歸去。』大抵後輩作詞，無非前人已道底句，特善能轉換耳。」原來輾轉沿襲，已不止一次了。

《詞品》卷之一有「宋武帝《丁都護歌》」㉜論用典一則云：

宋武帝《丁都護歌》云：「都護北征時，儂亦惡聞許。願作石尤風，四面斷行旅。」又云：「都護北征去，相送落星墟。帆檣如芒檉，都護今何渠。」唐人用「丁都護」及「石尤風」事，皆本此。

這是論引用辭格。李白有《丁都護歌》云：「雲陽上征去，兩岸饒商賈。吳牛喘月時，拖船一何苦！水濁不可飲，壺漿半成土。一唱《都護歌》，心催淚如雨。萬人鑿盤石，無由達江滸。君看石芒碭，掩淚悲千古。」按此詩描繪開鑿芒碭二山盤石，以船裝運，天旱水濁，船行不得，船夫苦不堪言，與《丁都護歌》題意無關，這可能是李白誤用故事。王琦以爲是借督護來指監督搬運的官吏，這說法恐怕是難以取信於人的。石尤風也作石郵風。楊億詩有「石郵風㉝惡客心驚」的句子，也沒有取《丁都護歌》「四面斷行旅」的本意。

《詞品》卷之三有「秦少遊贈樓東玉」云：

秦少游《水龍吟》贈營妓樓東玉者，其中「小樓連苑」，及換頭「玉佩丁東」，隱樓東玉三字。又贈陶心兒「一鈎殘月帶三星」，亦隱「心」字。山谷《贈妓》詞：「你共人，女邊著子。爭知我，門裏添心。」亦隱「好悶」二字云。

秦少遊《水龍吟》詞，將「樓東玉」三字分別塡入詞中，這三個字旣關顧到營妓的名字，又關顧到小樓、玉佩、丁東等辭意，是雙關辭。少游贈陶心兒詩和山谷《贈妓》詞，都是析字格，用的是化形析字。當時還沒有雙關、析字這兩個辭格的名稱，所以楊愼只說是隱字。

楊愼的《丹鉛總錄》也偶談到修辭，如卷十三訂訛類「湘潭雲盡暮烟出」云：

> 劉涇巨濟收許渾手書詩：「湘潭雲盡暮烟出。」今本「烟」作「山」，細思之，烟字為勝。

同代胡應麟却有不同的看法，他說：「山字勝，烟字非也。雲盡而山出，語意自然，易以烟，不贅乎？覩下句對『巴蜀雪消春水來』，氣脈可見。卽烟字果渾手書，吾弗許也。」（《藝林學山》五）

《丹鉛總錄》卷三時序類云：

> 郭象《莊子》注多俊語，如云：「煖焉若春陽之自和，故澤榮者不謝；淒乎如秋霜之自降，故凋落者不怨。」李白用其語為詩，「草不謝榮於春風，木不怨落於秋天。」

這是論仿擬。楊愼只說李白「用其語（卽郭象注《莊子》語）爲詩」，其實是辭與意兼收並蓄，極盡模擬之能事的。

十一、何良俊《四友齋叢說》

何良俊《四友齋叢說》初稿三十卷，刻於隆慶三年（一五六九），續稿八卷，計三十八卷；重刻於萬曆七年（一五七九）。何氏藏書四萬卷，旰宵勤求，「二十年不下樓」（《明史》），博學多聞，涉獵極廣。《四友齋叢說》全書分爲十七類，其中文一卷，詩三卷，頗有涉及修辭的言論。何氏學問雖博，但《四友齋叢說》間亦有抄襲前人的著作，如卷之二十六詩三有賈島、李白、羅隱、潘閬四人名詩謎一則，全襲宋人詩話。

訶氏也是主張崇古、學古的。《四友齋叢說》卷之二十三詩一云：

> 《詩》有四始，有六義，今人之詩與古人異矣，雖其工拙不同，要之六義斷不可闕者也。苟於六義有合，則今之詩猶古之詩也；六義苟闕，卽古人之詩何取焉？余觀孔子所定三百篇，雖淫奔之辭，猶存之以備法鑒，則其所去者，正所謂於六義有闕者是也。況六義者，旣無意象可尋，復非言筌可得，索之於近，則寄在冥邈；求之於遠，則不下帶衽，又何怪乎今之作者之不知之耶？然不知其要則在於本之性情而已；不本之性情，則其所謂托興引喻與直陳其事者，又將安從生哉？今世人皆稱盛唐風骨，然所謂風骨者，正是物也，學者苟以是求之，則可以得古人之用心，而其作亦庶幾乎必傳。若捨此而但求工於言句之間，吾見其愈工而愈遠矣。

他認爲作詩不可無六義，學古須得古人之用心，並不是但求工於言句之間而已。這和「師其意而不師其文」的主張，是一致的。他又認爲作詩首尾須照應，血脈須連屬，才能妥貼。他指出「今人但模仿古人詞句，飣餖成篇，血脈不相接續，復不辨有首尾，讀之終篇，不知其安身立命在於何處。」《四友齋叢說》卷之二十三文小序云：

> 孔子曰：「言之不文，其行不遠。」陳思王曰：「富貴有時而盡，榮樂止乎其身，二者必至之常期，唯文章爲不朽。」文章之於人，豈細故哉？夫子又曰：「質勝文則野，文勝質則史，文質彬彬，然後君子。」今之爲文者，其質離矣。夫去質而徒事於文，其卽太史公所謂「務華絕根」者耶？善乎皇甫百泉之言曰：「寄興非遠而軰悅其辭，持論不洪而枝葉其說，以此言詩與文，失之千里矣。」其今世學文者之針砭耶？

何良俊雖博學，但所引《典論・論文》，文字上頗有出入之處，甚至連作者曹丕也誤指爲曹植了。不過，他對於棄質務華者的批評却是正確的。後來他又引皎然《詩式・取境篇》的話，「無鹽闕容而有德，曷若文王太姒有容而有德乎？」又云：「取境之時，須至難至險，始見奇句。」「此是詩家第一義諦。」（《四友齋叢說》卷之二十四詩一）則又似乎主張詩文無妨華飾和奇巧了。

又卷之二十三文云：

楊升庵曰：孔子云「辭達而已矣」，恐人之溺於修辭而忘躬行也。今世淺陋者，往往借此以為說，如《易》《傳》《春秋》，孔子之特筆，其言玩之若近，尋之益遠；陳之若肆，研之益深，天下之至文也。豈止達而已哉？譬之老子云「美言不信」，而五千言豈不美耶？其言美言不信者，正恐人專美言而不信也。佛氏自言不立文字，以綺語為罪障，如《心經》《六如偈》之類，後世談空寂者，無復有能過之矣。

何氏引楊愼的話，以爲孔子雖主「辭達而已矣」，但是他的著作却不止辭達而已。又譬如老子說「美言不信」，而《道德經》五千言豈不美耶？」這是襲取《文心雕龍・情采》篇的話：「老子疾僞，故稱美言不信，而五千精妙，則非棄美矣。」何氏認爲上引孔子和老子的話只是站在某一個角度說的，不能據此便以爲二子反對美辭。這與文小序所論的，似乎頗有矛盾了。

卷之二十六詩三云：

熊軫峰名宇，字元性，長沙人也。性高簡，能文，工詩，……嘗作絕句二首贈余。其一曰：「文章如畫界，中有支天山。覺我道區明，經緯恢儒寰」。其二曰：「文章如白璧，春露圍玉蘭。與子共雕琢，澤物脈溥溥。

引述了他的朋友熊軫峰論修辭的詩句之後，何良俊自謂「其所以屬望於某者特厚，常恨志業不遂，終無以報先生矣。」他是恨不得來和他的朋友「共雕琢」的了。

卷之二十三「文」云：

山谷云：「章子厚嘗為余言，《楚辭》蓋有所祖述。余初不謂然。」子厚遂言曰：「《九歌》蓋取諸《國風》，《九章》蓋取諸《二雅》，《離騷》經蓋取諸《頌》。」余聞斯言也，歸考之，信然。

他引黃山谷的話，以爲《楚辭》祖述《詩經》。並稱贊山谷「妙解文章之味……千載一人也。」卷之二十四詩一又云：

楊升庵云：唐人詩主情，去三百篇近。宋人詩主理，去三百篇遠。匪惟作詩，其解詩亦然。如唐人《閨情》云：「裊裊庭前柳，青青陌上桑。提籠忘採葉，昨夜夢漁陽。」卽《卷耳》詩首章之意也。又曰：「鶯啼綠樹深，燕語雕梁晚。不省出門行，沙場知近遠。」又曰：「漁陽千里道，近於中門限。中門逾有時，漁陽常在眼。」又曰：「夢裏分明見關塞，不知何路向金微？」又曰：「妾夢不離江上水，人傳郎在鳳皇城。」卽《卷耳》詩後章之意也。

他引楊愼的話，說唐人詩主情，近於《詩經》，並舉唐人《閨情》詩仿擬《周南・卷耳》篇爲例。《閨情》詩起頭四句確是仿擬《卷耳》詩首章「采采卷耳，不盈頃筐。嗟我懷人，置彼周行」之意；《閨情》詩後篇與《卷耳》詩後章「陟彼砠矣，我焉瘏矣！我僕痛矣！云何吁矣！」二者都是詩人想念游子之辭，唐人《閨情》詩後篇，由《卷耳》詩後章脫胎而出，非常明顯。

卷之二十四詩一又論仿擬云：

> 楊升庵云：《古樂府》暫出白門前，楊柳可藏烏。歡作沉水香，儂作博山爐。」李白用其意，衍為《楊叛兒歌》曰：「君歌《楊叛兒》，妾勸新豐酒。何許最關情，烏啼白門柳。烏啼隱楊花，君醉留妾家。博山爐中沉香火，雙煙一氣凌紫霞。」《古樂府》：「朝見黃牛，暮見黃牛，三朝三暮，黃牛如故。」李白則云：「三朝見黃牛，三暮行太遲，三朝又三暮，不覺鬢成絲。」《古樂府》云：「郎今欲渡畏風波。」李白云：「郎今欲渡緣何事，如此風波不可行。」《古樂府》云：「春風復多情，吹我羅裳開。」李反其意云：「春風復無情，吹我夢魂散。」古人謂李詩出自樂府，信矣。其《楊叛兒》一篇，卽「暫出白門前」之鄭《箋》也。

一樣是蹈襲，以其出自李白，便說是「因其拈用，而樂府之意益顯，其妙益見，如高僧拈佛祖語，信口道出，豈生呑義山、拆洗杜甫者比哉！」(同上)

《四友齋叢說》卷之三十六爲「考文」，其一云：

> 杜牧之詩，「遠上寒山石徑斜，白雲生處有人家。」亦有親筆刻在甲秀堂帖中。今刻本作深，不遠生字遠甚。

何良俊認爲「深」不如「生」，但沒有說出其道理。賈島的《尋隱者不遇》詩「雲深不知處」，有人以爲是祖述杜牧這一首《山行》詩。若然，則杜牧原詩也可能是「白雲深處有人家。」但何氏既說是看到杜牧的親筆，這便不是生字與深字的優劣問題了。

同卷又有考文一則，所討論的也是煉字：

蘇長公《赤壁賦》，「惟江上之清風與山間之明月，耳得之而為聲，目遇之而成色，取之無禁，用之不竭，是造物者之無盡藏也，而吾與子之所共食。」本作「食」字，有墨跡在文衡山家，余親見之。今刻本作「適」。然「適」字亦好，或長公自加改竄耶？然不可考也。

這裏的「食」，當如《漢書・谷永傳》「不食膚受之愬」的食，是享受的意思。適，當如《詩・鄭風・野有蔓草》「邂逅相遇，適我願兮！」的適，是恰如其意，正中下懷的意思。看來兩個字在這裏都適合，而用「適」字更加流暢。同卷考文又有數則論煉字云：

書籍傳刻，易至訛舛，亦有經不知事之人妄意改竄者。如王右丞《敕賜櫻桃詩》：「總是寢園春薦後，非關御苑鳥銜殘。」《文苑英華》本作「才」，是。蓋「才」字與下句方有照應，總字有何意義？既經俗人一改，遂傳誤至今。乃知書籍中，此類甚多，惜無人為之辨證耳。《五十家唐詩》李頎《題璿公山池》：「片石孤雲窺色相，清池皓月照禪心。」孤雲改作孤峰，皓月改作白月。夫既言片石，又曰孤峰，不免疊床架屋。若白月則前無所本，只是杜撰以啓後人換字之端。蓋唐詩為庸俗人所改，如此類甚多，其疑誤後學，可勝道哉！綦毋潛《題淨林寺頂山禪院》詩：「塔影掛清漢，鐘聲和白雲。」集本與諸選詩皆作和。《河岳英靈集》亦取「鐘聲和白雲」為警句。余初疑鐘聲如何與白雲相和，恐其未穩。後見《文苑英華》作「扣白雲」，乃知言寺之塔影掛於清漢，鐘聲出於白雲，則是扣於白雲之中也，以形容山頂之高，殊渾成，勝和字。

張王屋集唐雅、徐賢妃詩，「井上夭桃偷面色，檐前嫩柳覺身輕。余曰，覺字定誤，當是學字。蓋夭桃尚偷其面色，嫩柳猶學其身輕，始有意味，若覺字則索然矣。王屋曰是，遂刻作學字。

這四則或論照應，或論煉字，或推敲辭義，比較優劣，都能說出因由，且言之成理。這在宋人詩話中是不多見的，在明人詩話中也是難能可貴的。

他如同卷考文引韋蘇州《滁州西澗》詩「獨憐幽草澗邊行，尚有黃鸝深樹鳴」，指出今本行作生，尚作上，「則於我了無與矣。」所論雖好，却是宋人已經說過了的。

同卷考文又有一則論廋辭云：

廋辭，隱語也，世遂訛為庾辭。張王屋一日言，《漢書》中云庾死獄中。余曰，非庾死，乃廋死也。《論語》云：「人焉廋哉！人焉廋哉！」《說文》，廋字從廣義，從叟聲也，如庇庥庋庞之類，皆從廣，乃覆蔽隱匿之意。廋死，言人死於獄中，覆蔽隱匿，人莫明其狀也。但因庾廋字最相近，叟字臼字筆稍連。中間轉筆稍直，便成庾字矣。故此二字易於訛舛。今書籍中甚多，聊為正之。

廋辭，即隱語，是析字辭格的一種，這個辭兒的來歷是很古的，《國語・晉語》云：「有秦客廋辭於朝，卿大夫不知也。」何良俊指出《論語・爲政》篇的「人焉廋哉！」的廋字也是「覆蔽隱匿之意」。但歷來都將廋辭誤作庾辭，庾義訓倉，庾辭不可解。何氏指出庾廋二字字形近，易於訛舛。可作爲研究廋辭之一助。

十二、胡應麟《詩藪》

胡應麟的《詩藪》有涉及修辭研究的資料。他論詩雖喜歡奉王世貞的《藝苑卮言》爲圭臬，但詳徵博引，所論尚多中肯。其間也有先後矛盾的地方。如外編卷二論六朝詩云：「詩文不朽大業，學者雕心刻腎，窮晝極夜，猶懼弗窺奧妙，而以遊戲廢日可乎？孔融離合，鮑照建除，溫嶠回文，傅咸集句，亡補於詩，而反爲詩病。自玆以降，摹仿實繁，字謎、人名、鳥獸、花木、六朝才士集中，不可勝數：詩道之下流，學人之大戒也。」但同書外編卷四論唐詩下，却說：「蘇若蘭《璇璣詩》，宛轉反復，相生不窮，古今詫爲絕唱。余讀《高達夫集》，有《進王氏瑞詩表》云：琅琊王氏，於天寶二載撰回文詩八百一十二字，循環有數，若寒暑之推遷；應變無窮，謂陰陽之莫測。則亦當不在蘇下，而湮滅莫傳，殊可慨也！」他既然評回文詩之類，是詩道的下流，是廢時失日的無聊之作，却又讚嘆蘇若蘭的《璇璣詩》，婉轉反復；且引《高達夫集》裏的話，深惜王氏回文詩的湮滅莫傳：前後矛盾，竟到了這樣的地步。我們現在看回文、字謎這一類修辭的玩意兒，仿作大可不必，因爲我們沒有像古人那麼多的閒工夫；但如果把它們當作修辭學史的資料來研究，也是有志於此者所應做的一份工作吧。

胡應麟和王世貞等一樣，也主張法古。《詩藪》內編卷一古體上云：

《詩》三百五篇，有一字不文者乎？有一字無法者乎？《離騷》，《風》之衍也；《安世》，《雅》之纘也。《郊祀》，《頌》之閫也。皆文義蔚然，爲萬世法。惟漢樂府歌謠，采摭閭閻，非由潤色，然質而不俚，淺而能深，近而能遠，天下至文，靡以過之。後世言詩，斷自兩漢宜也。

又云：「文章非末技也，……語其極至，則源委於《六經》，澎湃於七國，浩瀚於兩都。西京下無文矣，非無文，文之至弗與也；東京後無詩矣，非無詩，詩之至弗與也。」（《詩藪》內編卷二古體中）既然今不如古，則法古之外，也就別無他途可循了。

關於文章的華麗與樸質，他以爲「漢人詩質中有文，文中有質，渾然天成，絕無痕跡，所以冠絕古今。魏人贍而不俳，華而不弱，然文與質離矣。晉與宋文盛而質衰，齊與梁文勝而質滅，陳隋無論其質，卽文無足論者。」（同上）這是就時代而論。若就韻文的體裁而論，他又認爲「無意於工而無不工者，漢之詩也；有意於工而無不工者，漢之賦；有意於工而不能工者，漢之騷。」（同上）

《詩藪》對於古代作家的修辭技巧所作的批評，還算公允。如內編卷一古體上云：

《騷》與賦句無甚相遠，體裁則大不同。《騷》複雜無倫，賦整蔚有序。騷以含蓄深婉爲尚，賦以誇張宏巨為工。

胡氏指出《騷》與賦體裁不同，修辭手法也各有所尚；《離騷》由於憂愁幽思而作，所以含蓄深婉；賦的作者以鋪飾揚才爲能事，所以多用誇張辭。又云：

漢遷詩若《上元》《太真》《馬明》，皆浮艷太過，古質意象毫不復存，俱後人僞作也。漢樂府中如《王子喬》及《仙人騎白鹿》等，雖間作麗語，然古意渟鬱其間。次則子建《五游》《升天》諸作，詞藻宏富，而氣骨蒼然。景純《游仙》，體格頓衰，尚多致語。下此無論矣。（同上）

他指出漢樂府雖「間作麗語」，但「古意渟鬱」，還是要得的。而「陳思王《野田黃雀行》，……漸遠漢人」，便「不免巧匠雕鐫」了。他以爲「漢詩如爐冶鑄成，渾融無跡，」而魏詩呢？「雖加雄贍，溫厚漸衰。阮公起建安後，獨得遺響，第文多質少，詞衍意狹。東、西京㉛則不然，愈樸愈巧，愈淺愈深。」（《詩藪》內編卷二古體中）他學例說：「子建《名都》、《白馬》、《美女》諸篇，辭極贍麗，然句頗尚工，語多致飾，視東、西京樂府，天然古質，殊自不同。」（同上）他認爲魏詩重藻飾，總不如兩漢的樂府詩古質自然。

宋以來的詩話作者，大多把杜甫看作是詩聖，喜歡談論他的修辭技巧。《詩藪》內編卷五近體中亦云：

> 老杜字法之化者，如「吳楚東南坼，乾坤日夜浮。」「碧知湖外草，紅見海東雲。」坼、浮、知、見四字，皆盛唐所無也，然讀者但見其閎大而不覺其新奇。又如「孤嶂秦碑在，荒城魯殿餘」、「古牆猶竹色，虛閣自松聲。」四字意極精深，詞極易簡，前人思慮不及，後學沾溉無窮，真化不可為矣。句法之化者，「無風雲出塞，不夜月臨關」、「露從今夜白，月是故鄉明」、「江山有巴蜀，棟宇自齊梁」、「近淚無乾土，低空有斷雲」之類，錯綜震蕩，不可端倪，而天造地設，盡謝斧鑿。篇法之化者，《春望》、《洞房》、《江漢》、《遺興》等作，意格皆與盛唐大異。日用不知，細味自別。

他以爲「盛唐句法渾涵如兩漢之詩，不可以一字求」，到了杜甫以後，才有像這一類的句法——「句中有奇字爲眼」的句法。他又以爲這是字的「眞化」。至於句法的「化」，篇法的「化」，杜甫的作品中也所在都有，他也學了例證。他對於杜詩太奇巧處，亦加以評騭，他說：「老杜用字入化者，古今獨步，中有太奇巧處，然巧而不尖，奇而不詭，猶不失上乘。如『孤燈然客夢，寒杵搗鄉愁』，則尖矣；

『流星透疏木，走月逆行雲』，則詭矣。」（同上）

《詩藪》也談論辭格。如內編卷三古體下論仿擬云：

> 平子《四愁》，優柔婉麗，百代情語，獨暢此篇。其章法實本風人，句法率由騷體，但結構天然，絕無痕跡，所以為工。後人句模而章襲之，適為厭飫之餘耳。

按後漢張衡的《四愁詩》，章法本於《詩經‧衞風‧木瓜》篇，又因每節起句都用「兮」字，故胡應麟評爲「句法率由騷體」。所謂「後人句模而章襲之」，是指宋人張載的《擬四愁詩》。

《詩藪》內編卷四近體上論重複云：

> 洪景盧云：作詩至百韻，詞意既多，故有失於檢點者。如杜老《夔府咏懷》，前云「滿坐涕潺湲」，後又云「伏臘涕漣漣」。白公《寄元微之》云，「無杯不共持」，又云「笑勸五辛酒」，「華樽逐勝移」，「飛風白玉卮」，「飲訝卷波遲」、「歸鞍酩酊馳」，「酡顏烏帳側，醉袖玉鞭垂」，「白醪供夜酌」，「嫌醒自啜醨」，「不飲長如醉」。一篇之中，說酒者十一句，皆不點檢之過也。按洪說作排律及長篇者，最所當知。第言酒，雖數聯並用，駢比一處，自不妨。若前後相犯，卽老杜所重字，亦詩家所忌。白之十餘酒中語，尤不成章也。

指出杜甫《秋日夔府咏懷奉寄鄭監審李賓客一百韻》以及白居易《寄元微之》詩都有前後重字或辭意相重，他以爲這是失於檢點，也是詩家所忌；如果數聯併用，駢比一處，這樣的重複便是無妨的。這說法恐怕難以使人信服。前面已不止一次說過：文字或辭意的重複，須是爲了情景的需要，或者爲了要强調某一事物，否則便是犯重了。

《詩藪》內編卷五近體中論誇張云：

杜《題柏》，「霜皮溜雨四十圍，黛色參天二千尺。」說者謂太細長，誠細長也，如句格之壯何！《題竹》，「雨洗娟娟淨，風吹細細香。」說者謂竹無香，誠無香也，如風調之美何！宋人《咏蟹》，「滿腹紅膏肥似髓，貯盤青殼大於杯。」《荔枝》，「甘露落來鷄子大，曉風吹作水晶團。」非不酷肖，畢竟妍醜何如？詩固有以切工者，不傷格不貶調乃可。

這一則所談論的，如杜甫《題武侯廟柏》詩，宋人已經討論過了，但胡應麟自有他自己的見解，而且是值得參考、可備一說的。

《詩藪》內編卷六近體下論含蓄（婉轉）云：

絕句最貴含蓄。青蓮「相看兩不厭，惟有敬亭山。」亦太分曉。錢起「始憐幽竹山窗下，不改青陰待我歸。」面目尤覺可憎，宋人以為高作，何也？

其實，錢起的詩句是比擬辭格的擬人法，又有什麼可憎呢？

《詩藪》外編卷四唐下云：

蘇伯玉妻《盤中詩》，謂宛轉書於盤中者，則當亦回文之類。今其詩在，絕奇古，如「空倉雀，常抱㉟饑。吏人妻，夫見希。黃者金，白者玉。姓者蘇，字伯玉，家居長安身在蜀。」皆三七言，不知當時盤中書作何狀，必他有讀法，不可考矣。

宋嚴羽著《滄浪詩話》，載《盤中詩圖》。《盤中詩》的讀法，詩中曾有指示：「當從中央周四角。」《滄浪詩話》，明正德間已有尹嗣忠的校刻本。胡應麟《詩藪》作於萬曆年間，却未讀到尹刻本，所以不知「當時盤中書作何狀，」也不知《盤中詩》的讀法㊱。

十三、胡震亨《唐音癸籤》

明代唐詩研究家胡震亨著《唐音統籤》，凡十籤，計一千零二十卷，以十干爲紀，自《甲籤》至《壬籤》錄唐詩，《癸籤》則是談論唐詩的詩話，雖多收集宋、明詩話筆記而來，但有時也提出了自己的意見。鄭振鐸氏《刼中得書續記》，指出《唐音癸籤》所收的詩話筆記，其中有一些是今日不易得見之本。

《唐音癸籤》卷七錄杜牧引李戡語云：

> 元、白詩纖艷不逞，流於民間，疏於屛壁，子父女母，交口教授，淫言媟語，冬寒夏熱，入人肌骨，不可除去，非莊人雅士，多為其破壞。

胡震亨的按語，指出「此似指兩家（元稹和白居易）新作艷辭而言」，並不是泛指兩家全部的詩。又引陳繹曾的話說：「白詩祖樂府，務欲爲風俗之用。元與白同志。白意古詞俗，元詞古意俗。」胡氏的按語說，「樂府古與俗正可無論，患在易曉易盡，失風人微婉義耳。」他以爲詩貴婉曲含蓄，白居易也知道自己的詩的「毛病」，所以嘗規勸元稹說：「樂府詩意太切理，欲稍刪其繁，而晦其義。」胡震亨不贊成作詩須力求通俗易曉，也就顯然可見了。

《唐音癸籤》卷十一評滙七引遯叟㊲云：

> 太白「人分千里外，興在一杯中。」達夫「功名萬里外，心事一杯中。」似皆從庾抱之「悲生萬

里外，恨起一杯中」來。而達夫較厚，太白較逸，並未易軒輊。

胡氏指出李白和高適的詩，都模擬庾抱。同卷又引遯叟云：「白居易《咏老柳樹》：『但見半衰臨此路，不知初種是何人。』羅隱《咏長明燈》：「不知初點人何在，只見當年火至今。」語似祖述，而用法一順一倒不同。」指出羅隱祖述白居易的詩句，只是句法顛倒而已。胡氏沒有提出自己的看法。

《唐音癸籤》卷三十二集錄三論推敲云：

杜詩即不無誤字，然本無誤而後人以意妄改者亦有之。宋蔡興宗者，為杜詩正異，頗以意改定其字。朱晦庵嫌其未盡，欲改「風吹滄江㊳樹」樹字為去，「鼓角滿天東」滿字為漏。以漏天對上句燒棧，猶可也。「風吹滄江樹，雨灑石壁來」，正證風吹樹、雨隨來耳，若第云吹江去，豈復成句哉，亦恐天下無此逆風雨也。近代楊升庵更好改杜詩，如航為艇、照為點，不一而足。後賢因之，為然為疑未休。用修當年何不以推敲功改己詩，暇與此老改詩乎！

這首杜詩的題目是《雨》。朱熹改「風吹滄江樹」為「風吹滄江去」，意欲與「雨灑石壁來」成對。這原是杜甫的一首五言，而不是律詩，三四兩句（這兩句詩的位置在第三和第四句）本來沒有對仗的必要：《癸籤》所論，是有道理的。至於「改航為艇，說始山谷，楊襲之，直謂見古本如此。」胡震亨在按語中已加以指摘了。

《唐音癸籤》卷四法微三引白樂天云：

詩有隱一字而意自見者。「糾糾葛屨，可以履霜」。言不可也。「海水知天寒」。言不知也。皆隱一不字在。

所謂隱字，也就是藏辭法，屬於析字格。但以「可」作「不可」解，以「知」作「不知」解，則似乎也是倒反辭格。其實，上舉的修辭現象也可以將「可」作「豈可」解，將「知」作「豈知」解，而歸屬於設問辭格。俞樾《古書疑義舉例》卷二語急例云：

古人語急，故有以「如」為「不如」者。隱元年《公羊傳》：「如勿與而已矣。」《注》曰：「如，即不如」是也。有以「敢」為「不敢」者，莊二十二年《左傳》：「敢辱高位。」《注》曰：「敢，不敢也」是也。詳見《日知錄》三十二㊴。

俞樾以語急來說明上舉辭例產生的原因，可備一說。

《唐音癸籖》卷四「法微」三別有一則論複疊云：

體物叠字，本之《風》《雅》。詩所不能無，如劉駕之「夜夜夜深聞子規」，吳融之「摵摵淒淒葉葉同」，則多事矣。然未有叠至七聯，如韓退之《南山詩》者。豈以「青青河畔草」亦用叠字三聯，有前例與？作法於凉，雖漢人，吾不能無餘憾云。

他反對用疊字，所以以劉駕「樹樹樹梢啼曉鶯，夜夜夜深聞子規」、吳融《秋樹》詩「摵摵淒淒葉葉同」、韓愈《南山詩》自「延延離又屬」起十四句連用疊字爲誚。這一則論複叠的詩話，前人已經論過，後來又被清梁紹壬的《兩般秋雨盦隨筆》所蹈襲。

同卷法微三還有一則談論王貞白《御溝詩》「此波涵聖澤」句的「波」字與「中」字的推敲，完全蹈襲宋人詩話的舊說，這裏可以不必論述。

十四、顏元慶《夷白齋詩話》、王文祿《詩的》、朱國楨《涌幢小品》

萬曆間顏元慶著《夷白齋詩話》，論修辭多祖襲宋人。如云：

唐人秦韜玉有詩云：「地衣鎮角香獅子，簾體侵鈎繡辟邪。」後山有「壞牆得雨蝸成字，古屋無人燕作家。」韜玉可謂狀富貴之象於目前，後山可謂含寂寞之景於言外也。

顏氏論示現辭格，前人已經說過了，只是所舉例句，或有不同罷了。

值得一提的，是顏氏對俚俗語所持的態度，是比較開明的。他說：

解元唐寅子畏晚年作詩專用俚語，而意愈新。嘗有詩云：「不煉金丹不坐禪，不為商賈不耕田，起來就寫青山賣，不使人間造業錢。」君子可以知其養矣。（《夷白齋詩話》）

他稱唐伯虎作詩用俚語，而意愈新。又說：「南方諺語有『長老種芝麻，未見得。』余不解其意。偶閱唐詩，始悟斯言，其來遠矣。詩云：『蓬鬢荊釵世所稀，布裙猶是嫁時衣，胡麻好種無人種，合是歸時底不歸？』胡麻卽今芝麻也，種時必得夫婦兩手同種，其麻倍收；長老，言僧也，若獨種，必無可得之理，故云。」他以為俚語也是有出典的。

王文祿著《詩的》一卷，他說：「『詩的』者，詩之準也。」本篇第三節已大略介紹過他對修辭的一些意見了。其論詩題云：

詩題必首句或第二句承出，方見題目。如杜《題蜀相祠》律詩首句曰，「丞相祠堂何處尋？」次曰,「錦官城外柏森森。」此二句猶時文之破題、承題,則蜀相祠方明白也;若前聯第三第四句及後聯第五第六句指出題目,則偏矣。何大復《呂公祠》律詩首句曰,「落日蕩漾古水濱,邯鄲城邊逢暮春。」前聯曰,「越王台榭草花盡,呂公祠堂松桂新。」題乃《呂公祠》,非越王台,今以越王台對呂公祠,非題意也,不特偏,且虛矣;題止曰祠,句中不宜綴堂字於祠字下,惟深知詩律之嚴者方能悟此。不特詩法當嚴,文法亦當嚴,故曰《春秋》謹嚴。

論作詩應該怎樣破題和承題,才能不失大體;應該怎樣切題,才能不偏,並舉杜甫的《題蜀相祠》和何大復的《呂公詞》以爲正、反兩個例證。

《詩的》又論對偶云:

詩聯中有詩眼,若鄭少谷「閉門春事生黃葉,去國秋山長白雲」,不知詩眼矣,蓋生對長皆一意,必長對消,生對隱,若曰「生黃葉」,必對「隱白雲」,則一反一正矣。如《壇經》云:問有答無,問無答有,問始答終,問終答始。觸類而長,方為妙云。

他主張對句用字須「切」,要用反義辭相對,不可用同義相對,才稱得上切對。並舉鄭少谷詩,對句用辭不切,以爲對偶欠佳的例證。

明末天啓間尚書朱國楨著《湧幢小品》,其卷之十八有「文奇字」一則,敍述元末閩人林釴好用奇字,日子稍久,連自己也不識了。這一則完全襲自同代陶爽齡的《小柴桑諵諵錄》,本篇第四節已經引述過了。同卷又云:

《嘉魚城記》曰:「上則洞庭,下則彭蠡。萑苻為警,縣當其鋒,猶孤注也。」考縣境俯臨洞庭，而去彭蠡尚隔武昌、黄州、蘄州、九江，凡千五百里矣。

他指出這是用語不合於實際的情況。

《湧幢小品》卷之二十二有「四喜添字」一則云：

相傳有《四喜詩》曰：「久旱逢甘雨，他鄉遇故知，洞房花燭夜，金榜掛名時。」隆慶戊辰科，有以教官登第館選者，吾師山陰王對南相戲曰：四喜只五言，未足爲喜，當添二，曰：「十年久旱逢甘雨，萬里他鄉遇故知，和尚洞房花燭夜」，某公大笑曰：莫說，莫說，是「教官金榜掛名時」了。聞者絶倒。

這可以說是「增字格。」先已說過，陳望道氏的《修辭學發凡》，提出了三十八種辭格，其中有節縮和省略兩辭格，獨缺了增字辭格。我以爲增字應該另立一個辭格。

《湧幢小品》卷之二十二有「集杜詩」一則云：

自古名臣才士困厄者多讀杜詩，且集句遣悶，如洪忠宣困松漠，謫嶺表，文丞相囚燕中，皆沉酣於此，若與飮食俱。蓋悲壯感慨，卽景會心，真是窮苦中好友，卽此便非諸家可及。

這比較客觀的道出了自古以來名臣才士，在困阨的時候，多喜歡集杜甫詩句以遣悶的原因。

十五、費經虞《雅倫》、高琦《文章一貫》

費經虞的《雅倫》，編集前人論詩的資料很是豐富，其中「品衡」部分，談作品的風格，分爲十六種，卽：「古奧」、「典雅」、「雄渾」、「深厚」、「高老」、「俊逸（清新附）」、「峻潔」、「

自然」、「淡遠」、「幽秀」、「富麗」、「峭別」、「刻琢」、「穠郁」、「纖巧」、「輕細」。每一格都有說明和舉例。例如「自然」的說明為「天然去雕飾之謂自然。出語圓活，下字平貼，對法流動，若不曾用一毫意，然而對法亦精工，下字亦超別，成句亦獨詣。」㊵並舉顧況《短歌》、元稹《連昌宮辭》、賀知章《回鄉偶書》、李白《早發白帝城》等二十四首為例。其論「用事」云：

> 用事之法，有實用，有虛用，有反用，有借用。大抵唐人主於辭清韻遠，氣格流動，風致蕭疏；至於切題相類，其次也。宋人不知古人此法，故其詩話多有妄論彈字、彈事、彈韻穿鑿不當者，如論「衛青不敗由天幸」，云乃去病事。殊不知摩詰之意，謂衛青不敗，亦天幸耳。又「望夷宮中鹿為馬，秦人半死長城下」，謂王介甫詩佳，用事欠精，指鹿不在望夷宮，此乃二世事，長城則始皇也。不知介甫之意，謂趙高之禍，乃始皇暴虐所致，取班固之言為之也。如此之類，不可枚舉。但相承誤用，則當斟酌。實用：「匡衡抗疏功名薄，劉向傳經心事違」是也。反用：「陶令辭彭澤，梁鴻入會稽」是也。借用：「不厭向平婚嫁早，翻嫌陶令去官遲」是也。（清刊本《雅倫》）

《雅倫》大都選錄前人詩話、筆記，以論詩的部分居多，這裏論用事（卽引用）却是費經虞自己的意見。他指出王維《老將行》「衞青不敗由天幸」句，宋人詩話，以《漢書》有「霍去病所將當選，然亦敢深入，常與壯騎先其大軍，亦天幸也，未嘗困絕也」的記載，硬指「天幸」乃去病事，王維詩以指衞青，是誤用成語故事。殊不知王維詩但說衞青不敗亦天幸而已，「天幸」乃尋常語辭，未必是引用《漢書》。又指出宋詩作者因不解王安石《桃源行》詩句意，以為誤用事。費氏認為用事之法有實用、虛用、反用、借用，並舉了一些例證。這確是論引用辭格比較深入的一段文字。

費經虞的《雅倫》清刋本，外間不容易見到，鄭奠、譚全基二氏合編的《古漢語修辭學資料滙編》（商務印書館出版）曾選錄其中的一部分。

高琦的《文章一貫》，論用事的修辭法，已經創造了「引用」這一個辭格的名稱。其「引用第四」引陳同父《論作文法》云：

……不用古人句，只用古人意；若用古人語，不用古人句，能造古人所不到處。至於使事而不為事使，或似使事而不使事，或似不使事而使事，皆是使他事來影帶出題意，非直使本事也。（日本寬永翻印本《文章一貫》）

其論用事法的「援用」，釋義云：「順引故事以原本題之所始」，這是「明引」法；又「暗用」釋義云：「用古事古論暗藏其中，若出諸已」，這是暗用法。陳望道氏《修辭學發凡》一書中的引用辭格，也沿用《文章一貫》的稱謂。

十六、小　結

這一個時期確是中國修辭學的崇古期（上），也可以說是修辭學的學古期，其間雖有馮琦、于愼行等反對學古，但聲勢不大，不能起着重大的影響。

學古，明初作家如方孝孺、朱夏等多主張「師其意而不師其辭」，宋濂則以爲「上焉者師其意，下焉者師其辭」，意見差不多是一樣的。自此以後，各家的詩話和筆記，也多主張學古，而且大多主張師其意而不師其辭，只有謝榛主張應該偏重於形式的學古。

何景明、李夢陽雖亦主張學古，但何氏有時也主張創新㊶。郎瑛雖不贊成學古，但鄙視俚俗語，以爲用俚語須是有所本，這說明他的崇古之心未能盡釋。

談到華巧與樸質，這個時期的評論家，主張華巧的居多數，如王禕、徐一夔、徐師曾、屠隆、錢溥等都是。徐一夔公然主張「敷張神藻，潤飾洪業」；屠隆認爲韓愈提倡散文，反不如駢驪「姸華醲腴，氣格高超」。王達、謝榛反對奇巧，彭時則以爲「辭之富麗與平淡，係乎其人之所養與所學」，是沒有什麼好爭論的。

這一個時期的修辭學論著，比較特出的有王世貞的《國朝詩評》和謝榛的《四溟詩話》。《四溟詩話》是中國歷史上第三本專論修辭的著作，同時又是第一本專論詩的修辭法的著作，所論雖未必都很精當，但直到今日，仍是唯一的論詩的修辭法的專著。王世貞的《國朝詩評》，文長二千餘言，評述自明初至嘉靖年間一百零八位詩人的詩的修辭技巧，全部用譬喻的手法寫成。二者都是中國修辭學史上重要的文獻。

明代有關修辭學的著作，還有值得一提的，如蔣棻畹著的《文式》二卷，上卷引明代諸家論文之說，下卷論文章作法，也有涉及修辭研究的文字，如《過文法》一則云：「過文乃文章命脈所係，前半賴此收成，後半賴此提起，或散或對，要渾成圓活，聯絡有情；若此處氣脈上下不相接合，雖前後文如錦綉，只似平中剪斷，不能成用者也。」這是論前後文應相照應的消極修辭法。又《元魁文品》一則云：「元品皆由淺入深，由賓及主，運局正大而不纖奇……。」這是論賓主應該分淸的修辭法。都有其一定的價值。

又有浦南金著《修辭指南》二十一卷，劉麟書爲作序文。書中分門別類，解釋詞義，近於類書；雖然以「修辭」名書，但只有談到用辭切當一事稍稍涉及修辭學而已。

注　釋

① 應作「安横」。

② 相關，表面上是說兩扇門互相關起來，實際上却是指互相關心。石闕，漢時碑名，含碑暗指含悲，悲與碑同音。故「相關」與「含碑」都是雙關辭。

③ 《文體明辨粹抄》，內容與《文體明辨序說》大致相同，不過文字上偶有不同而已。

④ 按《文體明辨》六十一卷，《綱領》一卷，目錄六卷，附錄十四卷，共八十一卷。

⑤ 按屈原生於紀元前三四〇年，而荀卿則於紀元前二三八年始廢居金陵，故荀卿活躍的年代當在屈原之後。

⑥ 宋王應麟《困學紀聞》已有這樣的說法。

⑦ 王漁洋《論詩絕句》云：「何因點綴澄江練，笑殺談詩謝茂秦。」便是譏笑謝榛而作的。朱東潤氏《中國文學批評史大綱》第四十五，也指「茂秦之論，細碎可笑。」

⑧ 結，一作揭。

⑨ 積雨，《文苑英華》作秋雨，《衆妙集》作秋歸。

⑩ 其詩云：「時邁不停，日月電流。神爽登遐，忽已一周。禮制有敍，告除靈丘。臨祠感痛，心中若抽。」

⑪ 參見《修辭學發凡》第五篇第七節。

⑫ 秦末漢初東園公、甪里先生、綺里季、夏黃公，避亂，隱商山。四人年皆八十餘，鬚眉皓白，時稱「商山四皓」。

⑬ 《世說新語》任誕第二十三云：「陳留阮籍，譙國嵇康，河內山濤，三人年皆相比，康年少亞之。預此契者，沛國劉伶，陳留阮咸，河內向秀，琅邪王戎。七人常集於竹林之下，肆意酣暢，故世謂『竹林七賢』。」

⑭《文選》左思《蜀都賦》：「候雁銜蘆。」李善注云：「銜蘆以御矰繳，令不得截其翼也。《淮南子》曰：『雁銜蘆而翔，以備矰繳。』」

⑮《詩・小雅・綿蠻》：「綿蠻黃鳥。」

⑯「銜杯且對劉」，語出陳子昂《江上暫別蕭四劉三旋欣接遇》詩。劉指劉三。

⑰《史記・陳丞相世家》：「至其家，家乃負郭窮巷。」

⑱《荀子・勸學》篇：「曷足以美七尺之軀哉？」

⑲《漢書・高帝紀》：「吾以布衣提三尺取天下。」三尺，指劍。

⑳《史記・張釋之傳》：「假令愚民取長陵一抔土，陛下何以加其法乎？」

㉑《埤雅》書名，又名《物性門類》，共二十卷，凡釋魚、釋獸、釋鳥、釋蟲、釋馬、釋木、釋草、釋天八篇，都因名物以求訓詁，旁通於經義。

㉒《七修類稿》卷十九辯證類有「錦瑟無端五十弦」一則云：「《錦瑟詩》，玉溪生作也。《續筆》解云：說者以錦瑟爲令狐丞相侍兒小名，此篇皆寓言，而不知五十弦所起。然既舉其名，而復引諸書明箜篌之義，似將以箜篌爲錦瑟也。且言起於漢武后，雖能引《史記・封禪書》之說，亦不能引《世本》五十弦起於伏羲，知尾而不知首，可哂也。況五十弦之義，一無所解。按琴瑟中論曰：朱襄氏使士達制爲五弦之瑟，瞽叟爲十五弦，舜益之爲二十三。又有二十七之說。理以考之，樂聲不過乎五，則五弦、十五弦，小瑟也；二十五弦，中瑟也；五十弦，大瑟也。彼謂二十三、二十七者，然三於五聲爲不足，七於五聲爲有餘，豈非惑於二變二少之說而遂誤耶？觀此，則弦之多寡有自矣。若錦瑟云者，即大瑟之謂也。故《古今樂志》云：錦瑟之爲器也，其弦五十。但無端二字，似乎不通，俟知詩者詳焉。」

㉓《文選》班婕妤《怨歌行》云：「新裂齊紈素，皎潔如霜雪，裁爲合歡扇，團團似明月；出入君懷袖，動搖微風發；常恐秋節至，涼風奪炎熱，棄捐篋笥中，恩情中道絕。」

㉔嵩岱二山，都屬五岳，而岳與樂同音，故劉溫叟爲避父諱而不敢遊。

㉕ 韓愈勸李賀舉進士，與賀爭名者毀之曰：「賀父名晉肅，賀不得舉進士爲是，勸之舉者爲非。」韓愈作《諱辯》譏之，曰：「今上章及詔，不聞諱滸、勢、秉、機也。」按唐太祖名虎，滸與虎音相近；太宗名世民，勢與世音相近；世祖名炳，秉與炳音相近；玄宗名隆基，機與基音相近。但唐時上章及詔書，皆不諱。

㉖ 陽城，唐德宗時人，進士及第，徵爲諫議大夫，嗣又出刺道州，史稱其治民如治家，甚得民心。元稹仰陽城之爲人，爲避其諱，改陽城驛爲避賢驛。

㉗ 《晉書・王衍傳》云：衍「口未嘗言錢，郭（衍妻）欲試之，令婢以錢繞床，使不得行。衍晨起見錢，謂婢曰：『舉阿堵物却！』」南朝宋劉義慶的《世說新語・規箴》篇說得更爲精翔：「王夷甫雅尙玄遠，常嫉其婦貪濁，口未嘗言錢字。婦欲試之，令婢以錢繞床，不得行。夷甫晨起見錢閡行，呼婢曰：『舉却阿堵物！』」

㉘ 《餘多敍錄》，一名《餘多緒錄》。

㉙ 何孟春《餘多詩話》卷上云：「少讀陳詩，謂無定者，指河邊骨之飄流莫考耳。比奉命過銀川，見沙河一帶，延迤邊塞，問之人，曰：無定河也。地皆沙水，沖徙不常，故以得名。」又《一統誌》云：「無定河自邊外流經陝西榆林府懷遠縣北，西南經米脂縣，又東流經淸澗縣東北，入黃河，一名奢延水，以潰沙急流，深淺不定，故名『無定』。」

㉚ 近人蘇曼殊句云：「人間花草太匆匆，春未歸時花已空。」意雖取自牛僧儒詩，却非牛詩所可及。

㉛ 《過庭錄》云：「吳人孫山，滑稽才子也，赴舉他郡，鄉人托以子偕往；鄉人子失意，山綴榜末，先歸。鄉人問其子得失，山曰：『解名盡處是孫山，賢郎更在孫山外。』」其詩句襲取歐陽修《踏莎行》：「平蕪盡處是春山，行人更在春山外。」

㉜ 即《丁督護歌》。《宋書・樂志》云：《督護歌》者，彭城內史徐逵之爲魯軌所殺，宋高祖使府內直督護丁旿收斂殯埋之。逵之妻，高祖長女也，呼旿至閤下，自問斂送之事，每問，輒嘆息曰：『丁都護』，其聲哀切，後人因其聲廣其曲焉。」今《丁督護歌》爲宋武帝所作。

㉝ 《江湖紀聞》云：「石尤風者，傳聞爲石氏女嫁爲尤郎婦，情好甚篤。（尤郎）爲商遠行，妻阻之不從，久出

不歸，妻憶之，病亡，臨亡長嘆曰：『吾恨不能阻其行，以至於此。今凡有商旅遠行，吾當作大風，爲天下婦人阻之。』自後商旅發船值打頭逆風，則曰：此石尤風也，遂止不發。」

㉞ 西漢都長安，東漢都洛陽，世稱長安爲西京，洛陽爲東京。後人亦稱西漢（前漢）爲西京，東漢（後漢）爲東京。

㉟ 抱，應作苦。

㊱ 郭紹虞先生《滄浪詩話校釋說明》，指出胡應麟每稱嚴羽爲嚴儀、羽卿（嚴羽字儀卿），疑《滄浪詩話》明時別有誤本，故誤從之。（子瑜案：大概誤本未載《盤中詩》。）

㊲ 遯叟，是《唐音癸籤》作者胡震亨的別號。

㊳ 滄江一作蒼江。

㊴ 顧炎武《日知錄》卷三十二語急云：《公羊傳》隱元年：『母欲立之，己殺之，如勿與而已矣。』《注》：『如，卽不如，齊人語也。』按此不必齊人語。《左傳》僖二十二年：『宋子魚曰：「若愛重傷，則如勿傷；愛其二毛，則如服焉。」』成二年：『衞孫良夫曰：「若知不能，則如無出。」』昭十三年：『蔡朝吳曰：「二三子若能死亡，則如違之以待所濟；若求安定，則如與之以濟所欲。」』……《漢書・翟義傳》：「義曰『欲令都尉自送，則如勿收邪？』」《左傳正義》曰：『古人語然，猶不敢之言敢也。』」（原注：莊二十二年：「敢辱高位，以速官謗。」《注》：「敢，不敢也。」昭二年：「敢辱大館。」《注》：「敢，不敢。」）

㊵ 《抖擻》十二期（一九七五十一月出版）譚全基氏《中國古代的修辭理論》。

㊶ 何景明雖與李夢陽一樣主張學古，但他有時也主張創新。如《與李空洞論詩書》云：「空同子刻意古範，鑄形宿鏌，而獨守尺寸。僕則欲富於材積，領會神情，臨景構結，不仿形跡。詩曰：『惟其有之，是以似之。』以有求似，僕之愚也。」可見他並不是一意主張學古的。

第九篇　中國修辭學的崇古期(下)——清代

一、楔子

清代的社會是中國的最後一個封建制度的社會，其在修辭學方面，是屬於崇古的下期，換句話說，是處在摹擬古代修辭形式與禮拜文言的時期。中國的語文，自唐代佛家的語錄、宋代道家的語錄，宋詞、元曲，以至於明清的小說，是漸漸地接近口語了。但是清代學者因受歷史條件的限制，積習未除，一談到修辭，大多還是重文辭而輕語辭。如顧炎武《日知錄》卷十九《修辭》云：

> 後之君子，於下學之初，即談性道，乃以文章為小技而不必用力；然則夫子不曰：「其旨遠，其辭文」乎？不曰「言之無文，行而不遠」乎？曾子曰：「出辭氣，斯遠鄙倍矣。」嘗見今講學先生從語錄入門者，多不善於修辭。

明清兩代學者談論修辭，大都主張崇古和學古，所不同的，明代學者多主張師古人之意而不師其文，清代學者，則多主張師其形（文），成爲禮拜文言的信徒。黃汝成《日知錄集釋》云：

> 錢氏曰：「釋子之語錄，始於唐；儒家之語錄，始於宋。儒其行而釋其言，非所以垂教也。君子之出辭氣，必遠鄙倍。語錄行，而儒家有鄙倍之詞矣；有德者必有言，語錄行，則有德而不必有

言矣。」姚刑部曰：「『言之無文，行而不遠』，出辭氣不能遠鄙倍，則曾子戒之；況於說聖經以教學者遺後世，而雜以鄙言乎？當唐之世，僧徒不通於文，乃書其師語以俚俗，謂之語錄。宋世儒者弟子，蓋過而效之。然以弟子記先師，懼失其真，猶有取爾也。明世自著書者乃亦效其辭，此何取哉？」

黃氏在《日知錄集釋》裏引進錢大昕、姚鼐兩人的話，以附和顧炎武「從語錄入門者多不善於修辭」之說，無非是禮拜文言的偏見。方苞則主張作文修辭須講求「雅潔」，反對雜以小說。他說：「南宋元明以來，古文義法不講久矣，吳越間遺老尤放恣，或雜小說，或沿翰林舊體，無雅潔者。」（沈廷芳《書方望溪傳後》所引）桐城諸君所謂古文義法，其實是崇古的修辭論。

可是，顧炎武在清代學者中，到底是一個比較開明的學者，其《日知錄》卷十九論「文人求古之病」云：

《後周書・柳虬傳》：時人論文體有今古之異，虬以為「時有今古，非文有今古」，此至當之論。夫今之不能為《二漢》，猶《二漢》之不能為《尚書》、《左氏》。乃剿取《史》《漢》中文法以為古，甚者獵其一二字句，用之於文，殊為不稱。

顧氏雖禮拜文言，鄙薄語錄，但看來他並不一意主張崇古和仿古。

當時發表崇古、仿古的修辭論的，還有錢牧齋、魏禧、馮班輩，他如孔尚任、阮元、翁方綱、程綿莊、朱士琇、管同、宋熙載、宋咸熙、王先謙、賀濤之徒，踵事增華，雜然相應，而周樹槐、焦循、吳敏樹甚至主張意與辭並須仿古。林紓則更主張「不存成心去就古人」。此外，還有章學誠、紀昀、袁枚等持折衷之見，以及朱彝尊、戴名世、龔定盦、黃遵憲等發表反崇古的修辭論，但其聲勢不如崇古派的浩大，終於敵不過來。直到「五四」運動之後，中國才有革新的修辭學出現。

二、崇古的修辭論

前一節已大略引述了顧炎武和桐城方苞、姚鼐的崇古修辭論了。還有一位錢謙益，他與顧炎武同是由明入清的著名文士，顧入清不仕，錢則於多鐸大兵下江南之時迎降，當了禮部右侍郎。兩人的氣節雖然不同，但論修辭，一則鄙薄語錄，一則反對標新，總歸是一樣的。錢謙益《族孫遵王詩序》云：

> 竊常論今人之詩所以不如古人者，以謂韓退之之評子厚，有勇於為人、不自貴重之語，庶幾足以蔽之。何也？今之名能詩者，庀材惟恐其不博，取境惟恐其不變，引聲度律惟恐其不諧美，駢枝鬥葉惟恐其不妙麗，詩人之能事可謂盡矣。而詩道固愈遠者，以其詩皆為人所作，剽耳傭目，追嗜逐好，標新領異之思側出於內，譁世炫俗之習交攻於外，擒詞拈韻，每怵人之我先；累牘連章，憂慮己之或後。雖其中寫繁會，鋪陳綺雅，而其中之所存者，固已薄而不美，索然而無餘味。矣（《有學集》十九）

他反對創新，至形容為「標新領異」「譁世炫俗」；他以為「古之為詩者皆有本焉。」（《有學集》十七、《周元亮賴古堂合刻序》）今不如古的成見是非常明顯的。

魏禧是以古人實學為指歸的學者，他和顧炎武一樣，入清不仕。其《寄諸子世效世儼》手簡云：

> 作文貴先立意，不必求異；但須有獨到處，便足異人。然既有好意，須思此意如何方能發得透

確，用何陪賓，用何引證，前後當如何位置，一一要合古人法度，文成乃粲然可觀。非但如作家信，寫塘報，米鹽無差，事故日時不錯，便足稱辭達也。（《魏叔子文集》卷七）

他主張不必師古人之意，而須要自己立意；但要表達自己所立的「意」，却非「一一要合古人法度」不可。這正是師其形（也就是師其文）的修辭論。近人張文治氏認爲魏禧這一意見，「乃合內外心手爲一之論，與修辭立誠之意相通。」（《古書修辭例》第一編《修辭總論》）原來張氏也以爲《易經》「修辭立其誠」的「修辭」與今義相同。

前一節提到黃汝成的《日知錄集釋》，曾引述桐城古文家姚鼐鄙薄語錄的話。姚氏旣鄙薄語錄，當然主張摹古，他說：

近人每云「作詩不可摹擬」，此似高而實欺人之言也。學詩文不摹擬，何由得入？須摹擬一家，已得似後，再易一家；如是數番之後，自能熔鑄古人，自成一體。若初學未能逼似，先求脫化，必全無成就。譬如學字，而不臨帖，可乎？（《惜抱軒尺牘·與伯昻從侄孫書》）

他竟嚇唬後生，以爲摹擬是不可少的。他的《與管異之》也說：「文不經摹仿，亦安能脫化？」但是須師古人之意呢？還是須師其辭呢？他却沒有明言。我們試從他所說的「熔鑄古人，自成一體」的「體」字看來，他的主張，是比較偏重於「師其辭」的。他的《述庵文鈔序》也說：

世有言義理之過者，其辭蕪雜俚近，如語錄而不文；為考證之過者，至繁碎繳繞而語不可了。當以為文之至美而反以為病者，何哉？其故由於自喜之太過，而智昧於所當擇也。

他一再以俚近的語錄爲病，以繳繞詳盡爲非，惟有使用簡古的文辭，才是「文之至美」，才不至於「智昧於所當擇」。則其重文言而輕語錄，當不在顧亭林之下了。

李紱的《秋山論文》說：

文章字句須有成處，卽《曲禮》所謂言「必則古昔，稱先王」也。然不可勉強抄襲，降爲剽賊，亦卽《曲禮》所謂「毋儳言」、「毋剿說」也。韓文、杜詩無一字無來處，亦無一語蹈襲，此可以爲法矣。（奉國堂版《李穆堂詩文全集·穆堂別稿》卷四十四）

所謂「言必則古」，也是主張師其文而不師其意。但他指出則古並不是抄襲剽賊，他是服膺《禮記》所謂「毋剿說」的。

阮元主張維護駢體，自然要輕視語辭。《文言說》說：

為文章者不務協音以成誦，修辭以達遠，使人易誦易記，而惟以單行之語，縱橫恣肆，動輒千言萬字，不知此乃古人所謂直言之言，論難之語，非言之有文者也，非孔子所謂文也。《文言》數百字，幾於句句用韵，孔子於此發明乾坤之蘊，詮釋四德之名，幾費修詞之意，冀達意外之言。（自注：『《文言》曰：「修辭立其誠」，《說文》曰：「修，飾也」，辭之飾者，乃得為文；不得以詞卽文也。』）要使遠近易誦，古今易傳。（《揅經室集》三集卷二）

他嚴格地訂定了辭與文的區別，他認爲不協韵的文，和不加修飾的直言之言，都只是辭而已；只有句句用韵，處處飾辭的作品，才得稱爲文，才是文章的正統。他曾欲與古文家爭一日之短長，所爭的便是這一點。

阮元維護駢體的修辭論，也見於《書梁昭明太子文選序後》：

經子史多奇而少偶，故唐、宋八家不尚偶；《文選》多偶而少奇，故昭明不尚奇。如必以比偶非文之古者而卑之，則孔子自名其言曰文者，一篇之中，偶句凡四十有八，韵語凡三十有五，豈可以為非文之正體而卑之乎？况班孟堅《兩都賦序》及諸漢文，其體及奇偶相生者乎。（《揅經室集》三集卷二）

他指出孔子的《文言》，「奇偶相生，音韵相和，如青白之成文，如《咸》《韶》之合節，非清言質說者比也，非振筆縱書者比也，非佶屈澀語者比也。」（同上）他以爲「專名爲文，必沈思翰藻而後可也。」（同上）唐宋古文家的所謂復古，是主張棄駢儷而復東漢以前的散文；阮元輩的所謂復古，却是棄散文（他所謂直言之言）而復駢儷。同是復古，其意義竟有這麼大的差別。

翁方綱論詩出自王士禎（漁洋）。《漁洋詩話》名氣雖大，但是涉及修辭的地方不多，而且沒有什麼創見，所以本篇不擬另闢一節加以引述。翁氏有《詩法論》云：

夫惟法之立本者，不自我始之，則先河後海，或原或委，必求諸古人也。夫惟法之盡變者，大而始終條理，細而一字之虛實單雙，一音之低昂尺黍，其前後接筍乘承轉換開合正變必求諸古人也。乃知其悉準諸繩墨規矩，悉校諸六律五聲，而我不得絲毫以己意與焉。（《復初齋文集》八）

翁氏論修辭，主張一字一音，「必求諸古人」，「而我不得絲毫以己意與焉。」這眞是最徹底的崇古修辭論了。試問這樣寫出來的文章，還會有靈魂嗎？

程綿莊服膺顏元，治學兼及顧炎武、黃宗羲諸氏的著作。其《復家魚門論古文書》云：

古之人……多不以文自見。不得已而欲見於文，其取精用宏，固自有術，……理充者華采不為累，氣盛者偶儷不為病；陳言不足去，新語不足撰；非格式所能拘，非世運所能限。（《青溪文集》十）

他竟反對去陳言和撰新語，泥古確是到了家。

朱士琇《答王光祿西莊書》云：

至著文之道，第本其所得於古人者，調劑心氣，誠一以出之，齊莊以持之，優遊以深之，曲折以昌之，援引古昔以矜重之，使其言粲然各識其職而不亂，淡然各止其所而不過。則雖尋常問訊起居之辭，而人寶之如金玉，襲之如蘭芷，聽之如笙瑟，味之如醪醴，有不忍去者矣！（《梅崖居士文集》）

在他看來，只要援引古昔，得於古人，則雖是記述日常生活的文辭，也會爲人所重。爲什麼呢？「第以古人出之，皆流於內足之餘，其言信也。後之人未必然也。」崇古薄今之意可見。

管同的《方植之文集序》也說：

古之立言者，皆有故而非得已。惟有故而非得已，是以出言必當，而其後必傳。自周之衰，士大夫捨本逐末，諸子百家，創說著書，其言虛偽龐雜，文辭工而多失立言之旨。秦漢以降，士益專力為文，有為文而猶托於立言者，荀、韓、揚、李是也；有為文而直外立言者，相如、鄒、枚①文章之士是也。自文章之士出，世愛玩焉，而知道者深詬病之。（《因寄軒文集》）

他以爲古人言出必當，因爲都是有所爲而發；後世專注重在玩文弄墨，爲文章而文章，所以有失立言的本意。文章應是不得已而發，所謂「情動於中而形於言，」這樣的說法未嘗不當；但硬指古人言出必當，後世的文章都是玩文弄墨，這不能不說是尙古的偏見了。那位仿姚鼐編《續古文辭類纂》的王先謙也說：「博觀載籍，洞晰精微，而於古人爲文之道，孤往冥會，意量淵然，常有以自得。」（《虛受堂文集、粁湖文集序》）王氏又嘗引述梅曾亮的話，以爲「文必得力於古書，不當建一先生之言以自隘。」（同上）說法雖不同，崇古薄今之見却是一樣的。賀濤《雜說二首》云：「夫求古人者，遇以神也，淺者不能見也；貌肖之抑其次也。」（《賀先生文集》）撇開求古這一意念不說，賀氏以爲文意的修辭技巧，神似勝於貌肖，却是正確的。修辭技巧和繪畫的原理是一樣的，蘇軾《傳神論》引顧愷之云：「頰上加三毛，而神彩自見。」意思是說，畫人像須抓住那人的特徵，作突出的表現，才能神似；若但求貌肖，不能算是好的創作。

然而，清人論修辭的崇古，也有像明人那樣，主張師其意而不師其辭的。如清初的馮班，其《馬小山停雲集序》云：

> 詩以道性情。今人之性情，猶古人之性情也。今人之詩，不妨為古人之詩。不善學古者不講於古人之美刺，而求之聲調氣格之間，其似也不似也則未可知，假令一二似之，譬如偶人芻狗徒有形象耳。黠者起而攻之，以性情之說，學不通經，人品汚下，其所言者皆里巷之語；溫柔敦厚之教，至今其亡乎？（《鈍吟文稿》）

他以爲不善學古者只學得古人的形像——只是師其辭而已；善學古者才能講求古人贊美和諷刺的所在、也就是能師其意了。

孔尚任《花嶼堂稿序》云：

人生最足惜者，不聞道也。不能以文辭見長，不足惜也。讀古人經書，學其道也，不能學其文辭，而道自在也。今人或止效其文辭，不問其道，或卽以文辭盡乎道，於是道與文辭判為二。久之文辭不本於道，而道廢，道廢而文辭亦不能孤行，雖文士如林，篇什相尚，識者概謂其不足觀也已。（《孔尚任詩文集》）

他認爲讀古人書，目的全在學其道，學其道卽是師其意，文辭只是其餘事罷了；「道在是而文辭卽在是」，「學道之功卽學詩之功。」（同上）

劉大櫆《論文偶記》云：

大約文字是日新之物，若陳陳相因，安得不目為臭腐；原本古人意義，到行文時，卻須重加鑄造，一樣語言，不可便直用古人。此謂「去陳言」，未嘗不換字，卻不是換字法。

這分明是主張師古人之意而不師古人之辭，但他聲明須鑄造新語，與換字法不同。②

宋咸熙《耐冷談》卷一云：

今人作詩，已不能出古人範圍，但下筆時，須語語是古人胸次，所謂此心同此理同也；語語不是古人面目，所謂不向如來行處行也。

宋氏也主張只師古人之意而不師古人之形（文）。

也有主張辭與意並須仿古的③。如周樹槐《與胡雪帆書》云：

愚以古文者，古之所謂立言者也。有不溺於今之志，不囿於今之識，然後能心古之心，言古之

言。是故其義可明也，其法可求也。文猶舟車也，舟車可以載金玉，亦可以載糞土。（《壯學齋文集》）

舟車既可以載金玉，也可以載糞土，所以他主張於舟具車攻之餘，「須擇其所當載者而載之」。換句話說，就是既須師古人之意，又須師古人之言。（用周氏的說法，是「心古之心，言古之言」。）

焦循《與王欽萊論文書》云：

布衣之士，窮經好古，嗣續先儒，闡彰聖道，竭一生之精力，以所獨得者聚而成書，使《詩》《書》六藝有其傳，後學之思，有所啓發，則百世之文也。乃總其大要，惟有二端：曰意，曰事。意之所不能明，賴文以明之；或直斷，或婉述，或詳引證，或設譬喻，或假藻績，明其意而止。（《雕菰集》卷十四）

他以爲意待文以明，要闡彰他的所謂古聖之道，得用婉轉、引用、譬喻、比擬……等等的修辭法，極盡藻飾形容之能事，直到明其意而後已。

吳敏樹《與楊性農書》云：

竊惟古文云者，非其體之殊也；所以為之文者，古人為言之道也。抑非獨言之似於古人而已，乃其見之行事，宜無有不合者焉。（《拌湖文集》）

他主張不獨言須摹仿古人，道更應該摹仿古人。他以爲「性農之文，於古人之言，庶乎近矣」，（同上）只是道還沒有學到家；他勸性農須先學古人之道，然後才能「立身名於時」。

清代提出崇古的修辭論的不只以上諸家，其餘各家的修辭論，將在以下各節分別加以引述。

三、反崇古的修辭論

大約是受到歷史條件的限制，當時提出反崇古的修辭論的，寥寥可數。朱彝尊博通羣書，著述宏富，《報李天生書》云：

僕少時為文，好規仿古人字句，頗類於觲之體。既而大悔，以為文章之作，期盡我所欲言而已；我言之不工，必取古人之字句，始可無憾，則字句工拙，古人任之，我何預焉？（《曝書亭集》卷三十二）

李天生負高世之才，先寫信給朱竹垞，「以古文辭相勖。」竹垞復書，以爲作文修辭，盡其在我，自悔少時仿古之過，並勸李氏勿規仿古人字句。他說：「若僕之所期於足下，則不惟不以唐宋之文，强足下以所不爲；亦且不以秦漢之文，爲足下勸勉。」他的態度是堅決的，他的立場是分明的。

王埴的《文情》也說：

夫一人之情，一人之文，其心之所能思，而口之所能言，非遂相什伯也。而不當其時，遂不可以強而肖，況欲借古人之言以舒今人之情，豈非並欲借古人之情乎？古人之情不可借也。縱極語言藻繢之妙，亦此道古人之情之所有，於己乎何與？（《山右叢書初編》本《王石和文》卷一）

他認爲沒有眞情實性的人是不能工於文的。「雖同屬喜怒哀樂之情，而此時所爲之文，易一時而爲之，則亦不能肖。」所以他反對「借古人之言以抒今人之情。」章學誠甚至說：「學者動言師古，而抑知古人亦有不可法者，後人亦有不可廢者。」（嘉業堂刊本《章氏遺書補遺・評沈梅村古文》）

乾隆時代，李百川氏著《綠野仙踪》，全書都用諷刺的筆調寫成。其第六回「評詩賦大失腐儒心」曾引述某塾師的咏花詩云：

紅於然火白於霜，刀剪裁成枝葉芳；蜂掛蛛絲哭曉露，蝶銜雀口拍幽香；媳釵俏矣兒書廢，哥罐聞焉嫂棒傷；無事開元擊羯鼓，吾家一院勝河陽。

接着，他寫道：

于冰看了道：「起句結句，猶可解識；願聞次聯，中聯之妙論？」先生道：「蜂掛蛛絲二句，言蜂因吸露而誤投蛛網，其聲必宛轉嚶唔，如人痛哭者焉，蓋自悲其永不能吸曉露也；蝶因採香而被銜雀口，其翅必上下開闔，如人拍手者焉，蓋自恨其終不能嗅幽香也。這樣詩句，皆從致知中得來；子能細心體貼，將來亦可以格物矣。中聯媳釵俏矣二句：係吾家現在故典，非托諸空言者可比；予院中有花，兒媳採取而為釵，插之鬢傍，俏可知矣，予子少壯人也，愛而至於廢書而不讀；予家無花瓶，而有瓦罐，予兄貯花，而聞香焉，予嫂素惡眠花臥柳之人，因動防微杜漸之意，隨以木棍傷之；此皆借景言情之實錄也。」于冰笑道：「棒傷二字，還未分晰清楚；不知棒的是令兄？棒的是瓦罐？」先生道：「善哉問！蓋棒罐耳。若棒家兄，是潑嫂矣，尚得形諸吟咏乎哉！」

作者用諷刺的筆法，描繪仿古大家所作的詩，節略得過於離譜，要是不加解釋，誰能看得懂呢？他雖然沒有正面提出反崇古的修辭論，但看他那樣挖苦仿古、精煉的詩作，也就可以知道他對崇古派的修辭論所持的態度是怎樣的了。

嘉（慶）道（光）年間，中國封建社會開始走向總崩潰的道路，當政者所推行的政策，助長了文藝上復古主義和形式主義的聲勢；其在修辭學，崇古的修辭論一方面繼承了明代的遺緒，一方面受到了當時政策的鼓勵，正在大行其道。例如前一節已提到過的桐城古文家姚鼐，便曾說過這樣的話：「鼐性魯知暗，不識人心向背之變，時務進退之宜，與物乖忤，坐守窮約，獨仰慕古人之誼而竊好其文辭。」（《與汪進士輝祖書》）他大模大樣，不以遺世絕俗為嫌，一意要摹擬古人的文辭。龔定盦面對這樣的時代，提出了反崇古的修辭論④：

> 言也者，不得已而有者也。如其胸臆本無所欲言，其才武又未達於言，強之使言，茫茫然不知將為何等言；不得已，則又使之姑效他人之言；效他人之種種言，實不知其所以言。於是剽掠脫誤，摹擬顛倒，如醉如囈以言，言畢矣，不知我為何等言。（《龔自珍全集・述思古子議》）

「胸臆本無所欲言」，「姑效他人之言」，是復古修辭論必然的產物；龔定盦反對這種無病的呻吟，反對剽掠和摹擬。他寫給某大臣的信又說：

> 今世科場之文，萬喙相因，詞可獵而取，貌可擬而肖，坊間刻本，如山如海。四書文祿士，五百年矣；士祿於四書文，數萬輩矣；既窮既極，閣下何不及今天子大有為之初，上書乞改功令，以收真才。（《龔自珍全集・擬釐正五事》）

他認為科場的功令時文，完全是抄襲和摹擬四書，仿古到此，已屬下流，應該廢除。他提議以射策來替代科舉。

他反對雕章琢句，認為「萬事之波瀾，文章天然好。」（《自春徂秋，偶有所觸，拉雜書之，漫不詮次，得十五首》）他又力斥奇巧之文，他說：「奇文不可讀，讀之傷天民。」（《夜讀〈番禺集〉，書其尾二首》）他主張不必崇古。《常州高材篇》送丁若士（履恒）詩云：

聲音文字各窔奧，大抵鐘鼎工冥搜。學徒不屑譚賈孔，文體不甚宗韓歐。人人妙擅小樂府，爾雅哀怨聲能遒。（《龔自珍全集》）

他欣賞常州文壇宿者，爲學不屑談賈（公彥）孔（穎達），爲文不必宗韓（愈）歐（陽修）。意思是不必慕唐和崇宋。他主張詩要通俗：「欲爲平易近人詩，下筆清深不自持。」後來黃遵憲的「我手寫我口」，可以說是受龔自珍的影響。梁啓超的《清代學術概論》，竟說龔自珍「號稱新體，則粗獷淺薄」。黃遵憲「元氣淋漓，卓然大家。」這個評論，實在太不公允了。

道光末年，太平天國起義軍崛起，標示了明確的修辭觀點，這可從天王等所發表的文告看出來。其《諭天下讀書士子》云：

本軍師所到之處，禁止焚屋焚書，……無如所見多是吟花咏柳之句，六代故習，空言無補，與其讀之而令人拘文牽義，不如不讀尤有善法焉，蓋讀書不在日摹書卷，惟在……默牖予衷，則仰觀俯察之間，定有活潑天機來往胸中，非古篋中所有者。……本軍師得此固縱之性，每多此等筆墨，以洗從前花柳陋習，識者鑒之。（簡又文《太平天國典制通考》（上）第六篇）

天王諭令天下讀書士子，不要蹈襲六朝故技，不要摹擬古書，一洗從前吟花咏柳的陋習。

太平天國對於修辭體制的改革，主張：一、文加標點——採用的符號，大約有四種：（一）讀點，（二）句圈，（三）人名右旁一直，（四）地名右旁雙直。（《天父詩》二六五首有云：「一直是名讀某名，雙直地名讀出聲。」卽指此。）二、文須淺白——太平軍自始至終都用淺白的文字，有時甚至加入俗語和土語，旨在使人易讀易解易寫易記，切忌艱奧晦澀的文字。三、廢除古典。四、文以紀實。一八六一年洪仁玕宣諭合朝內外官員書士人等「戒浮文巧言」文云：

照得文以紀實，浮文所在必删；言貴從心，巧言由來當禁。……是以前蒙我真聖主降詔，凡前代一切文契書籍不合天情者，概從删除，卽《六經》等書亦皆蒙御筆改正。非我真聖主不恤操勞，誠恐其誘惑人心，紊亂真道，故不得不亟於棄僞從真，棄浮存實，使人人共知虛文之不足尚，而真理自在人心也。況現當開國之際，一應奏章文諭，尤屬政治所關，更當樸實明曉，不得稍有激刺，挑唆反間，故令人驚奇危懼之筆。且具本章，不得用龍德、龍顏及百靈、承運，社稷、宗廟等妖魔字樣。至祝壽浮詞，如鶴算、龜年、岳降、嵩生及三生有幸字樣，尤屬不倫；且涉妄誕。推原其故，蓋由文墨之士，或少年氣盛，喜騁雄談；或新進恃才，欲誇學富。甚至舞文弄筆，一語也而抑揚其詞，則低昂遂判；一事也而參差其說，則曲直難分。倘或聽之不聰，則將貽誤非淺，可見用浮文者不惟無益於事，而且有害於事也。

本軍師等近日登朝，荷蒙真聖主面降聖詔，首要認識天恩主恩東西王恩，次要實敍其事，從某年月日而來，從何地何人證據，一一敍明，語語確鑿，不得一詞嬌艷，毋庸半字虛浮，但有虔恭之意，不須古典之言，故朕改《字典》為《字義》也。本軍師等朝奏，欽遵之下，不勝敬凜。為此特頒宣諭，仰合朝內外官員書士人等一體周知，嗣後本章稟奏，以及文移書啓，總須切實明透，使人一目了然，才合天情，才符真道。切不可仍蹈積習，從事虛浮，有負本軍師等諄諄諭誡之至意焉。

又所頒《天情道理書》也說明該書「語句不加藻飾，只取明白曉暢，以便人人易解」。反對虛浮藻飾，主張文以紀實，樸質明曉，這確是進步修辭論，也是中國修辭學革新論的濫觴。

黃遵憲的「我手寫我口」，見於《雜感》一詩，詩云：

我手寫我口，古豈能拘牽？卽今流俗語，我若登簡編，五千年後人，驚為古斕斑。（《人境廬詩草》卷二）

黃遵憲不能容忍修辭須受古語束縛的現象，提出「我手寫我口」的主張，甚至大膽地提出以「流俗語入詩。」他認爲今日的流俗語，若果登上簡編，數千年後的人讀到了，將會有如同我們讀上古的詩文的感覺那樣「驚爲古斕斑」。黃遵憲懂得語言修辭的演變，他的修辭理論也合於進化的原則的。

一九〇二年，黃遵憲《與嚴又陵書》云：

《天演論》供餐案頭，今三年矣。本年五月，獲讀《原富》，近日又得讀《名學》，雋永淵雅，疑出北魏人手。今日已為二十世紀之世界矣，東西文明，兩相結合，而譯書一事，以通彼我之懷，闡新舊之學，實為要務。公於學界中又為第一流人物，一言而為天下法則，實衆人之所歸望者也。僕不自揣，竊亦有所求於公：第一為造新字，次則假借，次則附會，次則謰語，次則還音，又次則兩合。《荀子》有言，命不喻而後期，期不喻而後說，說不喻而後辨。吾以為欲命之而喻，誠莫如造新字，其假借諸法，皆《荀子》所謂曲期者也；一切新撰之字，初定之名，於初見時，能包綜其義，作為界說，繫於小注，則人人共喻矣。第二為變文體。一曰跳行，一曰括弧，一曰最數，一曰夾注，一曰倒裝語，一曰自問自答，一曰附表附圖，此皆公之所已知已能也。公以為文界無革命，弟以為無革命而有維新，如《四十二章經》，舊體也，自鳩摩羅什輩出，而內典別成文體，佛教益盛行矣。本朝之文書，元明以後之演義，皆舊體所無也，而人人遵用之而樂觀之；文字一道，至於人人遵用之而樂觀之；足矣。（見錢萼孫氏撰《黃公度先生年譜》所引）

這裏面提到了修辭和文體的革新。黃氏不滿嚴復的譯文雋永淵雅，近於北魏，以爲二十世紀之人，應寫二十世紀的文字，希望嚴氏能造新字，變文體，用標點符號，用各種辭格，這幾乎是一篇革新的修辭論了。

四、折衷的修辭論

清代學者論修辭持折衷之見者，很難看出他到底是主張崇古還是反對崇古。如《四庫全書》的編者紀昀，他的《香亭文稿序》云：

自前明正德嘉靖間，李空同諸人，始以摹擬秦漢為倡，於是人人皆秦漢，而人人之秦漢，實同一音。茅鹿門諸人，以摹擬八家為倡，於是人人皆八家，而人人之八家，又同一音。模造面具，其斯之謂歟？久而厭之，漸闢別途，於是鍾伯敬諸人，以冷峭幽渺，求神致於一字一句之間。陳臥子諸人，更沿溯六朝，變為富麗，左右佩劍，相笑不休，數百年來，變態百出。實則惟此四派，迭為盛衰而已。夫為文不根柢古人，是〇規矩也；為文而刻劃古人，是手執規矩，不能自為方圓也。（《紀曉嵐詩文集》）

他認爲文如果不根柢古人，是違背規矩；但若爲文太過於刻畫古人，却是手執規矩，而不能自爲方圓。他又認爲「恃聰明以爲巧，亦巧其所巧，非古人之所謂巧也。惟根本六經，而旁參以史、子、集，使理之疑似，事之經權，瞭然於心，脫然於手，縱橫伸縮，惟意所如，而自然不悖於道。其爲巧也，不有不期然而然者乎？」（同上）他主張先讀古人書，「瞭然於心」之後，才縱橫自如地寫了出來，這又似乎是近於「師其意而不師其辭」的修辭論了。

曾國藩論修辭有時主張崇古，有時却又模稜兩可，類於折衷的言論。如《致劉孟容書》云：

> 文與文相生而爲字，字與字相續而成句，句與句相續而成篇。口所不能達者，文字能曲傳之。故文字者，所以代口而傳之千百世者也。（《曾文正公書札》）

文字既代口而傳之千百世，應當隨着時代而變遷，自然不必學古仿古了。但是他又說：「然則此句與句續、字與字續者，古聖之精神語笑，胥在於此。」（同上）原來他的所謂句續字續者，其所綴的篇章，仍不出於「古聖之精神語笑」，仿古崇古的本色却又現了出來了。

上舉紀、曾二人的言論，歸根究柢，前者只是重彈明代「師其意而不師其辭」的修辭論，後者實際上是主張師其辭的學古修辭論。

五、論文與質

歷代論修辭，都有文和質的爭論。奇怪的是清代崇古之說極盛，但是主張文飾和奇巧的却並不見得怎麼熱烈。康熙時被薦舉博學鴻詞而不赴的魏禧，其《答曾君有書》云：

竊以謂明理而適於用者，古今文章所由作之本；然言之不文，行之不遠，是以有文。而天下之理與事有不可以盡言者，是以有含蓄之指；有難於直言者，是以有參差斷續變化之法：則皆其後起者也。（《魏叔子文集》第五卷）

他主張文飾；又以爲文須含蓄，須錯綜，强調積極修辭的手法。

桐城古文家吳汝綸《與姚仲實書》云：

桐城諸老，氣清體潔，海內所宗，獨雄奇瑰瑋之境尚少。蓋韓公得揚馬之長，字字造出奇崛；歐陽公變為平易，而奇崛乃在平易之中。後儒但能平易，不能奇崛，則才氣薄弱，不能復振，此一失矣！曾文正公出而矯之，以漢賦之氣運之，而文體一變，故卓然為一代大家。近時張廉卿又獨得於《史記》之譎怪；蓋文氣雄俊不及曾，而意思之恢詭，辭句之廉勁，亦能自成一家。（《桐城吳先生文集》）

吳氏毫無保留地主張奇崛，甚至像曾國藩的摹擬漢賦，竟被他稱許爲「卓然一代大家。」他認爲「文者必以奇勝，……義疏之流暢，訓詁之繁瑣，考證之該博，皆於文體有妨。」（同上）他醉心於漢賦，認爲奇莫奇於漢賦；他極力想恢復駢儷的江山，有意將修辭拉回到六朝的軌道上去。

彭孫遹《金粟詩話》云：

詞以自然為宗，但自然不從追琢中來，便率易無味，如所云：「絢爛之極，乃造平淡」耳。若使語意淡遠者，稍加刻劃，鏤金錯綉者，漸近天然，則駸駸乎絕唱矣。（《別下齋叢書》本《金粟詞話》）

他雖主張以自然爲宗，但須是雕琢而使之近於自然，而不是眞正的自然，所以到頭來還是主張雕飾。

孫德謙却反對用奇巧的文字。其《六朝麗指》有云：

《文心・變通》篇：「宋初訛而新。」謂之訛者，未有解也。及《定勢》篇則釋之曰：「自近代辭人，率好詭巧，原其為體，訛勢所變，厭續舊式，故穿鑿取新。察其訛意，似難而實無他術也，反正而已，故文反正為乏，辭反正為奇。效奇之法，必顛倒文句，上字而抑下，中辭而出外，回互不常，則新色耳。」觀此則訛之為用，在取新奇也。顧彼獨言宋初者，豈自宋以後卽不然乎？非也。《變通》又曰：「今才穎之士，刻意學文，多略漢篇，師範宋集。」則文之反正，喜尚新奇者，雖統論六朝可矣。聞之魏文有言：「文章經國之大業，不朽之盛事。」文而專求新奇，為識者嗤鄙，在所不免。然而論乎駢文，自當宗法六朝，一時作者並起，旣以新奇制勝，則宜考其為此之法。吾試略言之，有詭更文體者，如韋琳之有《䱇表》，袁陽源之有《鷄九錫文》，並《勸進》是。雖出於游戲，然亦力趨新奇，而不自覺其訛焉者也。有不用本字，其義難通，遂使人疑其上下有闕文者，如任彥昇《為范始興作求立太宰碑表》，「阮略旣泯，故首冒嚴科」，「故」卽「固」字，自假「固」為「故」，而文意甚明者，轉至不可解矣。此亦新奇之失，訛於一字者也。又《北山移文》，「道帙長殯」，此「殯」字借為埋沒意，且其文究非檄移正格，猶可說也。而江文通為《蕭拜太尉揚州牧表》，「若殞若殯」。《說文》，「殯，死在棺，將遷葬柩，賓遇之」。今文果從本義，則殯為死矣。章表之體，理宜謹重，何必須此「殯」字。蓋亦惟務新奇，訛謬若此也。以上二者，皆係用字之訛，以為苟不如此，不足見其新奇耳。他如鮑明遠《石帆銘》，「君子彼想」，恐是「想彼君子」，類彥和之所謂顛倒文句者。句何以顛倒？以期其新奇也。又庚子山《梁東宮行雨山銘》，「草綠衫同，花紅面似」。其句法本應作「衫同草綠，面似花紅」，今亦顛之倒之，使之新奇也。或曰，銘為韻文，所以顛倒者，取其音叶。其說似也。以吾言之，律賦有官韻，無可如何而顛倒其文句。既非律情，凡為駢偶文字，造句之時，可放筆為之，無容倒置。然則此銘兩句，其有意取詭者，亦好新奇之道也。其餘則哲如仁之類，一言蔽之，不離乎新奇者近是。雖然，《禮記》有之，「情欲信，辭欲巧」。禮家且云爾，又何病夫新奇哉？（四益宦刊本《六朝麗指》）

孫氏客觀地分析了六朝詭更文體、喜尚奇的原因，並列舉例證。如用同音同義異形字，以「故」代「固」；但由於「故」平常不作「固」字義，反使人不可解。他認為用倒裝的修辭法，也是尚奇的一類，詩賦為着叶韻，不得已而用之；平常文字，便大可不必了。他不知「倒裝」原是積極修辭的辭格之一種，除了叶韻之外，如遇情景的需要，也不妨用這種修辭法。

李漁也反對纖巧，以為纖巧是行文之大忌，獨詞曲是例外的。他說：

纖巧二字，行文之大忌也。處處皆然。而獨不戒於傳奇一種。傳奇之為道也，愈纖愈密，愈巧愈精。詞人忌在老實，老實二字，即纖巧之仇家敵國也。（芥子園本《笠翁一家言全集·笠翁偶集》詞曲部）

他主張詞曲盡可意取尖新。在《窺詞管見》裏，他說：「琢句煉字，雖貴新奇，亦須新而妥，奇而確。妥與確總不越一理字。欲望句子之警人，先求理之服衆。」（芥子園本《笠翁一家言全集·笠翁餘集》卷首）他認為詞曲雖不妨纖巧新奇，也應不悖於理才行。孔尚任則說：「夫詞，乃樂之文也。情生於文，而聲即生於情；凡不能入歌者，皆無情之文也。」（《孔尚任詩文集·迂立堂詩序》）倒過來說，凡是有情之文，都須注重音韻的相稱，都能入歌，則似乎主張詞非講求聲律不可了。梅曾亮《復社人姓氏書後》云：「文人矜誇，能震動奔走天下，多浮語虛辭；而有國者或欲出全力以勝之，其計左矣！」（《柏梘山房文集》）他鄙薄華靡，以爲這種「一時之習尚，使後世謂士氣不可伸，而各賢亦爲之受垢」，（同上）後果是挺嚴重的。

周壽昌《思益堂日記》（九）有「掉書袋」一則云：

凡人摘裂書語以代常談，俗謂之掉文，亦謂之掉書袋。掉書袋三字見馬令《南唐書·彭利用傳》。利用自號彭書袋，《傳》中所載掉文處真堪絕倒。《傳》有云：或問其高姓，對曰，「隴西之遺苗，昌邑之餘胄。」又問其居處，對曰，「生自廣陵，長僑螺渚。」其僕常有過，利用責之曰，「始予以為紀綱之僕，人百其身，賴爾同心同德，左之右之。今乃中道而廢，侮慢自賢，故勞心勞力，日不暇給。若而今而後，過而勿改，予當循公滅私，撻諸市朝，任汝自西自東，以遨以游而已。」時江南人士每於宴語，必道此以為戲笑。利用喪父，客吊之曰，「賢尊窀穸，不勝哀悼。」利用對曰，「家君不幸短命，諸子糊口四方，歸見相如之壁，空餘仲堪之棺，實可痛心疾首，不寒而慄。苟泣血三年，不可再見。」遂大慟。客復勉之曰，「自寬哀戚，冀闋喪制。」利用又曰：「自古毀不滅性，杖而後起，卜其宅兆而安措之。雖則君子有終，然而孝子不匱。三年不改，何日忘之。」又大歔欷。吊者於是失笑。會鄰家火災，利用往救，徐望之曰，「煌煌然赫赫然，不可嚮邇，自鑽燧而降，未有若斯之盛，其可撲滅乎？」又嘗與同志遠遊，迨至一舍，俄不告而返。詰旦，或問之故。利用曰，「忽思朱亥之椎，猶倚陳平之戶，竊恐數鈞之重，轉傷六尺之孤。」其言可哂者類如此。

這是譏誚用典的可笑。用典，原是引用的修辭法，沒有什麼可笑不可笑；但用典用到像彭利用的掉書袋那樣，確也會使人感到不自然的。陳望道先生說得好：「引用本也不必絕對排斥，假如前人的成事成語眞有足以補助或代替我們自己的說話的，引用也不妨，但過去往往借用不全切或全不切的故事陳言來代話，又往往借用不全切的或全不切故事陳言來解話，有時晦澀費解，簡直等於做謎猜謎。而刻削不自然的體態也往往教人看了生厭。這於意趣兩面，都是有害無益。最大的效用，不過是借此矜奇炫博，就是所謂掉書袋。」（《修辭學發凡》第十篇修辭現象的變化和統一）周壽昌譏笑彭書袋玩弄文墨，自然是反對猜謎式的用典的。

阮元《四六叢話後序》云：「以質雜文，尙曰彬彬；以文被質，乃稱𩡧𩡧。文之與質，從可分矣。」（《揅經室文集》）這裏只是說明文與質的分別，並沒有表示意見，似是折衷派了。但，接着他又說：「商瞿觀象於《文言》，丘明振藻於簡策，莫不訓辭爾雅，音韻相諧。至於命成潤色，禮學多文，仰止尼山，益知宗旨。使其文章正體，質實無華，是犬羊虎豹，翻追棘子之談；黻黼靑黃，見斥莊生之論也。」（同上）則其偏尙文采，也就分明可見了。

章炳麟《文學總略》云：

《太史公》記博士平等議曰：「謹案：詔書律令下者，文章爾雅，訓辭深厚。」此寧可書作彣彰耶？獨以五彩彰施五色，有言黻，言黼，言文，言章者，宜作彣彰。然古者或無其字，本以文章引申。今欲改文章為彣彰者，惡乎沖淡之辭，而好華葉之語，違書契記事之本矣。孔子曰：「言之無文，行而不遠。」蓋謂不能擧典禮，非欲苟潤色也。

他認爲不喜歡「沖淡之辭」，却喜歡「華葉之語」，是反本。「《易》之所以有《文言》，……非矜其采飾也。」（同上）他指出「近世阮元，以爲孔子贊《易》，始著《文言》，故文以耦儷爲主；又牽引文筆之說以成之。夫有韻爲文，無韻爲筆，是則駢散諸體，一切是筆非文。借此證成，適足自陷。」（同上）看來章氏是反雕飾文采的了。但在同一文裏，他又說：「蓋人有陪貳，物有匹耦。愛惡相攻，剛柔相易，人情不能無，故辭語應以爲儷。」他認爲對偶和辭麗，是自然的形成，無可批評的。他又說：

或謂：君子尚辭乎？曰：君子事之為尚。事勝辭則伉，辭勝事則賦，事辭稱則經。以是見韵文耦語，並得稱辭，無文辭之別也。且文辭之稱，若從其本以為部署，則辭為口說，文為文字。古者簡帛重煩，多取記憶。故或用韵文，或用耦語。為其音節諧適，易於口記，不煩紀載也。戰國縱横之士，抵掌搖唇，亦多積句，是則耦麗之體，適可稱職。乃如史官方策，有《春秋》、《史記》、《漢書》之屬，適當稱為文耳。由是言之，文辭之分，反復自陷，可謂大惑不解者矣。

（《文學論略》）

他先明引揚雄《法言》的話，再暗引阮元的《文言說》和章學誠的《文史通義·詩教下》的話，說來說去，他對於文與質的爭論，是根據文和辭的產生而立論的。

對於文質的論爭，眞正持折衷之見的，是王又華，其所著《古今詞論》曾引曾去矜的話說：『白描不可近俗，修辭不可太文。生香眞色，在離即之間。不特難知，亦且難言。』至於文質折衷之道，爲什麼難知而又難言呢？他却沒有作進一步的說明。

六、論辭與意

清人論辭與意，幾乎淸一色地主張意重於辭，或意在辭先，這和他們所倡言的崇古修辭論其實幷不相抵觸。崇古修辭論的倡言者都是禮拜文言的信徒，他們或尙文而不善朴，但幷不主張辭重於意，或主有其形（辭）而不顧及理意。顏元《法孔》云：『修辭之功，全在未言之前；但得先一思方出口，便得力矣。』（《顏習齋先生言行錄》）他主張『先一思方出口』，即是意先於辭。王夫之《夕堂永日緒論》亦云：

無論詩歌與長行文字，俱以意為主。意猶帥也，無帥之兵謂之烏合。李杜所以稱大家者，無意之詩，十不得一二也。……以意為主，勢次之。勢者，意中之神理也。唯謝康樂為能取勢，宛轉屈伸，以求盡其意，意已盡則止，殆無剩語，夭矯連蜷，烟雲繚繞，乃真龍，非畫龍也。（《姜齋詩話》）

有人從『勢者，意中之神理』立論，說他的所謂『勢』，近於王漁洋的神韻；但我們再看他所舉的例證：『唯謝康樂爲能取勢，宛轉屈伸，以求盡其意』，則『勢』其實是指修辭技巧而說。他以爲無論作詩和作文，都以意爲主，修辭技巧應當押後。

黃宗羲《錢屺軒七十壽序》云：

所謂古文者，非辭翰之所得專也。一規一矩，一折一旋，天下之至文生焉，其又何假於辭翰乎。且人非流俗之人，而後其文非流俗之文。使盧舍血肉之氣，充滿胸中，徒以句字擬其形容，紙墨

有靈，不受汝欺也。（《文案》外集）

古文既不重辭翰，則所重當在於意。他又說：『學文者亦學其所至而已矣。不能得其所至，雖專心致志於作家，亦終成其爲流俗之文耳。』『所至』，指實事求是。他重實質，反對形式主義。其《論文管見》又說：

所謂文者，未有不寫其心之所明者也。心苟未明，劬勞憔悴於章句之間，不過枝葉耳，無所附之而生。故古今來不必文人始有至文，凡九流百家，以其所明者，沛然隨地涌出，便是至文。故使子美而談劍器，必不能如公孫之波瀾；柳州而敍宮室，必不能如梓人之曲盡，此豈可強者哉。

（耕餘樓本《南雷文定》三集卷三）

到這裏，黃氏才明白說出：辭在意後。幷進一步教人不寫心所未明的事物，也就是說，外行人不要說內行話。又黃氏《明文案序下》引李夢陽云：『視古修辭，寧失諸理。』接下去，黃氏說：『六經所言惟理，抑亦可以盡去乎？』（《南雷文定》）這話可以加强他理（意）重於辭』和反形式主義的主張，但黃氏實誤解李夢陽『寧失諸理』的『寧』字爲『寧可』（應作『豈』字解），所以有『六經所言……』的話。

錢塘《與王無言書》云：

文者所以飾聲也，聲者所以達意也，聲在文之先，意在聲之先。至製爲文，則聲具而意顯，以形加之爲字，字百而意一也；意一則聲一，聲不變者，以意之不可變也：此所謂文字之本旨也。

（溉亭述古錄》）

他認爲意最先，聲次之，文又次之。但是他又說：『夫文字惟宜以聲爲主，聲同則其性情旨趣，殆無不同。若夫形，特加於其旁，以識其某事某物而已，固不當以之爲主也。』（同上）這樣說來，一切都以聲爲主，意只是聲的附庸，形（文辭）更不必說了。

焦循《時文說二》云：

庸奇清濁，淺深華朴，均以形別之。古文以意，時文以形。舍意而論形，則無古文；舍形而講意，則無時文。故二者不可以相通。（《雕菰集》卷十）

焦氏說『古文以意，時文以形』，而不置可否。再看他的《時文說一》：

時文之體，全視乎題，題有虛實兩端，實則以理為法，虛則以神為法；考核典禮，敷衍藻麗，皆其後也。故時文家能達不易達之理，能著不易傳之神，乃為大家。

這才明白指出理或神在先，藻麗辭采在後。焦氏於理（意）之外，却多出了一個『神』來。其《答黃春谷論詩書》又說：『是故孟子論說詩之法，在以意逆志，而不以辭。辭外也，意志內也，說詩者徒以辭謂之固；作詩者徒以辭，又何以爲詩哉？』（《雕菰集》卷十四）他堅決主張重意而不重辭。但《雕菰集》中另有《與王欽萊論文書》，却又主張用各種的修辭法以顯意：『總其大要，惟有二端，曰意曰事。意之所不能明，賴文以明之，或直斷，或婉述，或詳引證，或設譬喩，或假藻繪，明其意而止，』這其實幷沒有什麼矛盾，因爲他只說辭應在意之後，幷沒有否定了辭的功用。

方東樹也主張意重於辭，其《書法言後》云：『理淺而辭艱，……非文之工者也。』（《儀衞軒文集》）又說：『文其辭而無當於理者有之矣，未有當於理而其辭不文者也。』（同上）可見他還是主張

『當於理』比『文其辭』要緊。王柏心《辨言》云：

言有要，匪理無言也，匪事無言也。言而弗涉乎事理，是去薪求火之類也。言而弗當乎事理，是歧路亡羊之類也。君子之於言，無所茍也，無弗辨也。辨之奈何？衷之於理而核之於事，事理合矣，進而察其言之氣象，則罔有遁矣！（《百柱堂文集》）

他強調言須本於理（意），非理勿言。認爲『心之精，結而爲言，是衷之旗也。』（同上）所以聽其言而知其爲人，是昭然可辨的。

黃遵憲也說：『文章之佳，由於胸襟器識；尋章摘句，於字句（間）求生活，是爲無用人耳。』（著者與實藤惠秀共同編校《黃遵憲與日本友人筆談遺稿·庚辰筆話》第七卷第四十七話）這是黃遵憲對日本文人龜谷省軒說的話，他也是主張重意而不重辭的。

張裕釗《答吳至甫書》云：

古之論文者曰：文以意為主，而辭欲能副其意，氣欲能擧其辭。譬之車然，意為之御，辭為之載，而氣則所以行也。（《濂亭文集》）

這完全是襲取唐、宋人說過的話，沒有創見。

七、顧炎武《日知錄》

顧炎武《日知錄》三十二卷，補遺四卷，作者自說著作的經過是這樣的：『愚自少讀書，有所得，輒記之。其有不合時，復改定；或古人先我而有者，則遂削之。積三十餘年，乃成一編。』所以『平生之志與業皆在其中。』他『與黃梨洲都是清代學術的開山祖師，而同時又是清初的遺老，不能無家國與亡之感，所以所受時代的刺激較爲特深。』（郭紹虞氏《中國文學批評史》四近古期六十四）他爲學重根柢，反對道學先生空談心性，是清初學者中思想比較進步的一位。可是對於修辭，他却堅決主張非從文言入門不可，本篇第一節曾引述他的《修辭》篇，已可概見了。《日知錄》卷二十又有『文章推服古人』一則云：

> 韓退之文起八代之衰，於駢偶聲律之文，宜不屑為。而其《滕王閣記》，推許王勃所為《序》，且曰竊喜載名其上，詞列三王之次，有榮耀焉。李太白《黃鶴樓詩》曰：「眼前有景道不得，崔顥題詩在上頭。」所謂自古在昔，先民有作者也。今之好譏訶古人，翻駁舊作者，其人之宅心可知矣。

顧氏對于象《滕王閣序》那樣十足駢儷的文章，還是懷戀著的，他認爲古人的好文章，只許推服，千萬譏訶不得。從這一觀念出發，他主張修辭須重文言，因而有崇古的修辭論，是不足爲怪的。

《日知錄》卷二十九《方音》篇云：

> 五方之語雖不同，然使友天下之士，而操一鄉之音，亦君子之所不取也。故仲由之喭⑤，夫子病之；鴃舌之人，孟子所斥。⑥……至於著書作文，尤忌俚俗。《公羊》多齊言，《淮南》多楚語；若《易傳》、《論語》，何嘗有一字哉？若乃講經授學，彌重文言。是以孫詳、蔣顯曾習《周官》，而音乖楚夏，則學徒不至；李業興學問深博，而舊音不收，則為梁人所笑；鄴下人士，音辭鄙陋，風操蚩拙，則顏之推不願以為儿師。是則惟君子為能通天下之志，蓋必自其發言始

也。

顧氏鄙薄俚俗語、重視文言的態度，表露得更加淸楚明白。同文又引《金史・國語解序》說：『今文《尙書》辭多奇澀，蓋亦當世之方言也。』《金史》的作者脫脫等以爲漢初伏生所傳的今文《尙書》二十八篇，文辭中糝入不少當世的方音，元人讀起來，便覺得奇澀了。爲什麼呢？因爲語言文字的演變。這樣的立論，原是合於語文進化的原則的。

《日知錄》卷十九『文章繁簡』云：

作書須注，此至秦、漢以前可耳。若今日作書而非注不可解，則是求簡而得繁，兩失之矣。子曰：「辭達而已矣。」

這似乎反對寫作過於求簡，而至於使人看不懂。

《日知錄》卷二十六『新唐書』云：

《馬總傳》：「李師道平，析鄆曹濮等爲一道，除總節度，賜號天平軍。長慶初，劉總上幽鎮地，詔總徙天平，而召總還，將大用之。會總卒，穆宗以鄆人附賴總，復召還鎮。」上云「詔總徙天平」，劉總也。下云「詔總還」，馬總也。又云「會總卒」，劉總也。又云「鄆人附賴總」，馬總也。此于人之主賓，字之繁省，皆有所不當。當云「詔徙天平」而去「總」字，于其下則云「會劉總卒」，于文無加，而義明矣。

這是以《新唐書・馬總傳》爲例，指出省略失當而至於使人難分賓主的積極修辭與消極修辭結合論。（省略是積極修辭的辭格之一，分淸賓主是消極的要件之一。）

『日知錄』也論辭格，如卷十九『古人集中無冗複』云：

古人之文，不特一篇之中無冗復也，一集之中亦無冗復。且如稱人之善，見于祭文，則不復見于志；見于志，則不復見于他文。後之人讀其全集，可以互見也。又有互見于他人之文者，如歐陽公作《尹師魯志》，不言近日古文自師魯始，以為范公祭文已言之，可以互見，不必重出，蓋歐陽公自信己與范公之文，幷可傳于後世也。亦可以見古人之重愛其言也。

他指出古人於一集之中，同一敍事，力避兩見；甚至同一敍事，已見於他人之文，亦不復提，以避互見。但是一篇之中，一句之內，重用同義異形的字或辭，却是常見的。《日知錄》卷二十四『重言』云：

古經亦有重言之者。《書》：「自朝至于日中昃，不遑暇食。」遑即暇也。《詩》：「無已太康」，已即太也；「既安且定」，安即定也；「既庶且多」，庶即多也。《左傳》：「一薰一蕕，十年尚猶有臭」，尚即猶也；「周其有髭，王亦克能信其職」，克即能也。

作者認爲在那一個句子之中，須加他一個字或者兩個字，讀起來才會順口，便只得借助於重言了。又有用同形同義字的複疊，謂之疊字。《日知錄》卷二十一『詩用疊字』云：

詩用疊字最難。衛詩「河水洋洋，北流活活，施罛濊濊，鱣鮪發發，葭菼揭揭，庶姜孽孽」，連用六疊字，可謂復而不厭，賾而不亂矣。古詩「青青河畔草，鬱鬱園中柳。盈盈樓上女，皎皎當窗牖。娥娥紅粉妝，纖纖出素手」，連用六疊字，亦極自然。下此即無人能繼。屈原《九章・悲回風》「紛容容之無經兮，罔芒芒之無紀。軋洋洋之無從兮，馳逶移之焉止。漂翻翻其上下兮，

> 翼遙遙其左右。汜濡濡其前後兮，伴張弛之信期」，連用六疊字。宋玉《九辯》「乘精氣之摶摶兮，騖諸神之湛湛。驂白霓之習習兮，歷群靈之豐豐。左朱雀之茇茇兮，右蒼龍之躣躣。屬雷師之闐闐兮，通飛廉之衙衙。前輕輬之鏘鏘兮，後輜乘之從從。載云旗之委蛇兮，扈屯騎之容容」，連用十一疊字。後人辭賦，亦罕及之者。

他贊賞古詩連用疊字，以爲用來不易，而能用得自然，用得『複而不厭、賾而不亂』，更是難能可貴。但他以爲自古詩『青青河畔草』連用六疊字後，『卽無人能繼』，恐怕不合事實，如著名的韓愈《南山詩》，李清照《聲聲慢》詞，連用更多的疊字，都是『賾而不亂』的，宋、明詩話，交贊不絕於口，但顧氏却無視了。

《日知錄》也論引用，但稱之爲述古、引古和引書。卷二十『述古』云：

> 凡述古人之言，必當引其立言之人；古人又述古人之言，則兩引之，不可襲以為己說也。

他主張用明引法，須將出處交代清楚，不可將古人的話，納在自己的文字之中，作爲自己的一部分。同卷又有『引古必用原文』云：

> 凡引前人之言，必用原文。《水經注》引盛宏之《荊州記》曰：江中有九十九洲。楚諺云洲不百，故不出王者。桓元有問鼎之志，乃增一洲，以充百數。僭號數旬，宗滅身屠。及其傾敗，洲亦消毀。

他只舉《水經注》引《荊州記》依照原文，幷沒有舉出引古不照原文的例子。照題目（『引古必用原文』），似應舉出引古不照原文之例，然後議論其失，才能使人信服。

同卷又有『引書用意』云：

《書‧泰誓》：「舜有億兆夷人，離心離德；予有亂臣十人，同心同德。」《左傳》引之，則曰：「《太誓》所謂商兆民離、周十人同者，衆也。」《淮南子》：「舜釣于河濱，期年，而漁者爭處湍瀨，以曲隈深潭相予。」《爾雅》注引之，則曰：「漁者不爭隈。」此皆略其文而用其意也。「時子因陳子而以告孟子，陳子以時子之言告孟子」，此不須重見而意已明。「齊人有一妻一妾而處室者。其良人出，則必饜酒肉而後反。其妻問所與飲食者，則盡富貴也。其妻告其妾曰：良人出，則必饜酒肉而後反。問其與飲食者，盡富貴也，而未嘗有顯者來。吾將瞷良人之所之也。」「有饋生魚于鄭子產，子產使校人畜之池。校人烹之，反命曰：始舍之圉圉焉，少則洋洋焉，悠然而逝。子產曰：得其所哉！校人出曰：孰謂子產智，予既烹而食之，曰得其所哉！得其所哉！此必須重疊而情事乃盡。此孟子文章之妙，使入《新唐書》，於齊人則必曰其妻疑而瞷之，於子產則必曰校人出而笑之，兩言而已矣。是故辭主乎達，不主乎簡。

這是論引用兼論省略的修辭法，屬於「略語取意」的引用。《左傳》引《泰誓》省略了《泰誓》原文五個字，《爾雅》注引《淮南子》省略了《淮南子》原文十六個字，都是所謂『略其語而取其意』的引用修辭法。

《日知錄》卷十九『文章繁簡』又云：

近代文章之病，全在摹仿，卽使逼肖古人，已非極詣，況遺其神理而得其皮毛者乎！且古人作文，時有利鈍。梁簡文《與湘東王書》云：「今人有效謝康樂裴鴻臚文者，學謝則不屆其精華，但得其冗長；師裴則蔑弃其所長，惟得其所短。」宋蘇子瞻云：「今人學杜甫詩，得其粗俗而已」。

這裡一共舉了三個例證。第一個例證『不須重見而意已明』，但是却重見了，所以是累贅；第二第三兩個例證是『必須重叠而情事乃盡』，所以重叠是對的，『此正是孟子文章之妙』，如果加以節縮或省略，便會弄巧成拙。

《日知錄》卷十九『文人摹仿之病』云：

近代文章之病，全在摹仿，卽使逼肖古人，已非極詣，況遺其神理而得其皮毛者乎！且古人作文，時有利鈍。梁簡文《與湘東王書》云：『今人有效謝康樂裴鴻臚文者，學謝則不屆其精華，但得其冗長；師裴則蔑棄其所長，惟得其所短。』宋蘇子瞻云：『今人學杜甫詩得其粗俗而已。』

摹仿不論怎樣到家，都不是上乘之作，何況只能摹仿其短處呢？他又以爲摹仿一定比不上原作，『效《楚辭》者必不如《楚辭》，效《七發》者必不如《七發》，蓋其意中先有一人在前，既恐失之，而其筆力復不能自遂，此壽陵餘子學步邯鄲之說也。』（同上）他引《曲禮》的話說：『毋勦說，毋雷同，』以爲這是古人立言之本，値得服膺的。

《日知錄》卷二十七『李太白詩注』云：

太白詩有《古朗月行》，又云「今人不見古時月」（《把酒問月》）。王伯厚引《抱朴子》曰，「俗土多雲，今日不及古日之熱，今月不及古月之朗」（《困學紀聞》卷十八《抱朴子外篇》卷三《尚博》篇），是則然矣。而又云「狂風吹古月，竊弄章華台」（《司馬將軍歌》），又曰「海動山傾古月摧」（《永王東巡歌》）。所謂「古月」則明是「胡」字，不得曲為之解也。……或曰：析字之體，只當著之讖文，豈可以入詩乎？「槀砧今何在？山上復有山……」古詩固有之矣。

這是論析字的修辭法，并列舉例證。顧氏所引析字辭的古樂府，本書第六篇已經引述了。但槀砧何以是『鈇也』呢？據《名義考》說：『古有罪者，席槀伏于椹上，以鈇斬之，言槀椹則兼言鈇矣。鈇與夫同音，故隱語槀椹爲夫也。槀，禾稈；椹，俗作砧；鈇，斧也。』原來析字修辭的衍義和諧音，竟有如此的曲折。

《日知錄》卷二十三『嫌名』云：『衞桓公名完，楚懷王名槐，古人不諱嫌名，故可以爲諡。』韓愈的《諱辯》，本有『不諱嫌名』之說。但古人其實是諱嫌名的。《日知錄》卷二十三『嫌名』又云：

按嫌名之有諱，在漢末之聞。晉羊祜為都荊州諸軍事，及薨，荊州人為祜諱名，室戶皆以門為稱，改戶曹為辭曹，此諱嫌名之始也。

顧氏指出嫌名之有諱，始於晉羊祜。後來田登自諱其名，說點燈爲放火，成爲家喻戶曉的佳話，也屬於諱嫌名的一類。

同卷又有『以諱改年號』云：

唐中宗諱顯，元宗諱隆基，唐人凡追稱高宗顯慶年號，多云明慶；永隆年號，多云永崇。趙元昊以父名德明，改宋明道年號為顯道，而范文正公《與元昊書》，亦改後唐明宗為顯宗。

雖然范仲淹趙元昊的政治思想和主張不同，元昊要起義，仲淹則以龍圖閣直學士經略陝西，和他對峙；可是范仲淹寫信給趙元昊，還是要替他的父親的名字避諱，可見古人重視父諱，是到了怎樣的地步了。

同卷又有『前代諱』云：

楊阜，魏明帝時人也，其疏引《書》「協和萬國」，猶避漢高祖諱。韋昭，吳後主時人也，其解

《國語》凡莊字皆作嚴，猶避漢明帝諱。唐長孫無忌等撰《隋書》易《忠節傳》以《誠節》，稱苻堅為苻永，固亦避隋文帝及其考諱。自古相傳忠厚之道如此，今人不知矣！

漢高祖名劉邦，到了魏明帝的時候，仍有人爲他避諱，引《書經》改「協和萬邦」爲「協和萬國」；漢明帝名劉庄，到了吳後主的時候，還有人爲他避諱；隋文帝名楊堅，父名楊忠，唐人撰《隋書》，仍爲楊氏父子避諱。顧氏以爲這是古人「忠厚之道」，不然，既不在其治下，可以不必顧忌他了。但他最後却來了個「今人不知之矣！」的感慨。感慨什麼呢？感慨「今人」對避諱並不那麼熱心，缺乏「忠厚之道」。顧氏對避諱的看法如何也就不難想見了。

八、吳景旭《歷代詩話》

吳景旭（旦生）的《歷代詩話》，和乾隆時代何文煥所輯的《歷代詩話》名稱完全相同，但後者是將梁鍾嶸的《詩品》至明顏元慶的《夷白齋詩話》等二十七種詩話輯爲一集；而前者却是摘錄《詩經》、《楚辭》、漢魏六朝辭賦與樂府歌辭以及唐、宋、金、元、明的詩作，「仿陳耀文《學林就正》，每條各立標題，先引舊說（各家詩話）於前，然後雜採諸書，以資考證。……雖多採擷陳言，然亦有舊說所無，而景旭自立論者，則惟列本詩於前，而以己意發揮之。」（《淸詩話敍錄》）據劉承幹跋，景旭是明諸生，入淸棄去。由於時代與學力的局限，書中有封建的傳統觀念，論斷有時也難免有錯誤，或襲取舊說以爲己有。如卷五十七辛集三論當句對，其說襲《文鏡秘府論》，且所舉李義山詩：「池光不定花光亂，日氣初涵露氣乾」，其實並不全是當句對。又卷四十九庚集四論重用字引蘇東坡《送江公著詩》，連用兩「耳」字，一作名詞用，一作語末助詞用。吳氏謂「古人一字二義，往往重押」。但看他以下所舉的例句，如古詩：「晨風懷苦心，蟋蟀傷局促」，曹子建《美女篇》：「佳人慕高義，求賢良獨難」，謝靈運《初去郡詩》：「或可優貪競，豈足稱達生」，陸士衡詩：「泛舟清川渚，遙望江山陰」，……等，却都找不出句中有一字二義的重押。

然而，吳景旭也有其可取的地方。他與顧炎武同是由明入清的人物，但却不像顧炎武那樣，一味禮拜文言，鄙薄俚俗語。《歷代詩話》卷五十八辛集四論俚語引東坡詩：「面臉照人元自赤，眉毛覆眼見來烏。」以下是吳氏的按語：

> 吳旦生曰：王直方《詩話》：今市語答人真實事則稱見來，坡詩用俚語也。《墨莊漫錄》引杜詩：鑠石藤梢元自落，倚天松骨見來枯。坡句法此。而謂之俚語，直方未思耳。余以用俚語無妨，却看句法何如。坡此等則十四字全俚何關。

他以爲作詩不妨用俚語，只須看句法的需要與否，如果需要的話，就是全用俚語也未嘗不可。這是開明的主張。

《歷代詩話》卷七十九癸集八明詩卷之中有「襲前」一則云：

> 《藕居士詩話》曰：袁中郎力糾明詩，藝林咸允。十集出，幾於紙貴，務去陳言，力驅剽竊，殊為有功詩道。其謂不襲前人一字一意，恐未盡然。略舉一二，如「庖人供薄餅，稚子獻香梨」，襄陽有「廚人具鷄黍，稚子摘楊梅。」「落絮粘行牘」，老杜有「落絮粘行蟻。」「倦來看洗馬」，老杜有「晚凉看洗馬」。「感郎千金顧」，古詩有「感郎千金意。」……「文雅王元美，清

夷孫太初」，即老杜之「清新庾開府，俊逸鮑參軍」也。「六朝舊事殘鐘外」，即楊載之「六朝舊恨斜陽外」也。大約此等偶襲古，亦不避，三百篇亦有之，不足為病。

對於模擬的修辭，吳氏的看法是這樣的：「其自謂不襲，與必欲指其襲，皆是習氣未除。要之，詩人工拙，全不在此，亦觀其大體若何耳。」（同上）他認爲詩的工拙，須看它的大體，不在模擬的有無，如果大體看來是要得的，雖模擬也是好詩；如果大體看來是要不得的，雖不模擬也還是要不得的。所以中郎自謂不蹈襲，與他人必欲指其蹈襲，都是無謂。這確是自有見地，是前人論摹擬者所不曾說過的。

《歷代詩話》卷十八丙集六又論「襲句」云：

吳旦生曰：庾信所云（庾信《馬射賦》云：『落霞與芝蓋齊飛，楊柳共春旗一色。』），直是雲霞之霞矣。按吳獬《事始》云：「王勃《滕王閣序》：『落霞與孤鶩齊飛，秋水共長天一色。』落霞者，飛蛾也，土人呼為霞蛾。至若鶩者，野鴨也。野鴨飛逐蛾蟲而欲食之，所以齊飛。若雲霞之霞，則不能飛也。蓋其時閻公高會，婿有宿搆，見此二語，愧匿而不復出，古今因以為工。

吳氏引宋吳獬《事始》，以爲落霞是飛蛾，不是指雲霞，實在太煞風景了。從遞相祖述諸例句看來，落霞決不是飛蛾，如果是飛蛾與孤鶩齊飛，這樣的句意，決不會千古傳誦。

卷五十九辛集五論「用事」（卽引用）舉黃山谷《咏猩猩毛筆詩》等，也是前人詩話已經引述過的了。

卷七十二癸集一論「叠字」，先舉袁海叟《建華亭學詩》云：「其大維何？有門言言，有堂軒軒，有廡騫騫，有階平平；高墉連連，鑿池濊濊，樹木芊芊。」接著，吳旦生說：

海叟此等句，從《大雅・皇矣》篇「臨沖閑閑，崇墉言言，執訊連連，攸馘安安」得來。揭曼碩詩，「我游於衰，於龍之千，有辟閑閑，有環言言，有構桓桓，維集之安。」亦此法也。

這是論復叠兼論仿擬的修辭法，以下吳氏歷舉古詩十九首「青青河畔草」及韓愈《南山詩》，都是前人已不止一次引述過，所以從略。

卷三十五已集二論「假對」引《石林詩話》云：「杜工部詩對偶至嚴，而《送楊六判官》云：『子云清自守，今日起爲官』，獨不相對。竊意『今日』字當是『令尹』字傳寫之訛耳。」

杜甫這一首詩，原題是「送楊六判官使西蕃。」楊蓋贊原來像漢代的楊子雲，「三世不陞官，有以自守」（《楊雄傳》），今日却要「起爲官」（據《唐書》，事在至德二年），出使吐蕃了，所以杜詩會這樣說，葉夢得以「今日」與子雲不相對，疑是「令尹」傳寫之誤。不知杜甫詩容或有對仗不工整之處，不必妄爲臆說，且卽使是令尹，與子雲也仍舊不能相對。對此，吳且生另有他的看法。他說：

假雲以對日，謂之假對。兩句一意，乃詩家話法。杜牧之詩：「當時物議朱雲小，後代聲名白日懸」，亦用此意也。

吳氏所謂假對，其實是指用雙關辭。他舉杜牧《 商山富水驛 》詩句，也是用雙關辭。朱雲對白日是一意，但朱雲又是一個人的姓名，他在漢成帝時爲槐里令，看見大臣張禹行爲諂佞，上書言願借尚方斬馬劍，斷佞臣張禹的頭。牧之詩借朱雲以比陽城的剛毅（富水驛原名陽城驛，與諫議陽城同名）。吳氏本意是論對偶，結果却兼論起雙關來了。

卷三十八已集五牧詩卷中之中有「倒句」一則，舉杜甫《秋興》詩：「紅稻啄殘鸚鵡粒，碧梧栖老鳳凰枝」。吳氏按語云：

此為倒裝句法，乃以反言之也。若正言之，當云：「鸚鵡啄殘紅稻粒，鳳凰栖老碧梧枝。」公慣有此句法，如它詩：「黃鵠高於五尺童，化為白皃似老翁。」若正言之，當云：「五尺童時似黃鵠，化為老翁似白皃」也。後見顧修遠云：「詩意本謂香稻乃鸚鵡啄餘之粒，碧梧則鳳凰栖老之枝，蓋舉鸚鵡、鳳凰以形容二物之美，非實事也。重在稻與梧，不重鸚鵡、鳳凰。若云「鸚鵡啄殘香稻粒，鳳凰栖老碧梧枝」，則實有鸚鵡、鳳凰矣。又謝世修云：「其意謂黃鵠高於五尺之童，本有雲霄之志，今化為白皃，則似老翁，由大而小，不得志也可知。」余喜二說更有思致。

所舉杜甫《秋興》詩句，是八首中的最後一首律詩的首聯，「紅稻」本作「香稻」，「啄殘」本作「啄餘」。吳氏指出杜詩用倒裝的句法，並替它還原，這是前人詩話不只一次說過了的。但吳氏引述顧修遠的話，以為「鸚鵡啄餘，鳳凰栖老」，乃是敍述過去，而不是眼前的實景，重點實在於稻與梧，可備一說。又吳氏另舉杜甫黃鵠二句為例，以為也是倒裝的句法，並替它「正言之」為：「五尺童時似黃鵠，化為老翁似白皃」，眞是不知所云。還是謝世修的解說比較可取，這一點，吳旦生自己也承認了。

九、王夫之《姜齋詩話》

王夫之（船山）也是由明入清的人物，他和黃宗羲一樣，反對唯心主義的學說。《姜齋詩話》計三卷：卷一、《詩經》；卷二、《夕堂永日緒論》（內、外編）；卷三、《南窗漫記》。丁福保輯《清詩話》，將其中一部分採入。王氏論修辭，反對用俚語，惟古文是尙，和顧炎武的主張大致是相同的。《

姜齋詩話》卷二外編第十五云：

隆、萬之際，一變而愈之於弱靡，以語錄代古文，以填詞為實講，以杜撰為清新，以俚語為調度，以挑撮為工巧。若黃貞父、許子遜之流，吟舌嬌澀，如鴝鵒學語，古今來無此文字，遂以湮塞文人之心者數十年。語錄者，先儒隨口應問，通俗易曉之語；其門人不欲潤色失真，非自以為可傳之章句也。以此為文，而更以浮屠半吞不吐之語參之，求文之不蕪穢也得乎？文凡三變，而其依傍以立盧牖，己心不屬，則一而已矣。萬歷之季，李愚公始以堅蒼驅軟媚，方孟旋始以流宕散俗冗，稍復雅正之音，於先正沖穆之度未遑領取。而其變也，亦足以起久病之尫矣。

以語錄代替古文，以俚語爲調度，是語文進化必然的趨勢；通俗易曉之語，正是可傳的句章，王氏反以爲蕪穢而鄙棄它。李愚公、方孟旋之流鄙棄俚語，崇尚古文，王氏却評爲「稍復雅正之音」，「亦足以起久病之尫矣」。萬歷中還有一位張君一，「雖入理未深」，但知禮拜文言，王氏也贊其「獨存雅度」。王夫之雖是一位進步的思想家，但論修辭，却是主張復古的。

可是他並不贊成用奇字巧語。《姜齋詩話》外編卷二第二十云：

孫月峰以紆筆引伸搖動，言中之意，安詳有度，自雅作也。乃其晚年論文，批點《考工》、《檀弓》、《公》、《穀》諸書，剔出殊異語以為奇峭，使學者目眩而心熒，則所損者大矣。萬歷中年杜撰嬌澀之惡習，未必不緣此而起。《考工記》乃制度式樣冊子，上令士大夫習之，勾考工程，而下可令工匠解了；故刪去文詞，務求精核；其中奇字，乃三代時方言俗語，愚賤通知者；非此不足以定物料規制之準，非故為簡僻也。《檀弓》則摘取口中片語，如後世《世說新語》之類，初非成章文字。《公》、《穀》二傳，先儒固以為師弟子問答之言，非如《左氏》勒為成書，原自不成尺幅。以此思之，三書者，亦何奇峭之有，而欲效法之邪？文字至琢字而陋甚；以古人文其固陋，具眼人自知哄不得。

他以爲孫月峰剔出《考工記》中的奇字，其實是三代時的方言，愚賤俚俗，不足爲貴。而不知古代的方言俗語，後人反覺得殊異和奇峭，這正可以看出語言的演變，且合於進化的原則。反對襲取古人文字是對的，但王氏的本意，並不是全面反對襲取古人文字，他只反對襲用古人方言殊異語以爲奇峭，他形容這是「撮弄字面」，「而穢極矣」。（同卷外編第二十一）同卷內編第二十六又說：

含情而能達，會景而生心，體物而得神，則自有靈通之句，參化工之妙。若但於句求巧，則性情先為外蕩，生意索然矣。松陵體⑦永墮小乘者，以無句不巧也。然皮、陸二子差有興會，猶堪諷咏。若韓退之以險韻、奇字、古句、方言矜其飫轢之巧，巧誠巧矣，而於心情興會一無所涉，適可為酒令而已。黃魯直、米元章益墮此障中。近則王謔庵承其下游，不恤才情，別尋蹊徑，良可惜也。

他指出作詩重在含情、會景、體物，若但於字句間求工巧，則必索然而無味。他以爲松陵體諸作者，以至於韓愈、黃庭堅、米芾、王思任等都是只重工巧，不涉興會，不恤才情，走入左道旁門，永墮小乘，不能翻身的。

他也不贊成用警句。他所謂的「警句」，並不是陸機《文賦》所謂「立片言以居要，乃一篇之警策」的警策句，而是求工之句，是雕飾，有廓落語、陡頓語、鈎牽語、排對語、蔓延語、浮楞語、含糊語、答話語、肥膩語、懵懂語、俗講語、賣弄語、市井語、烟花語、招承語、滑利語、嬌媚語、門面語等等，他以爲偶一用之，辭與意合，尚無妨，否則便會欲巧反拙。

《姜齋詩話》卷二外編第三十二論辭與意的關係說：

> 有意之詞，雖重亦輕，詞皆意也。無意而著詞，才有點染，即如蹇驢負重，四蹄周章，無復有能行之勢。故作者必須慎重揀擇，勿以俗尚而輕泚筆。

王氏主張辭不能離意而獨立，所以善遣辭者，「左宜右有，隨手合轍，意至而辭隨，更不勞其揀擇。」(同上)若是「無意而著辭」，是不能得心應手的。

《姜齋詩話》卷二內編第六論分清賓主云：

> 詩文俱有主賓。無主之賓，謂之烏合。俗論以比為賓，以賦為主，以反為賓，以正為主，皆塾師賺童子死法耳。立一主以待賓，賓無非主，主賓者乃俱有情而相浹洽。若夫「秋風吹渭水，落葉滿長安」，於賈島何與？「湘潭雲盡暮烟出，巴蜀雪消春水來」，於許渾奚涉？皆烏合也。「影靜千官里，心蘇七校前」，得主矣，尚有痕迹。「花迎劍佩星初落」，則賓主厲然，融合一片。

分清賓主，是消極修辭諸要件之一。中國修辭學史上，自來論消極修辭的不多，清代也不例外。《姜齋詩話》論詩文賓主的關係，所舉例證及評語均過於簡略，使人不太容易理解。周振甫氏對此曾有比較詳細的說明：

> 對於作品中的賓主，有處理得好的，有處理得不好的。像賈島《憶江上吳處士》：「閩國揚帆去，蟾蜍缺復圓。秋風吹渭水，落葉滿長安。此地際會夕，當時雷雨寒。蘭橈殊未返，消息海雲

端。」這詩說，吳處士坐船到福建去，已經幾個月了。現在長安已是秋天。想到在此地同吳處士聚會之夕，正在雷雨聲中。吳處士的船沒有回來，他可能已遠到海邊了。這裏插進「秋風吹渭水，落葉滿長安」兩句，同想念吳處士沒有關係，對這首詩的主題來說，是可有可無的話。再像許渾的《凌歊臺》：「宋祖凌高樂未回，三千歌舞宿層臺。湘潭雲盡暮山出，巴蜀雪消春水來。行殿有基荒薺合，寢園無主野棠開。百年便作萬年計，岩畔古碑空綠苔。」這詩是寫南朝宋劉裕造的凌歊臺，臺在當塗縣北。詩裏說，劉裕在凌歊臺上享樂，有三千歌舞女子住在臺上。現在臺荒廢了，只剩下長滿荒薺的基址，劉裕的墳園也沒人管了，劉裕立的石碑本要作萬年打算，現在連石碑上都長滿了綠苔。在這樣一首吊古的詩裏，插進「湘潭雲盡暮山出，巴蜀雪消春水來」，同上下文都沒關係，臺又不在湘潭，不在巴蜀。因此，這是同主題無關的話。這兩者都是處理得不好的例子。

杜甫寫他從淪陷的長安逃出來，看到唐朝的千官七校，中興有望，心裏很高興，所以在《喜達行在所》之三說，「影靜千官裏，心蘇七校前」，正寫出一位愛國詩人的心情，是同主題密切結合的。這裏說他的寫法還有痕迹，大概是說，作者還把自己的心情說出來了，像用「心蘇」的「蘇」字便是。岑參的《和賈至舍人早朝大明宮之作》，「花迎劍佩星初落」，當時唐宮里種了很多花，上朝時很早，星剛剛隱沒，這句是寫實。作者沒有在詩中說出自己心情，但作者的喜悅心情還是可以體會，所以說沒有痕迹。這兩個例子，在分賓主方面是處理得比較好的。王夫之認為情思為主，景物為賓。千官七校這些寫唐朝的氣象是賓，襯托出他的喜悅心情是主，這裏賓和主

還是分清的。花迎劍佩句既是賓，是陪襯，又是主，是反映人物心情，所以說熔成一片。《詩詞例話・分賓主》

《姜齋詩話》卷二外編第七論摹擬云：

填砌最陋。填砌濃詞固惡，填砌虛字，愈闌珊可憎。作文無他法，唯勿賤使字耳。王、楊、盧、駱，唯濫故賤。學八大家者，「之」、「而」、「其」、「以」，層累相疊，如刈草茅，無所擇而縛為一束，又如半死蚓，沓拖不耐，皆賤也。古人修辭立誠，下一字卽關生死。曾子固、張文潛何足效哉？

王氏反對塡砌，痛斥摹擬，他以爲初唐四杰（王勃、楊炯、盧照鄰、駱賓王）和後之學唐、宋大家者皆喜歡堆砌濃辭和虛字，是賤而又可憎的。他反對堆砌濃辭是對的，但虛字「層累相疊」須視情景的需要與否而定，不應一味反對。至謂遣辭用字須萬分謹愼（「下一字卽關生死」）却有至理。

《姜齋詩話》卷二外編第二十四云：

疊字不可析用，如詩賦「悠悠」而云「悠」，「迢迢」而云「迢」，「渺渺」而云「渺」，皆不成語。「兢兢業業」，舊有此文，亦不甚雅。「業業」云者，如筍虡上崇牙，兩兩相次，齟齬不相安之像。時文絶去一字，而云「兢業」，不知單一「業」字，則止是功業，連「兢」字如何得成文理？此病先輩亦有。

這雖說是論複疊（疊字），其實是論摹狀辭。摹狀辭有摹寫視覺的，仍叫摹狀辭；有摹寫聽覺的，也可稱爲摹聲辭。《姜齋詩話》所舉的例證，可以說是摹寫感覺的。不論摹寫什麼「覺」的摹狀辭，通常是兩字連用，才能見意；若單用一字，則不成文理，所以摹狀辭是省略不得的。

同卷內編第二十五云：

情語能以轉折為含蓄者，唯杜陵居勝，「清渭無情極，愁時獨向東」，「柔櫓輕鷗外，含凄覺汝賢」之類是也，此又與「忽聞歌古調，歸思欲沾巾」更進一格，益使風力遒上。

這是論婉曲的修辭。周振甫氏的《詩詞例話·婉轉》篇對《姜齋詩話》所舉杜甫、杜審言詩句曾作如下的分析：「這裏引杜甫的詩句，也是通過對比來抒情的。《秦州雜詩》之二：『清渭無情極，愁時獨向東。』當時杜甫遭亂飄泊西行，所以說『愁時』。看到渭水東流，用來反襯自己的西行，好像它不管自己的痛苦似的，所以說渭水無情。一首是《船下夔州郭宿，雨濕不得上岸》的詩：『柔櫓輕鷗外，含情覺汝賢。』柔和的櫓聲在輕鷗浮動的水面外搖去，用鷗鳥的自由自在來反襯自己的飄泊，感嘆鷗鳥勝過自己。在這些詩句裏，詩人用對比來表達自己的感情。杜審言《和晉陵陸丞早春游望》：『忽聞歌古調，歸思欲沾巾。』把歸思明白說出，就不是婉曲了。」《姜齋詩話》卷一第四云：

「昔我往矣，楊柳依依；今我來思，雨雪霏霏。」以樂景寫哀，以哀景寫樂，一倍增其哀樂。知此，則「影靜千官里，心蘇七校前」，與「唯有終南山色在，晴明依舊滿長安」，情之深淺宏隘見矣。況孟郊之乍笑而心迷，乍啼而魂喪者乎？

這是論映襯的修辭。周振甫氏《詩詞例話·反襯和陪襯》篇有詳細的解說：

這裏又講到反襯手法在表情上很有力量。用美好的景物來寫快樂，用凄苦的景物來寫悲哀，這是陪襯；用凄苦的景物來寫快樂，用美好的景物來寫悲哀，這是反襯。作者認為反襯比陪襯更有力量。《詩・小雅・采薇》寫守邊兵士的勞苦。兵士出征時心裏是愁苦的，詩人寫道：「昔我往矣，楊柳依依」，用楊柳在春風中飄蕩的美好景物來反襯士兵的愁苦，春天是歡樂的季節，士兵却在這時被迫出征，所以加倍顯得愁苦；士兵回來時心情是愉快的，詩人寫道：「今我來思，雨雪霏霏」，在雨雪中趕路是苦的，用苦景來反襯愉快的心情，見得士兵為了急于回家而不顧雨雪忙着趕路，加倍顯出心情的愉快。

下面指出用陪襯手法不如用反襯的有力，杜甫從淪陷的長安逃出來，逃到鳳翔去朝見肅宗，驚魂才得到安定，所以在《喜達行在所》之三裏說：「影靜千官里，心蘇七校前。」他的心情是愉快的，詩句是以樂景寫樂。另一例，見李拯《退朝望終南山》，說終南山色是美好的，晴明滿長安也是好的，也是以樂景寫樂。「乍笑」是喜，「心迷」也指喜，「乍啼」是悲，「魂喪」也是悲，也是陪襯而非反襯，

周振甫氏的《詩詞例話》，書中有很多地方是論修辭的，以後有機會時當作比較詳細的評介。

十、葉燮《原詩》、薛雪《一瓢詩話》、沈德潛《說詩晬語》

在清初學者中，葉燮是極力反對復古和擬古的。他抨擊崇古派重視蹈襲不重視創作的謬見說：

大抵古今作者，卓然自命，必以其才智與古人相衡，不肯稍為依傍，寄人籬下，以竊其餘唾。竊之而似，則「優孟衣冠」；竊之而不似，則「畫虎不成」矣，故寧甘作偏裨，自領一隊，如皮陸⑧諸人是也。乃才不及健兒，假他人餘焰，妄自僭王稱霸，實則一土偶耳，生機旣無，面目塗

飾，洪潦一至，皮骨不存，而猶侈口而談，亦何謂耶？（《原詩》內篇上第三）

前些時候，李夢陽公然反對『文而欲自立門戶』，替後七子『是古非今』的崇古主義作了先導，胡應麟更主張『取法欲遠』（見《詩藪》）。淸初學者，頗受他們的影響。葉燮很不以爲然，他說：『惟有明末造，諸稱詩者專以依傍臨摹爲事，不能得古人之興會神理，句剽字竊，依様葫蘆。如小兒學語，徒有喔咿，聲音雖似，都無成說，令人噦而却走耳。』（《原詩》內篇上第三）內篇下第二又說：『或問于余曰：「詩可學而能乎？」曰：「可」。曰：「多讀古人之詩而求工於詩而傳焉，可乎？」曰：「否」。』他否定了『求工於詩而傳焉』必須學古的謬說。他的《黃葉邨莊詩序》說：『古人之詩，可似而不可學。學則爲步趨，似則爲吻合。』（《已畦文集》）他認爲偶似則可，摹仿則不可。他主張不必學古。《原詩》內篇下第四云：

惟有識，則是非明；是非明，則取舍定。不但不隨世人脚跟，幷亦不隨古人脚跟。非薄古人為不足學也；蓋天地有自然之文章，隨我之所觸而發宣之，必有克肖其自然者，為至文以立極。我之命意發言，自當求其至極者。昔人有言：「不恨我不見古人，恨古人不見我。」

他主張發抒己見，如果『我之著作與古人同，所謂其揆之一；卽有與古人異，乃補古人之所未足。』（同上）但是他又說：

學詩者，不可忽略古人，亦不可附會古人。忽略古人，粗心浮氣，僅獵古人皮毛。要知古人之意，有不在言者；古人之言，有藏於不見者，古人之字句，有側見者，有反見者。此可以忽略涉之者乎？不可附會古人：如古人用字句，亦有不可學者，亦有不妨自我為之者。不可學者：卽《

三百篇》中極奥僻字，與《尚書》、《殷盤》、《周誥》中字義，豈必盡可入後人之詩！古人或偶用一字，未必盡有精義；而吠聲之徒，遂有無窮訓詁以附會之，反非古人之心矣。不妨自我為之者：如漢魏詩之字句，未必盡出於漢魏，而唐及宋元，等而下之，又可知矣。今人偶用一字，必曰本之昔人。昔人又推而上之，必有作始之人；彼作始之人，復何所本乎？不過揆之理、事、情，切而可，通而無碍，斯用之矣。昔人可創之於前，我獨不可創於後乎？古之人有行之者，文則司馬遷，詩則韓愈是也。苟乖於理、事、情，是謂不通。不通則杜撰。杜撰，則斷然不可。苟不然者，自我作古，何不可之有！若腐儒區區之見，句束而字縛之，援引以附會古人；反失古人之真矣。（《原詩》外篇下第三十二）

葉氏說：『不可忽略古人』，不是准備學古而是什麼？『不可附會古人』，只是說不可盲目學古，并沒有反對學古。這裡葉燮修正了自己的反學古的修辭論了。可是他却又主張自我作古，只是不要杜撰便得。另有一處可以看出他修正了自已的反學古修辭論的，見於《原詩》內篇下第六，他說：

夫自《三百篇》而下，三千餘年之作者，其間節節相生，如環之不斷，如四時之序，衰旺相循而生物、而成物，息息不停，無可或間也。吾前言踵事增華，因時遞變，此之謂也。……夫惟前者啓之，而後者承之而益之，前者「創」之，而後者「因」之而廣大之。使前者未有是言，則後者亦能如前者之初有是言；前者已有是言，則後者乃能因前者之言而另為他言。總之，後人無前人，何以有其端緒；前人無後人，何以竟其引伸乎！……由是言之：詩自《三百篇》以至於今，此中終始相承相成之故，乃豁然明矣。

他強調自上古以至於今的詩篇、始終是相承相因的，這種發展的觀點，是符合詩歌演變的規律的。但是，他反對學古的主張却不見得怎樣徹底。

葉燮甚至反對詩歌用俚俗語，他說：

> 古人不朽可傳之作，正不在多。蘇李數篇，自可千古。後人漸以多為貴，元白《長慶集》實始濫觴。其中頹唐俚俗，十居六七；若去其六七，所存二三，皆卓然名作也。（《原詩》外篇下十六）

這和反學古的言論也不相調洽。

《原詩》外篇下第九論盛唐諸家的修辭技巧說：

> 盛唐大家，稱高、岑、王、孟。高岑相似，而高為稍優；孟則大不如王矣。高七古為勝，時見沉雄，時見冲淡，不一色；其沉雄直不減杜甫。岑七古間有傑句，苦無全篇；且起結意調，往往相同，不見手筆。高岑五七律相似，遂為後人應酬活套作俑。如高七律一首中，疊用巫峽啼猿、衡陽歸雁、青楓江、白帝城；岑一首中迭用雲隨馬、雨洗兵、花迎蓋、柳拂旌：四語一意。高岑五律，如此尤多。後人行笈中攜《廣輿記》一部，遂可吟咏遍九州，實高岑啓之也。總之以月白、風清、鳥啼、花落等字，裝上地頭一名目，則一首詩成，可以活板印就也。王維五律最出色，七古最無味；孟浩然諸體，似乎淡遠，然無縹緲幽深思致；如畫家寫意，墨氣都無。蘇軾謂「浩然韻高而才短，如造內法酒手，而無材料」⑨，誠為知言。後人胸無才思，易於冲口而出，孟開其端也。

高適《送李少府貶峽中王少府貶長沙》一律，中間的兩對是：『巫峽啼猿數行淚，衡陽歸雁幾封書。青楓江上秋天遠，白帝城邊古木疏。』葉氏以爲只是迭用地名。岑參的《奉和相公發益昌》一律，中間的兩對是：『朝登劍閣雲隨馬，夜渡巴山雨洗兵。山花萬朵迎征蓋，川柳千條拂去旌。』葉氏以爲四語一意。對於這一段話，葉氏的一位學生薛雪曾提出不同的意見，他說：『前輩論詩，往往有作踐古人處。如以「高達夫、岑嘉州五七律相似，遂爲後人應酬活套」，是作踐高岑語也。後人苟能師法高岑，其應酬活套，必不致如近日之惡矣。又謂：「孟浩然似乎淡遠，無縹緲幽深思致。東坡謂『浩然韵高而才短，如造內法酒手，而無材料』，誠爲知言。後人胸無才思，易於冲口而出，孟開其端也。」此是過信眉山之說，作踐襄陽語也。假如「氣蒸雲夢澤，波撼岳陽城」，亦冲口而出者所能哉？』（《一瓢詩話》第五十八）薛氏以爲葉氏過於作踐高、岑，後人幷師法高、岑而未到，所以尤惡；又以爲葉氏過於相信蘇軾的話，且作踐杜甫。⑩

薛雪對於詩的修辭，立論和他的老師葉燮有所不同：葉燮反對學古，薛雪則主張取材古人。《一瓢詩話》第五云：

> 旣有胸襟，必取材於古人。原本於《三百篇》、《楚騷》，浸淫于漢、魏、六朝、唐、宋諸大家，皆能會其指歸，得其神理；以是爲詩，正不傷庸，奇不傷怪，麗不傷浮，博不傷僻，決無剽竊呑剝之病矣。

他歷數擬古的好處和妙用。認爲『古人讀書多，用法備』（《一瓢詩話》第二十五），『用字之法極妙』（《一瓢詩話》二十七），是有爲而作，所以都是好詩（《一瓢詩話》二十）。他說：『古歌辭語短意長，有一句兩句者，含意何止十韵百韵？後世作者，愈長愈淺』（《一瓢詩話》一六九）。這十足是『今不如古』的崇古論。他認爲擬古也不是一件容易的事。他指出：

詩人非雄才間出，豈能上薄《風》《騷》？卽有師承力學，亦不敢揚躒而進。何期今日闒闒鄙夫，乳臭厮養，手持四聲一本，口哦五言七言，詩道之不幸也如此！尚欲不愧不怍，侈言于人曰：近體我薄為之，作詩庶幾擬古。及觀其所作，比近體不過稍增幾句不工不致不唐不宋之語，尋繹其所擬何人，究無著落。可知「擬古」二字，尚不得解，而欲擬古詩耶？（《一瓢詩話》三十五）

到底要怎樣才合擬古的標準呢？他說：『用前人字句，不可幷意用之。語陳而意新，語同而意異，則前人之字句，卽吾之字句也。若蹈前人之意，雖字句稍異，仍是前人之作；嚼飯喂人，有何趣味？』（《一瓢詩話》四十六）他主張師古人之辭而不師古人之意，與明人的主張剛剛相反。他認爲『能以陳言而發新意，才是大雄。……若以餖飣爲有出，拾綴爲摹神，已落前人圈䙡，豈能自見性情？』（《一瓢詩話》四十七）又說：『學詩須有才思，有學力，……方能卓然自立，與古人抗衡。若一步一趨，描寫古人，已屬寄人籬下。何況學漢魏，則拾漢魏之唾餘；學唐宋，則啜唐宋之殘膏：非無才思學力，直自無志氣耳。』（《一瓢詩話》二）這裏，他鄙薄摹擬古人，甚至主張與古人相抗衡，有類於他老師葉燮的反學古修辭論。

《一瓢詩話》五十一又說：『擬古二字，誤盡蒼生。聲調字句，若不一一擬之，何爲擬古？若必一一擬之，則仍是古人之詩，非我之古詩也。輕言擬古，試一思之。』他認爲擬古而不似，不算擬古；擬古而似，則非自己之詩。所以他反對擬古。《一瓢詩話》七十一又說：『范德機云：「吾平生作詩，稿成讀之，不似古人，卽焚去。」余則不然：作詩稿成讀之，覺似古人，卽焚去。』他堅定地表現了反對擬古的決心，與上文所引主張擬古、學古的修辭論，判若兩人。他又說：

近今詩家，侈談古詩而薄近體，非其能也，欲為藏拙計耳。又有一類故為佶屈聱牙者，絕似地獄變相，適足以驚婦人孺子，以為真有是理，不值識者一笑。（《一瓢詩話》十）

他似乎已從『今不如古』論者的崇古論中脫穎而出，轉而譏誚『侈談古詩而薄近體』的『近世詩家』們了。他也反對『佶屈聱牙者。』他說：『讀書先要具眼，然後作得好詩。切不可誤認老成爲率俗，纖弱爲工致，悠揚宛轉爲淺薄，忠厚懇惻爲粗鄙，奇怪險僻爲博雅，佶屈荒誕爲高古，才是學者。』（《一瓢詩話》十九）他更反對：『排比聲韵，較量屬對以爲工，誇繁鬥縟，綴錦鋪花以爲麗，驚哄喝喊，叫嘯怒罵以爲豪，枯淡無神，索寞無味以爲幽；坐此惡疾，終身不愈，永不能立李杜之門，安望其能見李杜以前哉！』（《一瓢詩話》七十五）這些，是他論修辭比較進步的一面。但是他却又反對用俚語。他說：

元白詩言淺而思深，意微而詞顯，風人之能事也。至於屬對精警，使事嚴切，章法變化，條理井然，其俚俗處而雅亦在其中。杜浣花之後，不可多得者也。……而其卽用現前俚語，如「矮張」「短李」之類，斷不可學。（《一瓢詩話》五十九）

他一面稱贊元稹、白居易詩『俚俗處亦雅在其中』，一面又批評『其卽用現前俚語』，『斷不可學』。其實，宋以來詩話多稱杜甫爲『老杜』，不也是『現前俚語』嗎？

《一瓢詩話》也談論辭格。如一〇七談仿擬云：

《平生最愛隨筆納忠，觸景垂戒之作，如：「昨日到城郭，歸來淚滿巾。遍身綺羅者，不是養蠶人。」……一日大雨中，小兒不倚自掃葉莊遣人至城，天色未曙，云為蠶稠葉盡，急不能待。遂為作札，遍扣友朋，了不可得。乃書一絕示之曰：「冲泥覓葉為蠶忙，到處園林葉盡荒。今日始知蠶食苦，不應空著綺羅裳。」并非蹈襲前人，却指一時實事。

一瓢所稱賞的宋張俞《蠶婦》詩，其實只是矯情之作；至於一瓢說他所摹擬的一絕，并非有意蹈襲，而是指一時的眞情。確是事實。

《一瓢詩話》一三三舉東坡小詞『故將別語調佳人，要看梨花枝上雨』論摹擬襲《竹坡詩話》，一四五論煉字襲《珊瑚鉤詩話》，不足置評。

沈德潛的《說詩晬語》，雖每稱引他老師葉燮的話，但在修辭的學古與反學古的論爭上，他有時却站在學古這一邊，公然和他的老師相對立。他說：『詩不學古，謂之野體。』（《說詩晬語》卷上十一）又說：

古人祝君如《卷阿》之詩，稱道願望至矣，而頌美中時寓責難，得人臣事君之義。魏人公宴，唐人應制，滿簡浮華耳。（《說詩晬語》卷上三十三）

沈氏崇古的偏見是明顯的，而且也是十足的封建傳統觀念。他說：『以詩入詩，最是凡境。經史諸子，一經徵引，都入咏歌，方別於潢潦無源之學。』（《說詩晬語》卷上七）他主張作詩必須用典（卽引用法），用典必須引經。但他到底多少還受老師葉燮的影响，所以他又說：『泥古而不能通變，猶學書者但謂臨摹，分寸不失，而已之神理不存也。』（《說詩晬語》卷上十一）要怎樣才不泥古呢？他說：『

實事貴用之使活，熟語貴用之使新，語如己出，無斧鑿痕，斯不受古人束縛。』（《說詩晬語》卷上七）他雖主張學古，但卻反對泥古，這是他比『今不如古』論者稍勝一籌的地方。

《說詩晬語》卷上四十六云：

> 樂府寧樸毋巧，寧疏毋煉。張籍《短歌行》云：「菖蒲花開月常滿」，傷於巧也。無名氏《木蘭詩》云：「朔氣傳金柝，寒光照鐵衣。」後人疑為韋元甫假托，傷於煉也[11]。古樂府聲律，唐人已失。試看李太白所擬篇幅之短長，音節之高下，無一與古人合者，然自是樂府神理，非古詩也。明李于鱗句摹字仿，并其不可句讀者追從之，那得不受人譏彈？

他贊賞樂府『寧朴毋巧，寧疏毋煉』，并舉後人傷巧、傷煉的例句來佐證。他也反對『句摹字仿』的陋習。這都是比較可取的修辭論。

沈德潛論修辭，每有自相矛盾的地方。如上引《說詩晬語》卷上七，他主張作詩必須用典，用典必須引經。可是在《說詩晬語》卷下三十七，卻又說：『援引典故，詩家所尚，然亦有羌無故實而自高，臚陳卷軸而轉卑者。假如作田家詩，只宜稱情而言，乞靈古人，便乖本色。』他修正了他前面說過的話，認為是否用『引用法』，須視情景的需要與否而定。

《說詩晬語》卷下十一論俚俗語入詩云：

> 宋詩中如「卷帘通燕子，織竹護鷄孫。」「為護猫頭笋，因編麂眼籬。」「風來嫩柳搖官綠，雲起奇峰湧帝青。」「遠近笋爭滕薛長，東西鷗背晉秦盟。」皆卑卑者。至「若見江魚應慟哭，此中曾有屈原墳。」[12]則怪矣。「脚跟頭上兩青天」「月子灣灣照九州」，則俚矣。學宋人者，并

無宋人學問，而但求工對偶之間，曲摹里巷之語，舍大聲而愛《折揚》、《皇荂》⑬，宜識者之不欲觀也。

他認爲以俗語入詩，是卑而且俚，『識者不欲觀』。又以爲『元白滔滔百韵，俱能工穩，但流易有餘，熔裁未定，每爲淺率家效顰。』（《說詩晬語》卷上一一五）他竟以通俗爲淺率。但在《說詩晬語》卷下三十九，他又說：

擬古詠懷，斷不宜入近世事與近世字面；錦葛同裘，嫌不稱也。若本敍述近事，卽方言謠諺，不妨引入，顧用之如何耳。

這裏，他以爲俚俗語有時是不妨入詩的，只看怎樣應用而已。

《說詩晬語》卷下五十五云：

寫景寫情，不宜相礙，前說晴，後說雨，則相礙矣。亦不可犯複，前說沅澧，後說衡湘，則犯複矣。卽字面亦須避忌字同義異者，或偶見之；若字義俱同，必從更易。如「暮雲空磧時驅馬……玉靶角弓珠勒馬」⑭，終是右丞之累。杜詩云「新詩改罷自長吟」，改則弊病去，長吟則神味出。

他提到前後文應有照應，和避免犯重複。他以爲形同而意不同的字，偶然重複，還是無妨；若形同而義亦同的字，則應另換一字，避免重用。他指出王維《出塞》詩，連用兩個『馬』字，總是疵累。

《說詩晬語》卷下三十二云：

點染風花，何妨少為失實。若小小送別，而動欲沾巾；聊作旅人，而便云萬里；登陟培塿，比擬華嵩；偶遇庸人，頌言良哲；以至本居泉石，更懷遁世之思；業處歡娛，忽作窮途之哭：準之立言，皆為失體。

他先說用誇張辭無妨，繼又說用誇張辭失體。他以爲『用意過深，使氣過厲，抒藻過濃，』都是詩的一病。（《說詩晬語》卷下三十三）他是反對用誇張辭的。

《說詩晬語》卷下三十一論煉字云：

古人不廢煉字法，然以意勝而不以字勝，故能平字見奇，常字見險，陳字見新，朴字見色。近人挾以鬥勝者，難字而已。

他論煉字，強調意重於辭；至認爲近人煉字不如古人，則是崇古的偏見。

十一、唐彪《讀書作文譜》

唐彪的《讀書作文譜》，分爲二部：首部爲《父師善誘法》，有上下二卷，論父兄教子弟、入學、擇師、交友、教學、改文……等等的方法；另一部爲《讀書作文譜》，計八卷，分論讀書、作文、修辭的方法，其卷七有一部分論文法，實爲馬建忠的《馬氏文通》所本。卷前有毛奇齡等的序文，作於康熙戊寅和己卯，可知是書當亦刋行于康熙年間。

唐彪論修辭，純粹主張崇古。《父師善誘法》下卷《童子讀古文法》云：

唐彪曰：初學先讀唐宋古文，隨讀隨解，則能擴充才思，流暢筆機。……秦漢古文，少時亦可誦讀，惟講解取法，則宜先以唐宋古文為易于領略耳。然讀不必多，留其餘力，以讀周秦漢古文可也。

《讀書作文譜》卷之一《讀書總要》篇說：

……人之需乎古文者，非一事也。古文氣骨高，筆力健，與經史詞句相類，讀之則閱經史必能解。不然，不能解也。況欲立言垂後，欲著解前人之書，非讀古文不能也。

他以爲人人都不可不讀古文。《讀書作文譜》卷之一《文源》篇說：

瞿昆湖曰：舉業文字，不患意見不高，理路不徹，只患心粗氣揚，不能潛心會晤，以體貼當日聖賢真實意旨，故文不能工也。

他要操舉子業者去『體貼當日聖賢眞實意旨』，這在崇古的論點上，附和明初的學者，主張『師其意』，同時也可見唐彪的思想裏都是古『聖賢』的東西。又他論涵養之文，看他所形容的，和王漁洋的所謂神韻說實同出一轍，這裏不稱引了。

《讀書作文譜》卷之六有《修詞》⑮篇的專論。他先引武叔卿的話說：

詞要音響，聽之如敲金戛玉；詞要色麗，觀之如散錦明珠。然有流弊焉，不可不知也。必修其詞以為富，其究也失之冗；必縟其詞以為麗，其究也失之靡。譬之剪彩為花，非不燦爛可觀，而生意索然，殊無真趣；又如美女塗脂，反隱本相矣。故說理之詞不可不修，若修之而於理反以隱，則寧質毋華可也；達意之詞不可不修，若修之而意反以蔽，則寧拙毋巧可也。修詞者其審之！

武叔卿以爲修辭的「修」，只是修飾，並不包括調整，因爲他重文辭而不重語辭。至於他指出「修其辭」和「縟其辭」的過失，主張「寧質無華」「寧拙無巧」，却是正確的意見。同文又引武叔卿的話說：「詞不雕刻則不工，然過於雕刻則傷氣；詞不敷演則不腴，然過於敷演則傷骨。其辨在毫厘，而遠者千里。故昔人不廢修詞，而亦不耑重修詞也。」這段話，可說是前文的結論。

《修詞》篇又云：

唐彪曰：文章修詞一事，不過以凡有文詞，貴乎出之以輕鬆秀逸，古雅典確，奇偶相參，虛實長短相間；轉掉處，以高老雄健佐之；段止勢盡處，以抑揚頓挫參之；使意盡而餘韵悠然，更得平仄諧和，句調協適，文采燦然可觀矣。古人謂不必修詞者，非欲廢如此之詞也，但不欲浮靡雕繪也。古人謂必宜修詞者，亦止欲詞如此也，豈尚浮靡雕繪哉！言雖異而意未嘗不一矣。程楷曰：修詞無他巧，惟要知換字之法：瑣碎字，宜以冠冕字換之；庸俗字，宜以文雅字換之。務令自然，毋使杜撰。此卽修詞之謂也。若以浮靡之言，反掩文之真意，則可鄙之詞也，何以修為？

所謂「意盡而餘韵悠然」，仍然是主神韵說。至說古人謂辭不必修，只是「不欲浮靡雕繪」，謂必修，也未必「尙浮靡雕繪」，他認爲修辭是自然而不是杜撰的。這些，都是態度比較審愼和實事求是的說法。

關於辭與意，《修詞》篇引顧涇陽的話說：

顧涇陽曰：意與詞，相為聯屬者也；意鑄矣，而詞不琢，將並其意失之。如奇古之意，而發為腐爛冗雜之詞，則觀者但覺其腐爛冗雜，而不覺其為奇古矣；況意不甚出人，而又無佳句以達之，其為俚鄙可勝言乎？是作文不可有意無詞也。

顧氏以爲辭重於意，所以主張辭須雕飾。又引吳因之的話說：

或問詞調之於文何如？余應之曰：辭者不得已而用之者也。著一分詞，便掩一分意。意思到時，只須直寫胸臆，家常說話，都是精光閃爍，何以辭為？又袁了凡曰：文有詞有理，而理為之主；故理明則詞顯，理密則詞精，理當則辭確。人惟不知窮理，而徒求工於詞氣之間，故用盡苦心，終不能出人頭地。

吳氏主張意重於辭，並認爲着辭足以害意。

顧、吳二人論辭與意的觀點不同，唐彪在同一文裏加以引述，却不表示自己的意見。但看唐彪論修辭，主張「務令自然，毋使杜撰」，並謂「浮靡之言，反掩文之眞意」，如上文所引的，則他與吳氏站在同一的立場，是明顯的。《修詞》篇又說：

唐彪曰：詞有宜，有忌。其宜者曰輕新，曰秀逸，曰明顯，曰老健，曰典雅，曰潤澤，曰流利，曰長短相間，曰奇偶停匀，曰抑揚合節，曰平仄和調；其忌者曰板重，曰粗俚，曰暗晦，曰庸熟，曰鑿空，曰澀拗，曰重叠。宜者合一二亦佳，忌者必全去。

唐彪以爲辭有宜，也有忌，宜者未必都能自然形成，所以雕飾仍是需要的。但「反復求工，仍不能盡善」，這是什麼道理呢？他認爲「以與平仄不相協也。蓋平仄乃天然之音節，苟一違之，雖至美之詞，亦不佳矣。作文者苟知其理，凡句調有一順適者，將上下相連數句，或顚倒其文，或增損其字，以調其平仄；平仄一調，而句調無不工矣。」他主張詩歌須調平仄，使之合音節，修辭才能臻於至善境界。

《讀書作文譜》也論消極修辭須關顧到上下文，使上下文意相銜接，也就是相貫串；不然，便不相貫串了。卷五說：

文章不貫串之弊有二：如一篇中有數句先後倒置，或數句辭意少礙，理卽不貫矣。承接處字句或虛實失宜，或反正不合，氣即不貫矣。二者之弊，雖名文亦多有之。讀文者不當以名人之文，恕於審查；必細心研究，辨析其毫厘之差。

他指出文章先後倒置、虛實失宜、反正不合，都是不貫串的毛病。而上下文相照應，也是文求貫串所應努力的目標。《讀書作文譜》卷七論「照應」云：

以古文言之，唐宋古文，亦多前半與後半相為照應。宋策亦有前半立柱，而後逐段應轉者。然此等處，學之者，多則不免落於蹊徑。若周秦漢古文，其照應有異，多在間處默染，不即不離之間，超脱變化。

他的所謂「照應」，是前文「用意照後」，後文「用意應前」，中間「亦可應前照後，無定式可拘。」(同上) 唐宋和秦漢的古文，照應的方法有所不同。

《讀書作文譜》卷七論「賓主」云：

唐彪曰：文不以賓形主，多不能醒，且不能暢。如《孟子》「今王鼓樂於此」，必借田獵相形……，非此法歟！

《孟子・梁惠王》篇下云：「臣請爲王言樂。今王鼓樂於此，百姓聞王鐘鼓之聲，管籥之音，舉疾首蹙頞而相告曰：『吾王之好鼓樂，夫何使我至於此極也：父子不相見，兄弟妻子離散！』今王田獵於此，百姓聞王車馬之音，見羽旄之美，舉疾首蹙頞而相告曰：『吾王之好田獵，夫何使我至於此極也：父子不相見，兄弟妻子離散！』此無他，不與民同樂也。」一封建統治者喜歡鼓樂，人民一聽到鐘鼓的聲音，便〔痛心〕疾首而相告：「王喜歡鼓樂，爲什麼使我們困窮到這樣的地步呢？……」孟子「借田獵以相形」，結論說：這不是別的，爲了王不與人民同樂。這其實是諷喩的修辭法，與《戰國策·齊策》二所寫的「昭陽爲楚伐魏，覆軍殺將，得八城」，尙欲「移兵而攻齊」，陳軫以「畫蛇添足」的故事來諷喩的修辭法相類；也與《戰國策·燕策》二所寫趙且伐燕，蘇代以「鷸蚌相爭，漁父得利」的故事作諷喩的修辭法相類（漁父指強秦）。所不同的，是孟子以同一人的另一件眞實的事來作諷喩，而陳軫和蘇代，却是以編撰的故事來作諷喩。

《讀書作文譜》也論到引用辭格。凡例云：

> 凡古人片言隻字，必有所為而發，殫思竭慮，始筆於書。引用其言，安可沒其姓氏？近見輯書者，一書之中，無非他人議論，而卷首但列己名，使未見原書者，竟以為是其所著。噫！竊人之長，以為己有，盜名誠巧矣！

引用有明引法和暗引法二種，唐彪所擧的例，類於暗引法。他認爲這是「竊人之長，以爲己有。」這是前人已經指摘過的。

《讀書作文譜》卷七《文章諸法》有「省筆」一則云：

> 唐彪曰：文恐太繁，宜用省筆以行之。有省文省句之不同；如「其他倣此」，「餘可類推」之類，乃省文法也；「舜亦以命禹」，「河東凶亦然」之類，省句法也。作文知省文省句兩法，則文不至繁冗矣。

這是論省略的修辭法，並擧了省文和省句的例證。

《文章諸法》又有「一意推出三四層」一則云：

唐彪曰：時藝有從一意中推出第二層，又從二層中推出第三層者，此名一層進一層。如王守溪「有朋自遠方來」文，李繼貞「又聞君子之遠其子」文是也。古文中有一層推出三四層者，蘇子瞻之《勢論》、《王者不治彝翟論》是也。此其法不在能進，而在能留。能一層留一層，斯能一層進一層也。此訣人所不易知，亦能文者所不肯與人言者也。

這是論層遞的修辭法，並舉了例證。在當時，很少人談論到這一辭格，唐彪是有創見的。

《文章諸法》引柴虎臣的話說：

文家用意遣辭，必反正相因，無正不切實，無反不醒劃。其間或正在前，反在後；或正在後，反在前，則在隨題布置，初非可執定者也。大要反正互用，賓主錯綜，然後文機靈變出矣。

這是論錯綜的修辭法。但他的所謂錯綜，和我們現在所說的錯綜，意義又有不同。我們所說的錯綜，是為了避免文句重複，故意錯綜其辭；而唐彪的所謂錯綜，是「反正互用，賓主錯綜」，略近於倒敘法。

《文章諸法》又有《詠嘆》一則云：

唐彪曰：文章有前半實義已盡，後半再不宜實發，理也。然體裁神韻之間，猶似未可驟止，故用咏嘆法以盡其餘情，則體裁舒展，而神韻悠揚，文之動人，反不在前半實處，而在此虛處矣。其體裁或長或短，或整或散，則不拘也。

唐彪指出感嘆辭產生的原因及其效果，分析是入裏的。

《文章諸法》又有「遙接」一則云：

唐彪曰：有遙接法，如一段文章，意雖發揮未盡而有不得不暫住之勢，若復加闡發，氣必懈弛，神必散慢矣。惟將他意插發一段，則神氣始振動華贍也。發揮之後，復接前意立論，謂之遥接。

唐彪的所謂遥接法，就是我們今日所說的「跳脫」修辭法。陳望道先生對跳脫修格所下的定義是：「語言因爲特殊的情境，例如心思的急轉，事象的突出等等，有時半路斷了語路的，名叫跳脫。」（《修辭學發凡》第八篇積極修辭四）陳望道先生積十餘年的勤求探討之功，而後將各種修辭現象，分爲三十八種辭格，並替每一種辭格立下定義，和詳舉例證。其中有一些辭格，可能取自《讀書作文譜》，或受《讀書作文譜》的啓發而得的。

《文章諸法》又有「明喻題」一則云：

唐彪曰：明喻題，如「不見宗廟之美」之類，與比題不同。比者，暗以他物他事，比此事此物也，正意竟不必說出；喻者明以此事此物，喻彼事彼物也。原要兩者參觀，故暗比，宜不說出正意。明喻要將正意夾發也。陳法子云：明喻題作法，先說正意，後說喻意者，常也。先提喻意，倒合正意者，變也。若能正喻夾發，合同而化，則更思深力厚矣。

唐彪的所謂「比」或「暗比」，是「暗以他物他事，比此事此物，正意竟不必說出」，這我們今日稱爲「借喻」。又他的所謂明喻是：「先說正意，後說喻意」，和我們今日的明喻相同。從前的人也提到「明喻」一辭，但看他們的說明，和我們今日的「明喻」意義並不相同。

《文章諸法》又有「抑揚」一則云：

唐彪曰：凡文欲發揚，先以數語束抑，令其氣收，筆斂，情屈曲，故謂之抑。抑後隨以數語振發，乃謂之揚。使文章有氣有勢，光焰逼人，此法文中用之極多，最為緊要。太史公諸讚，乃抑揚之開端，非全體也。世人不知，竟以為其法止可用之評論人物，何其小視此法也。其先揚後抑，反此而觀。

這是論抑揚的修辭法，有先抑後揚和先揚後抑二種。《史記》諸讚，用抑揚的修辭法評論人物，唐彪以為是抑揚的開端，其實先秦諸子早已知道用抑揚的修辭法了，《莊子》用抑揚的地方尤其多，如「自以比形於天地而受氣於陰陽；吾在天地之間，猶小石小木之在大山也。」（《秋水》篇）這是先揚後抑的修辭法。又如「至精無形，至大不可圍。」（《秋水》篇）這是先抑後揚的修辭法。唐彪認為抑揚的修辭法非止用於評論人物，這是對的。抑揚辭格應是一種相當重要的辭格，但陳望道先生所訂定的三十八種辭格中，並沒有抑揚辭格，正如陳氏所說：「辭格不過是修辭上幾種重要的模式或代表。……無論如何淵博的修辭學家必不能把古今中外一切的模式盡行搜集了來，也無論如何詳盡的修辭學書必不能把古今中外一切的模式盡行羅列在一書之中。」（《修辭學發凡》第十篇）

十二、劉大櫆《論文偶記》、吳德旋《初月樓文古緒論》

桐城劉大櫆學「本出望溪方氏門下」，在思想和文辭兩方面主張尚古和復古。其《論文偶記》云：

文貴簡。凡文筆老則簡，意真則簡，辭切則簡，理當則簡，味淡則簡，氣蘊則簡，品貴則簡，神遠而含藏不盡則簡，故簡為文章盡境。程子云：「立言貴含蓄意思……」此語最屬有味。

他認為「文貴簡」，「簡為文章盡境」，其結果是越簡則越古。他又說：

文貴華；華正與樸相表裏，以其華美，故可貴重。所惡於華者，恐其近俗耳；所取於樸者，謂其不著脂粉耳。昔人謂：「不著脂粉而清真刻峭者，梅聖俞之詩也；不著脂粉而精彩濃麗，自《左傳》、《莊子》、《史記》而外，其妙不傳。」此知文之言。天下之勢，日趨於文，而不能自已。上古文字簡質。周尚文，而周公、孔子之文最盛。其後傳為左氏，為屈原、宋玉，為司馬相如，盛極矣。盛極則藥衰，流弊遂為六朝；六朝之靡弱，屈、宋之盛肇之也。昌黎氏矯之以質，本《六經》為文。後人因之，為清疏爽直，而古人華美之風亦略盡矣。（《論文偶記》）

他崇尚華美，鄙惡近俗，以為「天下之勢，日趨於文，而不能自已」，「昌黎氏矯之以質」，「後人因之」，反失「古人華美之風」。他又說：

文貴參差。天之生物，無一無偶，而無一齊者。故雖排比之文，亦以隨勢曲注為佳。好文字與俗下文字相反；如行道者，一東一西，愈遠則愈善。一欲巧，一欲拙，一欲利，一欲鈍；一欲柔，一欲硬；一欲肥，一欲瘦；一欲濃，一欲淡；一欲艷，一欲樸；一欲鬆，一欲堅；一欲輕，一欲重；一欲秀令，一欲蒼莽；一欲偶儷，一欲參差。夫拙者，巧之至，非真拙也；鈍者，利之至，非真鈍也。（《論文偶記》）

所謂參差，即是排比和對襯，是偶儷，是華美的修辭，這些都是他所欣賞的。他還說：

文貴去陳言。昌黎論文，以去陳言為第一義。後人見為昌黎好奇故云爾，不知作古文無不去陳言者。試觀歐、蘇諸公，曾直用前人一言否？昌黎既云去陳言，又極言去之之難。蓋經史諸子百家之文，雖讀之甚熟，却不許用他一句，另作一番語言，豈不甚難？《樊宗師墓志》云：「必出於己，不蹈襲前人一言一句，又何其難也。」正與「戛戛乎難哉」互相發明。李習之親炙昌黎之門，故其論文，以創意造言為宗。所謂創意者，如《春秋》之意不同於《詩》，《詩》之意不同於《易》，《易》之意不同於《書》是也。所謂造言者，如述笑哂之狀，《論語》曰「莞爾」，《易》曰「啞啞」，《穀梁》曰「粲然」，班固曰「攸然」，左思曰「輾然」，後人作文，凡言笑者，皆不宜復用其語。習之此言，雖覺太過，然彼親聆師長之訓，故發明之如此，亦可窺見昌黎學文之大旨矣。《樊志銘》云：「惟古於詞必己出，降而不能乃剽賊，後皆指前公相襲，自漢迄今用一律。」今人行文，翻以用古人成語，自謂有出處，自矜其典雅，不知其為襲也，剽賊也。昔人謂「杜詩韓文無一字無來歷」。來歷者，凡用一字二字，必有所本也，非直用其語也。況詩與古文不同，詩可用成語，古文則必不可用。故杜詩多用古人句，而韓於經史諸子之文，只用一字，或用兩字而止。若直用四字，知為後人之文矣。

他認爲用古人一字二字，謂之有來歷，有所本，是值得稱許的；如果直用其語，便是蹈襲，便是剽竊，是不足爲訓的。他指出「若散體古文，則《六經》皆陳言也。」因爲都有遞相蹈襲的辭語。

吳德旋也步趨劉大櫆，古文崇方苞。其《初月樓古文緒論》云：「古文之體，忌小說、忌語錄、忌詩話、忌時文、忌尺牘；此五者不去，非古文也。」這是十足禮拜文言的道學家的謬見。由於「此五者」或是文字比較通俗、比較接近口語，或是內容比較「無所矜式」，吳氏便認爲是大忌，以爲「此五者不去」，便不是古文了。他指駁「戚鶴泉謂古文不可有古文氣，其說非也。」他主張古文是應該要有古文氣的。所謂古文氣是無小說氣、無語錄氣、無詩話氣、無時文氣、無尺牘氣；從辭章來說，是要矜其內容，雕琢文字。關於雕琢文字，他說：

作文豈可廢雕琢？但須是清雕琢耳。功夫成就之後，信筆寫出，無一字一句吃力，却無一字一句率易；清氣澄澈中，自然古雅有風神，乃是一象數也。（《初月樓古文緒論》）

他認爲雕琢功夫成就之後，寫出來的文章，才是「自然古雅有風神」。可是他的《與張臯文論文質第二書》，却又有不同的說法：

夫老佛之道，矯於文而喪其質者也。矯於文而喪其質者之足以為天下害也如是，而足下猶云矯枉者必過其直，毋乃強爲以口給御人，而自忘其說之頗乎？足下云：「吾之所謂反質者，固將從興禮樂始。」由足下之論言之，如此則甚似而幾矣！然反質云者，對民之敝於文而言也。後世之民，既相與自去其文，尚何反之足云乎？且夫君臣父子，固不可即以為質；而舍君臣父子，則又別無所以為質。質之不存，文將焉附也？質先而文後，此自古聖人不易之定說也。（同上）

他認爲「矯於文而喪其質者之足以爲天下害」，責張臯文自忘其說的偏頗；他主張「質先而文後」，道是「自古聖人不易之定說。」他說：「蓋質者百世不可變。若夫文，則因其時以斟酌損益之，而使之稱於質斯已矣。」（同上）這似已補充了他前述的議論了。

十三、趙翼《陔餘叢考》

趙翼著《陔餘叢考》四十三卷，據作者自撰的《小引》，知是自黔西罷官以後的讀書札記。「以其爲循陔⑯時所輯，故名曰《陔餘叢考》。」又著《甌北詩話》凡十卷，續詩話二卷，論詩主張推陳出新，是繼葉燮之後提出了反復古的修辭論。前者刊於乾隆五十五年（一七九〇），後者刊於嘉慶年（一八〇二)。

封建時代的文人，由於脫離現實，不務創作，所以喜歡摹擬古人。但趙翼却是例外的，他反對復古，主張「爭新」。其《論詩》絕句云：

滿眼生機轉化鈞，天工人巧日爭新，預支五百年新意，到了千年又覺陳」。「李杜詩篇萬口傳，至今已覺不新鮮。江山代有才人出，各領風騷數百年」。「詞客爭新角短長，疊開風氣遞登場。自身已有初中晚，安得千秋尚漢唐？」

這論點完全合乎進化的原則，也有創新的精神，且能起開風氣的作用。又有一首《論詩》絕句云：「隻眼須憑自主張，紛紛藝苑漫雌黃。矮人看戲何曾見，都是隨人說短長。」他主張自作新意，反對擬古家的人云亦云。他痛斥好用辭藻，他說：「好用辭藻，不免為辭所累。」（《甌北詩話》卷九）他也反對用奇字：「盤空硬語，須有精思結撰。若徒摶撫奇字，詰曲其詞，務為不可讀以駭人耳目，此非眞警策也。」（卷三）又云：

韓孟尚奇警，務言人所不敢言；元白尚坦易，務言人所共欲言。試平心論之，詩本性情，當以性情為主。奇警者，猶第在詞句間爭難鬥險，使人蕩心駭目，不敢逼視，而意味或少焉。坦易者，多觸景生情，因事起意，眼前景，口頭語，自能沁人心脾，耐人咀嚼。此元白較勝於韓孟。世徒以輕俗訾之，此不知詩者也。

他認為「在詞句間爭難鬪險」，難免因辭害意（「而意味或少焉」）。他主張坦易，甚至主張用口頭語入詩。可是他後來却又說：

「放翁與楊誠齋同以詩名。誠齋專以俚言俗語闌入詩中，以為新奇。放翁則一切掃除，不肯落其窠臼。蓋自少學詩，即趨向大方家，不屑屑以纖佻自貶也。(《甌北詩話》卷六)

他說誠齋以俚言俗語爲新奇，說放翁不屑屑以纖佻自貶，語意之間，似已由主張用口頭語入詩一變爲鄙薄俚俗語了。

《陔餘叢考》有數處談論到辭格。如卷二十四「詩作嘔噱」云：

詩人有以佳句得名者，如趙嘏之「長笛一聲人倚樓」，而人稱為趙倚樓也。鄭谷之《咏鷓鴣》，有「花落黃陵廟裏啼」，而人稱為鄭鷓鴣也。鮑當以《孤雁詩》謁薛映尚書，有「不惜充君庖，為帶邊城信」，薛大稱賞，而稱為鮑孤雁也。謝無逸《咏蝴蝶》，有「江天春晚暖風細，相逐賣花人過橋」，而稱為謝蝴蝶也。韋莊遇黃巢之亂，作《秦婦吟》云，「內庫燒為錦綉灰，天街踏盡公卿骨」，時稱為秦婦秀才也。許棠有洞庭詩最工，人稱為許洞庭也。范鎮嘗作《長嘯却敵賦》，後嘗使遼，人稱為長嘯公也。賀鑄字方回，有「江南梅子」之句，傳播人口，人稱為賀梅子也。應子和「蠟炬短燒紅」，「風過落花紅」，「兩岸夕陽紅」，而稱為三紅秀才也。梅聖俞以咏河豚詩最工，而稱為梅河豚也。劉一止以《曉行》詩得名，稱劉曉行也。參寥僧有「隔林彷佛聞機杼，知有人家住翠微」之句，後東坡在黃州，州之士大夫問坡曰：聞有詩僧相從，豈即「隔林彷佛聞機杼」者乎？坡謂參寥曰：此和尚七字號也。元人錢塘張叔夏，以《春水詞》得名，人呼為張春水。前明袁海叟因《白燕詩》，「月明漢水初無影，雪滿梁園尚未歸」，稱為袁白燕。張燦為學士，聯句得單字，有「細雨斜飛燕子單」之句，馬端肅呼為燕子單學士。崔不雕因

「黃葉聲多酒不辭」之句，王新城稱為崔黃葉。此皆以詩句得美名也。

以佳句中的詞兒或整個句子代替作者的名字，是借代修辭法的一種。宋人詩話雖也曾談論到，但只及趙倚樓、謝蝴蝶數人，不若趙翼所舉例證之多。

同卷又有「古今人詩句相同」一則云：

古今人往往有詩句相同者。《庚溪詩話》云：趙紫芝有「野水多於地，春山半是雲」之句。余讀《文苑英華》所載唐詩，此二句皆已有之，但不作一處耳。唐僧詩，「河分岡勢斷，春入燒痕青。」一僧嘲其蹈襲云：「河分岡勢司空曙，春入燒痕劉長卿，不是師兄偷古句，古人詩句犯師兄。」蓋皆以剽竊為戒。金趙秉文詩多犯古人句，李屏山序其集云：「公詩往往有太白樂天語，某輒能識之。」亦陰誚其襲用前人語也。然如「河分岡勢」「春入燒痕」，本非一人之詩，而掇拾作聯，亦未為不可；而行墨閒興之所至，偶拉入前人詩一二句，更不足為病也。

襲用前人不同一處的詩句或不同一人的詩句於一處，這是引用修辭法中的集句法，如唐僧詩集司空曙、劉長卿句，金趙秉文詩集太白、樂天語等都是。趙翼以爲是「不足爲病」的。

《陔餘叢考》卷二十三有「謎」云：

謎卽古人之隱語，《左傳》申叔展所云「山鞠窮」「河魚腹疾」，……其濫觴也。亦曰廋詞。《國語》秦客為廋詞，范文子能對其三。楚莊、齊威，俱好隱語……劉歆《七略》有《隱書》十八篇，則並有輯為書者，然皆不傳，惟卯金刀、千里草之類，出於風謠者，略存一二。至東漢末乃盛行，謂之離合體。如蔡中郎書曹娥碑陰「黃絹幼婦，外孫齏臼」，楊修解之，謂絕妙好辭四字也。又孔北海有四言一篇，……共二十四句，每四句離合一字。乃「魯國孔融文舉」也。……又《越絕書》不知何人所撰，楊用修據其書後序云：以去為姓，得衣乃成，厥名有米，覆之以庚。謂漢人袁康所作。又《越絕篇・外傳》云：「文字屬定，自於邦賢。以口為姓，承之以天。楚相屈原，與之同名。」乃吳平也。黃佐曰：吳平因袁康所錄成書。……據此，可見東漢末之好為隱語也。然猶未謂之謎。其名曰謎，則自曹魏始。《文心雕龍》曰：「魏代以來，君子嘲隱，化為謎語。謎者，回互其詞，使昏迷也。魏文、陳思，約而密之，高貴鄉公又博舉品物。」然則高貴鄉公時又嘗輯之成編矣。……《北史・斛律光傳》：「褚士達夢人授以詩曰：「九升八合粟，角斗定非真，堰卻津中水，將留何處人?」祖珽解之曰：『角斗斛字，津卻水，何留人，合成律字，謂斛律也。』」……又咸陽王禧敗逃，謂防閤尹龍武試作一謎以解憂。龍武曰：「眠則同眠，起則俱起，貪如豺狼，贓不入己。』謂箸也。則謎之為技，六朝更盛行。唐蘇頲嘲尹姓者云：「醜雖有足，甲不全身。見君無口，知伊少人。」宋陶穀使於南唐，書十二字於驛舍曰：「西川狗，百姓眼。馬包兒，御廚飯。」宋齊邱曰，乃「獨眠孤館」也。《錢氏私志》載字謎云：「目字加二點，不得作貝字猜；貝字欠兩點，不得作目字猜。」乃賀、資二字也。「四個口，盡皆方。加十字，在中央。」乃圖字也。洪巽《暘谷漫錄》載儉字謎云：「一人立，三人坐。二人小，二人大，其中更有一二口，教我如何過。」……王介甫柄國時，有人題相國寺壁云：「終歲荒蕪湖浦焦，貧女戴笠落柘條，阿儂去家京洛遙，驚心寇盜來攻剽。」東坡解之曰：「終歲，十二月也，十二月為青字。荒蕪，田有草也，草田為苗字。湖浦焦，水去也，水去為法字。女戴笠為安字。柘落木，剩石字。阿儂是吳言，吳言為誤字。去家京洛為國，寇盜為賊民。蓋言青苗法安石誤國賊民也。」《西溪叢語》有一鏡隸字云：「一生有十口，前牛無角」，蓋甲午也。此皆謎之見於書傳者。前明並有刻為成書，曰《謎社便覽》。又賀從善編一書，曰《千文虎》，其序有云：「宋延祐間，東坡、山谷、少游、介甫以隱字相倡，和者甚衆，刊集四册曰《文戲》。金章宗好謎，選蜀人楊圃祥為首，編曰《百斛珠》刊行。元至正間，省掾朱士凱編者曰《揆敍萬類》。又四明張小山、太原喬吉、古彌鍾繼先、錢塘王日華、徐景祥編者曰《包羅天地》。然則此狡獪小技，編集成書者，且不一而足矣。」

謎是析字修辭的一種，由來很古。《左傳》宣十二年云：「還無社與司馬卯言，號（呼也）申叔展。叔展曰：「有麥曲乎？」曰：『無。』『有山鞠窮乎？』曰：『無。』『河魚腹疾，奈何？』曰：『目於眢井而救之。』」這是謎樣的問答之辭。叔展要使無社逃往泥水中，但在軍中不便明言，所以問無社有麥曲嗎（麥曲是一種能禦寒又能醫治腹疾的良藥，意謂如逃至泥水中可能受寒和染上腹疾，須先準備麥曲）。可是無社却聽不懂，所以叔展又問他有山鞠窮（也是一種能禦寒和治腹疾的良藥）嗎？無社仍舊聽不懂。最後叔展問他：「……如果象河魚染了腹疾，將怎麼辦呢？」這時候無社才恍然大悟，說：「（希望你）察看涸井，（將我）救出來（意謂他將逃匿於涸井中）。」這可以說是謎的嚆矢。謎，古亦稱廋辭。漢時又稱爲離合體。趙翼於歷舉各時代用謎的例子之後，又介紹了一些謎的集成之類的專書，可以說是自宋人詩話筆記以來談論析字修辭最長的一篇文字。

《陔餘叢考》卷二十三「扇對法」云：

《白氏金針》有四句作一對者。凡詩四句以第一句對第三句，第二句對第四句，謂之扇對，然不自白香山始也。《小雅》「昔我往矣，楊柳依依……」四句，已肇其端。曹子建云：「昔我初遷，朱華未希。今我旋止，素雪云飛。」古《塘上曲》有云：「莫以魚肉賤，棄捐葱與薤；莫以桑麻賤，棄捐菅與蒯。」左太冲《咏史》云：「吾希段干木，偃息藩魏君；吾慕魯仲連，談笑却秦軍。」喬知之《定情篇》：「故歲雕梁燕，雙去今來隻；今日玉庭梅，朝紅暮成碧。」

扇對法見於《文鏡秘府論》。趙翼所擧喬知之《定情篇》，第二句與第四句實不成對。

《陔餘叢考》卷三十一有數則論避諱，然所論大都係前人已經論述過的，沒有什麼新意，只有「嫌名」一則考敘比較透徹和深入：

嫌名不諱，韓昌黎《諱辨》已詳論之。然隋文帝以父名忠，凡官名有中字悉改為內，已著為令。至唐時諱嫌名者更多：賈曾擢中書舍人，以父名忠，引嫌不拜。議者引《禮》折之始受。蕭復為晉王行軍長史，德宗以其父名衡，乃改為統軍長史；則朝庭之上，且為臣子避嫌名矣。毋怪乎李賀應進士擧，當時流俗以其父名晉，遂同聲訾議也。然《唐書》：衛誅為鄭潁觀察使，誅以官號內有一字與家諱同，欲乞改授。詔曰：嫌名不諱，著在《禮》文，成命已行，固難依允。《李磎傳》：官者摘磎疏中語，犯順宗嫌名。磎奏曰：《禮》，不諱嫌名；律，廟諱嫌名不坐。則唐律本有嫌名不諱之條。

其餘「避諱」「逮事不逮事」「覿面犯諱」數則則從略。

此外，《甌北詩話》卷二第十一論仿擬，《陔餘叢考》卷二十三「叠字詩」論複叠，同卷「借對法」論對偶和雙關，「以古人姓名藏句中」「藥名爲詩」及「雙關兩意詩」三則亦論雙關，卷二十三「回文詩」一則論回文，同卷「集句」一則論集句，但最有趣的是卷二十四「拆字詩」一則舉析字法，現在抄錄於下：「南宋人《苕溪集》有拆字詩一首：『日月明朝昏，山風嵐自起，石皮破仍堅，古木枯不死，可人何當來，意若重千里，永言詠黃鶴，志士心未已。』」至於《甌北詩話》卷五第七論集句、回文和雙關，或是複述前人說過的話，或是本書前文已經引述過，這裏不稱引了。

十四、章學誠《文史通義》

章學誠的《文史通義》刊於道光壬辰（一八三二），計內篇五卷，外篇三卷，補遺及續補遺各一卷。章氏雖然「不甘爲章句之學」（章氏子華紱識《文史通義》語），但《文史通義》却頗有涉及修辭的議論。如內篇二《文理》篇云：

> 時文當知法度，古文亦當知有法度；時文法度顯而易言，古文法度隱而難喻，能熟於古文，當自得之。

他以爲古文的修辭法「隱而難喻」，須熟習方能有得，若只學得其皮毛，如明代的歸有光、唐順之那樣，不免流於浮滑。他說：

> 惟歸、唐之集，其論說文字，皆以《史記》爲宗，而其所以得力於《史記》者，乃頗怪其不類。蓋《史記》體本蒼質，而司馬才大，故運之以輕靈；今歸唐之所謂疏宕頓挫，其中無物，遂不免於浮滑，而開後人以描摩淺陋之習。故疑歸、唐諸子，得力於《史記》者，特其皮毛，而於古人

深際，未之有見。今觀諸君所傳五色訂本，然後知歸氏之所以不能至古人者，大坐此也。（《文史通義》內篇二《文理》篇）

他認爲歸、唐的作法，是「捨己之所求，而摩古人之形似」（同上），遂「開後人以描摹淺陋之習」。他主張摹古須摹古人的深際，才能至於古人。但是章學誠究竟不是「今不如古」論者，所以他又說：

所謂好古者，非謂古之必勝乎今也，正以今不殊古，而於因革異同求其折衷也。古之糟魄，可以為今之精華，非貴糟魄而直以為精華也，因糟魄之存而可以想見精華之所出也；古之疵病，可以為後世之典型，非取疵病而直以之為典型也，因疵病之存而可以想見典型之所在也。是則學之貴於考徵者，將以明其義理也。（《文史通義》內篇四《說林》篇）

他說好古應有好古的道理，若遷重就輕以摹古，是「削足適履」，這正是文人的通病。

他在《文史通義》內篇二《古文十弊》中提到文與質，說：

文人固能文矣，文人所書之人，不必盡能文也。敘事之文，作者之言也，為文為質，惟其所欲；期如其事而已矣；記言之文，則非作者之言也，為文為質，期於適如其人之言，非作者所能自主也。

他認爲「爲文爲質」，「期於適如其人之言」，「期如其事而已」，完全客觀，不存主見。然而，他到底是主樸質的，《文史通義》內篇四《言公》中篇云：

或曰：「指遠辭文」，《大傳》之訓也；「辭遠鄙背」，賢達之言也；「言之不文，行之不遠」，辭之不可以已也。今日求工於文字之末者非也，其何以為立言之則歟？曰：非此之謂也。《易》

曰：「修辭立其誠。」誠不必於聖人至誠之極致，始足當於修辭之立也；學者有事於文辭，毋論辭之如何，其持之必有其故而初非徒為文具者，皆誠也；有其故而修辭以副焉，是其求工於是者，所以求達其誠也。《易》奇而法，《詩》正而葩，《易》以道陰陽，《詩》以道性情也；其所以修而為奇與葩者，則固以謂不如是則不能以顯陰陽之理與性情之發也。故曰，非求工也。無其實而有其文，即《六藝》之辭猶無所取，而況其他哉！

他認爲修辭是在不得不修的情形之下才修，更重要的是「有其實」，「無其實而有其文」，是不足取的。所謂「有其實」的「實」，就是理。內篇三《辨似》篇云：

經傳聖賢之言，未嘗不以文為貴也。蓋文固所以載理，文不備則理不明也。且文亦自有其理；妍媸好醜，人見之者，不約而有同然之情，又不關於所載之理者，即文之理也。故文之至者，文辭非其所重耳，非無文辭也。

他論文和理的關係與輕重，極其公允。又內篇四《說林》篇說：「文辭非古人所重，草創討論，修飾潤色，固已合衆力而爲辭矣；期於盡善，不期於矜私也。」這是他進步的意見。雖然草創云云，取義於《論語·憲問》：「子曰：『爲命，裨諶草創之，世叔討論之，行人子羽修飾之，東里子產潤色之。』」但章氏接着說：「期於盡善，不期於矜私」，可見他已經知道修辭的方法，並不是由某一個人獨力創造出來的，而是靠衆人的智慧，依照人們生活上的需要，漸漸組織和使用起來的。

可是對於詩話，章氏却大爲鄙薄，如內篇五《詩話》篇說：

《詩品》、《文心》專門著述，自非學富才優，為之不易；故降而為詩話，沿流忘源，為詩話者不復知著作之初意矣。

他不知在詩話中，有的是關於修辭研究而且是有價值的話。可見章氏還不免受歷史條件的限制，對於比較通俗的詩話之類的著作，不能賞識它的價值之所在。他認爲修辭的「辭」應該包括言辭和文辭，不論出之於口，或者著之竹帛，都是一樣的。他說：「古者稱字爲文，稱文爲辭。……口耳竹帛，初無殊別。」（《文史通義》外篇三《雜說》下。）這和文天祥的意見是一致的。

《文史通義》也談論辭格。外篇三《雜說》下又說：

或問前人之文辭，可改竄為己作歟？答曰：何為而不可也！古者以文為公器，前人之辭如已盡，後人述而不必作也；賦詩斷章，不啻若自其口而出，重在所以為文辭而不重文辭也。苟得其意之所以然，不必有所改竄，而前人文辭與己無異也；無其意而求合於文辭，則雖字句毫無所犯，而陰仿前人之所云，君子鄙之曰竊矣！

他主張「著述必有立於文辭之先者，假文辭以達之而已」（同上）。如果前人之意與我合，盡可襲其文，「不必有所改竄」；反之，若「無其意而求合於文辭」，則是剽竊。《文史通義》內篇四《說林》篇又說：

著作之體，援引古義，襲用成文，不標所出，非為掠美，體勢有所不暇及也；亦必視其志識之足以自立，而無所借重於所引之言；且所引者並懸天壤，而吾不病其重見焉，乃可語於著作之事也。考證之體，一字片言，必標所出：所出之書，或不一二而足，則必標最初者；最初之書既亡，則必標所引者，乃是「慎言其餘」之定法也。書有並見而不數其初，陋矣；引用逸書而不標所出，罔矣；以考證之體而妄援著作之義，以自文其剽竊之私焉，謬矣！

這對於「襲用成文，不標所出」的暗引，作了必要的補充意見，最重要的是：「必視其志識之足以自立，而無所借重於所引之言」，否則便是著作的疵病。至於考證之體（指用引用辭格），則須標示出處，而且應標示其最初的出處，才合體例。

《文史通議》內篇三《繁稱》篇云：

> 唐末五代之風詭矣，稱人不名不姓，多為諧隱寓言，觀者乍覽其文，不知何許人也。如李曰「隴西」，王標「琅琊」，雖頗乖忤，猶曰著郡望也；莊姓則稱「漆園」，牛姓乃稱「太牢」，則詼嘲諧劇，不復成文理矣。凡斯等類，始於駢儷華詞，漸於試牘小說；而無識文人，乃用之以記事，宜乎試牘之文流於茁軋，而文章一道入混沌矣。

這裏所談論的代稱，屬於諧讔，是借代格的一種。莊子嘗爲漆園吏，後人竟以漆園代莊姓。《禮》：「牛羊豕凡三牲曰太牢。」後人但以太牢名牛。程太昌《演繁露》云：「牛羊豕具爲太牢；但有羊豕而無牛，則爲少牢。今人但以太牢名牛，失之矣。」程太昌已指出其誤，章學誠也說是「不復成文理矣。」

《文史通義》外篇一《淮南子洪保辨》篇引閻先生（閻徵君）謂蘇軾作《潮州韓文公廟碑詩》開章三句疊用雲字（「公昔騎龍白雲鄉，手扶雲漢分天章，天孫爲織雲錦裳」），以爲「愈疊愈古」。章氏評之云：

> 蘇氏本屬無心，讀去亦不甚窒口，於義自無傷也。必謂疊用三雲字為有心，且美其辭曰愈疊愈古，轉似不用此三疊字必不可者，正如別本唐詩，於崔顥《題黃鶴樓》開首必疊三黃鶴字，流俗

相與矜奇詑絕，乃謂壓倒李白全在此等處者，同一庸陋之見。

這可以看出章氏對於用疊字的意見和怎樣看待疊字，也稱得上是持平之論。其《丙辰札記》也有一則論疊字，舉《檀弓》「南宮滔之妻之姑之喪」句，指出評者謂疊用三「之」字乃句法之妙，其實只是「傅會之見」而已。

十五、錢大昕《十駕齋養新錄》

錢大昕的《十駕齋養新錄》，正編二十卷，餘錄三卷，是作者晚年（已入嘉慶之後）仿顧炎武《日知錄》體例而寫的讀書札記，可是，他却不像顧炎武那樣主張學古人文字。《十駕齋養新錄》卷十六有「古人文字不宜學」一則云：

李翺述其大父事狀，題云《皇祖實錄》，當時不以為怪，若施之後代，則犯大不韙矣。唐宋人碑志，稱其父曰皇考。歐陽公《瀧岡阡表》，亦稱其父皇考。宋徽宗始禁止之。南宋以後，遂無敢用者。好古之士，當隨時變通，所謂禮從宜也。

稱已故的父親爲皇考，原本於《禮·曲禮》。屈原的《離騷》，已有「朕皇考曰伯庸」的句子了。《稱謂錄》云：「唐、宋碑志，每稱其父曰皇考，歐陽公《瀧岡阡表》亦然；南宋以後，始禁之。」內容與《十駕齋養新錄》相似。錢大昕勸那些好古之士，應當隨時變通，不必一味學古人稱亡父爲皇考，這一半是封建的觀念未除，恐怕「犯大不韙」（因觸及「皇」字），一半是不贊成用古人文字，以爲禮須從宜。

《十駕齋養新錄》卷十六「放翁論詩」云：

陸務觀云：詩欲工，而工亦非詩之極也。鍛鍊之久，乃失本指；斫削之甚，反傷正義。纖麗足以移人，誇大足以蓋衆，故論久而後公，名久而後定。

他所引陸游的話，出自《何君墓表》。錢氏贊同陸游的意見，才引用他的話，可見錢氏是反對雕琢藻飾的。

《十駕齋養新錄》也談避諱。卷七有「孔子諱」及「避老子名字」二則，只是敍述事實，不加議論。卷十六有「文人避家諱」一則，雖然敍述之後，提出了意見，但那意見却是前人的；同卷「諱辨」一則，指出韓愈《諱辨》一文失檢的地方，只有考證，沒有論到避諱的得失。卷十六有「詩詞蹈襲」一則云：

兩三條電欲為雨，七八個星猶在天。唐人袁郊詩也。元詩載文宗皇帝《自集慶路入正大統途中偶吟》，亦有「二三點露滴如雨，六七個星猶在天」之句，此好事者偷竊古人句假托為之。

這位「好事者」的所爲，可以說是「代人蹈襲」了。錢氏只說到仿擬，却沒有注意到他所引述的袁郊詩句，和「好事者」所仿擬的詩句，都是以俚語入詩，也不談他對俚語入詩的意見。

《十駕齋養新錄》卷十六「友于」云：

「一重一掩吾肺腑，山鳥山花吾友于」，或疑「友于」歇後語，不可以偶「肺腑」。予謂唐人精於聲律，肺腑、友于雖虛實不同，而皆為雙聲，故可屬對。猶王子安《滕王閣詩序》，以「邱虛」對「已矣」也。予聞之大父云。

這裏論對偶及歇後。錢大昕既然知道「友于」是歇後語，應當知道是出自《書經・君陳》篇「惟孝友于兄弟」一語，這是屬於歇後藏辭法，把「兄弟」二字藏了起來，直以「友于」代替兄弟；但可惜錢氏不知「胏腑」二字的正確意義，誤以爲是兩字一詞，而不知「胏」與「腑」原來是兩個獨立的名詞，與兄弟（友于）正可相對。唐司馬貞《史記索隱》云：「胏音柹，腑音附。胏，木札也；腑，木皮也。以喻人主疏末之親，如木札出於木，樹皮附於樹也。」所以杜甫以「友于」對「胏腑」，原是沒有什麼差錯的，大可不必更爲之解，說什麼雙聲對雙聲；而擧王勃《滕王閣序》的「蘭亭已矣，梓澤邱墟」爲例，也是擬於不倫的。

《十駕齋養新錄》卷十二「古人姓名割裂」云：

漢魏以降，文尚駢儷，詩嚴聲病，所引用古人姓名，任意割省，當時不以為非。如皇甫謐《釋勸》：榮期以三樂感尼父。庾信詩：唯有丘明恥，無夏榮期樂。白樂天詩：天教榮啓樂，人恕接與狂。謂榮啓期也。《貴鳳別碑》：司馬慕藺相，南容復白圭。謂藺相如也。楊巨源詩：不同蘧玉學知非。謂蘧伯玉也。……

他以爲節縮古人姓名是「任意割省」，是「漢、魏以來，文尚駢儷」的一種流弊。顧炎武《日知錄》，吳傳正《詩話》，章如愚《羣書考索》，都排斥這種「任意割省」的節縮辭法，只有俞正燮的《癸巳存稿》（卷十二）却認爲是「辭章當行語」，反斥他們是「同一陋也」。對此，陳望道先生有很精闢的見解：他說：

這種割名湊對就音的傾向，容易使文字離開了內容上的需要，專去玩那形式上的花樣。不顧內容上是否可以節，而只計較形式上需要不需要節。於是內容往往會晦到非注不明，甚至晦到了只有作者自己能够注。這便犯了以前文人最容易犯的所謂削趾適履的拙病，自然是應該批評的。……我們認為批評節短形式的玩弄是正確的，不過批評也不應只注意形式，不注意實際的情況。因為該批評的不是節短本身，而是節短的濫用。這一定要看情境看內容是否可以節短。說得明確點，就是要看內容是否可以節短，以及節短了是否仍舊看得懂，或者更加簡潔有力。要是只要看見節短的形式便批評，那就同專把節短的形式來玩弄的一樣要陷於形式主義的泥坑，對於節短不會有同情境聯繫和內容聯繫的認識，也就不會有同情境聯繫和內容聯繫的運用。（《修辭學發凡》第七篇第六節）

十六、袁枚《隨園詩話》

《隨園詩話》凡十六卷，補遺十卷。袁枚論詩，反對崇古和擬古。他說：

詩有工拙而無古今。自《葛天氏之歌》至今日，皆有工有拙。卽三百篇中頗有未工不必學者，不徒漢魏唐宋也。今人詩有極工極宜學者，亦不徒漢魏唐宋也。（《答沈大宗伯論詩書》）

他曾自許爲「雙眼自將秋水洗，一生不受古人欺。」這也說明了他持論的態度。《隨園詩話》卷五第三十八云：

抱韓、杜以凌人，而粗脚笨手者，謂之「權門托足」。仿王、孟以矜高，而半呑半吐者，謂之「貧賤驕人」。開口言盛唐，及好用古人韵者，謂之「木偶演戲」。故意走宋人冷徑者，謂之「乞兒搬家」。好叠韻、次韻，刺刺不休者，謂之「村婆絮談」。一字一句，自注來歷者，謂之「骨董開店」。

他反對學古，也反對形式主義，給那些注重形式、一意想摹擬古人的人以有力的諷刺。《隨園詩話》卷三第七又云：

王陽明先生云：「人之詩文，先取真意；譬如童子垂髫肅揖，自有佳致。若帶假面傴僂，而裝鬚髯，便令人生憎。」顧寧人與某書云：「足下詩文非不佳；奈下筆時，胸中總有一杜一韓放不過去，此詩文之所以不至也。」

他引述王、顧二人的話，主張意先於辭，反對死抱住古人不放，反對摹擬。他說：「文以情生，未有無情而有文者。……滿紙浮辭，敷衍湊拍，……非咏詩也。」（《隨園詩話》卷七第二十九）

他主張用語辭入詩。他說：「詩如言也。口齒不清，拉雜萬語，愈多愈厭。」（《隨園詩話》卷三第三十四）他指出許多流傳的口頭俗語，「皆出名士集中」，並列舉不少的列句（《隨園詩話》卷九第五十二）。他發現「唐人詩中，往往用方言。」《隨園詩話》卷十三第四十七云：

杜詩：「一昨陪錫杖。」「一昨」者，猶言昨日也。王逸少帖：「一昨得安西六日書。」晉人已用之矣。太白詩：「遮莫枝根長百尺。」「遮莫」者，猶言盡教也。平寶《搜神記》：「張華以獵犬試狐。狐曰：遮莫千試萬慮，其能為患乎」？晉人亦用之矣。孟浩然詩：「更道明朝不當作，相期共鬥管弦來。」「不當作」者，猶言先道個不該也。元稹詩：「隔是身如夢，頻來不為名。」「隔是」者，猶云已如此也。杜牧詩：「至竟薛亡為底事。」「至竟」者，猶云究竟也。

他替方言作了解釋和考證。認爲「口頭語，說得出便是天籟」（《隨園詩話補遺》卷二第六十九），「語雖俚」，却能使「聞者動色」（《隨園詩話》卷八第七十九）。他甚至以爲「家常語入詩最妙」。他說：

家常語入詩最妙。陳古漁布衣《咏牡丹》云：「樓高自有紅雲護，花好何須綠葉扶。」國初，徐貫時《寄妾》云：「善保玉容休怨別，可憐無益又傷身。」（《隨園詩話補遺》卷一第二十五）

袁枚主張俚俗語只可以入詩，至於文，他却以爲不可。《與邵厚庵太守論杜茶村文書》云：

六經，文之始也。降而三傳，而兩漢，而六朝，而唐宋，奇正駢散體制相詭，要其歸宿，無他，曰顧名思義而已。名之為文，故不可俚也；名之為古，故不可時也。古人懼焉！以昌黎之學之才而猶自言其迎而距之之苦，未有絕學捐書而可以操觚率爾者！（《小倉山房文集》卷十九）

他以爲文不可俚，古不可時，竟一反贊賞俚語、輕視復古的主張，原來他是將詩和文分別來看待的。他甚至主張文須雕飾，他說：

經以道傳，實以文傳。《易》稱修辭，《詩》稱辭輯，《論語》稱為命，至於討論修飾而未有已，是豈聖人之溺於詞章哉？蓋以為無形者，道也；形於言謂之文。既已謂之文矣，必使天下人矜尚悅繹，而道始大明。若言之不工，使人聽而思臥，則文不足以明道，而適足以蔽道。（《小倉山房文集》卷十《虞東先生文集序》）

他認爲「言之不工」，「則不足以明道」；要「使天下之人矜尚悅繹」，是需要修飾的。他又認爲「唐人修辭，與立誠並用；而宋人或能立誠，不甚修辭。聖人論爲命，尙且重修飾潤色，所謂言之不文，行之不遠也。」（《小倉山房文集》卷三十五《與孫俌之秀才書》）「古聖人以文明道，而不諱修辭；駢體者，修辭之尤工者也。」（《小倉山房文集》卷十一）

一般讀者的印象，認爲袁枚論文不提明道，但這裏確是提到了明道，而且也提到了「聖人」。明道與「聖人」，本來都和修辭無關，可以不必去談論；只是他論修辭，竟主張文飾，甚至維護駢體，說成是「修辭之尤工者也」，不像是贊賞俚語、反對擬古復古的袁枚所應有的言論。

《隨園詩話》卷一第四十六云：

東坡《赤壁賦》：「而吾與子之所共適。」適，閑適也。羅氏《拾遺》以為當是『食』字，引佛書以睡為食。則與上文文義平險不倫。東坡雖佞佛，必不自亂其例。

這一則論煉字，雖是前人已經說過了的，但袁枚能道出不應用「食」字的理由，却可以補前人之所未及。

《隨園詩話》卷四第六十亦論煉字云：

詩得一字之師，如紅爐點雪，樂不可言。余祝尹文端公壽云：「休誇與佛同生日，轉恐恩榮佛尚差。」公嫌「恩」與佛不切，應改「光」字。《咏落花》云：「無言獨自下空山。」邱浩亭云：「『空山是落葉，非落花也；應改『春』字。」《送黃宮保巡邊》云：「秋色玉門涼。」蔣心餘云：「『門』字不響，應改『關』字。」《贈樂清張令》云：「我慚靈運稱山賊。」劉霞裳云：「『稱』字不亮，應改『呼』字。」凡此類，余從諫如流，不待其詞之畢也。

所舉改字諸列句，都能說出應改的理由：不是意不切，便是字（音）不響不亮。又有一則論煉字云：

《西河詩話》載，曹能始先生得家信詩：「驟驚函半損，幸露語平安」，以為佳句。一客謂「露」

字不如「剩」字之當。大抵「平安」注函外，損餘曰剩，若內露，必不巧值此字矣。人以為敏。余獨謂不然。「剩」字與「半」字不相叫應。函不過半損，則剩者正多，不止平安二字。幸露語平安，正是偶然觸露，所以羈旅之情，為之驚喜耳。若曰不必巧值，則又何以知其必不巧值邪？

（《隨園詩話》卷三第三）

這一則論煉字最是細膩明白而有道理，確能使人信服。又卷四第七十一論「先生之德（風），山高水長」，卷十二第二十論《早梅》詩、《御溝》詩，都是前人已經討論過，袁枚不過加以複述而已。

《隨園詩話》卷一第四十八云：

有妓《與人贈別》云：「臨岐幾點相思淚，滴向秋階發海棠。」情語也。而莊孫服太史《贈妓》云：「憑君莫拭相思淚，留著明朝更送人。」說破，轉覺嚼蠟。佟法海《弔琵琶亭》云：「司馬青衫何必濕，留將淚眼哭蒼生。」一般殺風景語。

除了第一個例句之外，其餘兩個例句，確都欠缺婉轉和含蓄。卷二第十八亦云：

詩無言外之意，便同嚼蠟。杭州俞蒼石秀才《觀繩伎》云：「一線騰身險復安，往來不厭幾回看。笑他著脚寬平者，行路如何尚説難？」又，「雲開晚霽終殊旦，菊吐秋芳已負春。」皆有意義可思。

這裏所擧的是婉轉含蓄的例句。先已說過，婉轉含蓄，是中國文學的特色，也是辭格的一種，是應該受到重視的。但袁枚以爲詩文只有用婉轉含蓄的修辭法，才「有意義可思」，否則便是殺風景，便是味同嚼蠟，則又未免言過其實了。

《隨園詩話》卷五第三十四云：

孟東野《咏吹角》云：「似開孤月口，能說落星心。」月不聞生口，星忽然有心，穿鑿極矣。而東坡贊為「奇妙」，皆所謂「好惡拂人之性」也。

袁枚竟不知比擬爲何物！

十七、俞正燮《癸巳存稿》

俞正燮著有《癸巳類稿》和《癸巳存稿》各十五卷，《類稿》輯成於道光十三年癸巳，所以題作《癸巳類稿》；《存稿》的問世雖比《類稿》遲了十四年，但爲着「緣其初名，存以備散佚」，所以歲雖非癸巳，仍取名爲《癸巳存稿》。《癸巳存稿》卷十二「詩詞虛字」云：

唐盧延讓學為詩。或請為詩之式，乃為詩以示之曰：「不同文賦易，為著者之乎。」人多笑之。見《太平廣記》。詩亦有著者之。《蠖齋詩話》引詩用而字焉字哉字乎字，皆致不滿。而宋人頗尚此體。詩云：「天實為之，謂之何哉！」漢趙壹詩云：「哀哉復哀哉，此是命矣夫。」《小雅》云：「為鬼為蜮，則不可得。」梁江淹詩云：「不尋遐怪極，則知耳目驚。」趙、江詩自不佳也。宋陳師道有詩云：「且然聊爾耳，得也自知之。」《老學庵筆記》，引「酒成豈見甘而壞，花在須知色卽空。居仁由義吾之素，處順安時理則然。」亦為惡劣。張炎《詞源》云：「詞與詩不同，詞句有至八字者，堆疊實字，讀且不通，合用虛字呼喚，却要用之得其所。」其言至平允。

俞氏引張炎《詞源》的話，以爲詞與詩不同，不宜「堆疊實字」，「合用虛字呼喚」。其實，詩也好，詞也好，應用虛字或實字，都須視行文的實際情形而定，不可一概而論；且詞亦有堆疊實字仍見佳者。

《癸巳存稿》卷一「《左傳》引諺」云：

> 《左傳》宣十一年：「楚子滅陳。申叔時曰：「抑人亦有言曰，牽牛以蹊人之田，而奪其牛。」王曰：「反之。」申叔時曰：「吾儕小人所謂取諸其懷而與之也。」二言皆市井之諺，左氏文之耳。前稱抑人亦有言曰，繼稱吾儕小人所謂，皆《說文》所云諺傳言也，謂俗間所常談，異其文者。文辭以相避為工。

「牽牛以蹊人之田，而奪其牛」，與「取諸其懷而與之」，都是當時流行的諺語，經《左傳》的作者文飾過了的，所以我們看不到這「諺傳言」的本來面目。俞正燮引述《左傳》時省去了一些本來不應省略的字句，遂使意義模糊不清。「牽牛以蹊人之田」喻楚子滅陳；「而奪其牛」，指人卽奪他（侵略者）的牛以爲處罰。這意思還可以明白。「王曰：『反之。』」《左傳》的原文是：「王曰：善哉，吾未之聞也。反之可乎？」意謂奪其牛而又返其牛可乎，原文一經《存稿》節縮，便不容易明白了。「取諸其懷而與之」，據杜預《注》：「謂譬如取人物於其懷而反之，爲愈於不還。」俞氏的這一節《存稿》，不但談論到引用的修辭法，而且也談論到錯綜的修辭法，也就是他所謂「異其文」和「文辭以相避爲工」。

《癸巳存稿・補遺》「重呼重言義」云：

> 重呼，吁呼也。又疾之與喜之，皆復言。《呂覽・驕恣》云：「春居諫齊宣王為大室。宣王曰：

春子，春子，何諫寡人之晚也？」《魏書・傅豎眼傳》云：「垣公、垣公。」《五代史・楊光遠傳》云：「遙稽首於遼曰：皇帝、皇帝，誤光遠矣！」此類甚多。又有心惡其言，而故學而重呼之者。《齊策》云：「王曰：召相田單而來。貂勃曰：王曰單、單，安得此亡國之言乎？」《魏書・靜帝紀》云：「朕亦何用此語？高澄怒曰：朕、朕，狗脚朕。使崔季舒毆帝三拳，奮衣而出。」《北齊書・文襄紀》同。《曲洧舊聞》云：「宋仁宗欲除溫成後父宣徽使，包拯不可。帝退謂後曰：汝止要宣徽使、宣徽使，中丞直唾我面。」亦復語中之一種也。」

指出複叠辭的類別及其形成的原因，並列舉例證。古人論辭格，能指出辭格形成的原因的，並不多見。

《癸巳存稿・補遺》「詩文用字說」云：

《辭學指南》引朱文公云：作文自有穩字，古之能文者，才用便用著。蓋考辭就班之說也。又詩文語忌，如「飄搖雲母舟」。自是范雲失於檢核。歐陽修《頌經》文云：「德邁九皇」。或誚其賣韮黃生菜。明福州訓導林伯璟，為按察使作《賀冬至表》云：「儀則天下」。為知府《謝賜衣物表》云：「藻飾太平」。太祖以為「疑賊天下，早失太平」，誅之。此皆語忌，自諷咏卽得之。

所謂隱字與語忌，指的是析字辭格的化形析字和諧音析字。南朝人范雲，向以機警著稱，作詩竟失於檢核，然亦是好事者將「雲母」二字曲解，所以有俞氏的《補遺》云云。又所舉林伯璟文，以諧音字義觸怒朱元璋，結果被殺，俞氏只提到「語忌」的修辭，是就修辭論修辭，却忽略了封建帝王的殘暴性。

《癸巳存稿》卷十二有「林逋梅詩」一則論仿擬，是前人已經談過了的。俞氏認爲原作與仿作可以兩存，可見他並不鄙薄蹈襲。

十八、俞樾《古書疑義舉例》

俞樾的《古書疑義舉例》計十七卷，八十八則，內容包括訓詁、音韵、校勘、語法與修辭學，自序謂欲「使童蒙之子，習知其例，有所依據。」以爲「讀書之一助。」陳望道先生在《修辭學發凡》的引言裏說：「有人常說，『拿出證據來』，它便是證據。唐鉞氏的《修辭格》在當時許多修辭研究中所以比較地可以認爲有成績，便是因爲他極注意搜集實例的緣故。又舊著，不是爲修辭寫的，如王若虛的《滹南遺老集》，俞樾的《古書疑義舉例》，對於修辭研究所以比較地有貢獻，也便是因爲他們極注重實例的緣故。」

俞樾論修辭，確能注重實例。《古書疑義舉例》卷一「倒句例」云：

詩人之詞必用韵，故倒句尤多。《桑柔篇》：「大風有隧，有空大谷。」言大風則有隧矣，大谷則有空矣。今作「有空大谷」，乃倒句也。說詳王氏《經義述聞》。《節南山》篇：「弗聞弗仕，勿罔君子；式夷式已，無小人殆。」言勿罔君子，無殆小人也。

其實，俞氏所舉的兩個例證，都只是句中的文字顚倒，句子並沒有顚倒，應是倒字而不是倒句。馬敍倫氏《古書疑義舉例校錄》已經指點過了。楊樹達氏《古書疑義舉例續補》舉《史記·魯仲連傳》云：「亦太甚矣，先生之言也！」以爲順言之，當云：「先生之言也，亦太甚矣！」這才是倒句的例子。

《古書疑義舉例》卷一「倒序例」云：

古人序事，有不以順序而以倒序者。《周官・大宗伯職》：「以肆、獻、祼享先王。」若以次第而言，則祼最在先，獻次之，肆又次之也。乃不曰「祼、獻、肆」，而曰「肆、獻、祼」，此倒序也。《大祝職》：「隋衅、逆牲、逆尸」。若以次弟而言，則逆尸最在先，逆牲次之，隋衅又次之也。乃不曰「逆尸、逆牲、隋衅」，而曰「隋衅、逆牲、逆尸」，此倒序也。《小祝職》：「贊徹、贊奠。」若以次弟而言，則奠先而贊後也。乃不曰「贊奠、贊徹」，而曰「贊徹、贊奠」，此倒序也。說者不知古人自有此倒序之例，而必曲為之解，多見其不可通矣。

倒序違背了消極修辭必須顧及上下文意的次序的原則，原是不足爲訓的，更不能算是一種的辭格，說者固不必「曲爲之解」，我們也大可不必去仿效它。《古書疑義舉例》卷六「上下兩句易置例」云：

《大戴記・禮三本篇》：「天地以合，四時以洽，日月以明，星辰以行。」按：「日月以明」當在「四時以洽」之上，自此至終篇，皆兩句一韵也。《荀子・樂論》，《史記》《樂書》，皆不誤，可據以訂正。又《少閒篇》：「糟者猶糟，實者猶實，玉者猶玉，血者猶血，酒者猶酒。」按：「酒者猶酒」句當在「糟者猶糟」下，二語相對成文，糟濁而酒清也。「玉者猶玉」，「血者猶血」，二語亦相對，玉白而血赤也。至「實者猶實」句，或別有對文而今闕之，當為衍句。

這其實仍是倒序的例子，不必別立例目。

《古書疑義舉例》卷一『錯綜成文例』云：

《周禮・大宗伯職》：「王后不與，則攝而薦豆籩徹。」按：薦豆籩徹者，薦豆徹籩也。於豆言「薦」，於籩言「徹」，互辭耳。不曰「薦豆徹籩」，而曰「薦豆籩徹」，亦故為錯綜以成文也。

《淮南子·主術篇》云：「夫疾風而波興。木茂而鳥集。」上言疾風，下言木茂，亦錯綜其詞。《意林》引此，作「風疾而波興」，由不知古人文法之變而以意改之。

俞氏說是『錯綜成文』和『古人文法之變』。這其實都是倒裝的修辭法。

同卷『兩句似異而實同例』云：

古人之文，有兩句幷列而實一意者，若各為之說，轉失其義矣。《禮記·表記篇》：「仁有數，義有長短小大。」《鄭注》曰：「數與長短小大，互言之耳。」按：數卽短長小大，質言之，則是仁有數，義亦有數耳。乃於仁言「數」，而於義變言「長短小大」，此古人屬辭之法也。

其實，這兩句的文字和內容都不相同，只是『數』與『長短小大』意義相似，所以標題應作『文字雖異而意義實同』，比較妥當。俞氏說這是『互言』或『變言』，便沒有什麼不妥當了。

《古書疑義舉例》卷六『上下兩句互誤例』云：

《論語·季氏》篇：「不患寡而患不均，不患貧而患不安。」按：寡、貧二字，傳寫互易，此本作「不患貧而患不均，不患寡而患不安。」「貧」以財言，「不均」亦以財言；不均則不如無財矣，故「不患貧而患不均」也。「寡」以人言，「不安」亦以人言；不安則不如無人矣，故「不患寡而患不安」也。《春秋繁露·度制》篇引孔子曰：「不患貧而患不均」，可據以訂正。

其實，『寡』亦可以財言，『貧』亦可以人言，俞氏的說法有商榷的餘地。但也可能是原作者故作互文，以為錯綜，未必是上下句互誤或是傳寫互易。

《古書疑義舉例》卷二『古人行文不避繁複例』云：

古人行文，亦有不避繁複者。《孟子・梁惠王》篇：「故王之不王，非挾泰山以超北海之類也；王之不王，是折枝之類也。」《離婁》篇「瞽瞍底豫而天下化，瞽瞍底豫而天下之為父子者定。」兩「王之不王」，兩「瞽瞍底豫」，若省其一，讀之便索然矣。

爲什麼不避繁複呢？因爲要強調『王之不王』和『瞽瞍底豫』；若不重複，讀之反覺索然無味。

《古書疑義舉例》卷二『語急例』云：

古人語急，故有以「如」為「不如」者。隱元年《公羊傳》：「如勿與而已矣。」《注》曰「如，卽不如」是也。有以「敢」為「不敢」者。莊二十二年《左傳》：「敢辱高位。」《注》曰：「敢，不敢也」是也。

語急脫字，可以說是跳脫，可以說是省略。而以『如』爲『不如』，以『敢』爲『不敢』，也可以說是反語。（『敢』有時也可作『豈敢』用，如『敢不從命』，本意可以是『不敢不從命』，也可以是『豈敢不從命』。）俞氏此則，取自《日知錄》三十二『語急』的一則。

《古書疑義舉例》卷二『一人之辭而加曰字例』云：

凡問答之辭，必用「曰」字，紀載之恒例也。乃有一人之辭中加「曰」字自為問答者，此則變例矣。《論語・陽貨》篇：「懷其寶而迷其邦，可謂仁乎？曰不可。好從事而亟失時，可謂知乎？曰不可。」兩「曰」字仍是陽貨語；直至「孔子曰諾」，始為孔子語。《史記・留侯世家》：「昔者湯伐桀而封其後於杞者，度能制桀之死命也；今陛下能制項籍之死命乎？曰，未能也。其不可一也。武王伐紂封其後於宋者，度能得紂之頭也；今陛下能得項籍之頭乎？曰，未能也。其不可二也。」此下凡「不可者」七，皆子房自問自答；至漢王輟食吐哺罵曰，「豎儒！」始為漢王語，與《論語，》文法正同。說本閻氏《四書釋地》。

這是胸中早有定見、話中故意設問的設問修辭法，是爲提醒下文而問的。也就是俞氏所謂自問自答，是變例的問答之辭。

郭紹虞先生批評《古書疑義舉例》的修辭學價值說：『所論辭格，分析較繁，例證亦多，實是研究古修辭學的一部重要著作。』⑰

十九、梁紹壬《兩般秋雨盦隨筆》

梁紹壬的《兩般秋雨盦隨筆》，共八卷，刋於道光十七年（1873），刋前有梁氏表弟汪適孫的序文，謂『綜其全旨』，約有四端：一曰稽古，則《經典釋文》之遺也。一曰述今，則《朝野僉載》之體也。一曰選勝，則模山範水臥游之圖也。一曰微辭，則砭愚訂頑徇路之鐸也。』體例近於宋人洪邁的《容齊隨筆》。其卷三『墨派濫調』云：

制義中有所謂墨派者，庸惡陋劣，無出其右。有卽以墨卷為題，而作二比文嘲之者：「天地，乃宇宙之乾坤；吾心，實中懷之在抱。久矣夫！千百年來，已非一日矣！溯往事以追維，曷勿考記載而誦詩書之典籍？元后卽帝王之天子；蒼生乃百姓之黎元。庶矣哉！億兆民中，已非一人矣！思入時而用世，曷勿瞻黼座而登廊廟之朝廷？」疊床架屋，的有此病；然其句調圓熟，則當日之所謂弸中彪外者也。

梁氏譏諷墨派八股文的濫調和叠床架屋的毛病，確能將其無聊的文風刻畫出來，但最後却又稱『其句調圓熟』，『所謂弸中彪外者也。』可見他并不徹底反對八股文。

《兩般秋雨盦隨筆》卷四『詩家烘托法』云：

詠「老馬」詩云：「齒長几何君莫問，沙場舊主早封侯。」不言老而老字自見。詠「方鏡」詩云：「秋水一泓明見底，照來誰有面如田？」不言方而方字自見。此所謂烘雲托月法也。

按這是不說本事，只將餘事來烘托本事的婉曲修辭法，却不是映襯的修辭法，映襯是將兩個互相反對的事物同時揭示出來相映相襯的辭格。婉曲修辭法，也就是梁氏所謂『烘雲托月法』。

梁紹壬《兩般秋雨盦隨筆》卷二『叠字詩』論複叠云：

『詩有一句叠三字者，吳融《秋樹》詩「摵摵⑱凄凄葉葉同」是也；有一句連三字者，劉駕詩「樹樹樹梢啼曉鶯，夜夜夜深聞子規」是也；有兩句連三字者，白樂天詩「新詩三十軸，軸軸金玉聲」是也；有一句叠四字者，古詩「行行重行行」《木蘭詩》「唧唧復唧唧」是也；有兩句互叠字者，王胄詩「年年歲歲花常發，歲歲年年人不同」是也；有三聯叠字者，古詩「青青河畔草」是也⑲；至李易安詞「尋尋覓覓冷冷清清凄凄慘慘戚戚」，連上十四叠字，則出奇制勝，真匪夷所思矣。

這是論複叠格的叠字法。

《兩般秋雨盦隨筆》卷六『集《詩》襲《詩》』云：

魯哀公誄孔子曰：「昊天不弔。」《節南山》詩句也。「不憖遺一老。」《十月之交》詩句也。「嬛嬛在疚。」《閔予小子》詩句也。說見《路史・發揮》五。此當是集詩之祖。又「毋逝我梁」四句，《谷風》《小弁》凡兩見。可見詩人亦相蹈襲。則曹孟德之「呦呦鹿鳴」四句，生吞活剝，有以藉口矣。

《路史》引魯哀公誄孔子集《詩經》詩句，梁紹壬以爲『此當是集詩之祖』，改正了一向以爲集句是始於晉傅咸的說法。⑳梁氏又以爲『毋逝我梁，毋發我笱，我躬不閱，遑恤我後』四句，《谷風》、《小弁》重見，可見當時詩人也互相蹈襲。曹操《短歌行》中的「呦呦鹿鳴，食野之蘋，我有嘉賓，鼓瑟吹四句，蹈襲《詩經・小雅・鹿鳴》篇，也就有所藉口了。爲什麼呢？古詩人既可以蹈襲於先，我當然也笙」可以蹈襲於後了。

《兩般秋雨盦隨筆》卷一「聖諱」云：

前代雖未有避聖諱之例，然而日在人心，能無凜凜。唐文宗賜裴度詩：「我家柱石裴，憂來學丘禱。」以天子而名聖人，且用其語，故無嫌。韓文公詩，「柄用儒術崇丘軻」；王荊公詩，「驅馬臨風想聖丘」，猶云出以莊雅也。至杜子美《醉時歌》：「儒術於我何有哉？孔丘盜跖俱塵埃。」以帝王百世之師，呼而儕之於盜跖可乎？

梁氏尚「聖」，以孔子爲「帝王百世之師」，應當諱稱其姓名，以表示尊崇；杜甫於詩句中直呼孔丘姓名，且將他與跖同儕，所以梁氏認爲是冒天下之大不韙。卷六又有「諱」一則云：

宋宗室名宗漢，自惡人犯其名，謂漢曰「兵士。」其妻齋羅漢，其子授《漢書》。宮人傳語曰：

「今日夫人供十八阿羅兵士，太保請官點兵士書。」都下哄然傳以為笑。刻意如此，必有爾許話柄。又某朝官諂事蔡京，呼之為父，合家不許犯京字。眷屬犯申飭，奴婢犯箠笞，賓客犯罰酒，自犯手披其頰。其無恥乃至於此。《宋稗類鈔》載，有上官某名申，最惡人犯其名。一日，有知縣進見。問曰：「某案如何矣？」曰：「業申申郡。」上官微露其意 曰：「汝便不申也罷！」對曰：「此事斷含糊不得。卑職申郡守不理，即申監司；申監司不理，即申台院。一次不理，申二次；二次不理，申三次。申來申去，直待申死方休。」上官雖怒之而無如何，反笑而遣之。惹人搶白，是亦何苦。

說自諱其名者「刻意如此，必有爾許活柄」，「惹人搶白，亦是何苦」，則又似乎未必贊成避諱，大概是因爲那些自諱其名者並不是「聖人」的緣故。

二十、《清詩話》中的修辭論

近人丁福保氏所輯的《清詩話》，輯集淸人詩話計二十餘種，其中王夫之的《姜齋詩話》，本篇前節已加以引述，現在再將王士禎的《漁洋詩話》和《然鐙記聞》、顧嗣立的《寒廳詩話》、徐增的《而庵詩話》、汪師韓的《詩學纂聞》、吳騫的《拜經樓詩話》、黃子雲的《野鴻詩的》、吳雷發的《說詩菅蒯》、施補華的《峴傭說詩》等各摘出其談論修辭的一二節，論列於後。丁氏所輯《清詩話》，「選擇不精，對各書也未能細加校勘」㉑，幸而古籍出版社於一九七八年重刊此書之前，已請郭紹虞先生作了較大的修訂和補充。以下所引，悉據郭氏校本。

王士禎的《漁洋詩話》，在清詩話中最爲著名，但書中談論修辭的地方却不多。另有《然鐙記聞》一卷，共二十則，是王士禎所口授，由何世璂（康熙進士）記述的。其第九則云：

爲詩總要古。吳梅村先生詩，盡態極姸，然只是欠一「古」字。

由於王氏主張學古，當然鄙視以俚俗語入詩了。《漁洋詩話》卷下第三十四云：

方嵞山，桐城人。居金陵。少多才華，晚學白樂天，好作俚淺之語，爲世口實。

方嵞山學白樂天，好作俚俗語，便要受到批評，說是「不免吃藤條耳。」（同上）

《漁洋詩話》卷中第十六云：

曲周劉半舫尚書詩，雅有清裁，盧侍御德水亟稱之。《題蘭亭卷》云：「山淺圍青甸，泉芳更曲流。永和之上巳，逸少以千秋。」余夙昔喜誦之，不以虛字損其佳也。

這裏所謂虛字，是指「更」「之」「以」三字。對於詩用虛字，他認爲如果用得妥當，也不會「損其佳」的。

《漁洋詩話》卷中第七十五云：

陳伯璣常語余：「『姑蘇城外寒山寺，夜半鐘聲到客船』妙矣。然亦詩與地肖故爾。若云『南城門外報恩寺』，豈不可笑耶？」余曰：「固然。卽如『滿天梅雨是蘇州』、『流將春夢過杭州』、『白日淡幽州』、『風聲壯岳州』、『黃雲畫角見幷州』、『淡烟喬木隔綿州』，皆詩地相肖。使云『白日淡蘇州』、『流將春夢過幽州』，不堪絕倒耶？」

《文則》所謂「黶子在頰則美，在顙則醜」，正是這個道理。漁洋不但加以舉例，並指出「詩地相肖故爾」。

康熙間顧嗣立著《寒廳詩話》，凡一卷，四十九則，其第二十三云：

古人有一字之師，昔人謂如光弼臨軍。旗幟不易，一號令之，而百倍精采。張橘軒詩：「半篙流水夜來雨，一樹早梅何處春？」元遺山曰：「佳則佳矣，而有未安。既曰『一樹』，烏得為『何處』？不如改『一樹』為『幾點』，便覺飛動。」……又薩天錫詩：「地濕厭聞天竺雨，月明來聽景陽鐘。」道園見之曰：「詩信佳矣，但有一字不穩。『聞』與『聽』字義同，盍改『聞』作『看』？唐人『林下老僧來看雨』，又有所出矣。』」古人論詩，一字不苟如此。

道園改薩天錫詩「聞雨」爲「看雨」，顧氏極爲賞識，以爲「一字不苟如此」。其實，聞雨固然可厭，但看雨却未必可厭。

《寒廳詩話》第十五云：

《藝苑雌黃》曰：「古詩押韵，或有語顛倒而理無害者，如退之以『參差』為『差參』，以『玲瓏』為『瓏玲』是也。」《漢皋詩話》云：「韓愈、孟郊輩故有『湖江』、『白紅』、『慨慷』之句，後人亦難仿效。」德清胡朏明渭曰：《漢書．揚雄傳》《甘泉賦》：『和氏瓏玲。』與清、傾、嶸、嬰、成為韵。《文選》左思《雜詩》：『歲暮常慨慷。』」與霜、明、光、翔、堂為韵。是「玲瓏」、「慷慨」，前古已有顛倒韵者，非創自韓公也。

這是談論倒裝的修辭法。詩用倒裝語辭，通常是爲了押韻之故。

徐增的《而庵詩話》，日人近藤元粹所輯《螢雪軒叢書》本，作《徐而庵詩話》。徐氏一意主張學古，其自序云：

今之詩人，務求捷得，不從性情、法律處下手。其所謂性情，非真性情；其所謂法律，非真法律。譬彼畫家，多蓄粉本，依樣葫蘆，以為古人不是過，〔豈非〕薄於自待而并薄待古人耶？古人所作，皆由真才實學，其詩具在，斑斑可得而考也。識得古人，便可造得古人。

他說「識得古人，便可造得古人」，主張學古之意也就十分明白了。他甚至認爲欲求新必須學古，他說：「或問余曰：『詩如何作方得新？』余曰：『君不見古人之詩乎？千餘年來常在人目前而不厭。今人詩甫脫稿，便覺塵腐畢集。以古人學古，今人不學古。故欲新必須學古。』」（《而庵詩話》第三十四）

雍正間汪師韓著《詩學纂聞》，也主張師古。其自序云：

夫學則師古人已矣；因而博觀古人之作，沿波討源，粗有一知半解；間與朋徒尊酒論文，凡以明體裁之辨，訂沿襲之訛，而無取乎一句一字之稱美。

他說沿波討源，才能「粗有一知半解」；若不沿波討源，則並一知半解而不可得，這就可見師古的重要了。《詩學纂聞》論「集句」云：

元陳繹曾《詩譜》謂傅咸作《七經》詩，其《毛詩》一篇，皆集《詩經》語；或謂集句起於王安石，非也。……北齊劉晝緝綴一賦，名為《六合》，魏收譏其愚；集句之賦，後世所無。康熙間有僧中洲京口人，住黃山三十年，集成語為《黃山賦》，凡八千七十三言；毛西河極嘆賞之，為序以傳。

宋人詩話，多謂集句起於荊公（王安石），汪氏引元陳繹曾《詩譜》謂晉傅咸作《七經》詩，實爲集句之始，不從宋人詩話之誤。至謂「集句之賦，後世所無」，却未必然，汪氏所說的康熙間僧集成語爲《黃山賦》，便是後世的集句之賦。

費錫璜《漢詩總說》云：

詩文家不可重復說，此最爲俗論。如「行行重行行」，下云「與君生別離」，又云「相去萬餘里，各在天一涯」，又云「道路阻且長」，又云「相去日以遠」，在今人必訶其重複。「昭昭素明月，光輝燭我床」，曰「昭昭」，又曰「素」，又曰「明」，又曰「光輝」。《滿歌行》亦重疊言之，他詩不可枚舉。漢人皆不以為病。自疊床架屋之說興，詩文二道皆單薄寡味矣。

他不贊同詩文家不可重複之說，並擧一些字形重複和字義重複的例證，以爲詩文若不重複，則單薄寡味。殊不知重複須視能適於情景的需要與否，若不問適與不適，以爲凡重複便是好詩文，這樣的修辭論是很難使人信服的。

乾、嘉間，吳騫著《拜經樓詩話》，自序謂「不類不次，略仿宋、元人詩話之例。」其卷四第十三云：

昔人論詩，有用巧不如用拙之語。然詩有用巧而見工，亦有用拙而逾勝者。同一咏楊妃事，玉溪云：「夜半燕歸宮漏永，薛王沈醉壽王醒。」此用巧而見工也。馬君輝云：「養子早知能背國，宮中不賜洗兒錢。」此用拙而逾勝也。然皆得言外不傳之妙。

先言用巧不如用拙，乃就一般而論；繼又謂亦有用巧而見工，用拙而逾勝者，並擧李義山與馬君輝同咏楊妃事以爲例證。

乾隆間黃子雲著《野鴻詩的》，也主張學古。其第四則云：

學古人詩，不在乎字句，而在乎臭味。字句魄也，可記誦而得。臭味魂也，不可以言宣。當於吟咏時，先揣知作者當日所處境遇，然後以我之心，求無象於窅冥惚恍之間，或得或喪，若存若亡，始也茫焉無所遇，終焉無珠垂曜，灼然畢現我目中矣。現而獲之，後雖縱筆揮灑，却語語有古人面目。

「先揣知作者當日所處境遇」，也就是孟子所謂「以意逆志」，夏丏尊先生則說是「先了解作者當初創作的本意。」一持此態度以學古人詩，才不是盲目的學古。

《野鴻詩的》第五十九云：

晚唐後專尚鏤鐫字句，語雖工，適足彰其小智小慧，終非浩然盛德之君子也。韓、柳之文，陶、杜之詩，無句不琢，却無纖毫斧鑿痕者，能煉氣也；氣煉則句自煉矣。雕句者有迹，煉氣者無形。

他認爲雕章琢句者有迹，能煉氣而後雕章琢句，則毫無斧鑿痕。故以煉氣爲先。但什麼是「煉氣」？要怎樣「煉氣」？他却沒有作進一步的說明。

康、雍間吳雷發著《說詩菅蒯》，雖也主張學古，但認爲「學古須有獨見」，不可一味盲從。他說：

學古須有獨見，不然，則易得其短，難取其長。世人貴遠賤近，謂古人有美無惡。至問其所以爲美，則終不能言；宜其賤玉貴碈，去取皆左矣。夫刻求古人之短，正能識其長處；古人有知，必

> 不以浮慕者為知己。以此論之，則牝牡驪黃之外，自有真賞，人奈何不以目為用而以耳為用乎？
>
> （《說詩菅蒯》第二十一）

他指出常人貴遠賤近，輕聽人言，以爲古人有美無惡，結果只能學得古人之短，難學得其長。

《說詩菅蒯》第六云：

> 詩之屬對，固在工確。然間有自然成對處，雖字句稍借，正不害其佳。今人於一二字輒多嗤點，縱非忌刻，亦是識見不廣。試觀老杜句，如：「晚涼看洗馬，森木亂鳴蟬」，「紫鱗冲岸躍，蒼隼護巢歸」，「且食雙魚美，誰看異味重」，「華館春風起，高城煙霧開」，「漢使徒空到，神農竟不知」，「霧樹行相引，蓮峰望或開」，「城郭終何事，風塵豈駐顏」，「天上多鴻雁，人間足鯉魚」，「蛟龍得雲雨，鵰鶚在秋天」，……以今人論之，必以為欠工確矣。然於老杜則忽之，於後人則必刻求。如謂老杜則可，後人則不可，將厚責後人耶？是薄待老杜矣；抑姑置老杜耶？是薄待後人矣。第在作詩者，不可藉口以自恕耳。

吳氏認爲詩的對偶有「雖字句稍借，正不害其佳」者，不必斤斤以欠工確相責；然在作者，則須力求工整，若對句稍借，却「不可藉口以自恕」。立論是兩全的。

同治間，施補華著《峴傭說詩》，其第六云：

> 詩猶文也，忌直貴曲。少陵「今夜鄜州月，閨中只獨看」，是身在長安，憶其妻在鄜州看月也。下云「遙憐小兒女，未解憶長安」，用旁襯之筆；兒女不解憶，則解憶者獨其妻矣。「香霧雲鬟」、「清輝玉臂」，又從對面寫，由長安遙想其妻在鄜州看月光景。收處作期望之詞，恰好

去路，「雙照」緊對「獨看」，可謂無筆不曲。

所謂「忌直貴曲」，即是主張用婉曲的修辭法。所舉杜甫於天寶十五載（七五六年）的秋天的月夜，身在長安想念他的妻子（時在鄜州）所寫的《月夜》詩，其實全詩都是用示現的修辭法寫成的，屬於懸想的示現。其後四句云：「香霧雲鬟濕，清輝玉臂寒。何時倚虛幌，雙照淚痕乾？」所謂「收處作期望之辭」，是懸想的示現的另一說法。

除《清詩話》所輯外，還有一些詩話之類的著作，其中有關修辭方面的論述，每書只有一二節而已。

魏伯子（名際瑞）在入清所作的《伯子論文》中說：

古人文字有累句、澀句、不成句處，而不改者，非不能改也。改之或傷氣格，故寧存其自然。名帖之存敗筆，古琴之存焦尾是也。昔人論……《公羊傳》，齊使跛者逆跛者，禿者逆禿者，眇者逆眇者，宜删云各以類逆。簡則簡矣，而非公羊……之文，又於神情特不生動。知此說者，可悟存瑕之故矣。

陳望道先生以爲「這一論爭，便是側重消極修辭和側重積極修辭的論爭。」（《修辭學發凡》第三篇《語辭的三境界和修辭的兩分野》）所謂昔人，是指唐代的劉知幾，他在《史通》的《敘事》篇裏說：「蓋宜除跛者以下句，但云各以其類逆。必事加再述，則於文殊費，此爲煩句也。」這是側重消極修辭的說法。魏際瑞以爲「簡則簡矣……於神情特不生動」，這是側重積極修辭的說法。

順治間又有趙吉士著《寄園寄所寄》，其卷四《撚鬚寄・詩話》篇引《玉堂詩話》云：

李西涯當國時，其門生滿朝。西涯又喜延納獎拔，故門生或朝罷，或散衙後，即羣集其家講藝談文，通日徹夜，率歲中以為常。一日有一門生歸省，兼告養病還家，西涯集同門諸人餞之，即席賦詩為贈，汪石潭俊詩先成，中一聯云：「千年芝草供靈藥，五色流泉洗道機。」諸人傳玩，以為絕佳，呈稿西涯。西涯抹後一句，令石潭重改，衆皆愕然。石潭思之，亦終不復能綴，衆以請於西涯曰：「吾輩以為抑之此詩絕好，不知何故以為未善？」西涯曰：「歸省與養病是二事，今兩句單說養病，不及歸省，便是偏枯，且又近於合盤。」衆請西涯續之，西涯即援筆曰：「五色宮袍當舞衣」，衆始歎服。

詩貴在能切題意。寄園引《玉堂詩話》論換字（句），能詳細說出換字（句）的理由。「五色宮袍當舞衣」，用春秋楚人老萊子着五色斑爛衣作嬰兒舞以娛其親的故事，便兼顧到歸省了。

康熙中，李漁著《閑情偶寄》，其評《還魂記．驚夢》一折云：

《驚夢》首句云：「裊裊晴絲，吹來閑庭院，搖漾春如線。」以游絲一縷，逗起情絲，發端一語，即費如許深心，可謂慘淡經營矣；然聽歌牡丹亭者，百人之中，有一二人解出此意否？若謂製曲初心，並不在此，不過因所見以起興，則瞥見游絲，不妨直說，何必曲而又曲，由晴絲而說及春，由春與晴絲而悟其如線也。若云作此原有深心，則恐索解人不易得矣。索解人既不易得，又何必奏之歌筵，俾雅人俗子，同聞而共見乎？其餘「停半晌，整花鈿，沒揣菱花偷人半面」，及「良辰美景奈何天，賞心樂事誰家院，遍春山啼紅了杜鵑」等語，字字皆費經營，字字皆欠明爽。

含蓄是婉曲辭格的特徵之一，《驚夢》句例，正是用婉曲的修辭法寫成的。婉曲雖似欠明爽，但經領悟，感動尤爲深切。

乾隆間，洪亮吉著《北江詩話》，其卷二有論倒句一則云：

詩家例用倒句法，方覺奇峭生動。如韓之《雉帶箭》云：「將軍大笑官吏賀，五色離披馬前墮，」杜之《冬狩行》云：「草中狐兔盡何益，天子不在咸陽宮。」使上下句各倒轉，則平率已甚，夫人㉒能為之，不必韓杜矣。

在一個句子裏作詞或字的倒裝，是「倒裝」的修辭法。這裏所舉的韓杜詩例，是成句的倒置，屬於調整或適用的修辭法。

乾隆間，汪中著《述學》，其《釋三九》中云：

《禮記·雜記》：「晏平仲祀其先人，豚肩不揜豆。」豚實於俎，不實於豆。豆徑尺，並豚兩肩，無容不揜。此言乎其儉也。《樂記》：「武王克商，未及下車，而封黃帝、堯、舜之後。」大封必於廟，因祭策命，不可於車上行之。此言乎以是為先務也。《詩》：「嵩高維岳，峻極於天。」此言乎其高也。此辭之形容者也。……辭不過其意則不鬯，是以有形容焉。

最後兩句說明了誇張辭產生的原因。汪氏所謂形容，就是誇張。陳望道先生說「古來論鋪張辭最周到的，據我所知，要算汪中爲第一。」因爲這「短短的一段文字，居然把兩種的鋪張辭都論到了。」（《修辭學發凡》第六篇積極修辭二）所謂兩種鋪張辭是普通鋪張辭和超前鋪張辭。所舉《禮記》和《詩》的句子，是普通鋪張辭；《樂記》的句子，是超前鋪張辭。

光緒間，丘菽園著《五百石洞天揮麈錄》，其卷十一云：

「若把西湖比西子，淡妝濃抹總相宜」，此東坡以西湖比美人也。郭熙《畫記》：「春山如笑，夏山如滴，秋山如妝，冬山如睡」，此又以山比美人。侯官黃小石比部（紹芳）《山行詩》起數語云：「春山如佳人，終日對不厭，清溪開鏡函，靚妝照瀲灩，修眉鬘髻結，欲妒顏色艷。纖濃皆可圖，但恨畫手欠。」一筆筆傳神，有語皆新，要其妙處，亦不出古人所已言。可知詩境新舊，在乎切題不切題之分，不在乎辭乖意僻。

比擬的修辭法原有以物比人和以人比物二種，丘氏所論和所舉的例證，都不出於以人比物的一類。至謂詩境以切題爲重，不以辭乖意僻爲意，評語極爲得當。

二十一、清詞話中的修辭論

所謂清詞話，乃指徐釚的《詞苑叢談》、陳廷焯的《白雨齋詞話》、況周頤的《蕙風詞話》和王國維的《人間詞話》。

《詞苑叢談》的編輯，始於康熙癸丑（一六七三），迄於戊午（一六七八），前後凡六年，所抄撮羣書不下數百種，至康熙二十七年（一六八八）始行付刋。其卷五品藻三云：

王阮亭和《漱玉詞》有「郎似桐花，妾似桐花鳳」之句，長安盛稱之，遂號爲「王桐花」，幾令「鄭鷓鴣」不能專美。其詞云：「涼夜沉沉漏凍，欹枕無眠，漸聽荒鷄動。此際閑愁郎不共，月移窗罅春寒重。憶共錦裯無半縫，郎似桐花，妾似桐花鳳。往事迢迢徒入夢，銀箏斷絕連珠弄。」時太倉崔孝廉華出阮亭之門，有「黃葉聲多酒不辭」之句，人亦號爲「崔黃葉」。汪鈍翁云：「

有王桐花為師，正不可無黃崔葉作弟子。」一時傳以為佳話。

這裏所學的列證，是用借代的修辭法，以作品中所咏之物代替作家的名字。

同卷品藻一云：

> 山谷「女邊著子，門裏安心，鄙俚不堪入誦。如齊梁樂府「霧露擁芙蓉」「明燈照空局」，何等蘊藉，乃沿為如此語乎！

女邊著子是「好」字，門裏安心是「悶」字，合起來是「好悶」，山谷用的是析字的修辭法，徐氏却以爲「鄙俚不堪入誦」。齊梁樂府的「擁芙蓉」，雙關「擁夫容」，「霧露」雙關「無路」；又「明燈照空局」的下一句是：「猶然未有棋」，「棋」字雙關「棋局」的「棋」和同音字「歸期」的「期」。用的是雙關的修辭法，徐氏却以爲是「何等蘊藉！」樂府和山谷同用遊戲辭格，不知徐氏何以竟厚此而薄彼？《詞苑叢談》卷一體制云：

> 宋陳亞性滑稽，常用藥名作《閨情》《生查子》三首，其一曰：「相思（相思子）意已（薏苡）深，白紙（白芷）書難足，字字苦參（苦參）商，故要檀郎讀（狼毒）。分明記得約當歸（當歸），遠至（遠志）櫻桃熟，何事菊花時，猶未回鄉（茴香）曲？」……予謂此等詞偶一為之可耳。畢竟不雅。

這所謂藥名詩，用的也是雙關辭，何以齊梁樂府便是「何等蘊藉」，而陳業所作，却是「畢竟不雅」呢？

陳廷焯的《白雨齋詞話》，成書於光緒十七年（一八九一）。自謂所作「不敢有背《風》《騷》之旨」，因而有「復古之志」。《白雨齋詞話》卷八第二十四云：

陳朱變古之理，而並未能盡變古之法，故雖敢於變古，不能必人之中心悅而誠服其詞，且不能禁人之復古。有志為詞者，宜直溯《風》、《騷》，出入唐宋，乃可救陳朱之失，勿為陳朱輩所囿也。

他認爲陳其年、朱竹垞雖敢於變古，但不能禁人之復古，可見他復古之志是多麼堅決啊！其實，陳、朱二人的詞，還是「學古」的，只是學得不夠徹底罷了。《白雨齋詞話》卷一第二云：

學古人詞，貴得其本原，舍本求末，終無是處。其年學稼軒，非稼軒也；竹垞學玉田，非玉田也；樊榭取徑於《楚騷》，非《楚騷》也；均不容不辨。

他認爲詞貴在有古意，學古而不徹底，便是「舍本求末，終無是處。」同卷第二十三云：

北宋詞，沿五代之舊，才力較工，古意漸遠。晏、歐著名一時，然並無甚強人意處；即以艷體論，亦非高境。

同卷第二十八又云：

張子野詞，古今一大轉移也。前此則為晏、歐，為溫、韋，體段雖具，聲色未開；後此則為秦、柳，為蘇、辛，為美成、白石，發揚蹈厲，氣局一新，而古意漸失。子野適得其中，有含蓄處，亦有發越處；但含蓄不似溫、韋，發越亦不似豪蘇、膩柳。規模雖隘，氣格却近古。自子野後，一千年來，溫、韋之風不作矣！益令我思子野不置。

他論詞反對創新，以爲氣格一新，古意自失；張先氣格近古，便令他思慕不已。他既主張崇古，當然反對以俚俗語入歌詞了。《白雨齋詞話》卷六第九十五云：

山歌樵唱，里諺童謠，非無可採，但總不免俚俗二字，難登大雅之堂。好奇之士，每偏愛此種，以為轉近於古，此亦魔道矣。（鍾譚《古詩歸》之選，多犯此病。）《風》、《騷》自有門戶，任人取法不盡，何必轉求於村夫牧豎中哉？

他始終不忘勸人取法風、騷。甚至以爲俚俗是魔道，主張作詞不可不講求文藻。同卷第九十七云：

作詞貴求其本原，而文藻亦不可不講。求之《詞選》，以探其本；博之《詞綜》，以廣其才；按之《詞律》，以合其法。詞之道幾盡於是。惟本之所在，未易驟探，第求諸《詞選》，尚不足臻無上妙諦。此余不得已撰述此編，推諸《風》、《騷》，以盡精義。知我罪我，一任天下也。

所謂「求其本原」，是上推《風》、《騷》，講求文藻。他又說：「情有所感，不能無所寄；意有所鬱，不能無所泄。古之爲詞者，自抒其性情，所以悅己也。今之爲詞者，多爲其粉飾，務以悅人，而不恤其喪己，而卒不值有識者一噱。是亦不可以已乎！」（《白雨齋詞話》卷八第三十五）他旣主張文藻，爲什麼又鄙薄粉飾呢？因爲粉飾是「今之爲詞者」所爲的。同卷第五十九又云：「文采可也，浮艷不可也；樸實可也，鄙陋不可也：差以毫厘，謬以千里矣。」這幾句話，是比較切實的修辭論。

他主張意先於辭。卷一第八云：

所謂沈鬱者，意在筆先，神餘言外。寫怨夫思婦之懷，寓孽子孤臣之感。凡交情之冷淡，身世之飄零，皆可於一草一木發之。而發之又必若隱若見，欲露不露，反復纏綿，終不許一語道破。匪獨體格之高，亦見性情之厚。飛卿詞，如「懶起畫蛾眉，弄妝梳洗遲。」無限傷心，溢於言表。又「春夢正關情，鏡中蟬鬢輕。」凄涼哀怨，真有欲言難言之苦。又「花落子規啼，綠窗殘夢迷。」又「鸞鏡與花枝，此情誰得知。」皆含深意。此種詞，第自寫性情，不必求勝人，已成絕響。後人刻意爭奇，愈趨愈下。安得一二豪傑之士，與之挽回風氣哉！

所謂「若隱若見，欲露不露，反復纏綿，終不許一語道破」，是婉轉修辭的形容語。所擧溫飛卿《菩薩蠻》詞的例句，都是用不說本事、只說餘事，却將本事烘托出來的婉曲修辭法寫成的。

《白雨齋詞話》卷七第三十三云：

易安《聲聲慢》詞，張正夫云：「此乃公孫大娘舞劍手，本朝非無能詞之士，未曾有一下十四叠字者。後叠又云：『到黃昏點點滴滴』，又使叠字，俱無斧鑿痕。『怎生得黑』，『黑』字不許第二人押，婦人有此詞筆，殆間氣也。」此論甚陋，十四叠字，不過造語奇儁耳，詞境深淺，殊不在此。執是以論詞，不免魔障。

李淸照《聲聲慢》詞，起句「尋尋覓覓淸淸凄凄慘慘戚戚」，連用十四個叠字，歷代詞評家，交相讚許；張正夫的《貴耳集》，稱譽尤多。陳廷焯以爲其論甚陋，理由是造語奇雋，實無關於詞境的深淺。吳灝《歷代名媛詩詞》也說：「易安以詞專長，其《聲聲慢》一闋，張正夫稱爲公孫大娘舞劍手，以其連下十四叠字也，此却不是難處，因調名《聲聲慢》而刻意播弄之耳。」《白雨齋詞話》卷七第三十七又云：「詞中連用叠字，或句句用『春』字，或句句用『愁』字，句句用『聲』字、『兒』字、『秋』字、『間』字之類，皆非正道。有志於古者，必不屑爲。」陳氏以爲詞中連用叠字，是反古而非正道。其實，古人作詩，也有連用叠字的，要在用之得當與否而已。

《白雨齋詞話》卷八第四十六云：

石孝友《浣溪沙》集句云：「宿醉離愁慢髻鬟（韓偓），綠殘紅豆憶前歡（晏幾道），錦江春水寄書難（晏幾道）。紅袖時籠金鴨煖（秦觀），小樓吹徹玉笙寒（李璟），為誰和淚倚欄干（李煜）。」集成語尚能自寫其意。然如竹垞之《浣溪沙》（《同柯寓匏春望集句》）云：「煙柳風絲拂岸斜（雍陶），遠山終日送餘霞（陸龜蒙），碧池新漲浴嬌鴉（杜牧）。閬苑有書多附鶴，春城無處不飛花，馬啼今去入誰家（李商隱、韓翃、張籍）。」又前調（《惜別集句》）云：「惜別愁窺玉女窗（李白），遙知不語淚雙雙（權德輿），綺羅分處下秋江（許浩）。暮雨自歸山悄悄（李商隱），殘燈無焰影幢幢（元稹），仍斟昨夜未開缸（李商隱）。」……諸篇皆脫口而出，運用自如，無湊泊之痕，有生動之趣，出古人之右矣。

他稱許石孝友的集句詞，是就內容說，「尚能自寫其意」；稱許朱竹垞的集句詞，是就形式說，「無湊泊之痕」。陳廷焯本是輕視回文、集句、疊韵這一類的玩意兒的，《白雨齋詞話》卷五第六十七云：「回文、集句、疊韵之類，皆是詞中下乘，有志於古者，斷不可以此眩奇，一染其習，終身不可語於大雅矣。」

況周頤是清末著名的詞人，其《蕙風詞話》卷一第十四云：

詞太做，嫌琢。太不做，嫌率。欲求恰如分際，此中消息，正復難言。但看夢窗何嘗琢，稼軒何嘗率，可以悟矣。

他主張雕率得中，並曾引《韵語陽秋》的話，以爲「欲造平淡，當自組麗中來」，也就是倚聲家所謂自然是從追琢中來的。（見《蕙風詞話續編》卷一第六十八）

《蕙風詞話》卷二第六十八云：

宋汪晫《康範詩餘》《水調歌頭》（次韵荷淨亭小集）云：「落日水亭靜，藕葉勝花香。」與秦湛「藕葉香風勝花氣」（按：「香風」應作「清香」。）同意。藕葉之香，非靜中不能領略。淨而後能靜，無塵則不囂矣。只此起二句，便恰是咏荷淨亭，不能移到它處，所以為佳。

他論用辭貴在能切題旨，切到只此可用，不能移到它處。確有見地。

《蕙風詞話》卷二第三十一云：

陳夢弼和石湖《鷓鴣天》云：「指剝春葱去採苹，衣絲秋藕不沾塵，眼波明處偏宜笑，眉黛愁來也解顰。巫峽路，憶行雲，幾番曾夢曲江春。相逢細把銀釭照，猶恐今宵夢似真。」歇拍用晏叔原「今宵剩把銀釭照，猶恐相逢是夢中」句。恐夢似真，翻新入妙，不特不嫌沿襲，幾於青勝於藍。

晏幾道的《鷓鴣天》結尾二句，王楙《野客叢書》指其「蓋出於老杜『夜闌更秉燭，相對如夢寐』，戴叔倫『還作江南夢，翻疑夢里逢』，司空曙『乍見翻疑夢，相悲各問年』之意。」都是恐眞是夢。陳夢弼的仿作，却是倒其意而用之，變成「恐夢似眞」，則相逢當是在夢中。人沒有不喜相逢的，除非遇見了仇敵，或是所厭惡的人。所以夢中相逢，應該說「恐夢不眞」才合情理。陳夢弼用語失當，況周頤不加細察，反稱其「翻新入妙」，「青出於藍」。

《蕙風詞話》卷三第二十八云：

《織餘瑣述》：元好問《清平樂》云：「飛去飛來雙乳燕，消息知郎近遠。」用馮延巳「雙燕來時，陌上相逢否」句意。彼未定其逢否，此則直以為知，唯消息近遠未定耳。妙在能變化。

況周頤說元好問詞用馮延巳《蝴戀花》詞句意是不錯的。但他以爲元好問《淸平樂》「直以爲知，唯消息近遠未定耳」，却大有探討的餘地。既直以爲知，應知其消息的近遠，怎能說是「未定」呢？歐陽修《玉樓春》詞「別後不知君遠近」，陳克《謁金門》詞「消息不知郞近遠」，說的才是「消息近遠未定」。元好問詞「消息知郞近遠」原爲「知郞消息近遠」的倒裝，「近遠」實是偏義複詞，可偏取「近」義，也可偏取「遠」義，比較適當的解釋，應是「距離的遠近」。況氏解爲遠近未定，欠妥。

《蕙風詞話》卷二第五云：

李德潤《臨江仙》云：「強整嬌姿臨寶鏡，小池一朶芙蓉。」是人是花，一而二，二而一。句中絕無曲折，却極形容之妙。昔人名作，此等佳處，讀者每易忽之。

李德潤詞，將小池比作寶鏡，將芙蓉花比作美婦人的嬌姿，用的是比擬的修辭法。正如況氏所說：絕無曲折，却極形容之妙。

王國維的《人間詞話》，寫於一九〇八年以前，原刋於《國粹學報》。《人間詞話》刪稿第四十八云：

「紛吾既有此內美兮，又重之以修能。」文字之事，於此二者，不能缺一。然詞乃抒情之作，故尤重內美。無內美而但有修能，則白石耳。

王國維引《離騷》章句，語意之間，似乎主張意重於辭。但《離騷》的原義，或不在意與辭。

《人間詞話》第三十四云：

詞忌用替代字。美成《解語花》之「桂華流瓦」境界極妙。惜以「桂華」二字代「月」耳。夢窗以下，則用代字更多。其所以然者，非意不足，則語不妙也。蓋意足則不暇代，語妙則不必代。此少游之「小樓連苑」，「繡轂雕鞍」，所以為東坡所譏也。

他主張詞忌用代替字，因用代替字則意義不顯。如吳文英（夢窗）的《渡江雲》，以「重茵」代芳草、以「寶勒」代寶馬，尚不難明白；但以「墮履」代留宿，以「燕尾」代蘇堤與白堤的交叉，則非加注釋不易明白。蘇軾譏秦少游《水龍吟》詞句的話，見《歷代詩餘》引曾慥云：「少游自會稽入都見東坡。東坡問作何詞，少游舉『小樓連苑橫空，下窺繡轂雕鞍驟。』東坡曰：『十三個字只說得一個人騎馬樓前過。』」這故事雖未必可靠，但少游詞用代詞致使意義不顯却是事實。

《人間詞話》第十云：

太白純以氣象勝。「西風殘照，漢家陵闕。」寥寥八字，遂關千古登臨之口。後世唯范文正之《漁家傲》，夏英公之《喜遷鶯》，差足繼武，然氣象已不逮矣。

《憶秦娥》是否為李白所作，固是另一問題。但范仲淹《漁家傲》「千嶂里，長煙落日孤城閉」，夏竦《喜遷鶯令》「夜涼銀漢截天流，宮闕鎖清秋」，也各自有境界，未必是有意學步。

《人間詞話》第二十云：

梅聖（原誤作「舜」）俞《蘇幕遮》詞：「落盡梨花春事（當作「又」）了。滿地斜（當作「殘」）陽，翠色和煙老。」劉融齋謂：少游一生似專學此種。余謂：馮正中《玉樓春》詞：「芳菲次第長相續，自是情多無處足。尊前百計得春歸，莫為傷春眉黛促。」永叔一生似專學此種。

劉熙載《藝概》卷四《詞曲概》引梅聖俞《蘇幕遮》詞後云：「此一種似爲少游開先。」按秦觀《千秋歲》云：「日邊清夢斷，鏡裏朱顏改。春去也，飛紅萬點愁如海。」又《點絳唇》云：「煙水茫茫，千里斜陽暮。山無數，亂紅如雨，不記來時路。」確似是專學此種者。又所引《玉樓春》詞，見於《歐陽文忠公近體樂府》卷二，《陽春集》（馮延巳作）中未載，當爲歐陽修所作，王國維誤以爲馮正中所作，反說「永叔一生似專學此種」。這一點，《人間詞話》人民文學出版社重印本的「校訂者」已加以指正了。

《人間詞話刪稿》第十四云：

「西（當作「秋」）風吹渭水，落日（當作「葉」）滿長安。」美成以之入詞，白仁甫以之入曲，此借古人之境界為我之境界者也。然非自有境界，古人亦不為我用。

周邦彥《齊天樂》詞，有「渭水西風，長安亂葉」之句。白樸《雙調德勝樂》有「聽落葉西風渭水」之句，又《梧桐雨》雜劇有「西風渭水，落日長安」之句。王國維指其皆襲自賈島《憶江上吳處士》「西風吹渭水，落葉滿長安」詩句。但王氏又說：「然非自有境界，古人亦不爲我用。」這是很重要的一句話。蹈襲與借古人酒杯，澆自己塊壘，其分別全在「自有境界」與否。

二十二、《馬氏文通》談修辭

光緒二十四年（一八九四），馬建忠著成《馬氏文通》。《馬氏文通》雖是中國有史以來第一部有系統的文法專著，但書中却也頗涉修辭。呂叔湘、王海棻在《馬氏文通讀本》的《導言》裏說：

文通的作者不願意把自己局限在嚴格意義的語法範圍之內，常常要涉及修辭。例如關於修飾語與被修飾語之間的『之』字的用與不用，他在講偏次的時候說：「偏、正兩次之間，「之」字參否無常。惟語欲其偶，便於口誦，故偏、正兩奇，合之為偶者，則不參『之』字。

又說：

關於字數的奇偶，文通又舉了另一方面的例子。《史記樊噲傳》云：『東攻秦軍於尸，南攻秦軍於犨。』《漢書樊噲傳》云：『東攻秦軍尸鄉，南攻秦軍於犨。』曰『尸』曰『犨』，兩地名皆單字，皆加『於』字以足之。至『尸鄉』則雙字矣，不加『於』字者，殆為此耶？」

又說：

總之，馬氏是很注意語句之中的節奏的。在講到「而」字的過遞作用的時候，他說：「前後兩動字，中間『而』字以連之。」……最後《引史記司馬相如列傳》「且夫清道而後行……」一段，「而」字七見，而句法長短不一，「以見『而』字用法之不窮。」

呂叔湘先生等還指出：

還有一點值得一提的是文通在講句讀的末了提到段落的起句和結句。這是語法和修辭、作文交界的問題。文通發表以後的幾十年中，講漢語語法的著作都不談這個問題，直到最近纔有語法的研究不應以句子為極限的議題。這就不能不說文通的作者有遠見了。

現在我們所謂句讀，是指句號和逗號，也就是標點符號；討論標點符號用法的適當與否，或某字某詞應從上逗或下逗，也算是一種修辭學。但馬氏所謂句讀，是指句和短語。《馬氏文通》第十章『句讀』，論及段落的起句和結句，這似乎已超於文法的界限，近於修辭和作文的討論了。其論「起詞」云：

句也，讀也，皆所以語或動或靜之情也，所謂語詞也。而動靜之情，不能不有所發。其所從發者，起詞也。然則起詞者非他，卽所發動靜之情之事物也，此起詞所以為句讀所必需也。

接着，他舉例說：

左傳隱公三年云：鄭武公莊公為平王卿士。王貳於虢。鄭伯怨王。王曰：「無之。」故周鄭交質。王子狐為質於鄭，鄭公子忽為質於周。王崩，周人將畀虢公政。四月，鄭祭足帥師取溫之麥。秋，又取成周之禾。周鄭交惡。——共十二句，內惟「秋，又取成周之禾」一句起詞連上，他句皆有起詞。

他以爲對語之句起詞可省，並舉了例證：

又隱公三年云：若棄德不讓，是廢先君之擧也，豈曰能賢！——一讀兩句，皆無起詞，公自言也。凡問答之句，起詞有無無定，一視辭意之所順而已。

其實，『是廢先君之擧也』一句，若以『是』爲代字，則是起詞。呂叔湘、王海棻編的《馬氏文通讀本》，已在這個例句之後的註釋裏指出了這一點。

在同一章裏，馬氏論段落的結句說：『至段落之結句，所以結束一段之意，概皆助以助字。』並擧例說：『《禮・大學》云：『此謂國不以利爲利，以義爲利也。』——所以結束上文者也。』又擧例說：『《孟子・梁惠王上》云：「古人之與民偕樂，故能樂也。」』『《秦策》云：「此所謂天府，天下之雄國也。」』『《趙策》云：「是使三晉之大臣，不如鄒魯之僕妾也。」』『《漢書・賈誼傳》云：「胡不用之淮南、濟北？孰不可也。」』馬氏爲加案語云：『諸此引，皆以結束段落。而句法之變，止於是矣。』

《馬氏文通》第五章釋『動字』，有『名字狀動字』一節，擧例說明如次：『《史記・貨殖列傳》：「銅鐵則千里往往山出棋置。」——言如圍棋之置也。「棋」名字，先於「置」字，以狀其佈置之式。「置」字用爲受動字。』又『《項羽本紀》：「項莊拔劍起舞，項伯亦拔劍起舞，常以身翼蔽沛公。」——言身如鳥翼之遮蔽沛公也。「翼」名字，先「蔽」字，以狀其左右遮蔽之密。「蔽」外動字也。』又『《汲黯列傳》：「黯爲人性倨少禮，面折不能容人之過。」——言當面折責也，亦以狀折責之光景也。』

上擧這些『名字狀動字』的例子，其實是詞的變性和活用，陳望道先生將類此的辭例列爲『轉品』辭格。我先前曾經說過，「轉品」是語法（文法）的事，治修辭學者是可以不必越俎代庖的；但是現在仔細一想，把它當做一個辭格來討論也未嘗不可以，這和設問一樣，可以說是語法（文法）和修辭最接近的部分——甚至可以說是共通的部分吧。

《馬氏文通》第二章『代字』，有一節論『詢問代字』云：『「何」字單用，以詰事物。附於稱人之名，則以詰人。……「何」字合「也」「哉」「者」諸字爲助者，則以詰事理之故也。』接着，擧例說：『《史記・管晏列傳》：「何子求絕之速也？」』馬氏對此的說明只是『猶云「子求絕之速是何也？」』，指出句法的倒裝，雖然涉及修辭，可是沒有將這種設問的要點說出來。還是陳望道氏的《修辭學發凡》說得比較淸楚，他指出這一類的設問是激問，『是爲激發本意而問的，這種設問必定有答案在它的反面。』（《發凡》第六篇第九節）

《文通》又舉《漢書·儒林傳》說：『冠雖弊，必加於首，履雖新，必貫於足。何者？上下之分也。』馬氏的說明是『「何」者用如表詞，以詰其事之故也。』陳望道氏則以爲這一類的設問『是爲提醒下文而問的，我們稱爲提問，這種設問必定有答案在它的下文。』（同上）也是說得比馬氏所說的淸楚得多。

《文通》第六篇有一節論『狀字諸式』云：『狀字用以象形俏聲者，其式不一。有用雙聲者，有用叠韻者，有雙聲叠韻諸字槪同一偏旁者。』雙聲同一偏旁者，馬氏舉躊躇、踟躕、囁嚅、髣髴、砰磅、躑躅、逼迫、悽愴等字；叠韻同一偏旁者，馬氏舉炰烋、仿佯、猖狂、蹉跎、纏綿、綢繆、逡巡、彷徨、遷延、劻勷、淹滯、嶕嶫、鴻濛、沆茫、驞駍、崢嶸、觩䚧、峛崺、埢垣、岭巆、嶙峋諸例。馬氏所謂雙聲叠韻諸字槪同一偏旁，就是《文心雕龍·練字》篇所謂『聯邊』。劉氏主張少用偏旁相同的字於一句之中，他以爲用得多了便會成爲『字林』。馬氏對於『聯邊』，只是提示和舉例，並沒有提出任何意見。又馬氏所舉「淹滯」並非叠韻字，章錫琛《馬氏文通校注》已經加以指摘了。

二十三、林紓《春覺齋論文》

林紓的《春覺齋論文》，是一部能獨創新辭格的涉及修辭研究的著作；可是在另一方面，他主張學習古文，反對白話文。他說：

幼年聞古人「文以載道」之語，初不甚解。近十五年來，方知古文一道，非學不足以造其樊，非道不足以立其榦。（《論文十六忌・志險怪》）

他主張文以載道，學文必須師古。他又說：

王鏊《震澤長語》論為文妙訣曰：「為文必師古，讀之使人不知所師，善師古者也。韓師孟，今讀韓文，不見其為孟也。歐學韓，亦不覺其為韓。」愚按歐之學韓，神骨皆類，而風貌不類；但觀惟儼、秘演詩文集二序，推遠浮屠之意與韓同，能不為險語而風神自遠，則學韓真不類韓矣。（《論文十六忌・忌剽襲》）

他引王鏊的話，證明學古而使人不知所師，才是到家。但應怎樣去學古呢？他說：

陳同甫論作文之法曰：「經句不全兩，史句不全三，不用古人句，只用古人意；但用古人語，不用古人句，能造古人所不到處。」愚謂當於平時用功，沈潛體認古人用心所在，凡義法、意境、魄力、神味，蓄積盤桓於胸中。一到行文，當有自家把握，臨時去取。昌黎之「迎而拒之，平心察之」㉓，此便是不存成心去就古人。（同上）

「愚謂」云云，完全是學古的修辭論。所謂「不存成心去就古人」，是無條件的師古。他以爲引用古人成語，不算是剽襲。他說：

魏叔子評古文七弊，第六節曰：「語可以不驚人，不可襲古聖賢之常言。」愚於此語亦殊不明白。聖賢語當曰「引」，不當曰「襲」。《左傳》中引《詩》，如「戰戰兢兢」之類，語至習見，何以不謂之襲？且有道理語亦不必驚人，自能令人家胸中點頭。綜之，叔子言不過謂不必引據通套之語，乃不知引《易》引《詩》一兩語作點綴，亦古文中常有之事，不能卽謂之襲。(同上)

他又認爲學古不必字字仿古。他說：

古文者，非每字每句，志效古人之聲吻為吐發者也。義理明於心，用文詞以潤澤之，令讀者有一種嚴重森肅之氣，深按之又彌有意味，抑之不盡，而繹之無窮，斯名傳作。若刻意求悦庸俗之耳目，極力摹仿古人之聲調，自無道理以筦攝之，則口不擇言，雖自詡工巧，往往墜落輕儇一道，初不自知也。(《論文十六・忌輕儇》)

他認爲刻意摹古，將淪於輕儇一道。他主張「爲文當肖自己，不當求肖古人。」他認爲「有古人之志願學問，加以磨治，吐屬間不期古而自古。」(《論文十六忌・忌剽襲》)他又主張用古雅的文字：

大凡通行文字，可以用熟字；如碑版、傳略及有韻之文，勢不能不用古雅之字。所謂古雅者，非冷僻之謂。字為人人所能識，為義則殊；字為人人所習用，安置頓異：此在讀古文時會心而已。

所謂「字爲人人所能識，爲義則殊」，例如《世說新語》賞譽的「脫時過止」與常語「脫非如此」的「脫」字，都是或然之辭，而不是解脫。所謂「字爲人人所習用，安置頓異」，大約是指倒裝或互文吧？

他又主張簡樸，反對塗飾，《論文十六忌・忌塗飾》云：

古文之為體，意內言外，且多言不如少言，少言不如精言。言求其精，非由學術之邃，閱歷之多，安能垂為不朽？若徒事渲染，使讀者一過輒忘，或不終篇卽生厭倦。故愚於此弊，頗極着意除之。葉水心曰：「譬如人家觴客，雖或金銀照座，然不免於俗。惟自家羅列者，卽瓷缶瓦杯，却是自家物色。」此語正痛斥文之不宜華飾。

他主張辭不宜華飾是對的，可是却認爲用比喻是虛浮而不實際。他說：「蘇家文字，喩其難達之情，圓其偏執之說，往往設喩以亂人觀聽。驟讀之，無不點首稱可；及詳按事理，則又多罅漏可疑處。」（《春覺齋論文・述旨》）實則比喩是詩文最常用而又最重要的一個辭格，文中有了比喩，意思便更加明白，又哪裏會「多罅漏可疑」呢？

又論風趣云：

凡文之有風趣者，不專主滑稽言也。以滑稽爲風趣，則東方曼倩之《答客難》，楊子雲之《解嘲》，班孟堅之《答賓戲》諸作，可以永奉爲文章圭臬矣。須知滑稽者，特設論之一體。風趣者，見文字之天眞；於極莊重之中，有時風趣間出。故劉彥和曰：「深乎風者，述情必顯。」譚格亦言：「文章止要有妙趣，不必責其何出。」然亦由見地高，精神完，於文字境界中綽然有餘，故能在不經意中涉筆成趣。如《史記・竇皇后傳》敍與廣國兄弟相見時，哀痛迫切，忽着上「左右皆伏地泣，助皇后悲哀」。悲哀寧能助耶？然捨却「助」字，又似無字可以替換。苟令竇皇后見之，思及「助」字之妙，亦且破涕爲笑。求風趣者，能從此處着眼，方得眞相。（《春覺齋論文・應知八則》之六）

風趣與滑稽不同。風趣的修辭，就是辭趣。辭趣也是積極的修辭，但自來談論的却不多。林紓論風趣，很有見地，所舉例證，也很切當。

其《用字四法・減字法》云：

朱子論文，謂舊見徐端立述石林言：「今世安得文章？只有個減字換字法。如言湖州必須去「州」字，只稱「湖」字，此減字法也；不然則稱霅上，此換字法也。」余謂石林此言，直是對痴人説話；古文換字之法，豈謂此耶？譬如言「廣」者稱「博」，言「盡」者稱「旣」耳。《漢書》不惟能換字，而且能用熟字為生澀之句；亦有於不經意中，以常用之字稍為移易，乃愈見風神。如《張安世傳》：「何以知其不反水漿也。」反，覆也；用「覆」字便無味。《杜延年傳》；「延年竊重將軍失此名於天下也。」重猶難也；若易去「重」字，便須説「不願」二字矣。

林紓引石林（葉夢得）論減字法和換字法，都曾舉了例證。所謂換字法，近於煉字或推敲；所謂減字法，看來只是名辭的簡稱，與節縮或省略有所不同。林氏論省筆云：「文之用省筆，非略也。一略，則應言而不言，令讀者索然無歡，雖竟其篇幅，終蓄不愜之願，讀過輒忘矣。省又非漏也。一漏，則不惟於本文中多寡要之言，尤於揷敍處少神來之筆。有首尾宜相應者漏，則莫應；有眼目宜點淸者漏，則弗清：本欲求簡，而局陣竟成斷折之勢，此大病也。且又非棄而不舉也。文之去冗刪繁，孰則弗知？而往往犯此二病，則神識昏瞀，不能洞見文字之癥結，以爲不如是敍述，則讀者將不悉文中之究竟，膚說生庸，喋言成絮，弊在不知舉其簡要，而棄其駢枝耳。」（《春覺齋論文・用筆八則・用省筆》）他以爲省筆「應舉其簡要，而棄其駢枝」，而不是「略」，不是「漏」，也不是「棄而不舉」。語頗精確。

其《用字四》有論拼字法云：

> 詞中之拼字法，蓋用尋常經眼之字，一經拼集，便生異觀。如「花柳」者，常用字也，「昏暝」二字亦然；一拼為「柳昏花暝」，則異矣。「玉香」者，常用字也，「嬌怨」二字亦然；一拼為

「玉嬌香怨」則異矣。「煙雨」者，常用字也，「翠恨」二字亦然；一拼為「恨煙翠雨」，則異矣。「蜂蝶」者，常用字也，「凄慘」二字亦然；一拼為「蝶凄蜂慘」，則異矣。「綺羅」者，常用字也，「愁恨」二字亦然；一拼為「愁羅恨綺」，則異矣。「紅紫」者，常用字也，「移換」二字亦然；一拼為「移紅換紫」，則異矣。「紅翠」者，常用字也，「翠妒」二字亦然；一拼為「翠翠紅妒」，則異矣。此法唯南宋人最為着意。

拼字法，陳望道先生認爲「可以算是介在鑲嵌之間的一體」，他說：「將兩個並列或對待的雙詞，間錯開來用的拼字法，看來可以算是介在鑲嵌之間的一體，這却在各式的語文中用得極多。如說「詳細情節」，不說「詳細情節」，却說「詳情細節」，便是這一種方法的運用。」（《修辭學發凡》第七篇積極修辭三）我以爲拼字法可以另立一個辭格。

《春覺齋論文》不知成書於何時，當在清末民初；後改名《畏盧論文》，於一九二一年由商務印書館出版。林紓是清末民初的人，此書論文，和清代論文體制大致相同，故列於清代修辭學之末。

二十四、小　結

上面說過，明清兩代學者論修辭，大都主張崇古。明代學者多主張師其意，清代學者多主張師其形。師其形，着重摹擬古代修辭的形式，所以禮拜文言的信徒，層出不窮；林紓主張無條件的師古，成爲崇古論的巔峰。嚴復在所譯《天演論》的例言裏說：「實則精理微言，用漢以前字法句法，則爲達易；用近世利俗文字，則求達難。」爲什麼呢？因爲漢以前的字法句法，已經看慣了，記熟了，所以他認爲求達反易於「近世利俗文字」。以此推論，他認爲所要修的辭應是文辭而不是語辭了。

清人程瑤田的《修辭餘鈔》，雖以修辭名書，實際上與修辭沒有什麼瓜葛，所以本篇沒有加以論述。顧炎武的《日知錄》與唐彪的《讀書作文譜》，都有以《修辭》爲題的一篇文字，而且內容都是眞正談論修辭的。故本篇特加論述。還有，《馬氏文通》雖是一部講文法的書，但書中有些地方却談論到修辭，所以也爲立專節加以論列。本篇沒有論述到的，有劉青芝所編的《續錦機》，自謂是摹仿金代元好問的《錦機》而集成的：

昔元遺山謂文章法度，雜見於百家之書，學者欲窮其淵源，非遍考之不可也。喻如織錦，必得錦機。因著《錦機》一書。余甚愛慕而未獲睹。竊仿其意，集前人議論，釐為十門：曰源流、曰體裁、曰義例、曰法式、曰自得、曰評騭、曰竄改、曰譏賞、曰辯證、曰話言。共十五卷，名曰《續錦機》。（《續錦機序》）

他收集了漢以來的一些有關修辭的理論，目的在示人以修辭的技巧和方法。至於元好問的《錦機》一書，看來在清代已經失傳了。㉔

郭紹虞先生對清人詩話的評價很高，他說：

我覺得北宋詩話，還可說是《以資閑談》為主，但至末期，如葉夢得的《石林詩話》已有偏重理論的傾向。到了南宋，這種傾向尤為明顯，如張戒的《歲寒堂詩話》，姜夔的《白石道人詩話》和嚴羽的《滄浪詩話》等，都是論述他個人的詩學見解，以論辭為主而不是以論事為主。從這一方向發展，所以到了明代，如徐禎卿的《談藝錄》、王世貞的《藝苑巵言》、胡應麟的《詩藪》

等，就不是「以資閑談」的小品，而成為論文談藝的嚴肅著作了。一到清代，由於受當時學風的影響，遂使清詩話的特點，更重在系統性、專門性和正確性，比以前各時代的詩話，可說更廣更深，而成就也更高。盡管清詩話中不免仍有一些濫的作品，只能看作「以資閑談」的作品，但就一般發展的總傾向而言，清詩話的成就可說是超越以前任何時代的。（《清詩話前言》）

郭氏在短短的一段文字裏，概括了自宋以來詩話的大勢，而特推崇清詩話。當然，清人詩話中也不免有一些濫的、只能看作「以資閑談」的作品。

清人論修辭，在某些方面有其特出的表現；但傾向於崇古和禮拜文言，這是應該批判的。待到「五四」的新潮洶湧而至，禮拜文言的修辭論便逐漸銷聲匿迹了。

注　釋

① 指漢鄒陽和枚乘。

② 換字法，是換作同義異形的字或辭。《朱子語類・論文》上略云：舊見徐端立言，石林嘗云，今世安得文章，只有個換字法爾；如言湖州稱霅上，此換字法也。蓋換字之本旨在避熟；其不善換字者，文既空虛，徒流僻澀。樊宗師以甲辛換東西，所以見誚於通人也。

③ 主張不獨須師古人之辭，且須師古人之意，說始韓愈，清儒爲之踵事增華。劉熙載《文概》云：「昌黎曰：『學所以爲道，文所以爲理耳。』又曰：『愈之所志於古者，不惟其辭之好，好其道焉耳。』東坡稱公『文起八代之衰，道濟天下之溺』。文與道，豈判然兩事乎哉？」（《藝概》卷一）

④ 早於龔定盦的袁枚，已提過反崇古的修辭論了，這將待下文專談《隨園詩話》的一節加以引述。

⑤ 《論語》：「用也嚎。」

⑥《孟子》：「今也南蠻鴃舌之人，非先王之道。」

⑦唐崔璞爲蘇州刺史，辟皮日休爲從事，陸龜蒙適以所業謁璞，遂與皮日休相贈答，而顏萓、張賁、李縠、鄭璧等隨和之，得詩六百八十五首，龜蒙爲輯成《松陵集》。集中詩句多雕巧，後人號爲松陵體。

⑧指皮日休、陸龜蒙。

⑨語見《後山詩話》及《苕溪漁隱叢話》前集卷十五。

⑩查葉燮的《原詩》，稱贊杜甫的地方頗不少，如：「杜甫之詩，包源流，綜正變。……如漢魏之渾樸古雅，六朝之藻麗穠艶，澹遠韶秀，甫詩無一不備。」（內篇上第三）又如：「變化而不失其正，千古詩人惟杜甫爲能。」（內篇下第二）甚至說：「杜甫詩之神者也。」（同上）薛氏指出葉燮作踐杜甫，不知何所見而云然？

⑪《木蘭詩》寫作的時代和作者爲誰，有許多不同的說法。宋黃庭堅以爲「唐朔方節度使韋元甫得於民間，劉原父往時於秘書省中錄得。」（《豫章黃先生文集·題樂府木蘭詩後》）是比較可信的。

⑫李覯《論文》詩：「今人往往號能文，意熟辭陳未足云，若見江魚須痛哭，腹中曾有屈原墳。」（《直講李先生文集》）

⑬《莊子·天地篇》：「大聲不入於耳，《折揚》、《皇荂》，則嗑然而笑。」據成玄英疏，《折揚》、《皇荂》都是古代民間小曲名。

⑭語出王維《出塞作》詩。吳景旭《歷代詩話》卷四十七云：「王弇州謂：『此律佳甚；非犯兩馬字，當足壓卷。然兩字俱難易，或稍可改者，暮云句馬字耳。』余因弇州之語，戲欲改之，屢思未屬。一日，觀謝廷儹云：『右丞《出塞》重一馬字。按鮑照詩：秋霜曉驅雁，又，北風驅雁天雨霜。又《洛陽伽藍記》：北風驅雁，千里飛雲。然則，右丞句爲驅雁無疑矣。』余思『沙磧』自應屬『雁』；而『馬』字彷彿『雁』字，以致傳訛耳。積疑之案，一旦冰釋，爲之狂叫欲絕。」這段記載，可供參考。

⑮按「修詞」當作「修辭」，「詞」乃指文法上的一個品詞，「辭」則是績詞而成之辭，此處及以下所引的文字，「詞」字都照原文，沒有改動。

⑯《文選》束晳《補亡詩・南陔》：「循彼南陔，言採其蘭。」注：「陔，隴也；蘭以香，孝子採之以養也。」後人因謂養親曰循陔。

⑰見郭虞先生爲陳介白著《修辭學》所作的序文。

⑱槭槭應作摵摵，是摹聲辭，摹寫樹葉被風吹動的聲音。貢師泰詩：「秋風摵摵衣錦薄，夜雨蕭蕭燭焰低。」

⑲韓愈《南山詩》中有十四句連用疊字者，詩云：「延延離又屬，夬夬叛還遘，喁喁魚闖萍，落落月經宿，誾誾樹墻垣，巘巘駕庫廄，參參削劍戟，煥煥銜瑩琇，敷敷花披萼，闟闟屋摧霤，悠悠舒而安，兀兀狂以狃，超超出猶奔，蠢蠢駭不懋。」

⑳查《左傳》哀公十六年：『夏四月，己丑，孔子卒，公誄之曰：「旻天不弔，不慭遺一老，俾屏余一人以在位，**煢煢**余在疚。嗚呼！哀哉！尼父！無自律！」』《禮記・檀弓》亦節引此誄辭。又查諸《詩・節南山》，『旻天不弔』作『不弔昊天』，惟前節有『昊天不傭』與『昊天不惠』句，故『不弔昊天』也可能是輾轉流傳而致的倒裝；『不慭遺一老』確出《十月之交》；『**煢煢**余在疚』《閔予小子》作『嬛嬛在疚』，按『嬛』《韓詩》作『惸』，都與『**煢**』同其音義。《路史》的《發揮》，雖多依據於緯書，但這裏的考證却大體是正確的。只是魯哀公的《誄孔子》，除了上舉的三句之外，其餘的還不能指出它們的出處，所以不能算是全文的集句，只能說是集句的濫觴罷了。

㉑郭紹虞先生在重刊的《淸詩話》的《前言》中所說的話。

㉒夫人，猶言人人也。《左傳・襄八年》：「夫人愁痛。」《淮南子・本經》：「夫人相樂。」夫人，注謂人人，或衆人。

㉓「平心」下當有「而」字。

㉔參閱香港中文大學《中國語文研究》創刊號譚全基氏《中國古代修辭學的重要里程碑》一文。

第十篇　中國修辭學的革新期——現代

一、楔　子

一九一二年清政府被推翻，中國結束了延續兩千餘年的帝王專制政治，成立了中華民國。但這次的革命，並不徹底。甚至連清政府與列強所訂的一切不平等條約——喪權辱國的條約，也沒有加以廢止。封建殘餘勢力還在作垂死的掙扎，希圖死灰復燃；列強對中國的軍事侵略、經濟侵略和文化侵略，更是變本加厲。終於在一九一九年興起「五四」的怒潮。五四運動在政治上是反帝、反封建的鬪爭，在思想上稱爲文化運動或文學革命。

中國的修辭學，在「五四」以後，和其他學科一樣，蓬勃興起，成爲一門獨立的學科，北京大學和北高師、女高師國文部開始設置修辭學課程；且有修辭學的專著問世。這些都是「五四運動」二、三年以後的事。

二、新舊兩派修辭學的論爭

「五四」以後，中國的修辭學，可以分爲二派，即是：中的，和外的。中的一派，也可以說是舊的一派，只作一些關於古修辭學說或古修辭例證的集錄工夫，使讀者省些翻檢抄錄的煩勞罷了，其實對本學科並沒有多大的貢獻。如鄭奠氏的《中國修辭學研究法》，名稱是「研究法」，實際上只是修辭古說的集錄；楊樹達氏的《中國修辭學》（後來改名《漢文文言修辭學》），它是修辭古例的集錄，並做了些演繹的工夫。張文治氏的《古書修辭例》，是兼集修辭古例和修辭古說而成書的。都爲本學提供了參考資料。這一派似乎反對以西洋的科學方法，來研究和整理中國的修辭學。如鄭奠氏在《中國修辭學研究法》的《導言》裏說：「近世外慕風熾，學海外修辭之術，繩諸前文，得其形似，樂爲比附，彼所未及，此亦闕如。」楊樹達氏的《中國修辭學・自序》也說：「語言之構造，無中外大都一致，故其詞品不能盡與他族殊異，治文法者乃不能不因。若夫修辭之事，乃欲冀文辭之美，與治文法惟求達者殊科。族姓不同，則其所以求美之術自異。況在華夏，歷古以尙文爲治，而謂其修辭之術與歐洲爲一源，不亦誣乎？」我以爲：我們既可以用西洋的科學方法來研究中國的哲學、史學和文學，爲什麼獨不可用科學的方法來研究中國的修辭學呢？我同意楊氏的說法：中國的修辭之術與歐洲者不同。但修辭的技巧（修辭之術）和研究修辭的方法却是兩回事。所以我們不妨採取歐洲研究修辭的科學方法，來探討和整理中國的修辭現象（修辭技巧），這是沒有什麼再事爭執的必要。

至於外的一派，也可以說是新的一派的修辭學，其研究修辭的新方法，是先由西方傳至日本，「五四」以後，再由日本傳至中國的。

日本在明治維新以前，沒有完整的修辭學，有關修辭的散論，大多學自中國。可是在明治維新以後，日本的修辭學，却又取法於西洋，然後倒過來被中國的學者所取法。不獨修辭學如此，幾乎其他的學科也莫不皆然。

明治十二年（一八七九），留美東京帝國大學教授菊池大麓氏翻譯了英國威廉金莫兄弟發表於《百科全書》中的《修辭學及美文》（Rhetorics and Belle Lettres），概略地把西洋修辭學的啓蒙知識介紹到日本來。從此修辭學便漸漸地引起日本學者的注意。明治二十二年（一八八九），早稻田大學校長高田早苗氏著《美辭學的方法》一書，是日本有自己的正名本學之始。直到今日，還受本學學者所推重。明治二十六年（一八九三），早稻田大學講師、著名的劇作家坪內逍遙氏著《美辭論稿》，發表在《早稻田文學》這個刊物上，其中一部分似乎是文體論；一部分談論到「智之文」「情之文」和「華文」（華麗之文），那才是正名本學。坪內逍遙有兩個得意的門生：島村瀧太郎（一名島村抱月）和五十嵐力，後來都在母校早稻田大學執教，而且都成爲著名的修辭學家；他們對修辭學的成就，都在坪內逍遙之上。明治三十四年（一九〇一），早稻田大學教授島村瀧大郎氏著《美辭學》，分爲四編，第一編說明美辭學的名稱、組織及其效用；第二編論詞藻，所舉辭格甚多，並附例證；第三編論文體；第四編論詩形。第二年，島村氏又著《新美辭學》一書，由早稻田大學出版部出版。明治四十二年（一九〇九），早稻田大學教授五十嵐力氏著《修辭學講話》，於一般修修學理論之外，復介紹西洋學者論文章的要素及其性質，以爲是文章基本的要求，其實是關於消極修辭法的理論；其次論抑揚頓挫的修辭法，所擧辭姿（卽辭格）多至三百餘種，並列擧例證。最後則論文體和文章作法。對文體及修辭學的變遷，亦有詳細的說明，和新的見解，是繼《新美辭學》之後的佳作。

中國新派的修辭學，大都取材自上述諸位日本修辭學者的著作，或是受他們的影響而寫成的。那時，最早而又最有貢獻的，「大家熟知，是一九二三年出版的唐鉞氏的《修辭格》。這書雖然只是薄薄的一本小册子，所討論的也不過是本書（按：指《修辭學發凡》）所謂辭格的一小部分，但因找例很勤，說述也頗得當，又是科學的修辭論的先聲，對於當時的影響很大。從這本小書出版以後，修辭學便又換了一個新局面。修辭學的成立已經無人懷疑」①了。

但是最早以《修辭學》作爲書名而內容又是眞正談論修辭學的著作，當首推王易氏所著的《修辭學》（一九二六年商務印書館出版）。這本書，無可否認的是完全取材自日本島村瀧太郎氏的《新美辭學》。王氏的《修辭學》分上下兩編，共約三萬餘字。上編緒論，專論修辭學的原理；下編本論，專論修辭的現象。本論又分爲修辭論、詞藻論、文體論三章。後來陳介白氏的《修辭學》，便是據此而論列的。但王氏還不知修辭學與文學的分別，說「修辭學爲一種專講文章修辭理論之科學，在中國尙無專書；因中國向視文學爲一種藝術，惟在熟習之結果，不必精細研究。」（《修辭學》編輯大意第四）他自願降修辭學爲文學的附庸。

在這以後，用科學的方法以論修辭的專書，有胡懷琛氏的《修辭的方法》，董魯安氏的《修辭學講義》，張弓氏的《中國修辭學》，薛祥綏氏的《修辭學》等。但是這一類的書，「不是掛漏不全，或是專擧古話文的例證，便是專門販運外國文上所有的辭格，而不曾把中國各種修辭現象做過歸納工夫的。」②還有金兆梓氏的《實用國文修辭學》，內分題目、材料、謀篇、裁章、煉句、遣詞、藻飾等七章，雖然能用科學的方法以研究中國的修辭技巧，理論與例證並重；可是所擧的例證，也只是限於古話文的。有一點値得在這裏一提的，是金氏主張採用異國修辭研究的方法，來探討和整理中國的修辭學，使成爲一具體而有系統的學科，却是非常徹底的。他說：此學在吾國，既無有系統之述作可以取資，則今欲有搜討，俾成一具有系統之學科，以爲學者修辭之一助，勢不能不借助異國。」在修辭學復古派（中的一派）對抗態度還是十分堅强的時代，金氏敢於公然提出「勢非借助於異國不可」的主張，這在修辭學的革新理論上是有其一定貢獻的。

三、陳望道的《修辭學發凡》

郭紹虞先生曾經指出：「我國以前不是沒有論修辭的書，而是沒有網羅萬有條例分明的書。大抵以前之論修辭者，往往不免有二弊。其一在於泛，弊在不專從修辭本體立論；其又一在於狹，弊又在只從修辭的局部立論。由前者言，所以沒有純粹論修辭的書；由後者言，所以雖亦論到修辭的方面而不能包括修辭的全部。」③

陳介白氏則以爲：「中國昔時向無系統的修辭著述，考其原因有二：一爲修辭學的範圍未清；二爲科學的觀念甚薄，以致『修辭學』，『作文法』，『文藝批評』，『文字學』等混爲一談。」④

如所周知，眞正不顧復古派和禮拜文言者的對抗，採用由西方東方傳入的科學的研究方法，徹底將中國的修辭學加以革新，寫成了一部網羅萬有、條例分明、有系統而又能兼顧古話文和今話文的修辭學專書的，是著名的修辭學家陳望道氏。

據復旦大學語言研究室的資料所示：陳氏於一九一二年（二十二歲）一月到東京留學，先在早稻田大學攻讀法科，數年後，轉入東洋大學改習文科，最後於一九一九年五月在中央大學法科畢業，獲法學士學位。

早稻田大學的法科(卽法學系，日本稱學系爲科)，論理學是必修的科目。論理學分修辭學與辨證法二部(據斯多噶學派學者的分法)，所以陳氏在早稻田大學是學過修辭學的。又從後來轉入東洋大學改習文科看來，陳氏在早大的數年間對修辭學是發生過興趣的。那時候日本三大修辭學家坪內逍遙、島村瀧太郎和五十嵐力都在早大執教⑤，他們的修辭學名著也都已經出版了，而且正用作課堂裏的講義(現在早大圖書館裏還保存了他們當時所用的講義)。五十嵐力對學生作文修辭的指導添削，尤其用力。可以說，早稻田大學是修辭學者的搖籃。陳氏在名師的認眞指導之下，又熟讀了先輩師長(如早大校長高田早苗)和當時教授們的修辭名著，耳濡目染，自然對修辭學發生了濃厚的興趣；他的修辭學的基礎，也在這個時候奠定了。

陳氏回國以後，先在浙江第一師範學校執教，後來改任復旦大學教職。他一面在大學教書，一面利用課餘對於修辭學勤求探討。這樣繼續了十幾年。到最後的一年，把教書的生活都擺脫掉了，專心致志地整理撰述修辭學的專書，結果在一九三二年完成了千古不朽的巨著：《修辭學發凡》。雖然書中論消極修辭諸要件、論語文的體式諸篇，大都取材於島村瀧太郎的《新美辭學》和五十嵐力的《修辭學講話》，所舉辭格的名稱，也不少出自上述二書；但因爲中國的修辭現象和日本的修辭現象並不一樣，陳氏不過根據二書所用的一部分題材來研究中國的修辭學，擷取二書所用的一部分方法來分析中國的修辭現象，所以陳氏的修辭學仍舊是他自己的修辭學，而不是島村和五十嵐二氏的修辭學——同時也是中國的修辭學而不是日本的修辭學。

陳著第一至第三篇概述修辭現象和修辭學的全貌，指出消極修辭和積極修辭的區别和聯繫。第四篇述說消極修辭四要項，即意義明確，倫次通順，詞句平勻，安排穩密。第五至第八篇闡述積極修辭的辭格，第九篇述說辭趣。第十篇述說修辭現象的變化和統一。第十一篇述說語文的體式，第十二篇是結語。

陳氏的《修辭學發凡》寫得最成功的地方是第五至第八篇，闡述積極修辭的辭格，他對每一辭格所定的名稱、所下的定義和所作的說明都是千錘百煉，恰到好處，幾乎是一個字不可移易的⑥。劉大白在爲此書所作的序言中寫道：「陳先生底著成此書，積十餘年勤求探討之功，這是我在這十餘年中所目睹的。這十餘年來，他底生活，是終年忙碌於教室講臺黑板粉筆間的生活。但是他一面忙碌着，一面就利用早上晚間以及星期的餘暇，做這對於修辭學勤求探討的工夫。往往爲了處理一種辭格，搜求一個例證，整夜地不睡覺；有時候，從一種筆記書上發現了引用的可以做例證的一句或一段文字，因爲要明白它底上下文，或者要證明著者所引的有沒有錯誤，於是去根尋它所從出的原書。」陳氏於一九六二年一月四日在華東師範大學所作的學術講演，講題爲《修辭學中的幾個問題》，那裏面也有這樣的一段話：「我國研究修辭是有傳統的，許多老先生都講究修辭。『五四』文學革命提出打倒孔家店，主張用新文學代替舊文學，用新道德代替舊道德。許多學生不會寫文章，問我文章怎麼做，許多翻譯文章翻得很生硬，於是逼我研究修辭。我從調查修辭格入手，調查每一格最早的形式是什麼。格前面的『說明』不知道修改了多少次，就這樣搞了十幾年。」（《復旦學報》社會科學版，一九七九年第一期）又說：「我寫《修辭學發凡》的時候，正是復古、讀經搞得最厲害的時期。有人主張取消白話文，我們商量了一下，決定以攻爲守，我們自己攻擊白話文，說它不夠『白』，提倡『大衆語』，於是他們就來保護白話文了。在《修辭學發凡》裏，我從《紅樓夢》、《鏡花緣》等書中找了許多罵古文，挖苦古文的例子，目的是反對復古。這一部分請結合當時的鬭爭來看。」（同上）

復旦大學語言研究室所寫的《陳望道同志的治學特點》一文，說「他……勤奮地搜集詳細的事實材料，充分地利用大量的古今中外的學術遺產和資料，鑽研探討，對漢語文中種種修辭方式方法作了系統而詳盡的歸納分析，把修辭格歸納爲卅八格，各格之中又有若干式，可以說把當時所能夠發現的修辭格作了相當全面的概括。而且又從理論上對修辭學的對象、任務、研究方法等作了科學說明，創立了我國第一個科學的修辭學體系，開拓了修辭學研究的新境界。」（同上）

但是陳氏自己也承認《修辭學發凡》還有未盡完善的地方。例如，他說：「沒有深入地談到風格。來不及再進一步研究風格。到底怎樣研究風格，大家可以考慮考慮。現在的公文和過去有很大不同，過去的公文講『等因奉此』，現在沒有了。過去的小說常用『却說』開頭，現在也不用了。關於風格的問題，研究得很不夠，我認爲可以大大努力一下。」（《修辭學中的幾個問題》，《復旦學報》社會科學版，一九七九年第一期）

還有，一般修辭學的著作，只着眼於修辭的，沒有着眼於不修辭的。《修辭學發凡》也不例外。如提到婉曲的辭格，應該同時提一提直敍白描的手法並舉一些例證，使「修」與「不修」，兩相比較，讀者的得益自然會更大。（講辭格可舉相反的修辭法作比較，如講節縮或省略，不妨舉些衍長或增益的修辭法作比較，更易了解。）

《修辭學發凡》於一九五四、一九六二、一九七六年先後數次重印，並略作修改，但只是添換了部分例證，改動了某些用語、辭句、節段，絕大部分仍是存原書之舊，對於修辭現象的新進展、新變化，都來不及論述和補充。陳氏已於一九七七年十月二十九日逝世，眞是使人惋惜啊！

四、陳介白的《修辭學》

成書較陳望道氏的《修辭學發凡》稍後，在修辭理論上稍具規模的，是陳介白的《修辭學》。陳氏在《自序》裏，自謂他的《修辭學》是直接參考島村瀧太郎的《 新美辭學 》、五十嵐力的《新文章講話》(一名《修辭學講話》)以及佐佐政一的《修辭學講話》這三本書而來的；並謂當代中國所有已經出版的修辭書籍，實際上都是從同一個源流下來的。在《導言》裏，他說：「我現在注重科學的方法，根據中國歷代文學作品，把其修辭的地方分析和比較以後，歸納出共同的創作原理，作爲修辭的一種規則。」又說：「修辭的理論，不可流於空泛，所以本書將先述總論，次述詞藻論，再次述文體論，並於理論之外，舉出例證，使人不但明理，而且知其規則。我們果能把這些理論和規則融會貫通起來，自然而然的得到一種合用的工具，用以發表自己的情感和思想，也可以暢所欲言，不覺得困難了。就是讀書，先明修辭，一切意義也自易於了解。這便是我們研究修辭學的旨趣，也是我編述這部《修辭學》的微意。」

陳氏借鑒於日本的修辭學，極力想用科學的方法以研究中國的修辭學，但禮拜文言的偏見，却又未能棄除。《修辭學》第四章第六節言與文的比較云：「言與文比較起來，則文較爲有勢力，而文在社會上較爲有勢力的一大理由，不待言，其於保存，流傳，弘布等的利用，遠勝於言語。今日社會的文明，大半是因爲有文字才得以存立。此等利用以外，文未必劣於言語的事實可見者尙多。」又同書第二章第一節語句的純正（三）「戒俚語侵入」云：「俚語就是俗語，英文修辭書作特殊語（Special Language），所謂 Slang 字相當於此。專用作表現卑陋（的意義）。其未經普通流行的俚語，皆易使人生不純正的感想。中國以前文和言相隔太甚，大概以文言爲雅，以口語爲俗，分別的界限極嚴；實際來說，文言和口語視爲雅俗的分界，是不恰當的，因爲有些文言是受口語影響的，可是俚語爲下流所習道的，要以之入於文章，終難免不純正，此層似不可不戒。」

一個想用科學的方法以研究修辭學的人，竟以俚語爲下流所習道，這是不堪想像的。此書所學辭格的例證，也只是偏於古話文而已。

陳氏的《修辭學》分總論、詞藻論和文體論三編。詞藻論應該是論積極修辭了，可是他提到語彩的時候，却又分爲消極的語彩和積極的語彩：消極的語彩是講究語句的純正和精確，積極的語彩則是注重語趣、音調和格律等。至於辭格，他比較接近日本修辭學家的分類法，計有比喩法辭格十一種，化成法辭格十三種，表出法辭格十七種，布置法辭格十六種，共五十七種，比陳望道氏所訂定的辭格略多，如布置法辭格中的抑揚法，是陳望道氏所訂的三十八個辭格中所沒有的。

陳介白的《修辭學》於一九三六年再版，改名《新著中國修辭學》。臺北的翻印本改名爲《修辭學講話》。

五、幾本談論到辭格的文章學著作

文體論原是屬於修辭學的範圍，日人島村瀧太郎所著的《新美辭學》有論文體的一章，其後王易、陳望道、陳介白諸氏的修辭學，也都談論到文體或辭體。這裏所要提的幾本文章學的著作，談論到文體或辭體的固不必說，特別要提起的是它們不約而同地談論到辭格。

夏丏尊、葉紹鈞二氏合著的《文章講話》，中有《文章的省略》一篇，談到省略的修辭法說：

文章家向有「剪裁」「含蓄」一類的說法，所謂「剪裁」是把無關緊要不必說的部分淘汰，所謂「蓄」是把重要的該說的部分故意隱藏起來或說得不顯露。這兩種工夫是文章家向所重視的，這裏把它們包括在「省略」二字之下，來作一次考察。

陳望道氏的《修辭學發凡》，是把「含蓄」包括在「婉轉」（或稱「婉曲」）的辭格之內，這裏却是將「含蓄」包括在「省略」之下的。

唐弢氏的《文章修養》，也有兩篇談論到辭格：一篇是《明喻、暗示、借代、比擬》，一篇是《舖張和省略》。這兩篇雖然多取材自陳望道氏的《修辭學發凡》，但也有獨到的議論。如論譬喻，他說：

古人常用實物來譬喻抽象的概念，而且取譬和被喻的事物，本質上並不屬於一類。就材料說，取譬的事物必須稔熟，習見，但也不宜於應用人家已經嚼爛了的陳腐的譬喻，却應該另闢蹊徑，從自己開頭去發掘。至於明譬隱譬，那倒可以隨時變通，不必十分認真的。

談到暗示的手法時，他說：

還有一種是側面描寫。譬如要描寫一個美女，只說些「杏眼櫻口」之類，那印象總不免於模糊。記不清是那一首詩裏了，描寫一個美女出門，由於她的超凡的漂亮，耕田的人放下了犁頭，走路的人停止了脚步，肩挑的人歇下了擔子。他們都出神佇觀，忘記了自己的工作；在這裏，讀者也會看到一個活生生的美女，並不像直接描寫出來的那樣呆板，模糊。這也是暗示裏的成功的手法。

他所提的一首側面描寫美女的詩，當是古辭《陌上桑》。他的所謂「暗示」，是陳望道氏的《修辭學發凡》所謂的「婉轉」辭格，是不說本事、單將餘事來烘托本事的一種修辭手法。

又如論鋪張與省略，他說：

鋪張——無論是誇大或特寫，必須在適當的時候，才加應用，倘非必要，則吹吹捧捧的敘述，瑣瑣碎碎的描寫，反足以減少文章的力量，不但破壞形式，而且損害內容。真所謂「以詞害意」了。因為無論那一種文章，首先，是必需避去拖沓累墮，以簡潔為出發點的。

又說：「總之，無論是鋪張或是省略，都是一種調整文章的工作，而在運用的時候，必須求其合乎分寸，這才可以免去鋪張過甚時候的臃腫病，和省略太多時候的骨立症。」立論是可取的。

蔣伯潛、蔣祖怡二氏合著的《章與句》一書，分上下兩册，上册除了《古代修辭論》關涉到修辭之外，還有《比喻種種》、《誇飾的研究》、《省略和婉曲》、《比擬和借代》等篇都是談論辭格的。在《誇飾的研究》一文中說：「修辭學只告訴你一個修飾文章的方法，也和文法一樣，是由文章中歸納出來的，而不是預先設立一個修辭學來教別人作文照樣去做的。」這是很有意義的話。

蔣祖怡氏又編著《文章學纂要》一書，其中有兩篇談論辭格：一篇是《明喻暗喻和寓言》，一篇是《誇飾》。他把陳騤《文則》的十種喻歸爲三種，卽明喻、暗喻和寓言。關於寓言，他說：

> 古代善辯之士，往往用寓言來作他們論辯的根據的。所以各種子書中寓言也很多。每個寓言一定有一個言外之意，就是整個寓言的功能也只等於一句寓意之言的話，所以後人也往往以寓言中的一個綱領來當作一個詞兒運用的。如「守株待兔」「揠苗助長」「大而無當」「刻舟求劍」「邯鄲學步」「東施效顰」……用作成語，已不足為異了。

他把寓言看作是比喻的一體，而不是一個獨立的辭格。

朱自清氏所著的《國文教學》一書，中有《剪裁一例》一篇談論到省略的修辭法，並舉歐陽修《吉州學記》的初稿和定本，以爲省略之一例證。這是很有意義的工作。

郭紹虞氏著《語文通論》初編和續編，續編中有《中國語詞的聲音美》一文，文長四千餘字，是直到今日還是論摹狀（摹聲）辭最深入而又是最完善的一篇文字。文中有云：

> 語音之起，本於擬聲與感聲。擬聲是摹寫外界客觀的聲音，感聲是表達內情主觀的聲音。擬聲語詞既善於摹狀聲貌，感聲語詞尤足以表達聲情，所以只須巧為運用這些擬聲或感聲的語詞，就足以增加行文之美。但是，這條件，只有在單音綴的語言中始可以充分發揮，因為它比較能够保有原始的擬聲感聲的作用。

又云：

> 由擬聲言，因為中國文字有假借一途，所以不僅在口頭語言中可以自由比擬外界的聲音，卽寫入

文辭，一樣可以運用相同的字音以摹狀聲貌。任何特殊的或繁複的聲音，都可以找到恰當的字音來借代，因此，擬聲語詞也特別容易孳生。何況，再加了中國語詞所特具的彈性作用，可以伸縮自如，可以增減任意，極盡錯綜變化之能事：因此，擬聲語詞又可跟了外界複雜變化的聲音，而或多或少，曲折以摹擬之。譬如，我們聽到「當」的一聲，就可用一「當」字以比擬之；聽到「丁」的一聲，也就可用一「丁」字以比擬之。「丁」「當」二字都自有其本義，但在這裏，只成為假借擬聲的用法。聲不止於一次，則可衍為重言，稱之為「當當」或「丁丁」。聲不限於一種，則可混合稱之為「丁當」，或者長言之為「丁丁當當」，複言之為「丁當丁當」。白居易詩云：「丁丁漏向盡」，楊萬里詩云：「寒生更點當當裏」，而《水滸傳》二十三回潘金蓮的話：「我是一個不戴頭巾男子漢，叮叮噹噹的婆娘」，在這裏，外界的聲音表現了，主觀的神情也顯出了。假使外界聲音再複雜一些，則或配以發聲語詞，成為「克丁丁」「克當當」或「吉丁丁」「吉當當」諸語，或為「克丁當」「吉丁當」「克丁克當」「吉丁吉當」諸語。又或綴以連語，如於「丁」「當」兩個變聲字以外，再加兩個雙聲字——「玲」「琅」，而合稱為「丁玲當琅」，那麼，丁當雙聲，玲琅雙聲，而丁玲疊韵，當琅也是疊韵，雙疊相配，錯綜複雜，既能調劑唇吻，而所狀聲音也有「大珠小珠落玉盤」之妙了。

又云：

正因聲義相關，所以有些重言連語，一方面為狀貌，一方面又近於擬聲。如江總《貞女峽賦》「樹索索而搖枝」，「索索」是狀戰動貌而也近於樹葉經風的聲音。貫休《陳情獻蜀皇帝》詩「千山千水得得來」，「得得」所以狀行的樣子而也可說是擬走的聲音。康海《中山狼》雜劇「欲教俺戰篤篤的魂兒早不覺滴羞跌屑的駭」，「滴羞跌屑」形容戰栗貌而也近於戰栗時瑟索之聲。因此，可以窺知昔人用字之妙。

又云：

正因聲象義象互有關聯，所以有些語詞，一方面足以狀客觀之事，一方面又足以達主觀之情。如「赳赳」，於聲象中卽有雄武之意；如「慌慌」，於聲象中也有亂攘之意；因此，組合起來，成「亂慌慌」「雄赳赳」諸語，就覺得表達的意象也格外明確。

文中所說雙叠（雙聲叠韵）相配、聲義相關（一方面爲狀貌，一方面又近於擬聲）與聲象義象互有關聯諸種摹狀（摹聲）辭，很可能是漢文所獨有而別國的文字所不易有的修辭手法（技巧），所以不厭其煩地在這裏加以引述。

六、五十年代以後的修辭學

五十年代以後出版的修辭學著作，有呂淑湘、朱德熙二氏合著的《語法修辭講話》（一九五一年開明書店出版）。這本書共分爲六講，前四講講語法，第五講「表達」才談到了修辭。表達的一講，談到消極修辭應該注意的事項，語法、修辭與邏輯的不同，都很有見地；最後的一段是「修辭雜例」。這本書雖然語法與修辭都講到，但談論修辭所占的分量較少，而且是與語法分開來講的，不算是語法修辭結合論，但也許可說是語法修辭結合論的先聲吧。

郭紹虞先生《漢語語法修辭新探》第二章總論（下）說：「呂淑湘不僅與朱德熙合編了《語法修辭講話》，提出了語法修辭結合的問題，即在以前出版的《中國文法要略》（一九四二年重慶版、一九四七年上海版）也已透露一些這種意思。五十年代以後，此書又修正再版（一九五六）也就更加完整。我所以特別重視此書，即因此書雖沒有明顯地說明語法修辭結合的問題，但總的看來，似乎以修辭結合語法來講的，所以下卷稱爲《表達論》。從表達講語法，就說明這與功能論者不同，就說明語法除了語句組織的規律之外，還要顧到表達作用才能適合於實用。」郭氏認爲呂著從總的看來，似乎是以修辭結合着語法來講的。至於郭氏的《漢語語法修辭新探》，留待以後再來介紹。

譚正璧氏編著的《修辭新例》（一九五三年棠棣出版社出版）是大部分從新近作者的著作中，尋章摘句，以作爲各辭格的例證（陳望道氏的《修辭學發凡》所舉的辭格例證限於文言文和早期的白話文）。至於辭格的分類，此書據陳望道氏的《修辭學發凡》，第一類中增多了「抑揚」一目，第三類中把「節縮」「省略」併爲「節省」一目，其他則全部不動，所以總數仍是四大類三十八目。

張壞一氏著《修辭概要》（一九五三年中國青年出版社出版），全書分「用詞」「造句」「修飾」「篇章和風格」四篇，作者自謂「內容不夠系統，不夠全面」，「書裏邊談修辭的道理的地方不很多，倒是鋪陳語言及文學中修辭現象所占的篇幅很不少。」（《序》）可是，此書也自有它的特色：第一是所談修辭現象都取自現代口語和現代作品；第二是跟語法有適當的關聯，特別是「用詞」和「造句」兩篇，可以說是結合着語法而立論的；第三是談到了風格（這是一般的修辭學著作所少談到的），雖然所談的還是不夠充分。

王運熙氏著《六朝樂府與民歌》（一九五五年上海文藝聯合出版社出版），其中《論吳聲西曲與諧音雙關語》一篇，文長二萬餘字，談論六朝清商曲中的諧音雙關語和清商曲以外的諧音雙關詩，詳盡翔實，例證特多。其第一節《引論》論諧音雙關語云：

> 所謂諧音雙關語，是指利用諧音作手段，一個詞語可同時關顧到兩種不同意義的詞語。例如《讀曲歌》：「奈何許，石闕生口中，銜碑不得語。」末句「碑」字雙關「悲」字便是。「碑」與「悲」音同字異，我們名這類雙關語為「同音異字之雙關語」。尚有一類「同音同字之雙關語」，例如《子夜歌》：「見娘善容媚，願得結金蘭，空織無經緯，求匹理自難。」末句「匹」字雙關「布匹」和「匹偶」二層意義。諧音雙關語大致可分為這麼兩大類。此外，這兩類雙關語也有混合在一起的時候。例如《子夜夏歌》：「朝登涼臺上，夕宿蘭池裏，乘月採芙蓉，夜夜得蓮子。」末句「蓮」雙關「憐」，屬於第一類；「子」雙關「蓮子」和「吾子」（你），屬於第二類。我們不妨把它喚做「混合雙關語」。

這裏對諧音雙關語（辭）所下的定義及其分類法（分爲「同音異字之雙關語」和「同音同字之雙關語」），大體上是依據陳望道氏的《修辭學發凡》而來的，但却多出了「混合雙關語」的一類，並舉出了例證。

陳恒氏著《史諱學例》（一九五八年科學出版社出版），則是專論避諱所用的方法和種類，並列舉自秦漢至清歷朝的諱例。諱飾是漢文特殊的修辭技巧的一種，是值得考證明白的。

王煥鑣氏著《先秦寓言研究》（一九五九年中華書局出版），對先秦寓言的來源、社會根源、作用、特徵、影響各方面作了詳細的論述。他歷述由比喻發展成爲寓言的過程，以爲寓言有闡明事理、加强說服力的作用，有諷刺的作用，有說教的作用，有隱晦的作用，至其主要的特徵，則在於誇張性的表現手法，並指出寓言用誇張手法的根源。他說：

> 春秋以上的設譬立喻，所採用的事物及其所寄托的思想，都不超出於常理和日常生活的範圍。戰國時則作風大變，開始用極其誇張的手法，違反事實、離奇怪誕的喻言層出於作家們的口頭筆下。……過去認為天經地義、神聖不可侵犯的東西，時代一變，便同於塵羹土飯一樣的無價值。這是學者們思想上解除了束縛，便得肆無顧忌地想入非非，爭奇鬬巧，以求達到所追求的目的。這是戰國時文士好用誇張手法的社會根源。（《先秦寓言研究》二、先秦文學作品中含有大量寓言的社會根源）

王氏更從《墨子》、《孟子》、《韓非子》、《呂氏春秋》、《戰國策》等書裏選出了數十個精彩的寓言，作爲例證。

周遲明氏著《漢語修辭》（一九六〇年山東人民出版社出版）。此書在談論用詞和造句，有些地方是結合着語法而立論的。著者指出「修辭學家對於語言的風格和語體是十分重視的，尤其是語體，一般認爲是研究修辭學最主要的對象。無疑地，今後研究漢語修辭學，應該增加這兩個部分。但是，這兩個部分目前還正在開始研究階段，所可依據的材料還很缺乏，我們還不能作比較全面的介紹，只能說個大概。」至於辭格方面，此書只在最後的一篇「常用的修辭方法」說明比喻、借代、比擬、誇張、諷喻等辭格的用法，並舉了一些新例證。

周振甫氏的《詩詞例話》（一九六二年中國青年出版社出版）與一九四三年成書的傅庚生氏《文學

欣賞學隅》，同是以詩詞作爲例證來說明消極修辭和積極修辭（辭格和辭趣）的現象和方法的著作，所不同的是：前者從寫作的方法（特別是修辭的技巧）而加以分析和論述，後者却從閱讀和欣賞的理解方面（理解作者創作的本意和他的修辭技巧），而作分析和說明。二書對修辭學（特別是辭格）的研究都有一定的貢獻。（對此二書比較詳細的評介，請參閱本書的附論。）

例如《詩詞例話》論《曲喩》引李商隱《病中游曲江》詩云：「相如未是眞消渴，猶放沱江過錦城。」接着，周氏說：「從糖尿病古稱消渴雙關到消除口渴，要喝水，誇大到把沱江水喝乾；再從沱江的流到錦城，說明沱江水沒有被喝乾，反證相如還不是眞消渴。這裏是雙關、曲喩、誇張幾種修辭格的合用。」

語法學家王力氏主編的《古代漢語》（一九六二年中華書局出版），其下册第二分册有王氏所寫的《古漢語的修辭》一篇。王氏指出古漢語的修辭方式很多，比較重要的有八個，卽是稽古、引經、代稱、倒置，隱喩，迂迴，委婉，誇飾。他的所謂代稱是借代的修辭法，所謂倒置是倒裝的修辭法，所謂隱喩是譬喩辭格的一種，所謂迂迴和委婉都是婉轉的修辭法，所謂誇飾是誇張的修辭法；至於稽古和引經，都是引用的修辭法，所不同的：稽古是敍述一些歷史事實，引經則是援引所謂古聖賢的言論。王氏於說明每一個修辭方式的定義之後，都列擧例句，以相印證。「目的是幫助讀者了解這些修辭手段，從而提高閱讀古書的能力。」

北京大學中文系漢語教研室與語言學教研室合編的《語言學論叢》（一九六三年商務印書館出版）第五輯有張雪森氏所寫的一篇《魯迅煉詞設譬的特色》。關於煉詞，他說：

魯迅一貫重視修辭，他認為不修辭就不能達意，不講究語言表達技巧，作品就「表現不出所要表現的內容來。」⑦他曾不止一次地告誡青年作者要「竭力將可有可無的字、句、段刪去」⑧使文章簡潔、精練。

關於設譬，他說：「魯迅的比喻不但貼切，而且總是能夠跟文章的總的情調、氣氛融為一體，繪聲繪色，十分傳神。……而且往往在比喻裏滲透着明顯的愛憎感情。」又說：在有些辯駁性的文章中，魯迅為了揭露某種看似很複雜，其實很荒誕的論調，常常假設一種情況來作比喻，這類比喻裏包含著奇特的想像和極度的誇張。

例如《三閑集》中的《扁》：

中國文藝界上可怕的現象，是在盡先輸入名詞，而並不介紹這名詞的函義。於是各各以意為之。看見作品上多講自己，便稱之為表現主義；多講別人，是寫實主義；見女郎小腿肚作詩，是浪漫主義；見女郎小腿肚不准作詩，是古典主義；天上掉下一顆頭，頭上站著一頭牛，愛呀，海中央的青霹靂呀……是未來主義……等等。

還要由此生出議論來。這個主義好，那個主義壞……等。

鄉間一向有一個笑談：兩位近視眼要比眼力，無可質證，便約定到關帝廟去看這一天新掛的匾額。他們都先從漆匠探得字句。但因為探來的詳略不同，只知道大字的那一個便不服，爭執起來了，說看見小字的人是說謊的。又無可質證，只好一同探問一個過路的人。那人望了一望，回答道：「什麼也沒有。匾還沒有掛哩。」⑨

我想，在文藝批評上要比眼力，也總得先有那塊匾額掛起來才行。空空洞洞的爭，實在只有兩面自己心裏明白。

魯迅舉了這一則故事，以喻中國文藝界上只顧盡量輸入新名詞的現象，確是貼切、深刻、生動而有力。誠如張雪森氏所說：「魯迅的比喻植根於他那深刻的思想和精湛的藝術素養，因而也就鮮明地反映出他那幽默、雋永的風格。」

文學作家老舍，著有《出口成章》一書（一九六四年作家出版社出版），書中有談論到辭格的地方。如《比喻》一篇有這樣的話：

舊體詩有個嚴重的毛病：愛用典故。從一個意義來說，用典故也是一種比喻。壽比南山是比喻，壽如彭祖也是比喻——用彭祖活了八百歲的典故，祝人長壽。典故用恰當了，能使形象鮮明，想像豐富。可是，典故用多了便招人討厭，而且用多了就難免生拉硬扯，晦澀難懂。有許多舊體詩是用典故湊起來的，並沒多少詩意，所以既難懂，又討厭。

所謂用典，是引用。他是將比喻與引用兩個辭格放在一起論列的。

又有《談簡練》一篇論節略，他說：

您問文字如何寫得簡潔有力，這是個相當重要的問題。遠古至今，中國文學一向以精約見勝。「韓潮蘇海」是指文章氣勢而言，二家文字也不泛濫成災。從漢語本質上看，它也是言短而意長的，每每凌空遣字，求弦外之音。這個特質在漢語詩歌中更為明顯。五言與七言詩中的一聯，雖只用了十個字或十四個字，卻能繪成一段最美麗的圖景或道出極其深刻而複雜的感情，既簡潔又有力。

他說「中國文學一向以精約見勝」，也就是說，簡練是中國文學的特色。

老舍是中國現代著名的作家，他談論修辭格的技巧，可以說是夫子自道。

楊樹達氏的《中國修辭學》，實在是一本修辭古例和古說的集錄，間雖加按語，多係註釋，少涉修辭，甚至與修辭無關的例子，也雜入於書中，如該書第三章「修辭舉例」「改字」第一例云：

「論語十三子路篇云：冉子退朝，子曰：『何晏也？』對曰：『有政。』子曰：『其事也，如有政，雖不吾與，吾其與聞之。』」

這裏所謂「有政」（有所更改匡正），乃是冉子指他自己所經辦的事而言；他回答夫子說，因爲他對所經辦的事有所更改匡正，所以退朝稍遲。這與改字完全無關，楊氏竟列爲「改字」第一例。又同書「改字」第五例云：

「梁書卷三十三劉孝綽傳云：孝綽與到洽友善，同遊東宮。孝綽自以才優於洽，每於宴坐嗤鄙其文，洽銜之。及孝綽為廷尉正，擕妾入官府，其母猶停私宅。洽尋為御史中丞，遣令史案其事，遂劾奏之云：

『擕少妹於華省，棄老母於下宅』。高祖為隱其惡，改『妹』為『姝』。」

這個例子只能道出梁高祖的偏私，而不是從修辭的觀點來說，應在這裏改「姝」字爲「妹」字較佳，所以雖然提到了改字，却也和以修辭爲目的的改字無關。

又就收錄的完整說，它不及張文治的《古書修辭例》。但二書都不是修辭學的著作，所以這裏不加稱述。至於楊樹達氏的《古書句讀釋例》，却是一部很有價値的修辭學著作，因爲在本書完稿後才發現，所以只好將評介的文字移置於「附論」。

朱自淸先生於一九二九年至一九三一年在淸華大學講授《中國歌謠》，後來郭良夫、呂淑湘、浦江淸三氏將朱先生的舊講義校讀，一九七六年交由香港中華書局出版。書中有《歌謠的修辭》一篇，談到歌謠的辭格，一、關於意義的辭格，有譬喩（包括明喩、隱喩、借喩和象徵）、比擬（包括擬人和擬物）、鋪張、顚倒（卽倒裝，包括事理顚倒、次序顚倒和辭句顚倒）、反話（卽反語）；二、關於聲音的辭格，有諧音、雙關和影射；三、關於字形的辭格，卽析字格，等等。都是擧了例證。這篇文章和王運熙氏的《論吳聲西曲與諧音雙關語》同是論樂府歌謠的修辭技巧不可多得的文字。

此外，還有張弓氏所著的《現代漢語修辭學》、華中師範學院中文系編著的《現代漢語修辭知識》、天津師範學院中文系編著的《修辭知識》、北京師範大學編著的《修辭常識》、上海復旦大學與上海師範大學編著的《修辭》，講的都是一般的修辭理論和修辭常識，對修辭學也都有一定的貢獻。還有錢鍾書氏的《談藝錄》與《管錐編》，都頗有涉及修辭的論述，而且立論精警，只因在本書完稿後才讀到，所以將對此二書的評介的文字移置於附論。

七、臺灣的修辭學研究

1.前　言

臺灣各大學中文系課程，一向都有「修辭學」一科，可是臺灣學者研究修辭學，著成專書的，却是始於六十年代初期。在這之前，流傳於臺灣的現代修辭學著作，只有陳望道先生的《修辭學發凡》（臺灣學生書局翻印這本書，改名爲《修辭學釋例》）、楊樹達先生的《中國修辭學》和陳介白先生的《修辭學》等三家書而已。

據孫傳釗氏《我國臺灣修辭研究概述》一文所說：「新加坡華裔學者鄭子瑜先生寫的《中國修辭學的變遷》一書在日本早稻田大學語學教育研究所出版後，在臺灣也產生了廣泛的影響。以後臺灣學者撰寫修辭學專著時也都在書中用專門章節來回顧和描述漢語修辭學的發展史，讓讀者對漢語修辭學研究的已有成果和概貌有一個鳥瞰式的了解。」（《修辭學習》一九八五年第三期）

2.傅隸樸的《修辭學》

一九六三年，傅隸樸先生應新加坡南洋大學的聘請，去當中文系的教授。南洋大學那時候是以中文爲教學媒介的大學，修辭學是中文系必修的科目，但由於找不到這一科的教授，停開已久。爲了顧全畢業班學生的學業，勢非重開不可（見傅著《修辭學》自序）；這一年幸能聘得臺灣修辭學者傅隸樸先生到校執教，系方就抓住這個機會，一再商請傅先生擔任修辭學一科的教授。傅教授乘大學假期，以三個月的時間，「蒐集辭例，編訂章目」，至於題解，則隨授隨撰，結果在短短的一年間，寫成了《中文修辭學》一書，由新加坡友聯出版公司出版。這可能是現代臺灣學者第一本修辭學著作。

傅氏以爲「白話本爲口語，辭每不修，且其盛行，乃近半世紀之事，據之言歷數千年無窮變化之中文辭義，是猶以蠡測海，以管窺天，何從通其條貫，得其文理？」他大概受到禮拜文言的清儒如顧炎武輩的影響，以爲「從語錄入門者多不善於修辭」，只有古漢語才有得修，所以這本書所舉的辭例，淸一色是古漢語；連題解、序文都用古漢語撰述。

傅隸樸先生在南洋大學只教了一年，便辭職回臺灣去了。一九六八年，他將這本書重新加以整理，第二年，交給正中書局在臺灣初次出版，改名爲《修辭學》（國學萃編），辭例分爲原則、鍛意、布局、取勁、足氣、美麗、生動、渾全、呈巧、爍辭、剪裁、推陳、袪惑、疵累等十四目；自序和題解，改用語體文寫。新加坡版的自序，以爲「修辭」一名，遠見於《周易》；但臺灣初版的自序，却認爲「修辭」二字雖早見於《周易》，「但它並不是指作文說的，並不是今日修辭學的意思」，否定了新加坡版的說法。可是臺灣初版本仍舊「不取語體文例」。傅先生說「這並不是輕視語體文，因爲修辭學是唯美的，語體文是尚自然的口語，不主修辭，不拘規格，與修辭原則不相符合。……雖然語體小說中也不乏語妙天下的話，但那些辭令都可從文言文中找到相類的例子，只要讀者能觸類旁通就夠了，又何苦混妍蚩而爲體呢？」（傅著《修辭學》臺灣初版自序）這等於否定了語文的演變和進化。

第一章《原則》的題解，傅氏反對過分的雕飾；第二章《鍛意》的題解，主張情重於辭，不能以辭害意；第九章《呈巧》的題解，以爲回文、析字這一類的游戲文字，對於文字的正當功用，沒有什麼幫助。所論都是正確的。但第十二章《推陳》的題解，傅氏竟反對去陳言。他說：「韓愈論作文，『惟陳言之務去。』士生於聖人制作千有餘年之後，準聖謨以立言，陳言眞能去嗎？我怕去陳言，不惟無法下筆作文，並將無法啓齒說話了。」可是第十二章《袪惑》的題解，傅氏却又以爲「後世文人，或因見事不明識理不透，下筆行文，遂務爲依違兩可之辭，以文其淺陋，以輕其過尤；甚或以語文曉暢，意思明白爲淺易，故作艱澀割裂之辭，以驚世惑俗，而炫其學海之莫測，於是變文明爲黑暗，植荆棘於坦途了。」則又似乎不再無視「語文曉暢，意思明白」的語體文了。這不能不說是傅教授修辭思想的進步。「關於各條目的題解，遇有易生流弊的，如夸飾、領新之類，除說明其正面功用外，同時也從反面提出警誡，以防其流蕩忘返。所引辭例，同樣也是正反並列，珠礫雜陳，以供讀者的比伍參驗。」（傅著《修辭學》臺灣初版自序）這確是別的修辭學著作所得未曾有，足以幫助讀者的理解，是值得稱讚的方法，也是傅著最能起示範作用的地方。

傅隸樸教授既回臺灣，南洋大學又從臺灣聘得一位出身於臺灣師範大學的年青教授來講授修辭學課。附帶說一說，南洋大學中文系的教授，除了偶爾有一兩個白種人以外，絕大多數聘請自臺灣，他們的中國國學造詣，確比未必能直接讀解中文著作的歐籍教授要强得多，研究學術，也常有突出的表現。傅氏的《修辭學》，聽說一直被新加坡南洋大學所採用，作爲中文系修辭學科的教本。數年前，南洋大學併入新加坡大學，改以英語爲主要的教學媒介，傅氏的《修辭學》，又聽說一直被新加坡大學所採用，作爲中文系修辭學科的教本。傅隸樸教授的《修辭學》在新加坡備受重視，可以想見。

3. 黃永武的《字句鍛鍊法》和《中國詩學·設計篇》

臺灣成功大學文學院院長黃永武博士的《字句鍛鍊法》於一九六八年初版，一九八五年增訂再版。這是一部以修辭的效果作爲分類的依據的創新的修辭學著作。「它儘量避免在抽象的層次上建築空洞的理論，而是依據修辭的作用去分類、去剖析。它是以提供切實的助益爲目標的」（《字句鍛鍊法》增訂本跋）例如第一篇「怎樣使文句靈活」其第一節論「示現」云：

我們以同一材料來比較各人不同的表現手法，可以領悟示現的技巧：如韋蘇州寫「窗裏人將老，門前樹已秋」；白樂天寫「樹初黃葉日，人欲白頭時」；司空曙寫「雨中黃葉樹，燈下白頭人」。韋詩中主要表現了「傷老」和「悲秋」二種情緒，但「將老」、「悲秋」都很抽象。白詩則在「悲秋、傷老」外，更加以「黃」葉「白」頭二種色彩，點染的情景顯明得多。而司空曙則在描寫「傷老、悲秋」的情緒，以及「黃」葉「白」頭的色澤之外，又加以「雨」聲與「燈」光，因而聲情宛然，何啻詩中有畫而已！

這確是能作深一層的分析，和過去一般的修辭學著作之談論示現辭格有所不同。又如第三篇「怎樣使文句有力」，其第六節論「直陳」，黃氏先對「直陳」下定義說：「以率直的語句，寫奔迸的情感，劈空而來，一瀉無餘，使語氣遒勁的修辭法，叫做『直陳』」。他舉例說：

如易水歌：「風蕭蕭兮易水寒，壯士一去兮不復還！」悲壯激烈，能使「士皆瞋目，髮盡上指冠」。梁啓超批評這二句歌詞說：「只用兩句話，一點扭揑也沒有，却是對於國家、對於朋友的萬斛情感，都全盤表出了。」以這種直陳的句法，造慷慨激烈的語句，比較常見。」又說：直陳的句法，一樣可以用來寫歡樂的情景，如杜甫聞官軍收河南河北詩：「劍外忽傳收薊北，初聞涕淚滿衣裳！却看妻子愁何在，漫卷詩書喜欲狂！白日放歌須縱酒，青春結伴好還鄉！卽從巴峽穿巫峽，便下襄陽向洛陽！」一氣流注，其疾如風，這種直遂的形容，使人讀了也產生手舞足蹈的酣暢情緒了。

一般的修辭學著作，只談婉曲，不談直陳。黃氏能從婉曲的反面立論，他先爲「直陳」下定義，復爲列舉例證，而分析批評，尤爲精警生動。又第九節論「層遞」云：

遞升的句，不一定造得很板滯，像歐陽修的《醉翁亭記》：『然而禽鳥知山林之樂，而不知人之樂；人知從太守游而樂，而不知太守之樂其樂也。』句法靈活，層次昭晰，而聲調也清越動聽。

黃氏於論層次句法之餘，也兼及聲調的修辭效果。又第五篇「怎樣使文句變化」其第六節論「省筆」云：「凡有詞意重複的字句，連續使用，感到繁縟，於是或承上文而省筆，或探下文而省筆。省筆的目的在求文句的不板重，不是求語氣的遒勁，所以就修辭的作用來說，省筆和節縮是不同的。」他舉例說：

如《孟子、公孫丑上》：「王不在大，湯以七十里，文王以百里。」因為第一句用了「王」字，所以二三句就不必寫為「湯以七十里而王，文王以百里而王」了。這也是蒙上文而省筆的例子。

他以爲「所謂省筆，必須做到簡而能當。如果應言而不言，只是疏略；當舉而不舉，只是奪漏。都不能稱爲省筆。」

施青先生以爲《字句鍛鍊法》有如下的特色：

(1)一般的修辭學著作「都是以修辭的型式去分類，對於這種修辭格法能產生生怎樣的效果是不曾詳道的，但《字句鍛鍊法》一書卻明白地分鍛句為怎樣靈動、怎樣華美、怎樣有力、怎樣緊湊、怎樣變化，再各分細節來探討的。

⑵它創造新的修辭格法，並删除文字遊戲的格法。一般的修辭書籍，對於修辭的格法常貪多務得，……而「字句鍛鍊法」一書的分類很嚴密，把一些不必要的格法都删除，而其中「吞吐」、「往復」、「翻叠」、「存真」、「協律」、「叠敍」、「截斷」、「配字」、「體物」、「創新」、「凝鍊」等格法，皆為作者的創見，而為一般修辭書所不載的。

⑶它能兼採中外古今的雋語。一般修辭書籍，只舉舊註古文，或者兼舉一些紅樓夢、儒林外史之類的書句，已經算是頗新穎的了，像楊樹達的書，儘是些《漢書》《史記》之類的例子，對於一般大中學生的作文，沒有什麼幫助，而《字句鍛鍊法》的作者，卻常舉白話的例子，和西洋的名句，用這些例子來和漢文唐詩對照，給人一種古今通貫的感覺。《也談〈字句鍛鍊法〉》，見臺灣師範大學《師大青年》一九六九年十月卅一日出版）

凡讀過黃永武先生的《字句鍛鍊法》的，當能同意施青先生的贊辭。

黃氏另一鉅著《中國詩學》，分爲「思想篇」、「考據篇」、「設計篇」、「鑑賞篇」四部。「設計篇」於一九七五年初版，到現在已出至第八版了。我們從設計篇中論唐代邊塞詩人岑參的《走馬川行奉送出師西征》一詩的音節修辭法，可以約略窺見黃氏的功力。黃氏以爲詩是利用韻脚的音響來强化感情、表現意志的。岑參的原詩是：

君不見，走馬川行雪海邊，平沙莽莽黃入天！輪臺九月風夜吼，一川碎石大如斗，隨風滿地亂石走！

匈草黃奴馬正肥，金山西見煙塵飛，漢家大將西出師！

將軍金甲夜不脫，半夜軍行戈相撥，風頭如刀面如割！
馬毛帶雪汗氣蒸，五花連錢旋作冰，幕中草檄硯水凝！
虜騎聞之應膽懾，料知短兵不敢接，軍師西門佇獻捷！

黃氏以爲：「第一行以邊、天二字押韵，有廣袤遼闊的感覺，顯示曠遠的走馬以行的路程。第二行以吼、斗、走三字押韵，有曲折起伏的感覺，顯示行途多石多風，崎嶇艱險的景象。第三行以肥、飛、師三字押韵，有平鋪延伸的感覺，顯示大軍西行，逐漸行進的景象。第四行以脫、撥、割三個入聲字押韵，有挫折不暢的感覺，顯示塞外苦寒，舉步維艱的景象。第五行以蒸、冰、凝三字押韵，有向上漸升的感覺，顯示凝聚力量，突破困境的景象。第六行以懾、接、捷三個入聲字押韵，有急促畏縮的感覺，顯示敵騎逃匿，我軍奏捷的景象。而六行詩句以平仄、平仄、平仄三循環相間的形式組成，更給人一種一強一弱、一進一退、一起一伏的感覺。因此行師大漠，苦戰滅敵的景象，就在聲形相配，表裏一致的修辭法中，顯露無遺了。（談詩的音響）」

《中國詩學・設計篇》論韻脚的音響之修辭效果，對中國的修辭學確有不能磨滅的貢獻，當留待本書的結語再加論列。

4. 徐芹庭的《修辭學發微》

徐芹庭先生也是臺灣的修辭學者，歷任臺灣各大學教授，著有《修辭學發微》一書，一九七一年臺灣中華書局初版，一九七四年第二版。在這書的自述裏，徐氏評論流傳於臺灣的三本修辭學名著說：「

此三書論述詳明，尚稱佳構，惟猶有未臻焉者。蓋陳氏《修辭學發凡》，雖則敍論清晰，惟貶聲律，而屈古學，未足恢宏至道。楊氏之作，則古樸深奧，不便於初學。介白之書，融通中外，仿自日人，頗能深入，惟辭格之闡述，猶有未盡。」徐氏和傅隸樸先生一樣，崇古而抑今，他雖然推許陳望道先生的《修辭學發凡》敍論清晰，但由於「屈古學」，所以「未足恢宏至道」，而有美中不足的感慨。可是徐教授在他的《修辭學》的《導論》裏，卻又稱許《修辭學發凡》說：「此書演述甚詳……辭格之演述頗有條理，可謂以科學法研究修辭學之善本。」

徐教授以爲修辭的「辭」，兼有文辭與語辭的意義，所以修辭應是修飾語辭和文辭。這是比較進步的說法。

論修辭之功用與任務的一篇，取義於《發凡》，有一部分的學例也取自《發凡》。又論修辭形成的三階段、修辭的境界與分野，論消極修辭四要件等，也都取義於《發凡》，略加補充和說明。徐氏將字句的揣摩與消極修辭並論，同列第二篇，舉改字、刪字、煉字、增字等法的多個辭例，認爲這些既是積極修辭，也是消極修辭。兩者都不可不注意。

關於積極修辭的辭格，徐氏學日本坪內逍遙的《美辭論稿》，分爲十九個辭格；陳望道的《修辭學發凡》分爲三十八個辭格；陳介白的《修辭學講話》分爲六十個辭格。徐氏自己將辭格分爲意境的辭格二十七個，章句的辭格二十六個，詞語的辭格二十七個，共計八十個辭格。辭格的定義和辭例，有一部分借用自《修辭學發凡》，有的是參照坪內逍遙和陳介白所擬的辭格，也有自定辭格的名稱、自下定義和自學辭例的。有極少部分辭格所學的辭例，似乎不很切當。如論回文格所擧的回文，其中有不少並不是眞正的回文：「善人者不善人之師，不善人者善人之資。」（《老子》）「臣無祖母，無以至今日；祖母無臣，無以終餘年。」（李密《陳情表》）「後之視今，亦猶今之視昔。」（王羲之《蘭亭集序》）「春草暮兮秋風驚，秋風罷兮春草生。」（江淹《恨賦》）「由儉入奢易，由奢入儉難。」（司馬光《訓儉示康》）但徐氏却也指出蘇伯玉的妻子所作的《盤中詩》並不是眞正的回文。

徐氏分辭趣爲辭的意味，辭的聲韵和辭的形貌三種，小題目的名稱完全取自《修辭學發凡》，但所論內容和所擧的辭例，却是極少襲用《修辭學發凡》的。分析也很詳盡。第七篇談論文章的撰述及其修辭法，第八篇論文體，綜合古今中外學者所論述的，加以比較和研究，並有獨創的意見，可以說是徐芹庭氏《修辭學發微》最有價值的篇章。

5. 黃慶萱的《修辭學》

黃慶萱先生也是臺灣的修辭學者，畢業於臺灣師範大學國文研究所，得文學博士學位，在同大學國文系講授修辭學，寫成了《修辭學》（大學用書）一書，於一九七五年由三民書局出版，一九八三年已刊行至第四版了。黃博士曾於一九八一年來到了香港，在浸會學院執教，第二年轉任香港中文大學中文系高級講師，講授中國文學批評史和《文心雕龍》（專書選講），不久便辭職回臺灣去了。現任臺灣師範大學國文系教授。

黃博士的老師高明先生替黃博士的《修辭學》寫序文，說「文法是把許多作家認爲文辭妥切的標準和使其實現的方法歸納起來的一種知識，修辭是把許多作家認爲美妙的理想和使其實現的方法歸納起來的另一種知識。這兩種知識的組成爲有系統的科學，是文藝科學家的事，或說是文藝理論家的事。」又說：「修辭格只是修辭學體系裏的一部分，更進而將修辭學整個體系作無微不至的研究，這是我對慶萱的一種希望。不僅此也，我還希望把這種追根究底的精神，再向文藝語言學、文藝心理學、文藝社會學、文藝哲學，文藝批評以及實用的美學進軍，建立起一套完整的文藝學術的嶄新體系，爲文藝理論奠定了一種深厚的、寬博的、堅實的學術基礎。」毫無疑問，高氏把文法與修辭學都看作是文藝科學或文藝理論的附庸。黃慶萱博士在他的大著《修辭學》第五章論引用辭格的時候，也說：「不過在中國文學史上，第一個提出引用問題而加以論述的，似乎要推莊子。」語意之間，也認爲莊子論述引用修辭法是文學史上的事。

黃教授在這書的《前言》裏，第一次提到了修辭學的實用價值。高明先生的序文，也特別指出黃博士强調修辭學的實用價值。這似乎是中國學術界最早將「修辭學」和「實用價值」連在一起說的。可惜沒有得到足夠的重視。一九七九年，郭紹虞先生的《漢語語法修辭新探》由北京商務印書館出版，才又一次提到了修辭學的「實用意義」，以爲是必須結合着語法與邏輯才能發揮的。郭先生還指出張志公先生首先提出了修辭學的「實用意義」。

黃慶萱教授的《修辭學》全書分爲上下二篇，上篇是《表意方法的調整》，論感嘆、設問、摹寫、仿擬、引用、藏詞、飛白、析字、轉品、婉曲、夸飾、譬喻、借代、轉化、映襯、雙關、倒反、象徵、示現、呼告等二十個辭格；下篇是《優美形式的設計》，論鑲嵌、類疊、對偶、排比、層遞、頂眞、回文、錯綜、倒裝、跳脫等十個辭格。這三十個辭格的名稱，絕大多數依照《修辭學發凡》，也有少數的名稱和《發凡》不同，如「比擬」，改名作「轉化」，「複叠」改名作「類叠」，還有「象徵」一格却是《發凡》所沒有的。對各個辭格所下的定義，也大都取自《發凡》。但對辭格產生原因的說明和分析，確比《發凡》更加用功，更加詳細，這可以說是黃慶萱教授的《修辭學》最爲突出的地方。黃氏的《修辭學》，除了《前言》外，論的都是辭格的修辭法。

黃博士的《修辭學》所舉辭格的辭例，兼取古漢語和現代漢語，而現代漢語的辭例似乎舉得更多。這和上述傅隸樸與徐芹庭兩家的《修辭學》但舉古漢語的辭例是有所不同的。有人批評黃博士所舉現代漢語的辭例，未必全是出自名家的作品，這說法似乎有欠公允。黃慶萱教授是臺灣的修辭學者，他所能看得到的現代文學作品，自以臺灣出版的占絕大多數。黃氏所舉作爲辭例的作者，在臺灣的讀者看來，都是名家；只是居住在大陸或香港的讀者，也許比較少有機會聽到他們的名字。而且，只要辭例舉得恰切，舉得好，名家和非名家所作的，又有什麼關係？如黃教授的《修辭學》第十六章論雙關，舉臺灣出版的《傳記文學》做例子，連作者的名字都沒有寫出來，只是抄錄其中一段話：

中央研究院院士淩鴻勛的姓是三點的淩，不是兩點的凌，許多人問他，你和凌某某是不是一家？他總以詼諧的口吻回答說：「我們差一點」。有些朋友知道他是姓三點的淩以後，常向他道歉說：「真對不起，我以前寫信給你，總是把你的姓寫作兩點的凌。」他就回答說不要緊，「我不在乎這一點」。

這一則故事中，「差一點」「不在乎這一點」的「點」字，除當「些」字解外，還兼指文字筆劃上的「點」。這是字義雙關。這一個例子眞是舉得好，有不可醬油之妙。

王熙元教授評黃著《修辭學》說：

著者從古今中外的文學名著中，覓取修辭的實例，然後分析比較，目的在使修辭學有更多更大的實用價值，因而大大地開拓了修辭學的領域。不僅如此，他更從社會各階層人士的談話中，以及各種文辭或語辭的媒介中找材料。其中有宗教經典，有成語、口語、方言、俗諺、謎語、歇後語、標語、聯語；甚至報紙社論、專欄、新聞標題，電影片名及人物的塑造、電視劇的對白、電視廣告、民謠、流行歌曲，乃至飯店店員的吆喝，課堂師生的對答等；真是包羅萬象，極盡廣搜博取之能事，足見著者平時卽留意取材，其用心之細密，接觸面之廣大，令人佩服！至此修辭學的領域遂拓展於無限，舉凡人類生活天地中耳目之所聞所見，莫非可採取、可分析的資料。可見修辭現象之普遍，的確是無往不在、無處不用的。」（《修辭學領域的開拓》，見《書評書目》二十八期，一九七五年八月一日出版）

沈謙教授談到黃著《修辭學》的特色，更舉出實例來。他說：

就擴大前人研究成果來說，本書不僅僅是善用前人的長處而是在已有基礎上發揚光大，擴大成果，別具一番新面目。如第三章「摹寫」，陳望道氏《修辭學發凡》原稱「摹狀」，分作摹視覺的與摹聽覺的兩類。「摹狀」一詞極令人誤會為視覺所得各種形狀的描繪，其實摹寫的對象，不僅為視覺，更包括了聽覺、嗅覺、觸覺等等的感受。黃著改稱「摹寫」，並分作①視覺的摹寫、②聽覺的摹寫、③嗅覺的摹寫、④味覺的摹寫、⑤觸覺的摹寫、⑥綜合的摹寫等六類。（《為漢語修辭學奠新基》，見《幼獅月刊》第二六九號，一九七五年五月一日出版）

沈氏又說：「黃慶萱先生的《修辭學》，就是一本從傳統精華與斟酌西說的實際整理工作中……爲現代漢語修辭學奠新基的著作。……誠如鄭子瑜先生在《中國修辭學的變遷》中所說的：『根據新的修辭現象，探討出新的修辭學說，則似乎至今還沒有人肯動手去做。』眞正能針對當代文壇實況，採用最新辭例，在理論上融貫建樹，爲中國修辭學研究開創一嶄新局面的，只有黃慶萱先生的《修辭學》了。」（同上）

王熙元先生在《修辭學領域的開拓》一文裏，更進而指出：

著者在書中不但從各種修辭的現象與事實，詳盡舉例，細密分析，而且全書貫串了古今中外與修辭學相關的學理脈絡，如邏輯學、心理學、語言學、文學批評、實驗美學、哲學等，都是他研究修辭學的學理支柱，因而將修辭學在學理方面的領域大大地開拓，使修辭學有更廣更深的理論基礎。

黃著《修辭學》的問世，確爲中國修辭學的研究，奠定了更加深廣的理論基礎。

5. 董季棠的《修辭析論》

董季棠先生也是任教於專上學校，擔任修辭學課的一個修辭學者，著有《修辭析論》，由香港南聯圖書公司出版，版權頁上沒有載明出版的年代和日期。但從所學辭格例句有不少出自在臺灣作者的作品看來，董先生當是臺灣的修辭學者無疑。

《修辭析論》除了一篇長約萬餘言的《前言》外，全書都是談論辭格，分爲上中下三篇，上篇談論意境上的辭格，中篇談論字句上的辭格，下篇談論形式上的辭格。所用辭格的名稱，絕大多數仍《修辭學發凡》之舊，但「仿擬」，改作「襲收」，「婉曲」改用「曲繞」，而在上篇意境的辭格裏，却多了「音節」和「聯緜」兩個辭格。「聯緜」專談雙聲叠韻的應用，並列舉了一些例句，「音節」則是論及聲、韻、調、節在詩文裏所起的作用，確是先前一般的修辭學者所少提到的。

辭格的定義，大多依照《發凡》，所舉例句，古漢語、現代漢語並取，有一部分也取自《發凡》，所不同的，是董教授的修辭學，還分析到辭例的作法和評論其優劣的所在；大抵說明格目的文字較少，而分析評論的話語較多，旨在探頤發微，使讀者易於理解。例如上篇第一章談「譬喻」，多數的筆墨，用在討論如何以已知、具體、酷似、取近、求新等方法以創造佳喻，是其一例。

董季棠氏的《修辭析論》最重要的地方是談「音節」的一章。董氏以爲音節也是修辭方法的一種，但是一般的修辭書大都沒有討論到，他說，「音節在韻文裏是非常重要的部分，卽使是散文，也有它不可缺少的功用。」

他舉了盧綸的《塞下曲》：「月黑雁飛高，單于夜遁逃；欲將輕騎逐，大雪滿弓刀。」以爲高、逃、刀是平聲開口呼，屬於舒放的音節，能顯出大的場面。而孟浩然的《春曉》：「春眠不覺曉，處處聞啼鳥；夜來風雨聲，花落知多少。」他指出曉、鳥、少是上聲字，曉、鳥又是齊齒呼音，就變得轉折柔曼，有春眠慵懶、欲起還休的感覺。再如蘇軾《念奴嬌》（赤壁懷古）詞第一句：「大江東去，浪淘盡，千古風流人物。」他以爲從聲音便見得天風浩蕩，崖岸高闊，紅水泱泱，橫無際涯，氣象萬千了。

7. 蔣金龍的《演講修辭學》

臺灣學者的修辭學著作，尚有蔣金龍氏的《演講修辭學》。《演講修辭學》於一九八一年初版，內容與一般的修辭學著作大致相同，惟第三章「演講修辭的原則與運用」，才談論到演講修辭。他說：

然而，如何使我們的語辭，能達到影響他人心理的目的呢？除了內容能動人感人之外，必須在演講的時候，把平時粗俗的語辭，變為雅馴，訛誤的語辭，變為純正，散漫的語辭，變為統一，冗繁的語辭，變為簡潔；所以在演講的時候，把所要表達的內容決定以後，對於要表達的內容，配置定妥然後選擇語辭，求其適用和優美動人，有時候是衝口一恍而過，有時候是構思經日而成：這個過程，就是所謂修辭的過程，以使演講修辭合乎雅馴、純正、統一、簡潔的感人動人的境界。

在這書的序文裏，蔣氏提到演講修辭的目的說：「所謂演講修辭，就是將利用文字修辭研究的成就原則，運用於演講上，提供基本的原理原則，及多種的修辭技巧，以達到演講能表達得更流暢、更準確、更動人的目的。」

演講修辭是語體風格學的一種，在中國大陸，胡裕樹氏主編的《現代漢語》，其第五章提到口頭語體分爲談話語體和演說語體兩種，但未談到演講的修辭法。待到一九八五年華東修辭學會在上海召開「語體學學術討論會」，會上才有杜印高氏提出《論演講的語言風格》，比蔣氏《演講修辭學》的出版遲了四年。

八、語法修辭結合論——郭紹虞著《漢語語法修辭新探》

一九七九年，郭紹虞先生所著《漢語語法修辭新探》，分上下兩册，由商務印書館出版，這是中國歷史上第一部比較完整和比較全面的語法修辭結合論著。雖然古人講語法，如《公羊》、《穀梁》二傳往往是結合着修辭講的，但所講多釐雜而不成章，而且作者也不自知有所謂語法和修辭，更談不上結合與不結合了。陳望道先生的《修辭學發凡》，其結語有「修辭文法混淆時期」的第一節，指出中國圖書公司於一九〇八年出版的《文法會通》（劉金第編著），那書的目錄是：

卷一——論字，論詞，論句；

卷二——論積句上：陰陽；

卷三——論積句中：奇偶，排比，比例，譬喻，陪襯，援引，虛實，例證；

卷四——論積句下：因果，假定，逆溯，設難，正負，演繹；

卷五——論布局。（這是甲編的目錄，以下未見。）

陳氏以爲「這勉强可以說是屬於修辭範圍內的條目」，而編者却自以爲是文法的著述。其實，修辭與語法之所以會混淆，是由於語法現象與修辭現象有時幾乎是分不開的，這就證明結合論的需要。陳氏在那個時候（《修辭學發凡》出版於一九三二年）似乎還沒有注意到這一點。

五十年代以後，雖然有將語法與修辭在同一書裏並講的著作，如呂叔湘、朱德熙二氏合著的《語法修辭講話》，但仍舊是將二者分開來講的，不是眞正的結合論；也有眞正將語法與修辭結合着而論列，可是只占全書的一章或一節，如周遲明氏所著的《漢語修辭》，天津師範學院中文系所編的《漢語語法修辭知識》等。而郭紹虞先生的《語法修辭新探》，全書四十餘萬言，却是自始至終，都結合着語法與修辭而立論的。

《漢語語法修辭新探》分上下兩編，上編爲：總論簡說、量詞篇簡說、虛詞篇簡說、詞組篇簡說等四章；下編爲總論上、總論下、量詞篇上、量詞篇下、虛詞篇、詞組篇等六章。

郭氏在這書的《前言》說：「近來一些語法著作比較地注意到漢語的特徵問題了。但對於這個問題還不見有人特別加以强調，並在這方面作些比較具體的說明。」注意漢語的特徵便會聯想到語法必須結合着修辭才能發揮它的實用意義，這也許就是郭氏寫作這本書的動機吧。

郭氏又在這本書的《後記》裏，指出總論部分的主要內容，他說：

> 我寫這部書的主要意義，當然重在說明漢語語法必須結合修辭的論點。環繞這個論點，於是從漢語特徵講起，談到漢語語法的簡易性、靈活性與複雜性，說明漢語語法決不能受洋框框洋格局的影響和束縛，否則不會適於實用。同時又指出了漢語的音樂性和順序性，從而更强調漢語語法必須結合修辭和邏輯才能發揮它的實用意義。這是總論部分的主要內容。

他「看到漢語語法的規律，本是經常和修辭結合在一起的」。在一次會議上，他聽到了周祖謨先生的言論，說「一般人在講語法結構，只是搬弄術語，沒有從使用語言的人如何表達思想感情方面着眼，對於語法與修辭和邏輯的關係注意得很不夠。」因此，這部《漢語語法修辭新探》就是要在大家「注意得很不夠」的地方來加以注意，或者在大家還沒有注意到的地方提出來討論。

一九六一年《中國語文》第四期有呂淑湘先生的一篇《漢語研究工作的當前任務》，他說：

修辭學，或風格學，或詞章學，——這是語言研究的另一個部門，目前在我國還是一個比較薄弱的部門。過去我們在這方面的工作，主要在修辭格的研究和改正詞句錯誤兩方面（後者有一部分屬於語法範圍），這未免太狹隘。必須突破這兩個框框，對這門學問的目的、研究對象、研究方法好好討論一下，並且確定它的名稱。

當前中國的修辭學，確是偏重於修辭格的研究，這眞是太狹隘了。郭紹虞先生還指出：

現在較多的修辭學書都以辭格為中心，這完全是受唐鉞《修辭格》的影響。實則唐氏之書明明說過修辭格不過是修辭法的一小部分，所以以辭格為中心恰恰說明沒有抓住這一學科的主要實質。唐氏再說：「欲求對他們（指辭格）指揮如意，有得心應手之樂，不是單在形式上用工夫可以達到這種目的，還要深觀物理，歷練人情以積蓄實際材料，才能夠操縱辭格，『從心所欲』。」可知辭格在教學上本沒有多大價值。何況脫離了實際應用而專講辭格，那就更不容易有實用價值了。唐氏自謂其書只能起「美感的娛樂作用」，還有自知之明，而後來繼踵者偏多在辭格上注意，其識見反不如唐氏遠甚。（《漢語語法修辭新探》下編第一章總論（上））

郭氏復以爲：

修辭之學比語法要複雜得多，要結合詞滙、音韻、訓詁各方面以及文體風格等等才能理解修辭全貌。否則卽使擧例能網羅古今，文言白話兼收並蓄，其效果還是有限的。卽使有些修辭學書現在改用現代漢語了，也同樣不容易有較好的實用價值。這是所以要突破辭格框框的一個理由。何況，有些辭格還不少屬於文字遊戲一類的格式呢？如果用這些格式來教人，怎麼會有實用價值，更怎麼會使得漢語得到健康的發展。（同上）

他又以爲研究修辭學只知注重修辭格的現象，這完全是受洋框框的影響，另一派修辭學者如鄭奠、楊樹達諸氏都是否定辭格說的。

郭氏指出「語法與修辭結合的可能與需要」，他說：「我們如果深入研究下去，就不難發現漢語的語法規律本是和修辭經常結合在一起的，……這些問題不僅是少數語言研究者才看得到，很多人也同樣看到了的。」（同上）

他又指出語法研究結合着修辭的實用意義：

我們認為語法研究假使不結合修辭，總不容易有實用意義的。不僅在寫文方面不會有實用意義，卽在讀書看文方面，也同樣不會適於實用的。為什麼？漢語的修辭又是離不開邏輯的。離開了邏輯講修辭與離開了修辭講語法必然會有同樣的缺點，總之都不會適於實用的。因為修辭是必須結合着邏輯來講的，所以講語法結合着修辭，也就等於間接結合着邏輯。這樣，也就使語法、修辭、邏輯三者結合為統一體了。這三者結合為統一體，那麼語言自然會準確地表達出思想內容了。（《漢語法語修辭新探》下編第二章總論（下））

他認爲語法、修辭、邏輯三者應該結合爲統一體，那麼語言才會準確地表達出思想內容來。

他指出漢語語法必須結合修辭的理由。他說：

從漢語的詞滙言，有伸縮變化的彈性作用，從漢語的語法言，又有虛用、實用、死用、活用這些方法，所以從漢語的修辭言，又最容易組成音樂性的文辭。從這個關係來看，當然漢語的語法不能離詞滙，更不能離修辭。因此，我們……講詞滙，……講語氣，都不過是一個開端，此後還要繼續加以闡說。其他族語，固然也有語法、修辭相互關聯的地方，但總不如漢語這樣的格外突出。人家可以從詞滙的形態變化來講語法的，而我們則必須兼顧到修辭的要求，才能使漢語語法學發揮它的實用意義。人家的虛詞一般都是非用不可的，而我們的虛詞則是隨語氣的變化而加以取捨的。這所謂語氣的變化，事實上正是漢語的修辭現象。（《漢語語法修辭新探》下編第五章虛詞篇）

他以爲語法與修辭相結合，不論從理論上講，或從實用上講，應是「古爲今用」，「洋爲中用」，才不至於本末顚倒。

他認爲結合不是混同，但也不是割裂。他說：「講到實用，不僅語法和修辭有關，卽與邏輯也很有關係。語言的表達，當然以語法爲主，一方面靠修辭，一方面還靠邏輯，這三者有關聯，但在既分之後，又決不能把它混同起來。一種學科，當它能獨立成爲一種新的學科時，必然會有它們各不相同的基本概念或範疇，但是也不應該强調過分，使它完全割裂開來。所以我們不主張混同，但也反對完全割裂。」（《漢語語法修辭新探》下編第六章詞組篇）

他更指出語法修辭結合的趨勢。他說：

卽使沒有這樣急進的，也或多或少看出了語法修辭結合的重要性。我們看到的已經出版的著作，雖只有北京大學中文系漢語教研室編的《語法修辭》一書，卽就此書的名稱而言，已可看出語法修辭的結合是語法研究的一種新的趨勢。……稍後朱德熙寫了《論句法結構》一文（見《中國語文》一九六二年八—九月號），這篇文章的論點，在《語法修辭講話》中已略見端倪，但在那時却沒有起很大影響，直到一九七三年《語法修辭》出版以後，影響也就不小。……最近，看到復旦大學中文系漢語教研組油印《漢語基礎知識》下册，其中的第四節講語法，首先提出「古漢語的詞類和結構」，也與《語法修辭》所講的「基本類型」有些相通之處。這樣的不謀而各，我覺得是值得注意之處。……到這一步，語法研究也自會結合到修辭，所以我特別重視這一點。因為這是最近漢語語法研究取得進步的新趨向。

郭紹虞先生寫《漢語語法修辭新探》，始於一九七二年，直到一九七九年才出版，雖然曾因故中斷了一個時期，但仍可見他的審愼之處。此書以量詞、虛詞、詞組三篇爲骨幹，說明漢語語法的三種特殊性，以及和修辭的關係；因爲這是第一部語法修辭結合的論著，所以著者不厭其煩地從漢語的特徵來反覆說明語法與修辭結合的需要和理由。

九、小　結

中國修辭學的革新期，是從一九一九年的「五四」開始的。自此以後，中國修辭學逐漸發展爲科學的和有系統的修辭論，它摹擬西洋的修辭論，但沒有完全脫離中國古代的修辭論，而是棄蕪存菁，使雜無章的修辭散論，整理成爲綱領分明的修辭論。其間經過了新舊兩派修辭學的論爭，如本篇第二節所說的。

無可否認，中國革新派的修辭學，其研究修辭的新方法，是由日本傳來的。王易氏和陳少白氏等修辭學者，都承認他們的修辭學著作，是摹擬日本島村瀧太郎氏等的修辭學；他們甚至說所有中國新派修辭學著作，都是同一來歷。所以本篇於講到中國第一部科學的有系統的革新的修辭學巨著——陳望道氏的《修辭學發凡》同時，也略提及日本的修辭學。但我只是說中國革新派修辭學者研究修辭的方法學自日本的修辭學者，而中國的修辭學還是中國的修辭學，我從不曾說中國的修辭學學自日本的修辭學。這一點希望不至於使人發生誤解。

修辭現象是在不斷的變化和創新的，自然也會產生了一些新的辭格，但是自從陳氏的《修辭學發凡》出版之後，五十年來，却沒有人肯動手去發掘和整理。陳氏說過：

我又以為一切科學都不能不是時代的，至少也要受時代所要求所注重，及所鄙棄所忽視的影響。何況修辭學，它的成事成例原本是日在進展的。成事成例的自身旣已進展，則歸納成事例而成的修辭學說，自然也不能不隨着進展。所以修辭學的述說，卽使切實到了極點，美備到了極點，也不過從空前的大例，抽出空前的條理來，作諸多後來居上者的參考。要超越它所述說，並沒有什麼不可能，只要能够提出新例證，指出新條理，能够開拓新境界。（《修辭學發凡》第十二篇結語）

中國的修辭現象雖然有顯著的發展，但是根據這些新的修辭現象，探討出新的修辭學說，則似乎至今還是做得不夠。還有一點，是關於語法修辭結合論問題，語言學者似乎太靜默了。是肯定還是否定，都應該起而發表意見才好。這一個時期臺灣方面的修辭學新著，如傅隸樸氏從正反兩面釋辭格，徐芹庭氏論文體，董季棠氏與黃永氏論音節在詩文裏所起的作用，黃慶萱氏第一次提到了修辭學的實用意義等，都是值得重視的。一九七九年郭紹虞先生《漢語語法修辭新探》的出版，也就更提醒我們注意語法修辭結合論的問題。但郭氏「並不對這兩個不同學科要勉强把它湊合起來，而是說中國語言文字都是單音節的，而且語法又以名詞爲中心，自然會有兩結合的可能。」（中華書局《中華學術論文集》郭紹虞：「語法修辭之學與語義學之關係》）這是應該要弄淸楚的。

此外，三十年代以後五十年代以前中國的修辭學專著，還有馬敍倫的《修辭九論》、徐梗生的《修辭學教程》、石葦的《作文與修辭》、黎錦熙的《修辭學比興篇》、曹冕的《修辭學》、章衣萍的《修辭學講話》、胡懷琛的《修辭學要略》、《修辭的方法》、《修辭與發微》、宋文瀚的《國語文修辭法》、王易的《修辭學通詮》；五十年代以後至本書完稿時的一九八一年，中國的修辭學專著，尙有張嚴的《文章邇言》、張弓的《現代漢語修辭學》、北京大學中文系編寫的《語法修辭》、上海師範學院編寫的《修辭》、鄭遠漢的《現代漢語修辭知識》、倪寶元的《修辭》、全國外語院系語法與修辭編寫組編寫的《語法與修辭》、黃維樑的《淸通與多姿——中文語法修辭論集》、彭先初的《修辭自學入門》……等，我都是在本書完稿以後才有機會看到，所以本篇前面各節都沒有提到。聽說復旦大學的宗廷虎先生正在編寫《中國現代修辭學史》，將來出版，當可以補我的這一缺失吧。

注　釋

① 陳望道氏《修辭學發凡》第十二篇結語三。
② 劉大白氏《修辭學發凡・序言》中的話。
③ 郭紹虞爲陳介白所著《修辭學》而作的序文中語。
④ 陳介白《修辭學》結論。

⑤島村氏於一九一三年辭去早大教職，與演劇研究科第一期生松井須磨子組成劇團，巡廻全國各地，公演新劇。坪內逍遙與五十嵐力二氏則直至陳望道氏離校以後，均仍在早大執教。

⑥陳氏所訂定的三十八個辭格中，只有將故意運用白字的一種修辭手法，稱作「飛白」格，我認爲有更改的必要，因爲飛白原是書體的一種，其體筆畫枯槁而中空，始創於漢代的蔡邕，宋歐陽修有《仁宗御書飛白記》，蘇軾有《文與可飛白贊》。用飛白作辭格的名稱，容易使人與書體混淆。

⑦《致李樺㈢》，《魯迅全集》十卷二五五頁。

⑧《答北斗雜誌社問》，《魯迅全集》四卷二八九頁。

⑨魯迅所引述的鄉間笑談，原見於淸崔述的《考信錄》，但內容稍有出入。現在將《考信錄》中有關的一段原文錄出，以相印證：

「有二人皆患近視，而各矜其目力，不相下。適村中富人將以明日懸匾於門，乃約於次日同至其門，讀匾上字以驗之。然皆自恐弗見，甲先暮夜使人刺得其字，乙並刺得其旁小字。既至門，甲先以手指門上曰：『大字某某。』乙亦手指門上曰：『小字某某。』甲不見乙之能見小字也，延主人出，指而問之曰：『所言字誤否？』主人曰：『誤則不誤，但匾尚未懸門，門上虛無物，不知兩君所指者何也。』嗟呼！數尺之匾，有無不能知也，況於數分之字，安能知之？聞人言爲云云，而遂云云，乃其所以爲大誤也。」

第十一篇　結　論

一、最早的修辭論與最早將「修辭」二字連用的著作

我在本書第二篇的楔子說過，我同意島村瀧太郎氏的《新美辭學》所講，《詩》六義中的賦、比、與是詩的措辭法；但我却不同意六義說是修辭思想的萌芽。我以爲《易・繫辭》（見本書第一篇第三節所引）和《詩・大雅・板》第二章的下半章：「辭之輯矣，民之洽矣。辭之懌矣，民之莫矣。」是中國最早的修辭意識。淸朱彬氏讀懌爲殬，以爲懌是殬的假借，意思是敗壞；又讀莫爲瘼。他以爲這四語兼說到善和惡，謂「辭和則民合，辭敗則民病。」（見《經傳考證》）但《詩》的《傳》《箋》却都訓懌爲悅，訓莫爲安，謂「辭和則民合，辭悅則民安」，那麼四語只是同一意義的連續，並沒有兼說到善和惡。再看《詩・大雅・皇矣》篇也有「求民之莫」一語，《傳》也是訓莫爲定；但《漢書》却引作「求民之瘼」。朱彬氏大概是先據《漢書》而讀「民之莫矣」的「莫」爲「瘼」，因復讀「辭之懌矣」的「懌」爲「殬」，以和下一語相照應。不論從何家何氏的解說，這《詩・大雅・板》第二章下半章所說的，確是不折不扣的修辭意識，而且是中國最早的修辭意識。但依據有文字就應該有談論修辭的記載這一個原則，那麼商代的甲骨卜辭和兩周的金文，應該就有談論修辭的記載，所以我又大膽地試從甲骨金文中找出了

幾個還不算十分完整的例證，另寫了甲《骨金文談修辭》一篇，記述中國修辭思想萌芽期的大略情狀。再說，最早將「修辭」二字連用的著作是《易經》，《文言》有「修辭立其誠」的話。但這「修辭」二字的意義和我們今日所說的修辭 (Rhetoric) 不同，我在本書第一篇緒論已經說過了。只有宋代的學者如王應麟輩對《易經》這句話的解說，以爲「修其內則爲誠，修其外則爲巧言」，則是兼言人的修業與修辭（巧言）了。中國歷史上第一部將「修辭」二字連用的著作，而「修辭」二字又確是指 Rhetoric 的，是梁劉勰的《文心雕龍》，書中曾四次提到了「修辭」。《文心雕龍》雖然兼論文章作法和文學批評，不能算是修辭論的專著，但論修辭所占的篇幅特多，而且大都言之成理，至少是可備一說，五十嵐力氏所著《東西洋修辭思想的變遷》講稿（早稻田大學圖書館存有油印本），譽《文心雕龍》爲東洋修辭學的鼻祖。元王構的《修辭鑑衡》，是第一本以修辭名書的著作，勉強可以算是修辭學的專著，但對修辭學其實並沒有太大的貢獻。

二、修辭的辭源

五四以來，談修辭的，大多引用《易·文言》的『修辭立其誠』作爲『修辭』一詞的詞源，陳望道先生的《修辭學發凡》也不例外。但這句話裏的修辭，和我們現在所說的修辭，作爲學科名稱的修辭，確是指 Rhetoric 而說的修辭，在意義上實在有很大的差別。在本書的《緒論》裏，我這樣說：

至於將「修辭」二字連用，最早見於《易·文言》：「君子進德修業。忠信，所以進德也；修辭立其誠，所以居業也。」唐孔穎達說：「修辭立其誠，所以居業者，辭謂文教，誠謂誠實也；外則修理文教，內則立其誠實，內外相成，則有功業可居，故云居業也。」孔氏以「修理文教」釋「修辭」，這《易經》裏的「修辭」和我們現在所說的「修辭」不同。有人為着適合於今義，將「修辭立其誠」解作「整理其言說以確定其所欲達之意。」這種說法有點兒牽強附會。

本書第四篇第五節《論作家的修辭技巧》，提到了《文心雕龍》，指出《宗經》篇有一處『修辭』二字連用：『而建言修辭，鮮克宗經。』《祝盟》篇也有一處『修辭』二字連用：『立誠在肅，修辭必甘。』這和我們現在所說的『修辭』意義是相同的。《才略》篇也有兩處『修辭』二字連用，一是『及乎春秋大夫，則修辭聘會』，一是『國僑以修辭扞鄭。』前一個『修辭』句的下文是『磊落如琅玕之圃，焜耀似縟錦之肆』，這個修辭的意義和我們現在所說的修辭也是一樣的；後一個『修辭』說子產的外交辭令好，扞衞了鄭國，所以不必再引述下文，一望而知它也是指我們現在所說的『修辭』了。

直到現在爲止，還沒有人發現比《文心》更早的著作有『修辭』二字連用，而它又確是指『修辭』這一學科的名稱而說的，我們就姑且以梁代劉勰所著《文心雕龍》的《宗經》篇《祝盟》篇和《才略》篇中的『修辭』二字連用是修辭這一門學科的名稱的源頭吧。

三、修辭散論與修辭學專著

我在《中國修辭學的變遷》一書的楔子裏說過：「也許有人以爲至今爲止，中國修辭學比較有系統和比較像樣的著作，還是寥寥可數，……又那裏有修辭學史好寫呢？」自從上古以還，散見於經、史、子、集中的那些修辭散論，只是散論而已，「絕大多數的作者，一路來並沒有把修辭當作一種專門的來學術研究，他們不過偶爾涉及罷了。」《中國修辭學的變遷》出版於一九六五年（日本早稻田大學語學教育研究所出版），離現在已經二十餘年了，我還是要堅持我的說法。不過我只是說「絕大多數」的作者，只作了修辭的散論，並沒有說「所有的」作者，「一路來沒有把修辭當作一種專門的學術來研究」，所以像《文則》那樣專論「文」的修辭法的著作（宋陳騤著）和像《四溟詩話》那樣專論「詩」的修辭法的著作（明謝榛著），我不但沒有加以抹殺，而且還是推許有加的。

陳望道先生的《修辭學發凡》的結語也說：

而古來留給我們的詩話、文談、隨筆、雜記、史論、經解之類，偶然涉及修辭的，又多不是有意識地在作修辭論，它們說述的範圍，照例是飄搖無定，每每偶爾涉及，忽然又飄開了，我們假如限定範圍去看，往往會覺得所得不多。就是一般所認為比較重要的《古書疑義舉例》，及我所認為也是比較重要的《滹南遺老集》，也不免如此。這是由於向來並未將修辭當作一種專科學術來研究的緣故。而且這也是一切學術萌芽時代的常態，並非單單修辭一科如此。

我的說法其實還是受陳氏的影響，而實際的情形的確也是如此。至於陳氏所提的兩部著作：《古書疑義舉例》和《滹南遺老集》，雖然論修辭都是有分量的，但都不是修辭論的專著。中國修辭理論的專著，《文則》、《修辭鑑衡》、《四溟詩話》以下，中間留下了一段的空白，直到「五四」以後，革新的修辭理論崛起，才再有修辭學的專著問世。

四、修辭史與修辭學史

什麼是修辭史？什麼是修辭學史？修辭學史與修辭史有什麼不同？

我在《中國修辭學史稿》（以下簡稱《史稿》）的緒論裏曾經說過：『中國修辭學的萌芽和發展，當然是在中國修辭的萌芽和發展之後，因爲必先有修辭然後才有修辭學。』人類自有言語以來便有修辭。說話說多了，靠着衆人的智慧，自然而然地會產生了一些優美的修辭現象。有了修辭現象，才有研究和探討修辭的方法或技巧的修辭論，也就是所謂修辭學。

將各時代詩文中的修辭現象，選擇有代表性的、作史的敍述，夾敍夾議，以明修辭現象的變遷和進化，是修辭史；將各時代的修辭理論（也就是修辭學），作史的敍述（或評論），以明修辭思想的萌芽、成熟以至於發展的經過，是修辭學史。

照道理說，應該先有《中國修辭史》然後才有《中國修辭學史》，正如先有》中國文學史》然後才有《中國文學批評史》。可是文學中的詩，却是先有日本人鈴木虎雄的《中國詩論史》然後才有馮沅君、陸侃如的《中國詩史》，所以我們也不妨先有《中國修辭學史》（如果拙著可以算是《中國修辭學史》的話）然後才有修辭史。

郭紹虞先生在《史稿》的序文裏，說《史稿》是第一部《中國修辭學史》，這是指成本書而說的；至於單篇的中國修辭學史，當以胡光偉先生的《 中國修辭學史略 》（載一九二三年《國學叢刊》第一卷）爲最早，它比陳望道先生《修辭學發凡》的成書還要早了將近十年，但他好像只寫到先秦時代，便停止了，不知是什麼緣故。

五、修辭學史資料的選擇和選擇的依據

中國古代極少有修辭學的專著，有吧，只有兩本，一是宋代陳騤的《文則》，一是明代謝榛的《四溟詩話》。前者可以說是論文的修辭法的專著，後者可以說是論詩的修辭法的專著。如果元代王構的《修辭鑑衡》也勉强可以算是修辭學的專著，還不過是三本罷了。三本修辭學怎能編寫一部《中國修辭學史》呢？我在《中國修辭學的變遷》一書裏曾經說過：

> 我們如果把衡量修辭學的尺度放得寬一些，了解任何學術，必先有它的萌芽時期，然後逐漸發育，逐漸生長，才有茁壯和發揚光大的一日，那麼對於上古以來，那些文論、隨筆、雜記、詩話、經解之類的著述中有關修辭學的話，卽使是片言隻語，也可看作是中國修辭學史的寶貴資料。

鄭奠、譚金基二氏合編的《古漢語修辭學資料彙論》（一九八〇年北京商務印書館出版），據說『正是這樣做的』（見中國修辭學會編《修辭學論文集》第一集譚全基文），只是他們把衡量修辭學的尺度放得太寬了一些而已。

我要從古籍中那些文論、隨筆、雜記、詩話、經解之類的著述去找修辭學史的資料，必須先要弄清楚修辭學的範圍，這可以不必費力，因爲我們有現成的修辭學經典做依據。陳望道先生的《修辭學發凡》，創立了『中國第一個科學的修辭學體系』，（見復旦大學語言研究室所寫的《陳望道的治學特

點》一文，載一九七九年《復旦學報》第一期）這不是經典是什麼？半個世紀以來，談修辭學的，不論是零篇還是單行本，幾乎沒有一篇（本）不以陳望道先生的《修辭學發凡》作依據；不論是一般的修辭論、論消極修辭，還是談論積極修辭的辭格和辭趣，或是論文體和辭體，都脫不了陳氏所定的範圍。

六、有了修辭學史之後文學批評史應該縮小它的範圍

由於過去沒有修辭學史，所以一些修辭學史的資料，往往被編進文學批評史裏去。著名的文學批評史家陳鐘凡、郭紹虞、羅根澤諸氏，他們所編寫的《中國文學批評史》，都有這種情形；朱東潤氏的《中國文學批評史大綱》和日人鈴木虎雄氏的《中國古代文藝論史》，也不例外。例如郭紹虞氏的《中國文學批評史》第三篇中古期——自東漢建安至五代——批評曹丕的《典論·論文》說：

《典論·論文》說：「夫文本同而末異。蓋奏議宜雅，書論宜理，銘誄尚實，詩賦欲麗」。後人對於文體的區分，就是從造幾句話開始的。他認識到文體的本同而末異，於是也就認識到各種體裁都有它特殊的作用與風格，都有它不同的修辭標準。

這分明是論不同的文體有不同的風格和不同的修辭標準，應該是屬於修辭學史的。又同篇提到了陸機的《文賦》說：

陸機在文學史上是駢文的創始者，當然，他的論文也只能重在修辭技巧方面，這卽是他《文賦·自序》中所說的「夫放言遣辭，良多變矣，妍蚩好惡，可得而言。「因此，我們也就不必對他有

什麼過高的要求。……此外，他在文學批評史上提供的問題，就是：(一)文體的辨析，(二)駢偶的主張，(三)音律的問題。總之，也都是屬於修辭技巧方面的。

站在文學批評史家的立場，指出陸機論文，只重在修辭技巧方面，而忽視對文章內容的批評，所以不必對他有過高的要求，這是對的。但郭氏將屬於修辭技巧上的問題，也認爲是文學批評史上的問題，卻是無意中把修辭學看作是文學批評的附庸。這在還沒有修辭學史的概念之前，是未可厚非的。

又如羅根澤氏的《中國文學批評史》第三編第七章鑑賞論說：

……孟子云：「詖辭知其所蔽……。」《易・繫辭》下云：「將叛者其辭慚……。」雖是就言辭而言，不是就文學而言，但文學本來出於言辭，所以鑑賞言辭的方法，後來便每用以鑑賞文學。

文學本來出於言辭，言辭當是文學之所本，所以鑑賞言辭的方法，可用以鑑賞文學；那麼，修辭學和文學批評的關係是如何的密切，也就可以想見了。修辭學和文學批評雖然有其密切的關係，但卻也不能混同，如本書第一篇緒論所說。所以修辭學史應該從文學批評史的領域中脫穎而出，成爲獨立的一種史，是理所當然的了。我也就是本著這樣的立場，來編寫這一部《中國修辭學史》。

七、中國修辭學是自己萌芽和發展起來的

中國的修辭學是自己萌芽和發展起來的。中國人使用語言、發明文字絕不會比西洋人落後；而中國的文字是方塊字，一字一音，所以修辭現象也與西洋各國截然不同。

日本在平安時代（約在唐朝）遍照金剛的《文鏡秘府論》開始傳述中國的修辭學，但後繼的漢文修

辭學著作却不多見，比較著名的有帆足萬里的《修辭通》，但其實並不是純粹談論修辭的著作。所謂革新的修辭學，是在明治維新以後，先由西洋傳至日本，再由日本傳至中國，這是不能否認的。不過這裏得聲明一下：我說的只是革新的中國修辭學，研究中國的修辭現象和修辭理論的修辭學，其所用以研究的方法，也就是有系統和科學的方法，確是取法於日本，而日本則是取法於西洋的。我以爲這實在沒有諱言的必要。

我又以爲：用西洋的科學方法來研究中國的修辭現象和修辭理論，不但無損於中國的修辭學，而且更能發揚光大；再說，由於方塊字中有形聲字的緣故，致使漢文的修辭現象多姿多彩，是世界任何一國的修辭現象所不易有、不能有的，但作爲一個現代的人，不應該鼓勵某些費時費日的修辭格（如析字、回文等）的應用。這一點，我曾不止一次提到過，爲的是怕人發生誤會。還有，「辭格的項目，也不是一定不易的。」陳望道先生說過：

> 現在已有的或許要消滅了，現在未有的也許要產生出來。就現有的例來說，如嚴格的回文便已消滅了，而藏詞却是從漢代以後才產生的，如今也已消歇了一半，不過發達了一半。能知此種變動的狀況，然後能夠對於古來已說的敢於抛，古來未說的敢於取，也就是對於舊來用爛了的敢於避，而對於從來未見有人用過的敢於創。（《修辭學發凡》第十篇：修辭現象的變化和統一）

這是修辭學者所應有的態度。

八、從《修辭學發凡》談到風格

我在本篇裏曾一再贊揚陳望道先生的《修辭學發凡》的成就和貢獻，現在要來談一談他偶然或有的疏忽之處。例如陳氏論消極修辭須倫次通順及上下文須互相照應的一節中，舉「潤之以風雨」（《易・繫辭》）等例句爲欠照應，其實這是偏義複辭的應用。

陳望道先生的《修辭學發凡》沒有深入地談到風格，他自己也承認這一點。《復旦學報》一九七九年第一期有一篇陳望道先生的遺作，題爲《修辭學中的幾個問題》，就談到了這一點。不但陳著沒有深入地談到風格，其他的修辭學著作，也極少談到風格。其實，早在梁代的劉勰，就已經眩要地談到了。《文心雕龍・體性》篇說：

若總其歸塗，則數窮八體：一曰典雅，二曰遠奥，三曰精約，四曰顯附，五曰繁縟，六曰壯麗，七曰新奇，八曰輕靡。典雅者，熔式經誥，方軌儒門者也；遠奥者，馥采典文，經理玄宗者也；精約者，核字省句，剖析毫釐者也；顯附者，辭直義暢，切理厭心者也；繁縟者，博喻醲采，煒燁枝派者也；壯麗者，高論宏裁，卓爍異彩者也；新奇者，擯古競今，危側趣詭者也；輕靡者，浮文弱植，縹緲附俗者也。故雅與奇反，奥與顯殊，繁與約舛，壯與輕乖，文辭根葉，苑囿其中矣。

郭紹虞先生以爲：「風格問題，本來也是受當時玄學的影響，……不過像《文心雕龍》這樣講，說明風格和種種具體事實的關係，尚不致令人有不可捉摸的感覺。」這就難能可貴了。可是，《文心雕龍》以後，歷代學者談論文章風格的，却很少見，所以本書引述的也就少之又少了。還有辭趣，原也是與辭格同屬於積極修辭，可是歷來談論到它的也不多，研究得也很不夠，這些都有待於修辭學者的努力。

九、談音節的修辭效用

關於音節的修辭效用，修辭學者向來很少提到，這不能不說是一種很大的疏忽。幸而在臺灣方面，有黃永武氏的《中國詩學・設計篇》問世。《中國詩學・設計篇》出版於一九七五年，書中第七節「談詩的影響」，長達五十餘頁，全是論音節的修辭妙用。我在寫本書第十篇第七節《臺灣的修辭學研究》的時候還沒有機會讀到這部著作，只好從董季棠氏的《修辭析論》轉引。現在讓我大略介紹一下黃氏這部足以補修辭學的未備之作。

《中國詩學・設計篇》第五節《談詩的音響》，專論聲韻的修辭效用。黃氏以爲「音響的積極意義，應不止是局限於悅耳動聽的單調效果，還須顧及字義、顧及物狀、顧及人情；大凡詩歌中最成功的音節，都能促使文字的音與義密切連結起來，令音響與興會歸於一致，聲由情出，情在聲中，聲情哀樂，一齊湧現，達到詩歌音響的妙境。」他指出「中國的文字在先天上佔盡了音響優美的便宜」，而形、音、義三者又難解難分，「在外貌上大部分有形符足資辨認，而音符就在形體上，意義就在音符裏」。可惜自來闡明詩歌音義關係的文章並不多見。「試從盛唐著名的詩歌去研析，其下字用韻，無論韻脚、拗句、雙聲、疊韻等等，看來只像有意無意，却觸處皆是用心講究的地方。」「但韻脚的功用，決不止便於歌詠，和諧娛耳而已；甚至還可以輔助情境，使其畢現出來。」

黃氏提到傅庚生在《中國文學欣賞擧隅》中，擧《詩經・王風・黍離》的韻脚「苗搖悠求」爲例，以爲有助其哀怨的情緒。又擧李義山錦瑟詩「望帝春心託杜鵑」爲例，以爲凡魚、虞、元、寒、刪、先諸韻中，收音屬於「烏」「庵」等字，皆極沉重哀痛。再則如蕭滌非在《杜詩的韻律和體裁》一文中，以爲平聲韻東、冬、江、陽等，較適合於表達歡樂開朗的情緒；尤、幽、侵、覃等較適合於表達憂愁，並舉杜甫的《春望》與《聞官軍收河南河北》兩首詩來對照，前者押侵韻，後者押陽韻，前者寫杜甫淪陷於長安，後者寫官軍收復了失土，音調與情調完全是配合一致的。

黃氏教讀者試以劉師培聲義相切的條例去欣賞岑參詩的韻脚，當會有極微妙的發現。他以岑的《走馬川行奉送出師西征詩》爲例，詳釋詩中各個韻脚的修辭效用。(請參見本書第十篇第七節所引述) 他更用長近五十頁的篇幅，分作下列幾個小題目，談論詩的音響：韻脚的音響各有特色，可以將情感强調出來；韻脚的疏密與轉換，能拱托出不同的情節氣氛；喉牙舌齒唇五音，自有高下洪纖的差別，須講究其興會與音響的諧合；平上去入四聲，音響的效果不同，各有其適宜表現的情緒；雙聲叠韻的配置，應該是細心經營地把握住事義物態的情狀；叠字的勝境，在於能達到「以聲摹境」的妙用；重複的節奏，能表現繁瑣忙碌、心煩意亂、鋪張誇大、歷久不懈、詠嘆無窮等情態。對於每一小題目，黃氏都加以細心分析，詳細說明，並列舉例證。

黃永武氏的《中國詩學・設計篇》，確是第一部講明詩歌的音義關係以及韻脚的修辭效用最有條理而又能自成體系的著作，所以在這裏爲立小一節，加以評介。我想，他的研究成果是可以成爲修辭學的一個重要部分的。

十、修辭學的實用價值

張壞一氏的《修辭概要》（一九五三年初版），第一次提到了修辭學的「實用意義」。但最早提出了修辭學的實用價值的，當首推黃慶萱氏的《修辭學》（一九七五年初版）。早在二千餘年前的亞理斯多德（Aristotle）在他所著的《修辭學》一書裏，已指出修辭學的定義，是「通曉任何範疇的意念，考察一切勸說的手段的技能。」所以希臘時代的修辭學也就是雄辯學，着重於勸說。這隱然說到修辭學的實用意義，只是沒有强調修辭學的實用價值。其實，一切的學科都有其實用意義和實用價值，問題是有沒有人特別加以强調而已。

黃慶萱博士在其所著《修辭學》的《前言》裏，主張「從社會各階層人士的談話中，從古今中外文學名著中，覓取修辭實列，分析比較，使修辭學有更多更大的實用價值。」他說：「正和價值學科中的其他學科，如倫理學、美學等一樣，修辭學必須把基礎建立在行爲科學之上。從人類實際的語言、文學活動中，歸納出修辭的法則，方能使修辭學不致發生理論與實際之脫節，而成爲一種空中樓閣；從而擴大修辭學在實用上的效果。」他兼論修辭學的實用意義與實用價值，但却是强調後者。所以高明先生在黃著《修辭學》的序文裏，也指出他「强調」修辭學的實用價值。

數年後，郭紹虞先生爲周維德氏校點的《文鏡秘府論》而寫的《前言》，才又一次提到了修辭學的實用意義和實用價值。（見本書第六篇第十二節《〈文鏡秘府論〉對中國修辭學的影響》所引述）後來郭氏寫成了他的語法修辭結合論——《語法修辭新探》，於一九七九年出版，書中多論述修辭學的實用意義和實用價值。從此修辭學的實用價值才漸漸被修辭學者所注意。

十一、語法與修辭的分與合

中國古代從沒有語法的概念和修辭的概念，但講時却是結合着語法和修辭而講的，如《公羊傳》、《穀梁傳》①。後來初有修辭的概念未必有語法的概念，但偶爾也結合着語法和修辭而講的，是《文心雕龍》②。這其間，中國的修辭學，已由形成而至於發展的初期了。自此以後，語法學與修辭學，分而復合，合而復分。一八八九年，中國第一部有系統的古話文的文法書《馬氏文通》出版，中國的語法學，才進入了一個新的時代。一九三二年，中國第一部有系統的兼顧古話文今話文的修辭學專著《修辭學發凡》出版，於是，中國的修辭學，也進入了一個新的時代。但不論語法學界也好，修辭學界也好，兩者都是各樹一幟，壁壘分明，絕沒有結合的意識和傾向。俞樾的《古書疑義舉列》，雖然也偶爾結合着語法與修辭而講，却不曾引起人們的注意。

五十年代以後，語法與修辭結合之說，才逐漸抬頭，但還沒有人敢大談特談，專門就這問題來討論，因爲「那就可能遭到某些語法研究者的反對。一般語法學者往往都是强調語法與修辭之分的。他們總認爲語法是只講抽象的規律，只能强調功能，當然可與修辭無關，甚至與實用無關。」（郭紹虞著《漢語語法修辭新探・前言》）郭紹虞氏看到近年來有些語法學者已經注意到漢語語法的實用意義，認爲是值得重視的現象，由此聯想到漢語語法學所以還不能發揮它的實用價值，可能是由於沒有和修辭相結合的緣故，因此寫了一部劃時代的巨著語法修辭結合論——《漢語語法修辭新探》。現在讓我重複本書的「緒論」所說過的話：「這以後中國語言學界的反應如何，以及修辭學發展的趨勢又如何，都是值得我們特別注意的。」

十二、結　語

研究修辭的各種現象是修辭學，有關修辭的論著也是修辭學，將各時代的修辭論著及談論詩文中各種修辭現象的詩話、筆記之類，作歷史的引述是修辭學史。我編寫這部修辭學史的動機，已經在本書的自序文裏說過，是因爲看見中國的文學、哲學、史學和文學批評等都早已有史，只有修辭學一直到現在還不曾有史，所以大着膽子、不自量力，想來塡補這一個空白。

既名爲修辭學史，當然不能不引述陳說，但只能分析、批判地引述，絕不能盲從陳說。一般修辭學的著作多偏於辭格方面，本書既是修辭學史，自應着重在引述各時代作者對修辭的意見，也卽是他們的修辭論，將中國修辭思想的萌芽、成熟和發展的經過，就找得到的資料，經過挑選和整理之後，加以引述和評論，使讀者對自上古以來直到今日的修辭理論，有全盤的認識和了解。陳望道先生說得好：「我們生在現代，固然沒有墨守陳例舊說的義務，可是我們實有採取古今所有成就來作我們新事業的始基的權利。」（≪修辭學發凡・結語≫）陳氏採取古今所有「成就」（卽修辭的諸現象）寫了那一部≪修辭學發凡≫；而我却是採取古今所有的「成說」（卽有關修辭的諸論著），寫了這一部≪中國修辭學史≫。

綜觀我的修辭學史所引述的資料，以一般的修辭論和辭格論較多，論消極修辭所應注意的諸要項和論積極修辭的風格與辭趣的文字則較少，這也許是我學養不足，讀書有限，也許是後者的資料本來就不多。至於談論文體的修辭技巧的修辭論，也欠豐富。只有一般的修辭論和辭格的資料，得來比較容易，北宋以後的詩話、筆記，其中談論辭格的資料尤其多。就是今日修辭學諸著作，也大都偏重於辭格的講述。辭格論固然是修辭學的骨幹，但決不能盡修辭學之能事。奇怪的是：古今的修辭學者，談論修辭，都喜歡偏於談論辭格，好像修辭學的任務就只在談論辭格而已。這是應該要糾正過來的。

注　釋

① 說見郭紹虞所著《漢語語法修辭新探·前言》。

②《文心雕龍》結合着語法與修辭而講的片段，已見本書第四篇所引述。

附　論

一　與陳望道先生論照應

望道先生：

想寫信給您，已是好久以前的事了，總因爲我對於先生，還是「望道而未之見」，所以不敢輕易去瀆擾您的淸神。

這幾年來，我一直在這裏教授修辭學。一面授課，一面學習。爲了找求近年來新出的修辭學論著，我曾寫信給周遐壽先生代查，周先生回信只說「修辭學著作，殊難尋求。近聞北大中文系漢語教研室集體編寫《現代漢語》上中下三册，由高等教育出版社出版，中有修辭部分，惟是否出齊，尙未可知。」也擧不出一本專講修辭的新書。近三十年來，言修辭學者就只有先生一家而已。

但所謂「智者千慮，必有一失」吧！尊著《修辭學發凡》在一九五四年修改重印之後，似乎還有若干地方，是値得商榷的。我僻處海外，孤陋寡聞，旣沒有搜求參考書的便利，也缺少共學的朋友，所以雖積二十餘年的探討硏求之勞，不但利用早上晚間以及星期的餘暇，甚至曾經剝奪了可觀的睡眠時間，說也可憐，至今成就還不及先生的萬分之一，何止事倍功半。但所謂「愚者千慮，或有一得」吧！這裏擬先就大著論消極修辭須「倫次通順」的一節中所涉『照應』一事（≪修辭學發凡≫六十五頁），提出我的淺見來和先生討論。末學少識，如果有錯的地方，還請先生多多指教！

先生以爲要使話語文章的倫次通順，應該顧及語言的習慣，又應該顧及上下文。所謂顧及上下文，便是相銜接和有照應。這意見是十分正確的。可是，先生所舉那四個「欠照應」的例句，似乎都不是眞正「欠照應」的。那四個例句如下：

一、沽酒市脯不食。（≪論語・鄉黨≫）

二、大夫不得造車馬。（≪禮記・玉藻≫）

三、潤之以風雨。（≪易・繫辭≫）

四、猩猩能言，不離禽獸。（≪禮記・曲禮≫）

先生以爲「造字對於馬，潤字對於風等便都欠照應。誰曾見馬可造，風會潤的呢？」其實這四個例句，大都是可以「偏義複詞」來解釋的，而且也合於語言的習慣。所謂「偏義複詞」，用的是複詞（如「禽獸」），却偏取一義（如「獸」）這正是有系統的修辭法之一，近於先生所說的「破格」，屬於積極的手法。如果說，消極的手法以不用這個（指「偏義複詞」）爲愈，以免使讀者分心，這是說得過去的；但如果說它「失照應」，便似乎言過其實了。

話語文章爲求說得順口或使人讀得順口起見，每借助於「偏義複詞」的應用。譬如「親戚」二字，據≪禮記・曲禮≫的疏解是：「親指族內，戚言族外」。可是自從周朝以來，似乎就很少有人去理會這兩個字含義的不同，有的把它作偏義複詞用，有的根本把它看做是兩字一義，不分彼此了。連字書的注釋，也不得不承認這一個事實。《墨子・尚賢》中篇說：

不知使能以治之。親戚則使之，無故（故，當作攻，攻為功之假字）富貴、面目佼好則使之。

可是，在《尚賢》的中篇裏，墨子重複地提到了這些話的時候，「親戚」二字，却改作「骨肉之親」了。而「骨肉之親」四字，據《呂氏春秋・精通》篇的解釋：「父母之於子也，子之於父母也，一體而兩分，同氣而異息，若草莽之有華實也，若樹木之有根心也，雖異處而相通，隱志相及，痛疾相救，憂思相感，生則相歡，死則相哀，此之謂骨肉之親。」又據段玉裁《說文解字注》說：「父母者，情之最至者也，故謂之親。」以父母與子、子與父母爲親戚，便是把「親戚」二字當作一義，不再如《曲禮》的疏義那樣分族內和族外了。如今設若有一個人對人介紹他的岳母說：「她是我的親戚」，我想聽者是不會覺得他說這話有什麼「欠照應」的地方的。如果硬要他說：「她是我的戚」，說起來和聽起來都反而覺得不大自然。又如說「周作人是魯迅的兄弟，謝冰瑩不是謝冰心的姊妹」，聽者也不會覺得「周作人」對於「兄」，「謝冰瑩」對於「姊」有什麼欠照應的地方。

「異同」二字也是複詞偏義。學校裏舉行考試，有一個試題是：「試述孟子與荀子思想之異同」，學生只需答其思想不同之處（異），無需答其思想相同之處（同）。

《詩・邶風・綠衣》篇：「綠衣黃裳」。傳：「上曰衣，下曰裳。」古時不論男女，上半身都穿衣，下半身都穿裳；現在的女子多喜歡穿旗袍或者是西裝，從上身直蓋到膝上，也還叫做「衣裳」，這自然又是偏義複詞，或根本將二者混而爲一，不分上下了。周邦彥《解語花》詞云：「衣裳淡雅，看楚女纖腰一把。」我們却不可指責他「裳」字與下文「纖腰」失照應，其理也在於此。

偏義複詞的應用，在詩詞裏尤爲重要，可以說是非用不可。如果沒有偏義複詞這一技巧，則古來詩詞將要大大地減色了。《詩・小雅・採薇》篇：「昔我往矣，楊柳依依。」案《本草》謂楊枝硬而揚起，故謂之楊；柳枝弱而垂流，故謂之柳，蓋一類二種也。若照先生的看法，則「依依」對於「楊」便欠照應了。其實，中國詩詞之所以雖受形式的限制，而仍能寫得優美自然者，偏義複詞的應用可謂居功不小。唐宋詩詞中將「楊柳」並用而僅取其偏義（柳）者至多，如：

櫻桃樊素口，楊柳小蠻腰。（白居易詩）

舞低楊柳樓心月，歌盡桃花扇影風。（晏幾道《鷓鴣天》）

楊柳輕風，展盡黃金縷。（晏殊《木蘭花》）

幾許傷春春復暮，楊柳清陰，偏碍游絲度。（賀鑄《蝶戀花》）

又停水之圓者曰池，方者曰塘。（據《韻會》）但宋人詞每「池塘」並稱，或取偏義，或則根本視爲一物，不分方圓了。如：

池塘水綠風微暖，記得玉真初見面（晏殊《木蘭花》）

池塘別後，曾行處，綠妒輕裙。（韓縝《鳳簫吟》）

有時連意義相對的複詞，也可以取它的偏義，如王安石《桂枝香》詞：「千古憑高，對此漫嗟榮辱。」「嗟」字原爲憂愁之辭，《易・離》：「大耋之嗟」。如果作爲嘆美之辭，便應「嗟嗟」連用，《詩・商頌・烈祖》篇：「嗟嗟烈祖！」是其例也。王安石在這詞裏只用了一個「嗟」字，是爲憂愁之詞無疑。如果照先生的看法，「嗟」字對於「榮」是欠照應的，辱固可嗟，榮何可嗟呢？但如果用偏義複詞來看待，也就沒有什麼可議之處了。這是用相對的複詞取其偏義之一例。古詩《為焦仲卿妻作》云：

妾不堪驅使，徒留無所施，便可白公姥，及時相遣歸。

但細察全詩，仲卿實已沒有父親了，這裏仲卿妻因「姥」而連說到「公」，「公姥」二字是相對的複詞，偏取其一義（姥）。同詩又云：

我有親父母，逼迫兼弟兄，以我應他人，君還何所望？

仲卿妻似已無父，迫她改嫁的是他的哥哥，但詩中父母、弟兄並稱，用的也是偏義複詞的修辭法。

先生於舉出「沽酒市脯不食」等四例句並指為「欠照應」之後，說：「所以宋代陳騤稱它為『病辭』，俞樾也稱它為『疏略』。」但陳騤所謂「病辭」的意義是這樣的：

夫文有病辭，有疑辭。病辭者，讀其辭則病，究其意則安。如《曲禮》曰：『猩猩能言，不離禽獸』。《繫辭》曰：『潤之以風雨』。蓋禽字於猩猩為病，潤字於風為病也。（《文則》卷上乙第四條）

陳騤所謂「究其意則安」的「意」，可能便是上面所說的「偏義複詞」，不過那時候還是說不出所以然罷了。又俞樾《古書疑義舉例》卷二「古人行文不嫌疏略例」云：

《易・繫辭》云：『潤之以風雨』。《論語》云：『沽酒市脯不食』。《玉藻》云：『大夫不得造車馬』。皆從一而省文也。按此亦古人行文不嫌疏略之證。使後人為之，必一一為之辭曰：……『沽酒不飲，市脯不食。』此文之所以日繁也。

可見俞樾也並沒有反對疏略。所謂「從一而省文」，也許近於先生之所謂「省略」吧。

先生在同節中，舉出那四個「欠照應」的例句之前，爲說明文章之順序，曾擧某氏的《文章學綱要》開頭的一段：

> 詩曰：『他山之石，可以攻玉。』中國從來獨創文化，第知則古稱先，以往古為他山之石。今也不然，五洲棣通，不獨可横而溝通中外，並可縱而貫穿古今焉。英語之流伲列克，源於希臘之流阿，本流水之義，以人類談話，亦從思想流出，遂聯想而轉成此語。（《修辭學發凡》六十四頁）

接着，先生批評它的順序說：

> 其中『不獨可横而溝通中外，並可縱而貫穿古今』一語，被《覺悟》指為顛倒着的，便是後者的例。照理，上文說古今，下文說中外，中間一句當然該作『不獨可縱而貫穿古今，並可横而溝通中外。』

其實，原文「不獨可横而溝通中外，並可縱而貫穿古今」一語之前，固曾說到古今；可是這一語之後，却只說到英國和希臘，並未曾提到中國，先生說它「下文說中外」，若照先生的理論來說，那「下文」（卽「英語之流佗列克，源於希臘之流阿……」）對於「中」字也是「欠照應」的。然而先生的話語文章並非欠照應。先生說「上文說古今，下文說中外」，正顧到語言的順序，也符合語言的自然和習慣。如果怕它失照應，硬說成「上文說古今，下文說外」，反覺得不自然和不習慣。所以先生說的「中外」，也只可當作「偏義複詞」看待。先生自己在同節裏先已用了偏義複詞而不自知，反指責古人用偏義複詞爲欠照應，這也許是一時的疏忽吧。

梁啓超的《最苦與最樂》一文，開頭說：「人生什麼事最苦呢？貧嗎？不是；失意嗎？不是；老嗎？死嗎？都不是。」只提到了貧、失意、老、死四事。但接着他將此意加以引申時，却說：「人若能知足，雖貧不苦；若能安分，雖失意不苦；老、病、死，乃人生難免的事，達觀的人看得很平常，也不算什麼苦。」竟多出一個「病」字來。而在第二段裏，梁氏提到了一種他認為最苦的事的時候，則說「這種痛苦却比不得普通的貧、病、老、死，可以達觀排解得來」。却又把上文的『失意』遺漏了。這似乎才是上下文失照應的一個例，不知先生以為如何？

一九六〇年四月六日　鄭子瑜上

二、論《史記》修辭之偶疏

——一九八一年十月九日在香港中文大學中國文化研究所的講辭節錄

古書常有修辭偶疏的地方，《史記》也不能例外。《史記》一書，無疑的是中國紀傳史的開山老祖，在史學上有其崇高的價值。但自班固以來，評史遷的（班固的《漢書》有《司馬遷傳》），都說他不獨是中國的一個大史家，而且是一個大文學作家；他的著作，為歷代古文家所推許，崇為最高的典籍——甚至向來編寫文學史的人，都異口同聲地說他是「開後世散文文學大源的第一人」，這就有點過譽了。

《史記》全書一百三十篇，五十二萬餘字，幾乎每一篇都有修辭偶疏的地方。

歷史上第一個指出《史記》修辭欠妥的，是唐代的劉知幾，他的《史通論讚》篇說：

司馬遷始限以篇終，各書一論。必理有非要，則強生其文，史論之煩，實萌於此。夫擬《春秋》成史，持論尤宜闊略。其有本無疑事，輒設論以裁之，此皆私徇筆端，苟衒文采，嘉辭美句，寄諸簡册，豈知史書之大體，載削之指歸者哉？

他認爲司馬遷的《史記》，限定在每一篇的終篇之後，來了個「太史公曰……」，這是苟衒文采，不知史書之大體，載削之指歸者之所爲的。

宋洪邁《容齋五筆》卷第五云：

太史公書不待稱說，若云褒讚其高古簡妙處，殆是摹寫星日之光輝，多見其不知量也。然予每展讀至魏世家、蘇秦平原君魯仲連傳，未嘗不驚呼擊節，不自知其所以然。魏公子無忌與王論韓事曰：「韓必德魏愛魏重魏畏魏，韓必不敢反魏。」十餘語之間，五用魏字。蘇秦說趙肅侯曰：「擇交而得則民安，擇交而不得則民終身不安。齊、秦為兩敵而民不得安，倚秦攻齊而民不得安，倚齊攻秦而民不得安。」平原君使楚，客毛遂願行，君曰：「先生處勝之門下三年於此矣，左右未有所稱誦，勝未有所聞，是先生無所有也。先生不能，先生留。」……秦圍趙，魯仲連見平原君曰：「事將奈何？」君曰：「勝也何敢言事！魏客新垣衍令趙帝秦，今其人在是，勝也何敢言事！」仲連曰：「吾始以君為天下之賢公子也，吾今然後知君非天下之賢公子也。」……是三者重沓熟複，如駿馬下駐千丈坡，其文勢正爾。……真天下之至文也。

容齋所所引那幾篇《史記》的文字，其複疊處都是出於適情應景的需要，自無可非議。但他因此驚呼擊節，却也大可不必。原來洪邁不知道他所稱引的《史記》文句，仍然有從《戰國策》的欠妥而欠妥的地方。如《魏世家》的下一「韓必」應箇作「而」；《蘇秦列傳》的「倚秦攻齊而民不得安，倚齊攻秦而民不得安」，下一個「不得安」之上，應加「亦」字。洪邁未暇細察，竟妄稱《史記》爲「天下之至文」。

拙著《史記辨惑》云：

(一)《李將軍列傳》云：「(廣)見草中石，以爲虎而射之，中石，沒鏃，視之，石也。因復更射之，終不能復入石矣。」金王若虛(見所著《滹南遺老集·史記辨惑》)以爲凡多三石字(實只多二石字)。當云：「……以爲虎而射之，沒鏃。既知其石，因復更射，終不能入」。余以爲作：「李廣見草中有虎，射之，沒鏃，視之，石也。……」尤佳。

又云：「其射，見敵急，非在數十步之內，度不中，不發。」王氏以爲「度不中」與上文重遝，若存，則上句宜去。余大不以爲然，蓋「度不中」三字實不可少者，若去之，反使文意不顯。讀者察之。

(二)《屈平賈生列傳》云：「每一令出，平伐其功曰，以爲『非我莫能爲』也」。「曰」與「以爲」意義重複，不宜並用。王氏之書，曾提及此；今各家大中學華文課本採此文者多將「曰」字刪去矣。

又云：「楚王曰：『不願得地，願得張儀而甘心焉。』張儀聞，乃曰：『以一儀而當漢中地，臣請往如楚。』如楚，又因厚幣用事者臣靳尚，而設詭辨於懷王之寵姬鄭袖。」「如楚」兩見，可略其前者，讀者自知其請往者必楚也。且「往」字與「如」字意義重遝，若連用之，實有未當。

又云：「人君無智愚賢不肖，莫不欲求忠以自爲，舉賢以自佐，然亡國破家相隨屬，而聖君治國累世而不見者，其所謂忠者不忠，而所謂賢者不賢也。」「不見者」下，應加「何也」二字，表示自問（「其所謂」以下爲自答），始覺順適。否則無問而自答，實嫌突兀。

又云：「懷王以不知忠臣之分，故內惑於鄭袖，外欺於張儀，疏屈平而信上官大夫、令尹子蘭。」「忠臣之分」宜改「忠奸之分」，蓋「忠臣」乃一辭耳，非二相對稱之辭，又何必以「分」爲？

又云：「屈原至於江濱，被髮行吟澤畔，顏色憔悴，形容枯槁。」「澤畔」二字宜刪，以其與「江濱」意義相重，既「至於江濱」，則「被髮行吟」，當在「澤畔」無疑，何必「江濱」而又「澤畔」乎？

（三）《田單列傳》云：「燕軍擾亂奔走，齊人追亡逐北，所過城邑，皆畔燕而歸田單，兵日益多，乘勝，燕日敗亡，卒至河上。」上句主詞並非「田單」，故「兵日益多」之上，宜重加「田單」二字。又「乘勝」二字之下，於文勢宜述田單軍動作，「燕日敗亡」殊不相屬。若刪「燕日敗亡」，而將「卒至河上」改爲「追至河上」，便無懈可擊矣。

（四）《魏公子列傳》云：「公子遂將晉鄙軍。勒兵下令軍中曰：『父子俱在軍中，父歸；兄弟俱在軍中，兄歸；獨子無兄弟，歸養。』」「父子俱在軍中」「兄弟俱在軍中」「獨子無兄弟」三語之下，僉應加一「者」字。

（五）《孟子荀卿列傳》云：「……田駢之屬皆已死。齊襄王時，而荀卿最爲老師。」胡適之以爲「齊襄王時」四字應屬上讀，以其在文法上爲一「狀時之讀」，與所狀之本句決不可以「而」

字隔之也。若從其說，則「齊襄王時」與「爲老師」不相關矣。且「田駢之屬皆已死，齊襄王時。」實係歐化句法，古人尚未有用之者。胡氏不知《史記》用「而」字多不安，陳登元《荀子傳略》（載《國學季刊》第二卷第一期）曾舉《孔子世家》中之二例：一、「魯襄公二十二年而孔子生」。二、「魯昭公之二十年，而孔子蓋年三十矣」。王若虛之《滹南遺老集》，所舉尤多，如《齊世家》云：「郤克使於齊，齊使夫人帷中而觀之。」《趙世家》云：「晉襄公之六年而趙衰卒」，「晉景公時而趙盾卒」，「平公十二年，而趙武爲正卿」。《魯仲連傳》云：「趙孝成王時，而秦王使白起破長平之軍」……不克盡錄。

（六）《梁孝王世家》云：「孝文帝凡四男：長子曰太子，是爲孝景帝；次子武；次子參；次子勝。」王氏指其疵曰：「夫上既言男，則『子』字皆贅；太子非名，則『曰』子亦不安。法當云：『其長，景帝也；次曰某』。」其言誠是。

（七）《王溫舒傳》云：「……爲廣平都尉，擇郡中豪敢任吏十餘人，以爲爪牙，皆把其陰重罪，而縱使督盜賊。……以其故，齊、趙之郊盜賊不敢近廣平」。王氏以爲多一「其」字，愚意下「廣平」二字亦多者。

（八）《衞將軍驃騎列傳》云：「校尉李朔、校尉趙不虞、校尉公孫戎奴各三從大將軍，獲王。以千三百戶封朔爲涉軹侯，以千三百戶封不虞爲隨成侯，以千三百戶封戎奴爲從平侯。」前《漢書》但云：「校尉李朔、趙不虞、公孫戎奴各三從大將軍獲王，封朔爲涉軹侯，不虞爲隨成侯，戎奴爲從平侯」。減《史記》二十三字。宋洪邁《容齋隨筆》以爲不若《史記》爲樸贍可喜。王氏則謂「封戶之實，當從《史記》；而校尉之稱，《漢書》爲勝」。愚意校尉、封戶之文，咸以前《漢書》爲愈，惟文末宜加「各食邑千三百戶」耳。《田單列傳》：「（田橫）曰：『……吾烹人之兄，與其弟並肩而事其主，縱彼畏天子之詔，不敢動我，我獨不愧於心乎？』」

王氏以爲當云「烹人之兄而與之並肩事主」，或云「烹人而與其弟並肩事主」，這是對的。但他說明理由時只說是「人字與弟字相窒」，意義是不明白的。史記原文，「人」是老二，「兄」是老大，「其弟」是「人」之弟，則是老三，變成三個人了。但是田橫的本意只是說兄弟二人而已，所以原文的修辭有疏略的地方。改作「烹人之兄而與之並肩事主」，句中的「人」是「弟弟」，第二個「之」字是代名詞「他」，也是指那作爲弟弟的「人」。或改作「烹人而與其弟並肩事主」，「人」是被烹者，「其弟」是那被烹的「人」之弟。句法簡練而意義分明。

宋代的蘇轍，因爲不滿《史記》的繁蕪，別撰了《古史》一書。可是他的刪改處反而比原書更不通。如《史記．甘茂傳》原文：

甘茂者，下蔡人也，事下蔡史擧先生，學百家之術。

《古史》却省去了「事」字，這樣一來，學百家之術的是史擧，而不是甘茂了。同朝黃震所作的《黃氏日鈔》，曾指出他省字的不妥善。這種越改越糟的《古史》，自然是更無足取了。

司馬遷的《史記》修辭偶疏的地方固然不少，我們不能爲司馬遷諱。但如果《史記》修辭本來沒有疏略的地方，有人硬欲指其粗略，我們也應該加以辨證，這才是公平的做法。

三、評傅庚生《中國文學欣賞舉隅》與周振甫《詩詞例話》

文學欣賞舉隅

傅庚生的《中國文學欣賞舉隅》、《史稿》初版本將它和陳介白的《修辭學》(經改名《新著修辭學》，臺灣翻印本易名爲《修辭學講話》) 同列於第九篇第四節，一起評述。其實，二書的內容，性質上並沒有類似之處。現在，將有關前者的一段評述文字抽出加以衍長，與周振甫的《詩詞例話》合論，另標此題目，附刋於本書之後。因爲這兩部著作的性質倒是比較接近的。

《中國文學欣賞舉隅》成書於一九四三年。陸侃如的序文，說它「在近代出版的關於中國文學批評的著作中，是最值得我們細讀的一部。」又說：「這無疑的將是文學研究者必備的書籍。」此書雖着重在詩詞的欣賞之說明，陸氏認爲是文學批評的著作，但論到修辭方法的地方也不少。作者用力至勤。對於過去文評詩話的資料，分類搜集。搜集後，又運用西洋文學的理論，加以部勒和整理，積數年之久，方成此巨著(陸侃如序文中語)。所以說它是一部最值得我們精研細讀的著作，我想凡是讀過這書的人都會同意的。

作者在《書目與序目》(相等於自序) 一文裏說：「研究文學者，往往始之以欣賞，繼之以摹倣，而終以創作也。」好像欣賞文學作品的人，必由摹仿而至於創作，終將成爲文學作家。這是沒有可能，而且也沒有必要的。我同意夏丏尊的意見：我們應該以能作爲一個高明的讀者自豪，不必人人都希望能成爲作家。所謂高明的讀者，是對文學作品能精研細賞，了解作者當初創作的本意，這時候讀者的心靈便已經和作者相溝通了，對作品便能透徹了解了。傅氏將過去文評詩話的資料，搜集分類，精研細賞之後，寫成這一部巨著，讀者欣賞起來也就方便得多了。本書分感情、想像、思想、形式四類，共得二十六章。現在摘取一些與修辭學有關的章節，論列於後。

《精研與達詁》（關於文學感情方面的欣賞）一章舉李清照重九日所作《醉花陰》一詞的「簾捲西風，人比黃花瘦」九個字爲例，釋之云：

「簾捲西風，人比黃花瘦」九個字，其妙處可析而言之也。西風、黃花，重九日當前之景物也。簾捲而西風入，黃花見；居人憔悴久矣，西風拂面而愁益深，黃花照眼而人共瘦，信手拈來，寫盡暮秋無限景，道盡深閨無限情，其妙一也。九個字中，簾、西風、人、黃花，已占却六個字矣，著一「捲」字，嵌一「比」字，而字字如貫珠，末後出一「瘦」字，綴之以夜光，其妙二也。「風」字，音之最洪者也，「瘦」字，音之最細者也，簾捲西風，以最洪之音縱之出，收到一瘦字上，斂而為極細極小，戛然而止，其妙三也。吟誦詠歌此九字者，字字入目，字字出口，九個字耳，而其景無遺，其情脈脈，其明瑧瑧，其韻遏雲，故使人不禁叫號跳躍，若渴鹿之奔泉也。

這裏不但細析詞意，將詞人所描繪的情景，示現於讀者的眼前，而且談論到詞人用字的巧妙處；更難得的，是作者能從音韻學的觀點，指出字音的洪細縱收，將詞人脈脈的情意，以及她所描寫的景象，清楚地烘托出來。

《穿揷與烘托》（關於文學想像方面之欣賞）一章於舉李淸照《鳳凰台上憶吹簫》一詞之後，指出：『「新來瘦，非干病酒，不是悲秋」，然則果何爲而人瘦損耶？爲「離懷」耳。「凝眸處，從今又添一段新愁」，又果何爲而添新愁耶？爲「別恨」耳。意在言外，言在意中，此烘雲托月，繪事後素之法也。』

傅氏所謂「意在言外，言在意中」，其實就是婉曲的修辭法。婉曲的修辭法有二類，第一類是「不說本事，單將餘事來烘托本事」（《修辭學發凡》第六章第七節）；第二類是說到本事的時候，只用隱約閃爍的話來示意（同上）。「新來瘦，非關病酒，不是悲秋」，暗示爲離懷而消瘦，屬於第一類；「凝眸處，從今又添一段新愁」，所添的新愁，意謂別恨，沒有明白說出來，則是屬於第二類。所謂離懷和別恨，說穿了都是相思的愁苦，却不便直說而已。

又《警策與夸飾》（同上）一章有云：

呂氏童蒙訓云：「陸士衡文賦云：『立片言以居要，乃一篇之警策，』此要論也。文章無警策則不足以傳世，蓋不能竦動世人，如老杜及唐人諸詩，無不如此；但晉宋間人專致力於此，故失於綺靡，而無高古氣味。老杜詩云：『語不驚人死不休』，所謂驚人語，卽警策也。」譬諸御車長路漫漫中，馬意倦矣，則施之以警策；文章不能如此，必使覽之者昏昏將入睡矣。

警策是辭格的一種。所謂警策辭，便是警句。呂氏謂文章須有警策辭才能傳世，才能竦動世人。傅氏更以爲文章如無警策，將使覽之者昏昏入睡矣。二君所論的，是警策辭中最奇特、最精彩的一種形式。如「置之死地而後生」，便是屬於這一類的奇說、妙語。所以傅氏又說：「夫謂警策矣，居於一篇之中，必爲雲中之霓彩，珠中之鯨目，神精而可研，然後爲允也。」

又同章論夸飾云：

柳宗元詩「一身去國六千里，萬死投荒十二年。」又陳其年詩「百年骨肉分三地，萬死悲哀併九秋。」夫二人之艱難困苦，雖至其極，然尚未死；卽人死亦只一次，乃曰萬死，是切摯之筆也。……切摯有二法：或加增其數量，故改易其事理。所謂改易其事理者，卽詩人感情深摯激切之時，所言實與真理實象不合，與世中常情相悖，而寫來又但覺其逼真，而顛撲不破是也。夸飾乃出於作者情性之本真，其感人固有其宜也。故夸飾亦必有節，若不恤情性之原，增之靡足，誕而不經，逾其限度，往往令人失笑。過猶不及，允執厥中。

夸飾也是辭格的一種。傅氏所論，正是陳望道所謂「主觀方面須出於情意之自然的流露。」見《修辭學發凡》第六篇第五節的附記）至於傅氏謂夸飾必須有所節制，不可逾其限度，却是值得商榷的。因爲誇飾在客觀方面須不致使人誤以爲是事實；如果要它有節，要它不逾其限度，那便容易使人誤爲事實，不是修辭上的誇飾了。

又《自然與藻飾》（關於文學思想方面之欣賞）的一章云：「詩文之期能達其眞者，重在自然渾成；騖於美者，出於雕琢藻飾。能臻極詣者各有所善，其流弊所漸自亦各有所不足。賞鑑之者，不宜先存此彼之見於胸，而有所迎拒也。」傅氏以爲自然與藻飾，各有所善，亦各有所不足，讀者大可不必好此而棄彼，最好是一視同仁。爲什麼會有這種對等齊觀的修辭論呢？因爲：

「大抵斧斲雕飾，補假亦所以足其眞，人之舍不爲表達其眞摯之感情，則亦何取瘁心於文字？至於自然直尋，亦何嘗忘情於鍛鍊，不過造詣之高者，沒其斧斲之痕跡而已。」他以爲自然與藻飾，幾乎是二而一，一而二的，歸根究柢，有如同一轍，沒有良窳是非得失之分。所以他又說：「然而璞玉之愛好，人各異趣，要亦不能遽論其優劣矣。」再說：「藻飾之篇什，綿密工麗，別有可取。春堤楊柳，夏沼芙蓉，秋山修竹，冬澗孤松，皆可賞而豈相勝哉？」最後，他又說：「至於自然之末流，每入於俚而無足取；藻飾之太過，輒傷於靡而不落實。」只要自然而不至於末流，藻飾而不至於華而不實便好，這眞是持平的修辭論。

像這一類折衷的修辭論，也見於《鍊字與度句》（關於文學形式方面之欣賞）的一章：

字必練而始工，句因度而能穩。練字度句，太輕出則意淺，意淺則一覽便盡；過深入則意晦，意晦則難覓知音，所謂過猶不及也。少游之「破暖輕風，弄晴微雨，」因非篇中警策，實由輕出；美成之「風老鶯雛，雨肥梅子，」較深一層；正中之「細雨濕流光，芳草年年與恨長，」所縕者多而意未嘗晦，只緣「濕」字較「破、弄、老、肥」諸字深邃而能配搭也。唐趙嘏寒塘詩云：

「曉髮梳臨水，寒塘坐見秋。鄉心正無限，一雁過南樓。」

則是度句省練而能配搭也。

他以爲練句與度句，意淺與意晦，都不算是配搭之能手。又論摹擬云：

雖然，文學創作，固多有源本於摹倣者也，若必「創者易工，而因者難巧」，則是今之於古，後之於先，必不可爭衡，每況愈下也；又豈事之眞、理之常乎？要在摹擬之外，重之以銷鎔工夫，融化古人之言，若自我之口出，自然而然，則不惟可以追蹤前武，抑且可以顯見其青藍水冰也。

《摹擬與〈成》

他以爲文學創作，源於於摹倣，這似乎與桐城派的古文家同調；但他又以爲摹擬之作，重在銷鎔的工夫，這樣，才能靑出於藍，冰寒於水。

傅庚生的《中國文學欣賞舉隅》，在海外曾多次重刋，受到學術界普遍的重視，流傳極廣；但一般都以爲是一部關於文學批評的著作，其實主要的是談論修辭，而且是一部能發人深思，不可多得的修辭學著作，也是一部必能傳世的著作。

2. 詩詞例話

周振甫氏的《詩詞例話》成書於六十年代初，它和傅庚生氏的《中國文學欣賞舉隅》同是以談論詩詞的賞析爲主，但却頗涉修辭的理論，而所論又都是相當精警的專著。《舉隅》所論似乎更深入、更耐人細賞；而《例話》所論則更爲明晰，所舉例證也很切當，足以幫助讀者的理解。拿它們用作修辭學研究的參考書也未嘗不可以。

周氏的《詩詞例話》我在《史稿》的初版本曾偶一引述，沒有另立一節加以論列，不能不算是一時的疏忽。

《詩詞例話》分一、「欣賞與閱讀」，二、「寫作」，三、「修辭」，四、「風格」四個部分，後兩部分是談論修辭的，即使是前兩部分也偶有談論修辭的地方，如第一部分「忌執着」一條引袁枚《隨園詩話》云：

孟東野《咏吹角》云：「似開孤月口，能說落星心。」月不聞生口，星忽然有心，穿鑿極矣。而東坡贊為「奇妙」，皆所謂「好惡拂人之性」也。

接着，周氏擧郭沫若《讀〈隨園詩話〉札記》十八「月口星心」裏的話說：

今案：孟東野詩句確是「奇妙」，以新月比吹角之形體，以流星喻角聲之悲壯。得未曾有。試於夜間在荒漠中聞吹角，必有蒼茫寥落之感，不可名狀。今以流星表之，以孤月襯之，不竟使不可摩捉者得到確切之形象耶？月固無口，星固無心，然詩人可以為之開口，可以為之生心。詩人於萬事萬物均可賦予以生命，古今中外，莫不皆然。特孟東野為孤月開口，為落星生心，為獨創耳。說孟東野「穿鑿極矣」，說蘇東坡「好惡拂人之性」，主持性情說之「詩佛」而為此怪論，殊不可解。

古人言「為天地立心」，天地均可有心，何以星不能生心、月不能開口。袁枚曾譽其座師孫嘉淦《咏梅》詩句有云「天地心從數點見」，譽為「詩不腐，言外含道氣。」（《詩話》卷四第九則）何以此却不為「好惡拂人之性？」（瑜案：郭氏「何以此……」句，衍一「此」字。）

其實，孟東野詩所謂「月口」「星心」，正是修辭學上比擬辭格中的「擬人」法的應用。若依近世西洋藝術論的說法，便是所謂「情感移入」。拙著《〈秋夜〉精讀淺釋》（載《文藝論叢》第十七輯，一九八三年四月上海文藝出版社出版）於提到魯迅散文詩《秋夜》的寫作技巧三「情感移入」法說：

情感移入，是將精神界的生命貫注到物質界中，使無生命的表示生命，無精神的表示精神，也就是所謂「增高的自然」。如第二段的「他的口角上現出微笑，似乎以為大有深意，而將繁霜灑在我的園裏的野花草上」。「他」是指天空而說的。天空並無大腦與嘴巴，怎能「現出微笑」？又怎能有什麼「深意」呢？「但作者情緒上感覺上好像他有，就把那種情意或動作歸給他。這樣的寫法，事物便蒙上了作者的情緒與感覺的色彩，寫事物也就是寫心情了。」

孟郊詩用「情感移入」的手法，也就是用積極修辭的擬人法來描寫。袁枚不懂修辭學，更不知比擬爲何物。郭沫若的《讀〈隨園詩話〉筆記》，一般以爲是他的文藝論著中比較不那麼精審的一本；但，這裏論關於孟郊的「月口星心」，却是完全正確的。所以周氏最後說：「袁枚執着月無口，星無心，以孟郊的詩爲『穿鑿』。郭沫若先生指出這種批評的錯誤，同時也啓發我們怎樣去理解詩。」

第一部分又有「比較」一則，周氏擧王維《雜詩》之一：「君自故鄉來，應知故鄉事。來日綺窗前，寒梅著花未？」又擧陶淵明《問來使》詩：「爾從山中來，早晚發天目？我居南窗下，今生幾叢菊？」更擧王介甫《道人北山來》詩：「道人北山來，問松我東岡。擧手指屋脊，云今如許長。」周氏爲之比較闡釋云：

我們知道詩是最精煉的語言，是要寫出詩人的心靈來。有人從家鄉來，我們自然要向他打聽家鄉的情況和家中的情況，這是不在話下的。因此，像這樣一般的詢問，家常談話，沒有什麼精闢的內容，就不適宜於寫入詩裏。倒是詩人對梅花、菊花、松樹的懷念，它的含意不僅在於懷念家裏的花木，更重要的是由於這些花木象徵一種高潔的品格，這才引起詩人的懷念。讀這些詩，引起我們對詩人這種心情的體會，就有餘味。這種含意在有意無意之間，詩人並不說煞，這才有『悠揚不盡之致』。就這點說，王維的詩比其他兩首更寫得精練而含蓄。其他兩首，除了上引的開頭四句外，下面還有不少話，這在精練含蓄方面就顯得差些了。

周氏以爲「詩人對梅花、菊花、松樹的懷念」，「是由於這些花木象徵一種高潔的品格」。其實，象徵高潔品格的梅花、菊花和松樹，所在都有，何必獨念鄉里的呢？說這幾首詩寫得含蓄是對的，但所含蓄的未必是「象徵一種高潔的品格」。王維詩很可能是在問家鄉春已到了還是沒有，却輕輕着筆，只用「寒梅着花未」一語來表達。這與唐人詩「閨中少婦不知愁，春日凝裝上翠樓，忽見陌頭楊柳色，悔教夫婿覓封侯」同一機杼。陌頭上的楊柳已經發青，即是春已到，可是丈夫在外當官，還不想回來，所以有「悔教夫婿覓封侯」的怨嘆。王維身在異鄉，看見異鄉春色，又是一年開始，萬象更新，懷鄉之情，油然而生，因問家鄉「寒梅着花未」。這詩可能只是寫作者的懷鄉之情，或未必在於寒梅能象徵高潔的品格，才能引起他的懷念。同樣的，陶淵明的《問來使》詩：「我居南山下，今生幾叢菊？」也可能只是問家鄉秋深與否；王安石的《道人北山來》詩：「擧手指屋脊，云今如許長。」也可能只是慨嘆時光過得很快，松樹今已長得這麼高了。這樣的寫法，已經夠含蓄、夠動人了，未必因爲這些植物象徵着高潔的品格，才值得詩人去懷念。含蓄是婉曲的一種修辭法，也是辭格的一種。

第二部分「寫作」有「仿效和點化」一條，其第五則引《文史通義・說林》云：

譬彼禽鳥，志識其身，文辭其羽翼也。有大鵬千里之身，而後可以運垂天之翼；鷃雀假鵬鶚之翼，勢未擧而先躓矣，況鵬翼乎！故修辭不忌夫暫假，而貴有載辭之志識，與己力之能勝而已矣。（《文史通義・說林》）

林琴南的《春覺齋論文》，也有類似這樣的說法，以爲仿效者如果有載辭的志識，和己力之能勝，則雖仿效，也猶如己出；否則便有抄襲剽竊之嫌了。周振甫且爲舉顧嗣立《寒廳詩話》說：

秀水李竹懶（日華）曰：『江為詩：「竹影橫斜水清淺，桂香浮動月黃昏。」林君復改二字為「疏影」「暗香」以咏梅，遂成千古絕調，所謂點鐵成金也。』（顧嗣立《寒廳詩話》）

周振甫以爲：

江為寫了『竹影橫斜水清淺，桂香浮動月黃昏』，所以不及林逋那兩句，因為它沒有抓住景物的特點。竹子往往是成林的，橫斜不能顯示它的特點。桂香濃烈，在月下顯示不出它的特色來。又，這兩句寫兩樣東西，這兩樣東西中間並無有機聯繫。林逋的兩句可能受到他這兩句詩的觸發，但是林逋一定是先有了那樣的生活，才能從他這兩句詩中得到觸發。林逋的點化，是構成新的意境，賦予新的主題，是一種創造，而不是簡單的模仿。

顧、周二君的話，固然不無道理。但林逋只改了兩個字，不但可免剽竊之嫌，而且得此兩位詩評家大加贊賞，看來也未免太容易了。

第三部分專談修辭，頗有創獲。如「比喻」一條引劉熙載《藝概》云：

賀方回《青玉案》詞收四句云：『試問閑愁都幾許？一川煙草，滿城風絮，梅子黃時雨。』其末句好處全在『試問』句呼起，及與下『一川』二句並用耳。或以方回有『賀梅子』之稱，專賞此句誤矣。且此句原本寇萊公『梅子黃時雨如霧』詩句，然則何不目萊公為『寇梅子』耶？

周振甫以爲：「其實賀鑄的結尾同寇準的詩有不同。寇準用霧比雨，是一般比喻，賀鑄是博喻；寇用『如』字是明喻，賀是隱喻。《藝概》裏指出賀詞最後三句同試問句結合在一起不能分割，這點是正確的。最後三句是博喻，試問句是被喻的東西，這兩者應該結合起來才能看到它的好處。」周氏所指的博喻，是陳望道對「譬喻」辭格的分類（明喻、隱喻和借喻）所沒有提到的，可以另立一類。《詩詞例話》另有「博喻」一條詳論這一類的修辭法。

又有「頓挫」一條，說「頓挫往往同抑揚連起來，說成抑揚頓挫。唱腔避免平板，避免沒有起伏，要有高低，要有抑揚；要有緩急，唱到關鍵性的句子，要作小頓，唱得搖曳多姿，這就是頓挫。因此，頓挫在詩文中是小小停頓，用的是含蓄關鎖的話。」但周氏在這一條的末段，提到歐陽修的文章說：

歷來稱讚歐陽修的文章一唱三嘆，富有情韻之美，他的善用頓挫是加強情韻之美的方法之一。《豐樂亭記》是寫滁州的景物，那裏在五代時曾經是南北戰爭爭奪的場所，歐陽修回憶當時的戰爭，說『蓋天下之平久矣』，『欲問其事而遺老盡矣』，用這兩句話來作兩個小結，從這兩個小結裏贊美宋朝的太平，人民已經忘掉戰爭的苦難，是借古頌今，有寓意的，所以它旣有含蓄而又具有聲情之美。

周氏以爲含蓄也是一種頓挫的修辭法。其實，像他所舉歐陽修《豐樂亭記》的例句，「欲問其事而遺老盡矣」，從人民忘掉戰爭的苦痛，顯出天下的太平，這本是婉曲的修辭法。但歐陽修在這篇記敘文裏，却又把「天下之平久矣」說出來，便不是什麼含蓄了。

抑揚辭格，是陳望道所訂定的三十八個辭格中所遺漏的，我在《史稿》的初版本已經提過了。

這一部分還有論「反說」（卽反語）、論反用故事（卽引用）、論「重迭錯綜」（卽複叠）、論「點染」（似近於婉轉，又近於烘托）、論「側重」（實爲消極修辭分淸賓主）……。又論「對偶」舉洪邁《容齋詩話》卷二云：

> 唐人詩文或於一句中自成對偶，謂之當句對。蓋起於《楚辭》『蕙蒸蘭借』，『桂酒椒漿』，『桂櫂蘭枻』，『斲冰積雪。』自齊梁以來，江文通、庾子山諸人亦如此。如杜詩『小院迴廊春寂寂，浴鳧飛鷺晚悠悠』，『清江錦石傷心麗，嫩蕊濃花滿目斑』，『書籤藥裹封蛛網，野店山橋送馬蹄』，『戎馬不如歸馬逸，千家今有百家存』……

這裏所舉的當句對，蕙蒸固可對蘭借，桂酒固可對椒漿，桂櫂固可對蘭枻，斲冰固可對積雪，小院固可對迴廊，浴鳧固可對飛鷺，清江固可對錦石，嫩蕊固可對濃花，書籤固可對藥裹，野店固可對山橋；但是應該指出的，以戎馬對歸馬爲當句對，以千家對百家爲當句對，便不大好了，杜甫可能本來也沒有作當句對之意，因爲以馬對馬，以家對家，實在是不成對的。

第四部分談風格，也都是論修辭的。周氏又著有《文章例話》一書，也頗有涉及修辭的理論。

四、評楊樹達《古書句讀釋例》

楊樹達氏的《古書句讀釋例》，是一部專論古書句讀比較精審的著作。句讀是修辭的一種技巧，所以對句讀的討論也是一種修辭論。

最早討論句讀的是孔子回答魯哀公的話，見於《韓非子‧外儲說左下》：「哀公問於孔子曰：『吾聞夔一足，信乎？』曰：『夔，人也，何故一足？彼無他異，而獨通於聲。堯曰：夔一而足矣。使爲樂正。故君子曰：夔有一，足；非一足也。』」魯哀公誤以「夔有一足」爲讀，孔子替他改正了句讀。

句讀，《禮記》稱之爲「離經」。《禮記·學記》云：「一年，視離經辨志。」鄭玄註云：「離經，斷句絕也。」孔穎達疏云：「離經，謂離析經理，使章句斷絕也。」直到東漢何休的《公羊傳解詁序》，才第一次提到了「句讀」。他說：「援引他經，失其句讀，以無爲有，甚可閔笑者，不可勝記也。」元人監修《宋史》，才用「標點」的稱謂。《宋史·何基傳》云：「凡所讀書，無不加標點，義顯意明，有不待論說而自見者」。「五四」時代，新文學作家開始使用由西方傳入的新式標點符號，胡適之寫過《新式標點符號使用法》的小册子。這以後繼續有討論新式標點符號使用法的著作問世。

楊樹達氏的《古書句讀釋例》於一九五四年由中華書局初版。張壽康氏的《標點符號使用手册》，也談論到古書句讀的使用，而且早在一九五一年便出版了；但張氏書着重在說明標點符號的使用，古今的例證兼收並蓄，不是專論古書句讀的著作。新近出版張倉禮、陳光前二氏合著《古文斷句與標點》一書，可以說是繼楊樹達之後專論古書句讀的著作。

其實，談論句讀的著作，並不自楊樹達氏的《古書句讀釋例》始。唐僧湛然（姓戚）所著的《法華文句記》便已談到句、讀的區分了。他說：「凡經文語絕之處謂之句，語未絕而點之以便誦詠，謂之讀。」清代學者的著作，涉及句讀的，《馬氏文通》之外，有顧炎武的《日知錄》，其《詩本音》一篇是從音韻學的觀點來斷定《詩》的句讀；又有王念孫的《讀書雜志》，據《史記》《漢書》《太平御覽》，更正《戰國策》元吳師道本於《趙策四》中將「左師觸龍言願見太后」誤作「觸讋願見」；武億《經傳考異》談論句讀可取的地方尤多。孫德謙氏的《古書讀法略例》早在一九三六年便已由商務印書館出版了。但它們都不及楊樹達的《古書句讀釋例》那麼精到。

《古書句讀釋例》甲編「誤讀的類型」其二「當讀而失讀」例十七云：

今有聲於此耳聽之必慊己聽之則使人聾必弗聽有色於此目視之必慊己視之則使人盲必弗視有味於此口食之必慊己食之則使人瘖必弗食（呂氏春秋卷一・孟春紀本生篇）

高注於「慊」字為讀。陳昌齊呂氏春秋正誤陶鴻慶讀呂氏春秋札記並謂三「必慊」字當連下「己」字為句。余友孫君人和云：「陳陶説是也。然不解三則字之義，文亦不了。余謂則猶若也。（詳見經傳釋詞。）此言：聲所以快耳，聽之若使人聾，則必不聽矣。色所以快目，視之若使人盲，則必不視矣。味所以快口，食之若使人瘖，則必不食矣。」樹達按孫釋則為若，其説當矣。然以「聽之則使人聾」「視之則使人盲」「食之則使人瘖」為句，仍非。此當以「聽之」「視之」「食之」為句。蓋原文意謂：聽之必慊於己，則聽之；若使人聾，則必不聽。貌之必慊於己，則視之；若使人盲，則必不視。食之必慊於己，則食之；若使人瘖，則必不食也。

楊氏所論，實至精當。又《不當誤而誤讀》例三十五云：

齊國雖褊小吾何愛一牛卽不忍其觳觫若無罪而就死地故以羊易之也（孟子梁惠王上篇）

舊讀以「卽不忍其觳觫」六字為句，「若無罪而就死地」為句。樹達按如此讀，「若」字義不可通。此當以「卽不忍其觳觫若無罪而就死地」十三字作一句讀。「觳觫若」猶言「觳觫然」也。

楊氏以爲如果以「若無罪而就死地」爲句，則若字義不可通，故以「若」字作爲觳觫這一個副詞的語尾，意猶「觳觫然」。楊氏不知「若」可作「其」解，義實可通，王引之《經傳釋詞》卷七釋「若」有云：「若，猶其也。《書・召誥》曰：『我亦惟茲二國命，嗣若功。』若，其也。嗣其功者，嗣二國之功也。」《孟子》原文，本可作「吾不忍其觳觫，其無罪而就死地」，但爲避免重複兩其字，故上句作其，下句改作若，使有錯綜變化之妙。若又可作「及」解，義亦可通。《經傳釋詞》釋「若」又有云：「若猶及也，與也。《書・召誥》曰：『旅王若公。』《周官・罪隸》曰：『凡封國若家。』《儀禮・燕禮》曰：『幕用綌若錫。』《禮記・內則》曰：『父母有婢子若庶子庶孫。』襄十三年《左傳》曰：『請爲靈若厲。』」可以爲證。

又「不當讀而誤讀」例二十七云：

> 高祖為沛公也參以中涓從擊胡陵方與（漢書卷三十九曹參傳）
>
> 顏注於「參以中涓從」注斷。樹達按高帝紀云：「秦二年十月，沛公攻胡陵方與，」時參從沛公，故云從擊也。夏侯嬰傳云：「高祖為沛公，賜爵七大夫，以嬰為大僕，常奉車，從攻胡陵，」是其證矣。

其實，「從」字屬上讀或下讀，義並可通，未必須從其他的句例。又例二十九云：

> 王恐陰事泄謂彼曰事至吾欲遂發天下勞苦有閒矣（漢書卷四十五伍被傳）。
>
> 如淳云：「言天下勞苦，人心有閒隙，易動亂。」王先謙云：「有閒卽謂有隙可乘。」樹達按如王二家皆以「天下勞苦」為句，「有閒矣」別為一句，非也。此七字當連讀。天下勞苦有閒，猶言天下勞苦已久也。史記五帝紀云：「書缺有閒矣，」索隱云：「言古典殘缺有年載，故曰有閒。」足以為證。

楊氏說得很好，有閒意猶有年所，應與「天下勞苦」連讀，於義乃通。

「當屬上讀而誤屬下」例五十七云：

且以文王之德百年而後崩猶未洽於天下武王周公繼之然後大行今言王若易然則文王不足法與（孟子公孫丑上篇）

武億云：「舊讀從『然』字絕句。考此讀以『易』字絕句，『然』字屬下句，如『今曰性善，然則彼皆非與』之文，義亦得通。」樹達按武說非也。凡表擬似之詞，若字下必有然字。即以孟子本書為證，則「無若宋人然！」「木若以美然！」「予豈若是小丈夫然哉！」皆其例也。禮記雜記篇云：「其待之也，若待諸侯然。」漢書賈誼傳云：「其視殺人，若艾草菅然。」並是，知此文當於然字斷句也。

楊氏指出武億不以「然」字絕句之非，以爲「凡表擬似之詞，若字下必有然字。」並舉《孟子》《禮記》《漢書》等句例爲證。實在令人嘆服。但楊氏也有偶疏的地方。如例六十二云：

鯨布者六人也姓英氏秦時為布衣少年有客相之曰當刑而王及壯坐法黥布欣然笑曰人相我當刑而王幾是乎（史記卷九十一鯨布傳）。

吳汝綸史記讀本以「坐法」為句，非也。此當以「坐法黥」三字為句。傳首已舉黥布，傳中但當稱布，不合復稱鯨布也。

楊氏以爲「傳首已擧黥布，傳中但當稱布，不合復稱黥布也。」這恐怕是楊氏自立的規例。況「坐法黥」句法甚拙劣，且與上文「黥布者……」重遝不成文理。

「當屬下讀而誤屬上」例百〇五引《史記・屈原傳》：

其志潔故其稱物芳其行廉故死而不容自疏濯淖汙泥之中蟬蛻於濁穢以浮游塵埃之外不獲世之滋垢皭然泥而不滓者也

楊氏按語，隨黃侃氏之誤而誤。拙著《古書辨惑・古書句讀辨》一云：

通讀以「……不容自疏」為讀。特黃侃氏以「自疏」二字宜屬下讀。楊氏從其說，舉漢書揚雄傳「又怪屈原文過相如至不容，」及王逸章句序注引班固離騷序「忿懟不容，沉江而死」，以為皆本此文，是其證矣」。楊氏以「不容」謂「不見容，」「自疏」猶言「自遠，」下省「於」字耳；復以為「『自疏濯淖汙泥之中』，與『蟬蛻於濁穢』意同，若以『自疏』屬上讀，則『濯淖汙泥之中』六字不成句，以無動字故也。」

愚意黃楊之見並誤。「自疏」二字應從上讀。班固揚雄傳與離騷序之所謂「不容」，乃常用語辭，未必本自屈原傳；縱使本自屈原傳，亦難保古人之無誤讀，不能據以為證。「自疏」意猶「自疏懶，」非如楊氏之所謂「自遠」也。若從其說以「自疏」屬下讀，作「自遠」解，是「濯淖」與「汙泥」，均應作複合名詞觀，則「自遠於濯淖汙泥之中」與下文之「泥而不滓」（意謂「出於汙泥而不染」）殊不相應。又楊氏以「自疏」二字如從上讀，則「濯淖汙泥之中」六字無一動字，不成句。尤覺非是。蓋「濯」字明係動字，意謂「祓除」；惟「濯淖」之下，省一「於」字耳。全文之意，謂「祓除泥淖於汙泥之中」。與下文之「蟬蛻於濁穢」及「泥而不滓」均能相稱。故「自疏」二字不宜屬下讀，其理明甚。

又例百十四云：

案故圖樂安鄉南以平陵陌為界不足故而以閩陌為界解何（漢書卷八十一匡衡傳）。

師古云：「不足故者，不依故圖而滿足也。解何者，以分解此時，意猶今言分疏也。」王先謙云：「詰問郡不依故圖而以此為解是何意也。本書『何』字為句，如周亞夫傳：『君侯欲反何？』伍被傳：『公獨以為無福何？』汲黯傳：『不早言之何？』皆其例也。顏說非。」樹達按顏以「解何」二字為句，王以「解」屬上，以「何」一字為句。顏讀是也。外戚傳云：「太后獨有帝，今哭而不悲，君知其解未？陳平曰：何解？」解何猶言何解。解今言理由，解何謂理由如何也。顏讀雖是而訓說非是。王欲改讀則誤矣。

楊氏引《外戚傳》爲例，指出解何卽何解之倒裝，意謂「理由如何也」，此當以「解何」二字爲句。並指出「顏讀雖是而訓說非是」。其用心的精審，眞使人欽佩不置！

乙編「誤讀的貽害」，其「原文不衍因誤讀而誤刪」例百三十三云：

竊見災異竝起天地失常徵表為國欲不言念忠臣雖在甽畝不忘君惓惓之義也況重以骨肉之親又加以舊恩未報乎（漢書卷三十六劉向傳）。

宋祁云：「正文句末，據文勢不合有也字。」樹達按此宋誤讀「猶不忘君惓惓之義也」為一句，故云爾。此當以「猶不忘君」四字為一句，「惓惓之義也」五字為一句。惓惓或作拳拳，或作款款。漢人凡言拳拳惓惓款款者，皆屬臣下為言，無屬君言者。據文勢，此處略頓，正合有也字，宋說非是。

「也」字有延緩語氣的作用，楊說是。

丁項「特殊的句例」，其「數讀皆可通」例百六十云：

祭如在祭神如神在子曰吾不與祭如不祭（論語三八佾篇）。

舊讀以「吾不與祭」為句。武億云：「當以『與』字斷。祭如不祭，義自豁然矣。周禮大宗伯：『若王不與，祭祀則攝位。凡大祭祀，王后不與，則攝而薦豆籩。』外宗：『王后不與，則讚宗伯。』祭僕：『凡祭祀，率之所不與。』是自周官所著，皆可歷據。考昌黎集讀墨子云：『孔子祭如在，譏祭如不祭者。』況朱子集註明言『或有故不得與，』則朱子亦明以『不與』屬句矣。」

樹達按此兩讀皆可通。

我以爲這個例句並不是兩讀皆通的，應讀爲「吾不與，祭如不祭。」正因爲「祭如不祭」，所以「吾不與」。若以「吾不與祭」爲句，則「如不祭」不但不辭，且與上文不相屬了。又例百六十一云：

子在齊聞韶三月不知肉味曰不圖為樂之至於斯也（論語七述而篇）。

近讀於「韶」字絕句。武億云：「此宜以『子在齊』為讀，與『子在陳』同例。下文『聞韶三月』當作一句。史記孔子世家：『聞韶音，學之三月。』詳玩此文，正以『聞韶』屬三月為義。」樹達按「三月」為表時狀字，與前引為政篇例「終日」同。上下兩屬皆可通。

雖說兩讀皆可通，但意義則大不相同。應以「子在齊聞韶」爲讀，則僅言聞韶，未言聞韶時間的久暫，但一聞韶，便三月不知肉味，這才可見韶樂的感人之深。楊氏不細味及此，所以說兩讀皆可通。

楊樹達氏的《中國修辭學》（一名《漢文言修辭學》）只是一部修辭古說古例的集錄，並不是楊氏自己的修辭學說；但是他的《古書句讀釋例》，却是一部極有價值的修辭學著作。

五、讀錢鍾書《談藝錄》與《管錐編》筆記

錢鍾書氏之《談藝錄》與《管錐編》，皆頗有涉及修辭之論述。《談藝論》自序寫於壬午（卽一九四二年），民國三十七年又記。成書當較作序爲尤早。余所見者爲香港翻印本，刊於一九七九年。原版則不知刊於何時耳。《管錐編》係「督觀疏記，識小積多」而成。原序作於一九七二年，一九七八年又記。管錐蓋取『錐指管窺』之意。余所見者僅四册，皆一九七九年北京中華書局初版，一九八〇年香港中華書局另行印刷。《談藝錄》以談詩爲多，近於詩話之作。《管錐編》體裁，近於筆記，其所評隲之書，自《周易正義》迄於《全隋文》，不知何時方能見其全璧。而已刋書引徵之綦詳，識見之廣博，近世學者，尠能出其右者。各節之始，輒先引述古書數言，洊學後世奪胎換骨、陳陳相因之例證，並發爲評論，殆全是論摹擬之作。今試就余所獨賞識之數節，及其有待商榷之處，筆而書之於後。

《談藝錄》六十一頁『長吉詩之凝重險急』一則云：

長吉賦物，使之堅，使之銳，余旣拈出之矣。而其比喻之法，尚有曲折。夫二物相擬，故以此喻彼，然彼此相似，只在一端，非爲全體；苟全體相似，則物數雖二，物類則一，旣屬同根，無須比擬。長吉乃往往以一端相似，推而及之於初不相似之他端。……如《天上謠》云：「銀鋪流雲學水聲。」雲可比水，皆流動故，此外無似處，而一入長吉筆下，則雲如流水，亦如水之流而有聲矣。《秦王飲酒》云：「敲日玻瓈聲。」日比瑠璃，皆光明故，而來長吉筆端，則日似玻瓈之光，亦必具玻瓈聲矣。同篇云：「刼灰飛盡古今平。」夫刼乃時間中事，平乃空間中事，然刼旣

有灰，則時間亦如空間之可掃平矣。……古人病長吉好奇無理，不可理會；是蓋知有木義而未識有鋸義耳。

鍾氏論比喻，謂以此喻彼，只在一端，苟全體相似，則無須比喻矣。陳望道氏則云：『要用譬喻，約有兩個重要點必須留神：第一，譬喻和被譬喻的兩個事物必須有一點極相類似；第二，譬喻和被譬喻的事物必須本質上極其不同。』（《修辭學發凡》第五篇第三節）所論與錢氏相侔。錢氏似未讀《發凡》，亦無意治修辭之學，然其所論實爲修辭學之至理名言。至擧放翁詩句以爲例證，闡釋之細緻入裏，尤非深解詩人原意者不能到也。

同書一四七頁『放翁詩意境尠變化而句法多複出』一則云：

放翁多文為富，而意境實尠變化。古來大家，心思句法，複出重見，亦無如渠之多者。曝書亭集卷四十二書劍南集後，譏其句法稠疊，令人生憎。擧例頗繁。甌北詩話卷六復摘其複句數聯。茲聊補益二家所未及，以見甌北所謂「遣詞用事，少有重複」云云，實偏袒之詞也。許丁卯律詩，複句亦多，翁信其苗裔哉。……閬中作云：「三疊淒涼渭城曲，數枝閑淡閬中花。」小園獨酌云：「數點霏微社公雨，兩叢閑淡女郎花。」……病中簡仲彌性等云：「心如澤國春歸雁，身是雲堂早過僧。」寒食云：「身如巢燕年年客，心羨游僧處處家。」秋日懷東湖云：「身如巢燕臨歸日，心似堂僧欲動時。」夏日雜題云：「情懷萬里長征客，身世連牀且過僧。」……此類殆難悉數。

凡此所論，亦悉能服人。錢氏謂放翁詩句多複出；宋以來詩話，則謂爲摹擬己作。錢氏於宋詩鑽研深寫，嘗選宋詩，所爲導言，多有創見。

同書二九二頁『隨園論王荊公改詩』一則云：

> 卷六。王荊公矯揉造作，不止施之政事。王仲至『日斜奏罷長楊賦，閑拂塵埃看畫牆。』最渾成。荊公改為『奏賦長楊罷。』以為如是乃健……侯鯖錄卷二記仲至詩，則上一語作「宮詹日永揮毫罷。」滹南詩話卷三論荊公改筆，卽曰「語健而意窒。」蓋唐人詩好用名詞，宋人詩好用動詞，瀛奎律髓所圈句眼可證。荊公乙賦字，非僅倒裝字句，乃使賦字兼為動詞耳。捫虱新話卷二記荊公欲改杜荀鶴「江湖不見飛禽影，巖谷惟聞折竹聲。」為禽飛影、竹折聲，其理正同。

袁枚謂王仲至原作最渾成，而荊公妄改，殊爲可笑；第未道及原作如何渾成，而荊公改作，又如何可笑。王安石爲改作之後，亦但曰『詩家語，如此乃健。』仍未道出改作之理由。余以爲欲解決此一公案，須先弄清原作與改作意義上之不同。拙作《史稿》第七篇第九節對此嘗申論云：「原作『奏罷《長楊賦》』，意謂作者王君在試館中只奏罷此賦，別無其他。荊公改作『奏賦《長揚》罷』，則意乃王君奏賦多首，至《長楊賦》而止。試就『日斜』二字觀之，作者逗留試館中爲時甚久，故奏賦或當不只《長楊》一首耳。又自最後一語觀之，作者在試館中逗留至於須靠『閒拂塵埃看畫牆』以消磨時間，可知奏賦當屬多首無疑。顧作者用辭失愼，竟誤作「奏罷《長楊賦》」。荊公爲乙，以存事理之眞。按《長楊賦》爲漢揚雄所作。史稱成帝時，雄被召對作《甘泉》、《河東》、《長楊》等賦，至《長楊》而止。王君效揚雄奏足三賦，至《長楊》而罷，較爲可能。「

鍾氏謂『荊公乙賦字，非僅倒裝字句，乃使賦字兼為動詞耳。』不知何所見而云然。觀余上文所析，可知賦字乙之後，仍爲名詞也。

《管錐編》第一册《周易正義》二一《繫辭》（五）云：

> 《繫辭》上：吉凶與民同患；《正義》：凶雖民之所患，吉亦民之所患也；既得其吉，又患其失，故老子云『寵辱若驚』也。」按《疏》言殊辯，然實誤解之強詞。此正如《繫辭》上曰：「潤之以風雨」，而《說卦》則曰：「風以散之，雨以潤之。」孔氏非不曉古人修詞有此法式者，《左傳》襄公二年：「以索馬牛皆百匹」，孔《正義》：「牛當稱『頭』，而亦云『匹』者，因馬而名牛曰『匹』，兼言之耳。經、傳之文，此類多矣。《易·繫辭》云『潤之以風雨』，《論語》云：『沽酒市脯不食』，《玉藻》云：『大夫不得造車馬』，皆從一而省文也。」孔既知斯理，却不省本處亦因「凶」字而並「吉」曰「患」，千慮一失，足徵制立條例者未必常能見例而繫之條也。

孔氏既知『潤之以風雨』、『沽酒市脯不食』、『大夫不得造車馬』皆從一而省文，何獨未知『吉凶與民同患』亦從一而省文，蓋從凶義也。故鍾氏指其千慮一失。所謂從一而省文，或兼言，顧炎武謂之『並及』。《管錐編》同節又云：『《日知錄》卷二七《通鑑註》條舉古人之詞「並及」，如「愛憎、憎也」，「得失、失也」，「利害、害也」，「緩急、急也」，「成敗、敗也」，「同異、異也」，「贏縮、縮也」，「禍福、禍也」；「並及」卽《正義》之「兼言」耳。』如以語法修辭釋之，可謂之『偏義複詞』。陳望道氏嘗以『潤之以風雨』『大夫不得造車』爲上下文欠照應之例，謂馬烏可造、風詎能潤。余有《與陳望道先生論照應》一文，附錄於本書之後，以爲此乃偏義複詞之應用，並歷舉古今詩文用偏義複詞之例證。茲不復贅。俞樾《古書疑義舉例》卷二『古人行文不嫌疏略例』一則於擧『大夫不得造車馬』……諸例句之後，亦云『皆從一而省文也』，蓋襲孔疏而重言之耳。

同書《毛詩正義》一節引《行露》云：

「誰謂雀無角？何以穿我屋！誰謂鼠無牙？何以穿我墉！」按雀本無角，鼠實有牙，岨峿不安，相耦不倫。於是明清以來，或求之於詁訓，或驗之於禽獸，曲為之解，以圓其說。如姚旅《露書》卷一：「『角』應音『祿』，雀喙也。若音『覺』，則雀實無角而鼠有牙。或曰：『鼠有齒無牙。』曰：非也！『象以齒焚』，『牙』不稱『齒』乎？『門牙』，齒也；『齒』不稱『牙』乎？」王夫之《詩經稗疏》亦謂「角」為「咮」之假借字。由此之說，則黃雀實有「角」，亦如鼠有牙矣。毛奇齡《續詩傳》謂「角」乃鳥喙之鋭出者，雀有喙而不鋭出。陳奐《詩毛氏傳疏》謂《說文》：「牙，壯齒也」，段註：「齒之大者」。鼠齒不大。由此之說，鼠實無「牙」，亦如雀無角也。

王夫之謂『角』爲『咮』之假借字。《說文》段註：『噣、咮、啄三字同音，通用』。又《史記·楚世家》：「射噣鳥於東海」。唐司馬貞《史記索隱》：『噣音晝，謂大鳥之有鉤喙者』。雀雖小，亦有鉤喙，故能啄粟而食。雀本有角（鉤喙），鼠本有牙，但皆以其細，尠爲人所知，故詩人以『誰謂……何以』之反問句法詠之。並無『岨峿不安，相偶不倫』之處。鍾氏所舉明淸以來諸家之說，亦非『曲爲之解』者。如舉姚旅、王夫之二說之後，鍾氏亦認爲『則雀實有角，亦如鼠有牙矣。』然鍾氏復舉毛奇齡與陳奐之說，以否定前說，以爲『鼠實無牙，亦如雀無角也。』鍾氏『以爲箋詩當取後說。』蓋明知事之不然，而反詞質詰，以證其然，此正詩人妙用。夸飾以不可能爲能，譬喻以不同類爲類，理無二致。』其實，積極修辭之反問辭格，與夸飾、譬喻有所不同。矧明知事之不然，雖反詰質詰，又何以能證其然乎？

《管錐編》第三册第十九節《全漢文》卷二二由《長門賦》談及唐人韻語，云：

> 無名氏《醉公子》，韓駒嘗歎為「八句五轉」者（《歷代詩餘》卷一一二引《懷古錄》，參觀《太史升菴全集》卷五），起云：「門外猧兒吠，知是蕭郎至」，結云：「醉則從他醉，還勝獨睡時」，與尹鶚詞皆以下轉語取勝。尹詞言坐騎歸矣，不料人仍未歸；此詞言人雖歸乎，亦猶未歸，然而慰情聊勝於真不歸。（瑜案：「醉則從他醉」應作「醉則由他醉。」）

鍾氏以爲無名氏之《醉公子》與尹鶚詞皆以下轉語取勝。所指尹鶚詞，據前文所引，爲《菩薩蠻》，有句云：『少年狂蕩慣，花曲長牽絆，去便不歸來，空教駿馬回。』此少年既慣於狂蕩，流連花曲，故去便不返，乃意料中事；駿馬空回，自非轉語，蓋直下耳。至《醉公子》詞意，似係偷情，情郎宵夜來會，以酒醉故，好事難成，並非良人之歸來也。何以知其故？苟蕭郎係良人，即是主人，烏有家犬吠其主之理乎？故《醉公子》詞雖有轉語，然非如鍾氏所云，『慰情聊勝於眞不歸』，『歸』字實用不得，蓋慰情聊勝於獨宿耳。（按《醉公子》中間四句爲：『剗袜下香階，寃家今夜醉。扶得入羅幃，不肯脫羅衣。』）

同書一〇一節《全三國文》卷七十五云：

> 康僧會《法鏡經序》：「或有隱處山澤，漱石枕流。」按當是「枕石漱流」之訛，未暇檢釋《藏》勘定。《世說・排調》：「孫子荊語王武子『當枕石漱流』，誤曰：『漱石枕流』。王曰：

『流可枕，石可漱乎？』孫曰：『所以枕流，欲洗其耳；所以漱石，欲礪其齒。』」禦人口給，妙語流傳。

按「漱石枕流」，原係互文。《管錐編》第四册一五一節《全晉文》卷一二一引唐元結《登殊亭作》云：『漫歌無人聽，浪語無人驚』。鍾氏指其「蓋以『浪』與『漫』互文同意，彼此遞代耳。」漱、枕雖不同意，亦可互文，如鍾氏於本節下文所擧，江淹之『危涕墜心』，是其類也。（管錐編》第四册二〇七節《全梁文》三三亦云：『《恨賦》：「或有孤臣危涕，孽子墜心。」按《文選》李善註：「然心當云危，涕當云墜，江氏愛奇，故互文以見義」；又《別賦》：「心折骨驚」，善註：「亦互文也。」《泣賦》亦云：「慮尺折而寸斷。」語資如「枕流漱石」、「喫衣著飯」等，實此類耳。』孫子荆不解『漱石枕流』爲互文，乃曲爲之說，故鍾氏以『孫語孤標獨造，莫爲之先而又罕爲之後也。』

同書一一二節《全晉文》卷四六云：

傅玄《連珠·序》：「興於漢章帝之世。……不指說事情，必假喻以達其旨，……欲使歷歷如貫珠。……班固喻美辭壯，文章弘麗，最得其體。」按見存班固、揚雄、潘勗、蔡邕、曹丕、王粲所作此體，每傷直達，不甚假喻，至陸機《演連珠》，庶足當「喻美文麗」之目，傅所未知也。

傅玄之《連珠敍》，見於《藝文類聚》卷二十七所引，僅云『班固喻美辭壯，文章弘麗。』提及蔡邕，則『言質而辭碎，然旨篤矣。』並未概言班固、揚雄、潘勗、蔡邕、曹丕、王粲所作此體，皆『喻美文麗』也。至班固所作此體，確有『喻美文麗』者，如其《演連珠》曰：『臣聞公輸愛其斧，故能妙其巧；明主貴其士，故能成其治。臣聞良匠度其材而成大厦，明主器其士而成功業。……臣聞馬伏皁而不用，則駑與良而爲羣；士齊僚而不職，則賢與愚而不分。』（據紹興刻本《藝文類聚》。）非盡如鍾氏所謂『每傷直達，不甚僞喩』者也。

傅玄謂『連珠興於漢章帝之世』，實誤。梁任昉《文章緣起》謂『連珠，揚雄作。』意謂連珠體之作，始於揚雄。《藝文類聚》引傅氏《敍連珠》又載揚雄之《明君取士章》及沈約《注制旨連珠表》於後，是則歐陽詢等固知揚雄始創連珠。《文心雕龍・雜文》篇亦云：『揚雄覃思文閣，業深綜述，碎文瑣語，肇爲連珠。』

鍾氏又引梁玉繩《瞥記》卷四：『《魏書・李先傳》太宗召先「讀《韓子連珠》二十二篇」』，《北史》「連珠」有「論」字。《韓子》之文，往往先經後傳，其體類乎連珠。』更引尚鎔《持雅堂文集》卷五《〈韓非子〉跋》：『《內、外儲說》演連珠之始，亦今八比之嚆矢也。』指出其論早發於楊愼，何焯評點本《文選》中葉樹中按語已引之。鍾氏讀書多而精，令人嘆服！范文瀾氏註《文心雕龍》，亦以爲《李先傳》所謂《韓子連珠》二十二篇，當是指《內儲說》之《七術》《六微》及《外儲說》所舉共三十三條而言，傳文誤爲二十二篇。淸成瓘《篛園日記》亦以爲《韓非子》之《內儲》《外儲》，『皆曲析世事人情，鄉先生馬宛斯謂爲連珠之始。』鍾氏提及連珠體之成因，謂：『蓋諸子中常有其體，後漢作者本而整齊藻繪，別標門類，遂成「連珠」。』鍾氏所謂諸子中常有之體，當爲排比。《李先傳》謂《韓子連珠》『先列其目而後著其辭』；實則先秦諸子之排比，兼用此修辭法者固不獨《韓（非）子》一家而已，故鍾氏有『諸子中常有其體』之言。余嘗撰《論先秦諸子之修辭技巧》一文，刊於《社會科學戰線》（一九八〇年第四期），可參閱。

《管錐編》第四册一八五節《全齊文》卷十三云：

王秀之《遺令》：世人以僕妾直靈助哭，當由喪主不能淳至，欲以多聲相亂。按趙翼《陔餘叢考》卷三二引此以證六朝已有「喪次助哭」之「陋習」；俞正燮《癸巳類稿》卷一三《哭爲禮儀說》亦引之而詳考「助哭」之俗。……王得臣《麈史》卷下述「京師風俗可笑」，有曰：「家人之寡者，當其送終，即假倩媼婦，使服其服，同哭諸途，聲甚淒婉，仍時時自言曰：『非預我事！』」，辯白之言，洵「可笑」也。據金梁《光宣小記》，慈禧后微時，家即業此。

林紓《春覺齊論文・應知八則之六》云：『風趣者，見文字之天眞，於極莊重之中，有時風趣間出。……如《史記・竇皇后傳》敍與廣國兄弟相對時，哀痛迫切，忽着上「左右皆伏地泣，助皇后悲哀。」悲哀寧能助耶？……苟令竇皇后見之，亦且破涕爲笑。』風趣之修辭，即爲辭趣。辭趣與辭格同爲積極修辭。《史記・竇皇后傳》所記『左右皆伏地泣』，當爲助哭風尚之所自始。助哭或出於情誼，或爲職業，如《管錐編》所引述者，皆『非預我事』。《史記》所記，由『助哭』而至『助哀』，遂成辭趣。

附錄　我對語法修辭結合論的意見

——覆鄭子瑜先生的信（呂叔湘）

子瑜先生：

大稿拜讀。文中說各位專家「默不作答」、「不置可否」，即爲不讚同郭先生結合論的表示。鄙見則以爲雖然不能排除這一可能，但更可能的原因是大家都沒有認眞讀過這兩大本五十七萬六千字的巨著，對郭先生的學說不甚了了，自然就無法表態了。

郭先生的書，我在一九七六年讀過一部分原稿（約爲全書的三分之一至五分之二光景），是通過葉聖陶先生的介紹徵求我的意見的。我當時感覺這部書的最大缺點是重複與支蔓：有些內容不止一處出現，儘管詞句不同，說的是同一件事；全書行文都很支蔓，往往是一二百字可以說清楚的，用了三五百字，反而不很清楚（這與郭先生早年的文筆迥不相同，很可能是郭先生口述而整理者不得其人）。當時我曾將這意見寫信告訴郭先生，我說如果删拚重複，簡鍊行文，可以壓縮一半篇幅。可惜此意未蒙採納（也可能是因爲删改的工作量太大，沒有得力的助手代勞，當時郭先生已經年過八十），以致印出來是皇皇兩巨册，這就難免使多數讀者望望然而去之了。

對於郭先生的主張，我是有條件的讚同。語法和修辭是兩門學問，各有系統，理論方面不能混同，應用方面無妨結合。具體的說，語法與修辭結合講授可以用之於中學，也可以用之於高等學校的寫作課，但在大學中文系則應分別講授。至於結合方式，郭先生書中論述不很清楚。鄙見則以爲可以在語法（以及詞義辨析）的基礎上講點修辭常識，例如動詞與賓語搭配，形容詞與名詞搭配，句式選擇（如用「把」字句與否，用「被」字句與否），長短句選擇等等，等等。不但語法可以與修辭結合，修辭與作文法（章法）也可以，或者說應該結合。這應該是中學作文課、大學寫作課講授內容的重要部分。

鄙見如此，敬求指正。謹祝

撰安！

呂叔湘　一九八五／一〇／一八

《中國修辭學史稿》初版後記

本書於一九七九年十月開始撰寫，原擬利用課餘的時間（那時候我在日本東京任大東文化大學教授），將舊作《中國修辭學的變遷》加以整理和補充，更名《中國修辭學史稿》，預計於第二年春天提前離職之時寫成。後來越寫發現新的資料越多，離日的時候，魏晉南北朝篇竟還沒有寫完，距離全書完稿的日子尚遠。

回新加坡以後，眞是人事奪光陰，時寫時輟，竟一延再延，直到今日才脫稿。我重讀郭紹虞先生於兩年前所寫的序文和我的自序，覺得對郭先生和自己都有無限的歉意。

五十年前，陳望道先生的《修辭學發凡》剛剛出版，他說：「無論如何淵博的修辭學家必不能把古今中外一切的模式盡行搜集了來，……羅列在一書之中。」現在我也要說：「無論如何淵博的修辭學史家必不能把古今一切的修辭理論盡行搜集了來，論列在一書之中。」我的學問既不淵博而又生活在找資料不容易的新加坡，所以「必不能」自不在話下了。即使能盡行搜集了來，也決不可以像羅列餖飣那樣，不加選擇，全部都爲論列在一書之中。自然，有好的資料，但無法找到，而不得不缺漏的也在所難免，這只好等待將來有機會再版時再來增補。

郭紹虞先生年邁手顫，辛苦地爲本書撰寫序文，蔣學模先生爲本書尋找出版處，又幸得上海教育出版社諸位編輯先生爲我花去了很多的時間，將本書中的引文一一查對原書，改正了不少文字上的錯誤（我自己也核對、改正了一部分）。還有復旦大學語言研究室的李金苓、易蒲兩先生，據說在十餘年前曾聽到陳望道老師推薦過由日本早稻田大學語學教育研究所出版的拙著《中國修辭學的變遷》，所以對我在一九八〇年第二期的《復旦學報》上發表的那篇《評王充論修辭》（收入本書漢代篇）也就加倍的注意，結果發現我在該文裏說：「他（王充）採取了孟子『不以文害辭，不以辭害意』的論點，寫了《藝增》《儒增》《語增》諸篇……」會使人誤以爲王充對夸張辭的看法，也和孟子相同；而其實，王充對夸張辭是否定的，不能與孟子混爲一談。我已接受了他們的意見，略加修改。遺憾的是二位對拙作《評王充論修辭》還提出了不少精審的補充意見，却由於篇幅所限，無法將來信全文作爲附錄刋於書後。再者，拙作《評滹南遺老集論修辭》（收入本書宋金元篇）一文在香港中文大學《中國語文研究》第二期刋載後，曾得到華東師範大學古籍研究室的楊義耀先生來函，指出拙作根據《叢書集成》本轉引《鄭當時傳》的幾個誤字。也已經改正了。他們的熱誠，都是值得感激的！

另者，我在寫作的過程中雖然遇到了不少的困難（如找資料和核對原書須到各地的圖書館或向藏書家去求借），幾次想擱下來不再寫了，但終於還能勉强把本書寫成，完全得力於實藤惠秀和松浦友久兩位教授的鼓勵，尤其使我感激難忘！

一九八一年十一月八日作者附記，新加坡。